RETIRED

BEAUTIFUL DARKNESS

캐미 가르시아 · 마거릿 스톨 Kami Garcia & Margaret Stohl 장편소설

열일곱 개의 달

뷰티풀
다크니스

BEAUTIFUL
DARKNESS

RHK
알에이치코리아

c o n t e n s

차
례

우리는 어둠을 무서워하는 아이를

쉽게 용서할 수 있다.

삶의 진정한 비극은

어른들이 빛을 무서워할 때다.

플라톤 Plato

주술사 소녀

예전에 나는 사우스캐롤라이나의 오지에서 샌티 강 계곡의 진흙 바닥에 처박혀 있는 우리 마을 개틀린이 촌구석이라고 생각했다. 평생 가야 무슨 일이 일어나는 법도 없고, 변하는 것도 전혀 없는 곳. 어제와 똑같이 오늘도 태연하게 떠오른 해는 귀찮아서 산들바람조차 한 번도 불러오지 않고 그냥 져 버릴 것이다. 내일도 이웃들은 현관 베란다에서 흔들의자에 앉아 있을 것이고, 더위와 소문과 친숙함이 얼음 덩어리처럼 달콤한 차 안으로 녹아들어갈 것이다. 백 년도 더 되는 옛날부터 그랬던 것처럼. 우리 마을에서는 전통이 어찌나 단단한지 손을 대기가 힘들었다. 전통은 우리가 하는 모든 일 속에 스며들어 있었다. 아기가 태어날 때도, 사람들이 결혼할 때도, 땅에 묻힐 때도 감리교 교회의 노랫소리는 계속 울려 퍼졌다.

일요일은 교회에 가는 날이고, 월요일은 마을에 단 하나뿐인 식품점 스톱 앤 숍에서 장을 보는 날이었다. 그 밖의 날에는 아무것도 안 하면서 파이를 조금씩 먹었다. 우리 집 가정부인 애마 아줌마 같은 사람과 함께 사는 행운아들의 경우가 그렇다는 말이지만. 애마 아줌마는 매년 열리는 마을 축제의 빵 굽기 대회에서 언제나 우승을 차지했다. 손가락이 네 개인 먼로

7

할머니는 지금도 코티용 춤을 가르쳤다. 먼로 할머니가 사교계 데뷔를 앞
둔 아가씨들과 함께 무도장에서 미끄러지듯 움직일 때면 하얀 장갑에서
비어 있는 손가락 하나가 펄럭거렸다. 메이블린 수터는 지금도 스닙 앤 컬
에서 사람들의 머리를 잘라 주었다. 일흔 살 무렵부터 시력을 대부분 잃어
버렸는데도. 지금은 가위 밑에 보호대를 대는 것도 곧잘 잊어버려서 사람
들 뒤통수에 스컹크 가죽 같은 줄무늬를 만들어 놓을 때가 태반이었다. 칼
튼 이튼은 비가 오나 눈이 오나 편지를 배달하기 전에 자기가 먼저 열어 보
는 걸 잊는 법이 없었다. 편지에 나쁜 소식이 담겨 있으면, 그는 수신인에
게 자기 입으로 그 소식을 전했다. 같은 동네 사람 입으로 듣는 편이 더 낫
다면서.

이 마을은 우리를 지배하고 있었다. 좋은 일이기도 하고, 나쁜 일이기도
했다. 이 마을은 우리들에 대해 샅샅이 알고 있었다. 우리의 모든 죄, 모든
비밀, 모든 상처를. 마을 사람들 대부분이 굳이 이 마을을 떠나려 하지 않
는 것도, 한 번 떠난 사람은 결코 다시 돌아오지 않는 것도 바로 그 때문이
었다. 리나를 만나기 전이라면 나도 떠났을 것이다. 잭슨 고등학교를 졸업
하고 5분도 안 돼서 사라졌을 것이다.

그런데 주술사 소녀와 사랑에 빠지고 말았다.

그 소녀는 울퉁불퉁한 인도의 틈새들 속에 또 다른 세상이 있음을 내게
보여 주었다. 훤히 보이는 곳에 숨어서 줄곧 존재하고 있던 세상. 리나의
개틀린에서는 많은 일들이 일어났다. 불가능한 일도 있고, 초자연적인 일
도 있고, 삶을 바꿔 놓는 일도 있었다.

삶을 끝내 버리는 일도.

평범한 사람들이 자기 집 꽃밭의 장미 봉오리를 손질하거나 길가의 좌
판에서 벌레 먹은 복숭아를 골라내느라 바쁘게 움직이고 있을 때, 독특하고
강한 능력을 지닌 빛과 어둠의 주술사들은 영원한 전쟁에 사로잡혀 있었
다. 누군가가 백기를 흔들 가능성이 전혀 보이지 않는 초자연적인 내전이

었다. 리나의 개틀린은 악마들의 집이었으며, 백 년이 넘도록 리나의 집안을 붙들고 있는 저주와 위험의 온상이었다. 내가 리나에게 가까이 다가갈수록, 리나의 개틀린도 내게 가까이 다가왔다.

몇 달 전만 해도 나는 이 마을에 뭔가 변화가 일어날 거라고는 전혀 생각하지 않았다. 하지만 지금은 그렇지 않다는 걸 알고 있다. 이곳이 정말로 변화가 없는 곳이라면 좋을 텐데.

내가 주술사 소녀와 사랑에 빠지던 순간부터 내가 사랑하는 사람들은 모두 안전을 장담할 수 없는 처지가 되었다. 리나는 저주받은 사람이 자기뿐이라고 생각했지만, 그게 아니었다.

이제 그것은 우리의 저주였다.

영원한 안식

✤ 2.15 ✤

애마 아줌마가 가장 아끼는 검은 모자의 차양에서 뚝뚝 떨어지는 빗방울. 무덤 앞의 단단한 진흙 바닥에 리나의 맨 무릎이 닿는 소리. 메이컨의 수많은 동료들과 너무 가까이 서 있는 바람에 누가 핀으로 찌르는 것처럼 따끔거리는 내 목덜미. 메이컨의 일족은 나 같은 일반인들이 자는 동안 우리의 기억과 꿈을 먹이로 삼는 악마들이었다. 그들은 우주의 그 어떤 소리와도 닮지 않은 소리를 내며 어두운 하늘의 마지막 조각을 찢듯이 열어 젖히고 동이 트기 직전에 사라졌다. 전깃줄에 앉아 있다가 한 치의 흐트러짐도 없이 일제히 날아오르는 검은 까마귀 떼 같았다.

그건 메이컨의 장례식 때의 일이었다.

나는 그때 일들을 바로 어제 일처럼 자세히 기억하고 있다. 비록 정말로 있었던 일인지 믿기 힘든 부분들이 있긴 하지만. 장례식은 원래 그랬다. 내 생각에는 인생도 그런 것 같다. 우리는 중요한 부분들을 꽁꽁 틀어막아 두지만, 순간의 기억들이 왜곡된 모습으로 머릿속에서 자꾸만 펼쳐진다.

내가 기억하는 것은 이렇다. 애마 아줌마가 동 트기 전에 '영원한 안식의 정원'까지 가야 한다며 어둠 속에서 나를 깨우던 일. 마음이 산산이 부서져서 얼어 버린 리나가 주위의 모든 것을 얼려서 부숴 버리고 싶어 하던 것. 하늘의 어둠. 그리고 무덤을 둘러싸고 서 있던 사람들 중 절반이 갖고 있던 어둠. 그들은 애당초 인간이 아니었다.

하지만 그 모든 기억들 뒤에 내가 기억하지 못하는 뭔가가 있었다. 그것이 내 머릿속 깊은 곳에서 어른거리고 있었다. 나는 리나의 생일 이후로 줄곧 그 기억을 떠올리려고 애썼다. 리나의 열여섯 번째 달이던 그날 밤. 메이컨이 죽은 밤.

내가 확실히 아는 것이라고는, 기억나지 않는 그것을 내가 반드시 기억해야 한다는 사실뿐이었다.

⚬⚬⚬

장례식이 열린 새벽에 밖은 칠흑처럼 어두웠지만, 달빛의 조각들이 구름을 뚫고 내 방의 열린 창문으로 들어왔다. 내 방은 얼어붙을 듯이 추웠지만 나는 신경 쓰지 않았다. 메이컨이 죽은 뒤로 이틀 동안 나는 밤마다 창문을 열어 두었다. 메이컨이 내 방에 갑자기 나타나서 내 회전의자에 앉아 한동안 머무르다 갈지도 모른다고 생각하기라도 하는 것처럼.

메이컨이 어둠 속에서 내 방 창가에 서 있던 모습이 떠올랐다. 내가 그의 정체를 알게 된 것이 바로 그날이었다. 나는 메이컨이 흡혈귀나 아니면 책에서 보았던 신화적인 존재일 거라고 짐작했지만, 그는 진짜 악마였다. 그는 피를 먹이로 삼을 수도 있었지만, 대신 내 꿈을 먹이로 선택했다.

메이컨 멜기세덱 레이븐우드. 이 마을 사람들은 그를 노친네라고 불렀다. 이 마을의 은둔자. 메이컨은 또한 리나의 삼촌이자 아버지 같은 존재이기도 했다.

어둠 속에서 옷을 입고 있을 때, 머릿속에서 나를 잡아당기는 따스한 감각이 느껴졌다. 리나가 그곳에 들어와 있다는 뜻이었다.

'L?'

리나가 내 머릿속 깊은 곳에서 목소리를 냈다. 누구보다 가까우면서 또한 누구보다 먼 곳이었다. 우리가 말을 하지 않고 대화를 나누는 방법인 켈팅. 리나와 같은 주술사들은 아주 오래전부터 이런 방식으로 속삭이듯 대화를 나눴다. 그것은 남들과 다르다는 이유로 화형을 당할 수도 있었던 시대에 필요에 의해 생겨난 친밀한 비밀 언어였다. 그리고 원칙대로라면 리나와 내가 사용할 수 없는 언어였다. 나는 일반인이니까. 그런데 설명할 수 없는 이유로 인해 우리는 켈팅을 할 수 있었고, 말하지 않은 것들, 말로 할 수 없는 것들을 이야기할 때 그 언어를 사용했다.

'난 못하겠어. 안 갈 거야.'

나는 넥타이 매기를 포기하고 침대에 다시 앉았다. 낡아 빠진 매트리스의 스프링이 내 몸 밑에서 비명을 질러댔다.

'가야 돼. 안 가면 너 자신을 용서할 수 없게 될 거야.'

리나는 잠시 아무런 대답이 없었다.

'내 기분이 어떤지 넌 몰라.'

'알아.'

나는 침대에 앉은 채로 차마 일어나지도 못하던 기억을 떠올렸다. 양복을 입고, 둥글게 늘어서서 기도를 하는 사람들 틈에 끼어 찬송가를 부르고, 우울하게 줄지어 달려가는 자동차를 타고 엄마를 묻으러 묘지로 가는 게 싫었다. 그렇게 하면 모든 게 현실이 될까 봐 무서웠다. 그때 일은 생각하는 것만으로도 참을 수 없었지만, 나는 내 마음을 열어 리나에게 보여 주었다….

'차마 갈 수 없겠지만, 어쩔 수 없어. 애마 아줌마가 팔을 잡고 나를 차 안으로, 교회 안으로, 그 가엾은 행렬 안으로 이끌고 있으니까. 움직이는 게 힘들어도, 온몸이 열병에 걸린 것처럼 아파도 어쩔 수 없어. 앞에서 뭐라고 중얼거리는 사람들을 바라보고 있어도, 그 사람들이 뭐라고 하는지 하나도 들리지 않아. 머릿속에서 비명이 울리고 있으니까. 그래서 사람들이 이끄는 대로 차에도 올라타. 그렇게 되는 거야. 누가 옆에서 할 수 있다고 말해 준다면, 끝까지 해낼 수 있을 거야.'

나는 양손으로 머리를 감쌌다.

'이선….'

'넌 할 수 있어, L.'

나는 주먹으로 눈을 세게 눌렀다. 눈이 젖어 있었다. 나는 불을 켜고 알전구를 빤히 바라보았다. 눈물이 타서 말라 버릴 때까지 눈을 깜박이지 않았다.

'이선, 난 무서워.'

'내가 있잖아. 내가 아무 데도 안 가고 옆에 있을 거야.'

내가 다시 더듬더듬 넥타이를 매려고 애쓰는 동안 리나는 더 이상 아무 말이 없었다. 하지만 나는 리나를 느낄 수 있었다. 마치 리나가 내 방 구석에 앉아 있기라도 한 것처럼. 아빠가 안 계시니 집이 텅 빈 것 같았다. 복도에서 애마 아줌마의 소리가 들렸다. 잠시 뒤 애마 아줌마는 핸드백을 움켜쥐고 문간에 조용히 서 있었다. 애마 아줌마의 검은 눈이 내 눈을 탐색하듯 바라보았다. 애마 아줌마는 내 어깨에도 미치지 못할 만큼 몸집이 작은데도 키가 커 보였다. 애마 아줌마는 내가 한 번도 직접 만나지 못한 할머니 같은 존재이자, 이제 내게 유일하게 남은 엄마 같은 존재였다.

나는 내 방 창가의 빈 의자를 바라보았다. 애마 아줌마가 1년쯤 전에 내 양복을 놓아두었던 의자. 나는 그 의자에서 침대 옆 램프의 알전구로 다시 시선을 돌렸다.

애마 아줌마가 한 손을 내밀었고, 나는 내 넥타이를 건네주었다. 이럴 때면 리나만 내 마음을 읽는 게 아니라는 생각이 들었다.

13

'영원한 안식의 정원'을 향해 진흙길을 올라가면서 나는 애마 아줌마에게 팔을 빌려 주었다. 하늘은 어두웠고, 우리가 언덕 꼭대기에 도착하기도 전에 비가 내리기 시작했다. 애마 아줌마는 그 어느 때보다 훌륭한 장례식 의복을 차려입고 있었다. 널찍한 모자는 빗줄기가 얼굴에 닿지 않게 가려 주었다. 모자챙 밑으로 빠져나온 하얀 레이스 깃 일부만이 모자의 보호를 받지 못했다. 애마 아줌마가 그 레이스 깃을 목에 두르고 최고의 카메오로 고정해 둔 것은 장례식에 대한 경의의 표시였다. 애마 아줌마가 이렇게 차려입은 모습은 지난 4월에도 본 적이 있었다. 그때 애마 아줌마는 장갑을 낀 손으로 내 팔을 붙들고 부축하며 이 언덕길을 올라갔다. 이번에는 누가 누구를 부축하고 있는 건지 잘 알 수 없었다.

이 마을 사람들이 메이컨을 어떻게 생각하고 있는지 감안하면, 메이컨이 왜 개틀린 묘지에 묻히고 싶어 했는지 나는 아직도 이해하기 힘들었다. 하지만 리나의 할머니 말씀에 따르면, 메이컨은 반드시 여기에 자신을 묻어 달라는 말을 남겼다고 한다. 이미 오래전에 이 묘지에 자신의 자리도 사 두었다. 리나의 집안 사람들은 메이컨의 결정을 좋아하지 않는 듯했지만, 리나의 할머니는 단호했다. 남부의 훌륭한 가문답게 당사자의 뜻을 존중해 주어야 한다고.

'리나? 나 왔어.'

'알아.'

내 목소리를 듣고 리나가 차분해지는 것이 느껴졌다. 내가 팔로 리나를 감싼 것 같은 기분이 들었다. 나는 언덕을 올려다보았다. 거기 어디쯤에 차양을 쳐 두었을 것이다. 무덤 옆에서 예배를 드리려고. 이제부터 개틀린의 다른 장례식과 똑같은 장례식이 펼쳐질 터였다. 메이컨의 장례식인데, 아 이러니한 일이었다.

아직 날이 밝지 않아서 나는 저 멀리 보이는 형체 몇 개를 간신히 알아보았다. 다들 구부정했고, 모두 다른 모습이었다. 아주 오래전에 아이들의 무덤 앞에 삐뚤빼뚤하게 세워 놓은 작은 묘비들, 풀이 웃자란 가족 납골묘, 남군 전사자들을 기리기 위해 세워졌지만 지금은 곧 바스라질 것 같은 하얀 오벨리스크…. 오벨리스크에는 놋쇠로 만든 작은 십자가들이 붙어 있었다. 마을 중앙에서 제너럴스 그린을 굽어 보는 동상으로 서 있는 주벌 A. 얼리 장군도 여기 묻혀 있었다. 우리는 잘 알려지지 않은 물트리 집안의 가족 묘지 옆을 빙 돌아갔다. 이 가족 묘지가 생긴 지 워낙 오래됐기 때문에 가장자리에 매끈하게 서 있는 목련나무가 가장 높은 표지석 옆구리까지 파고 들어가서 표지석의 글자를 알아보기 힘들었다.

이곳은 신성했다. 모두 신성했다. 그건 우리가 개틀린 묘지에서 가장 오래된 구역에 이르렀다는 뜻이었다. 엄마 덕분에 나는 옛날에 개틀린 사람들이 모든 묘지에 '신성하다'는 말을 가장 먼저 새겼다는 사실을 알고 있었다. 하지만 거리가 점점 가까워지고 내 눈이 어둠에 적응하면서 나는 이 진흙과 자갈이 깔린 길이 어디로 이어져 있는지 알 수 있었다. 이 길은 목련나무가 점점이 서 있고 풀이 자라는 언덕길의 돌 벤치 앞을 지나갔다. 아빠가 말도 못하고 움직이지도 못하는 상태로 그 벤치에 앉아 있던 모습이 떠올랐다.

내 발이 더 이상 움직이지 않았다. 내가 알아차린 것을 발도 알아차린 모양이었다. 메이컨이 묻히게 될 '영원한 안식의 정원'이 우리 엄마의 무덤과 겨우 목련나무 한 그루 거리에 있다는 사실을.

'구불구불한 길이 우리 사이에 똑바로 뻗어 있다.'

이건 내가 밸런타인데이에 리나를 위해 쓴 감상적인 시의 한 구절이었다. 하지만 이곳 묘지에서는 그 말이 사실이었다. 우리 부모님들, 아니 리나에게는 부모나 다름없던 사람과 우리 엄마가 묘지에서 이웃이 될 줄 누가 알았을까.

애마 아줌마가 내 손을 잡고 메이컨이 묻힐 널찍한 자리로 데려갔다.

"정신 똑바로 차려."

우리는 메이컨의 무덤을 둘러싼, 허리 높이의 검은 울타리 안으로 들어갔다. 개틀린에서 이 울타리는 가장 좋은 묏자리에만 설치돼 있었다. 망자들의 이상향을 상징하는 울타리라고나 할까. 간혹 하얀 울타리도 있었다. 메이컨의 울타리는 철을 세공해서 만든 것이었고, 문 안쪽에는 웃자란 풀밭이 있었다. 메이컨의 무덤도 메이컨 자신처럼 특별한 분위기를 풍기는 것 같았다.

울타리 안에 리나의 친척들이 서 있었다. 리나의 할머니, 델 이모, 바클레이 이모부, 리스, 라이언, 그리고 메이컨의 어머니인 어렐리아. 그들은 조각이 새겨진 검은 관 옆에서 검은 차양 밑에 서 있었다. 그 맞은편에는 긴 검은색 외투를 입은 사람들이 관과 차양으로부터 일정한 거리를 두고 빗속에 나란히 서 있었다. 모두 물기 하나 없이 보송보송한 모습이었다. 결혼식 때 교회에서 신부의 친척들과 신랑의 친척들이 중앙 통로를 사이에 두고 적처럼 갈라져 앉아 있는 모습과 흡사했다. 관 한쪽 끝에 어떤 노인이 리나와 나란히 서 있었다. 애마 아줌마와 나는 그 반대편 끝에서 차양 바로 안쪽에 섰다.

내 팔을 잡은 애마 아줌마의 손에 힘이 들어가더니 애마 아줌마가 항상 걸고 다니는 황금색 부적을 블라우스 속에서 꺼내 손가락으로 문질렀다. 애마 아줌마는 단순히 미신을 믿는 정도가 아니었다. 애마 아줌마는 세대를 이어 가며 타로 카드를 읽고 영들과 소통한 여자들의 후손인 천리안이었다. 그래서 언제나 상황에 딱 맞는 부적이나 인형을 만들 줄 알았다. 지금 걸고 있는 황금색 부적은 보호를 위한 것이었다. 나는 우리 앞의 몽마들을 빤히 바라보았다. 빗줄기는 그들의 몸에 아무런 흔적을 남기지 못하고 어깨에서 땅으로 떨어졌다. 저들이 꿈만 먹이로 삼는 사람들이었으면 좋겠다는 생각이 들었다.

나는 시선을 돌리려고 했지만 쉽지 않았다. 몽마에게는 거미줄처럼 사람을 끌어들이는 뭔가가 있었다. 육식 동물들이 원래 그렇듯이. 사방이 어두워서 그들의 검은 눈동자가 보이지 않았기 때문에, 그들도 마치 평범한 사람들처럼 보였다. 메이컨이 항상 입고 다니던 것과 똑같은 옷을 입은 사람들이 몇 명 보였다. 검은 양복과 비싸게 보이는 외투. 청바지와 작업화 차림이라서 일을 마치고 맥주를 한잔하러 가는 건설 인부처럼 보이는 사람도 한두 명 있었다. 그들은 재킷 주머니에 양손을 찔러 넣고 있었다. 무리 속의 여자 역시 몽마일 것이다. 나는 만화 같은 데서 여자 몽마에 대해 읽은 적이 있었지만, 할머니들이 들려주는 옛날이야기 속에나 있는 존재라고 생각했다. 늑대 인간처럼. 하지만 그건 틀린 생각이었다. 지금 눈앞에 그 여자가 서 있었다. 비를 맞으면서도 보송보송한 모습으로.

몽마 일족은 리나의 친척들과 확실히 대조적인 모습이었다. 검게 빛나는 그들의 외투는 희미한 빛마저 잡아서 굴절시켰다. 그래서 마치 그들 자신이 빛을 내고 있는 것 같았다. 이런 모습의 그들은 본 적이 없었다. 기묘한 광경이었다. 특히 남부의 장례식 때 여자들의 옷차림이 엄격히 정해져 있다는 점을 감안하면 더욱 그랬다.

이 모든 것의 중심에 리나가 있었다. 리나의 모습은 마법적인 것과는 정반대였다. 리나는 관 앞에 서서 관에 조용히 손가락을 얹고 있었다. 마치 메이컨이 리나의 손을 잡고 있는 것 같았다. 리나도 다른 친척들과 마찬가지로 은은히 빛나는 소재의 옷을 입고 있었지만, 옷이 그림자처럼 리나의 몸에 늘어져 있는 것 같았다. 리나의 검은 머리는 단단히 말아 올려서 묶어 두었기 때문에, 리나 특유의 구불구불한 머릿결이 전혀 보이지 않았다. 리나는 완전히 넋을 잃고 엉뚱한 곳에 와 있는 사람 같았다.

리나는 빗속에 서 있는 메이컨의 일족에 속하는 사람처럼 보였다.

'리나?'

리나가 고개를 들자 나와 눈이 마주쳤다. 지난번 생일에 한쪽 눈만 황금색으로 변한 뒤로, 변하지 않은 다른 쪽 눈의 초록색과 황금색이 어우러져 신기한 색깔을 만들어 냈다. 거의 담갈색처럼 보이는가 하면, 부자연스러운 황금색으로 보일 때도 있었다. 지금은 담갈색에 가까운 쪽이었다. 흐릿하고 고통스러운 담갈색 눈동자. 나는 차마 볼 수가 없었다. 당장 리나를 데리고 이 자리를 떠나고 싶었다.

'내가 볼보를 구해 올 수 있어. 그러면 해안을 따라서 서배너까지 드라이브를 하자. 캐롤라인 이모 집에 숨어도 되고.'

나는 리나를 향해 한 발 더 다가갔다. 리나의 친척들이 관 주위에 북적거리고 있었고, 내가 리나 옆으로 가려면 몽마들 속을 지나가야 했지만 그런 건 상관없었다.

'이선, 오지 마! 위험…'

사나운 짐승에게 공격을 당했는지 얼굴에 길게 흉터가 있는 키 큰 몽마가 고개를 돌려 나를 바라보았다. 호수에 돌을 던졌을 때처럼 우리 둘 사이의 공간에 공기의 파문이 이는 것 같았다. 그 파문이 내게 닿자 한 대 얻어맞기라도 한 것처럼 숨이 턱 막히고 몸이 마비돼서 꼼짝도 할 수 없었다. 팔다리에서 감각이 사라지고, 몸을 마음대로 움직일 수 없었다.

'이선!'

애마 아줌마의 눈이 가늘어졌다. 하지만 애마 아줌마가 걸음을 내딛기도 전에 여자 몽마가 흉터의 어깨에 한 손을 얹고 힘을 주었다. 거의 알아차릴 수 없을 만큼 살짝. 그러자 바로 그의 힘이 풀리면서 내 팔다리에 다시 피가 통하기 시작했다. 애마 아줌마가 고맙다는 뜻으로 목례를 했지만, 긴 머리와 긴 외투의 그 여자는 애마 아줌마를 무시해 버리고 다른 일족들 속으로 모습을 감춰 버렸다.

무서운 흉터가 있는 그 몽마가 고개를 돌려 내게 윙크를 보냈다. 그는 아무 말도 하지 않았지만 나는 그가 무슨 말을 하려는 건지 알아차렸다. '나중에 네 꿈속에서 보자.'

나는 여전히 숨을 죽이고 있었다. 구식 양복에 가늘고 짧은 넥타이를 맨 백발 신사가 관으로 다가갔다. 검은 눈이 머리와 대조적이라서, 옛날 흑백

영화에 나오는 무서운 인물 같았다.

"무덤 주술사." 애마 아줌마가 작게 속삭였다. 하지만 그 백발 신사는 주술사라기보다 무덤 파는 인부 같았다.

그가 매끄러운 검은색 나무로 된 관을 만지자 관 뚜껑에 새겨진 문장(紋章)이 황금색으로 빛나기 시작했다. 박물관이나 성에 진열된 옛날 문장들과 비슷했다. 가지가 넓게 퍼진 나무 한 그루와 새 한 마리가 있고, 그 밑에 해와 초승달이 새겨져 있었다.

"갈가마귀와 떡갈나무, 공기와 흙의 일족인 레이븐우드 가문의 메이컨 레이븐우드. 어둠과 빛." 백발 신사가 관에서 손을 떼자 빛도 그를 따라갔기 때문에 관은 다시 어두워졌다.

"저거 메이컨 아저씨예요?" 나는 애마 아줌마에게 작은 소리로 물었다.

"빛은 상징적인 거야. 저 관 안에는 아무것도 없어. 땅에 묻을 게 전혀 남지 않았으니까. 메이컨의 일족이 원래 그래. 재는 재로, 흙은 흙으로. 우리랑 같아. 다만 우리보다 훨씬 더 빨리 진행될 뿐이지."

무덤 주술사의 목소리가 다시 높아졌다. "누가 이 영혼을 축성해서 저승으로 인도하겠습니까?"

리나의 친척들이 앞으로 나섰다. "우리가 하겠습니다." 리나를 제외한 친척들 전원이 한목소리로 말했다. 리나는 가만히 서서 땅바닥만 바라보고 있었다.

"우리도 하겠습니다." 몽마들이 관으로 다가섰다.

"그렇다면 그를 저승으로 보내는 주술을 시작합시다. 레디 인 파체, 아드 이그넴 아트룸 엑스 쿠오 베니스티." 무덤 주술사가 빛을 머리 위로 높이 쳐들자 빛이 한층 더 밝게 빛났다. "평화로이 가시오, 당신의 고향인 어두운 불로 돌아가시오." 무덤 주술사가 빛을 공중으로 던지자 불꽃들이 관으로 비처럼 쏟아져 내리고, 불꽃이 닿은 자리들이 지글거렸다. 그것이 신호라도 되는 것처럼 리나의 친척들과 몽마들이 하늘로 손을 들어 올리고

25센트 동전만 한 크기의 작은 은색 물체들을 던져 올렸다. 그 물체들이 황금색 불꽃들에 섞여 메이컨의 관으로 비처럼 쏟아져 내렸다. 하늘 색깔이 밤의 검은색에서 동 트기 전의 푸른색으로 점점 변하고 있었다. 나는 은색 물체의 정체를 알아내려고 열심히 바라보았지만, 아직 날이 너무 어두웠다.

"히스 딕티스, 솔루투스 에스트. 이 말과 더불어 그는 자유다."

거의 눈이 멀 것처럼 하얀 빛이 관에서 뿜어져 나왔다. 내 앞으로 1미터 남짓 거리에 서 있는 무덤 주술사가 거의 보이지 않을 지경이었다. 마치 그의 목소리가 우리를 개틀린의 무덤가가 아닌 다른 곳으로 옮겨 놓고 있는 것 같았다.

'메이컨 삼촌! 안 돼요!'

번개가 칠 때처럼 빛이 번쩍하더니 사그라들었다. 우리는 모두 여전히 무덤가에 둥글게 늘어서서 흙 둔덕과 꽃들을 바라보고 있었다. 장례식은 끝났다. 관은 보이지 않았다. 델 이모가 리스와 라이언을 보호하듯이 팔로 끌어안았다.

메이컨은 영원히 사라졌다.

리나가 진창이 된 풀밭에 쓰러지듯 무릎을 꿇었다.

메이컨의 무덤을 둘러싼 울타리 문이 리나의 뒤에서 쾅 하고 닫혔다. 아무도 손가락 하나 까딱하지 않았는데도. 리나에게는 이것이 아직 끝난 일이 아니었다. 아무도 이곳을 떠날 수 없었다.

'리나?'

거의 동시에 빗줄기가 굵어졌다. 날씨는 여전히 자연체인 그녀의 힘에 묶여 있었다. 주술사 세계의 궁극적인 존재. 리나가 몸을 일으켰다.

'리나! 이런다고 달라지는 건 하나도 없어!'

지난 한 달 동안 사람들이 다녀갔던 모든 무덤에 놓인 값싼 흰색 카네이션, 플라스틱 조화, 야자 이파리, 깃발 등이 모두 공중으로 떠올라 허공을 가득 메운 채 서로 부딪혀 가며 언덕 아래로 떠갔다. 앞으로 50년 뒤에도 이 마을 사람들은 '영원한 안식의 정원'에 서 있는 모든 목련나무를 쓰러 뜨릴 것처럼 바람이 강하게 불었던 날에 대해 이야기할 것이다. 돌풍이 어 찌나 사납고 빠른지 모두들 뺨을 얻어맞고 있는 것 같았다. 바람이 너무 강 해서 몸이 휘청거릴 정도였다. 오로지 리나만이 똑바로 서서 자기 옆의 표 지석을 단단히 붙들고 있었다. 어색하게 틀어 올렸던 머리가 풀려서 바람 에 채찍처럼 휘날렸다. 리나는 이제 어두운 그림자가 아니었다. 정반대의 존재였다. 폭풍 속에 단 하나뿐인 밝은 점. 머리 위에서 노란 빛이 감도는 황금색으로 하늘을 갈라놓고 있는 번개가 리나의 몸에서 솟아난 것 같았 다. 메이컨의 개인 부 래들리가 킹킹거리며 리나의 발치에서 귀를 납작하 게 늘어뜨렸다.

'메이컨 삼촌은 이런 걸 좋아하시지 않을 거야, L.'

리나가 손에 얼굴을 묻었다. 갑작스러운 돌풍이 젖은 땅에 박혀 있던 차 양을 뽑아 언덕 아래로 우당탕쿵쾅 보내 버렸다.

리나의 할머니가 리나 앞으로 다가가서 눈을 감고 한 손가락으로 손녀 의 뺨을 건드렸다. 그 순간 모든 것이 멈췄다. 공감 능력자인 할머니가 일 시적으로 리나의 힘을 빨아들였음을 알 수 있었다. 하지만 할머니도 리나 의 분노까지 빨아들일 수는 없었다. 우리들 중 어느 누구도 그걸 해낼 수 있을 만큼 강하지 않았다.

바람이 잦아들고, 빗줄기도 가늘어져서 가랑비가 되었다. 할머니는 리 나의 뺨에서 손을 떼고 눈을 떴다.

아까와 달리 흐트러진 몰골이 된 여자 몽마가 하늘을 빤히 올려다보았 다. "일출 때가 다 됐어요." 해가 하늘을 불태우며 구름을 뚫고 지평선 위로 모습을 드러내기 시작했다. 제멋대로 서 있는 묘비들 위로 기묘한 파편 같 은 햇빛과 생명의 기운이 퍼졌다. 이제 더 이상 아무 말도 할 필요가 없었 다. 몽마들의 모습이 스르르 사라지기 시작했다. 뭔가를 빨아들이는 듯한 소리가 허공을 가득 메웠다. 내 눈에는 그들이 하늘을 찢어서 열고 그 틈새로 사라지는 것처럼 보였다.

나는 리나에게 다가가려고 했지만 애마 아줌마가 내 팔을 홱 잡아당겼다. "왜요? 다들 갔잖아요."

"다는 아니지. 잘 봐…"

애마 아줌마가 옳았다. 울타리 쪽에 몽마 한 명이 남아서 울고 있는 천사의 모습이 장식된 낡은 묘비에 기대어 서 있었다. 나보다는 나이가 많아 보였다. 열아홉 살쯤. 검은 머리는 짧게 깎았고, 피부는 일족들과 마찬가지로 창백했다. 하지만 다른 몽마들과 달리 그는 동이 트기 전에 사라지지 않았다. 내가 지켜보는 동안 그는 떡갈나무 그늘에서 밝은 아침 햇살 속으로 곧장 나왔다. 눈을 감고 해를 향해 고개를 살짝 기울인 모습이었다. 마치해가 오로지 자신만을 위해 빛나고 있다는 듯이.

애마 아줌마가 틀렸다. 그가 몽마 일족일 리가 없었다. 그는 햇빛을 듬뿍 받으며 서 있었다. 그건 몽마에게는 불가능한 일이었다.

정체가 무엇일까? 왜 여기에 남아 있는 걸까?

그가 더 가까이 다가와서 나와 눈을 마주쳤다. 내가 자기를 지켜보는 걸 느낄 수 있다는 듯이. 그때야 비로소 나는 그의 눈을 보았다. 몽마들의 검은 눈이 아니었다.

주술사의 초록색 눈이었다.

그는 리나 앞에서 걸음을 멈추고 주머니에 양손을 찔러 넣고는 고개를 살짝 기울였다. 목례는 아니지만, 어색한 인사임에는 틀림없었다. 왠지 그편이 더 솔직하게 보였다. 그는 눈에 보이지 않는 선을 넘어왔다. 진짜 남부 신사들의 전통을 생각한다면, 그가 메이컨 레이븐우드의 아들일 수도 있었다. 나는 그가 미웠다.

"이런 일이 생겨서 유감이야."

그는 리나의 손을 펼쳐서 그 위에 작은 은색 물체를 놓았다. 아까 모두

들 메이컨의 관 위로 던져 올린 물체와 비슷했다. 리나가 그 물체를 쥐었다. 내가 미처 움직이기도 전에 하늘을 찢는 소리가 또 나더니 그의 모습이 사라져 버렸다.

'이선?'

리나의 다리가 휘청거리는 것이 보였다. 메이컨의 죽음, 폭풍, 그리고 마지막으로 하늘을 찢던 소리의 무게 때문이었다. 내가 곁으로 다가가 팔로 부축했을 때 리나는 이미 정신을 놓은 뒤였다. 나는 리나를 데리고 언덕길을 내려갔다. 메이컨과 묘지에서 멀리 떨어진 곳으로.

리나는 내 침대에 동그랗게 몸을 말고 누워 하루 낮, 하루 밤 동안 자다 깨다를 반복했다. 머리카락에 잔가지 몇 개가 엉켜 있었고, 얼굴에도 진흙이 말라붙어 있었지만 리나는 레이븐우드의 집으로 가려고 하지 않았다. 리나에게 그리로 가자고 말한 사람도 없었다. 나는 리나에게 내 옷 중에서 가장 낡고 가장 부드러운 티셔츠를 주었고, 우리 집에서 가장 두툼한 퀼트로 리나의 몸을 감쌌다. 하지만 리나의 떨림은 잠을 잘 때조차 멈추지 않았다. 부가 리나의 발치에 누웠다. 애마 아줌마는 가끔 문간에 나타났다. 나는 창가의 의자에 앉았다. 내가 한 번도 앉은 적이 없는 그 의자였다. 나는 거기서 하늘을 내다보았다. 창문을 열 수는 없었다. 아직 폭풍이 힘을 모으고 있었기 때문에.

리나가 자는 동안 리나의 손가락이 풀어졌다. 그 안에는 은으로 만든 작은 새가 있었다. 참새였다. 메이컨의 장례식에서 낯선 사람이 준 선물. 나는 리나의 손에서 그것을 빼내려고 했지만, 리나의 손가락이 다시 그 새를 단단히 쥐었다.

두 달 뒤에도 나는 그 새를 볼 때마다 하늘을 찢는 소리를 들었다.

타 버린 와플

❖ 4.17 ❖

　달걀 네 개, 베이컨 네 줄, 스크래치 비스킷 한 바구니, 냉장고에서 꺼낸 잼 세 종류, 그리고 꿀을 듬뿍 묻힌 버터 한 조각. 냄새를 맡아 보니 조리대 너머에서 버터밀크를 넣은 반죽이 낡은 와플 틀 안에서 바삭바삭하게 익어 가고 있는 중이었다. 지난 두 달 동안 애마 아줌마는 밤낮으로 요리를 했다. 조리대에는 유리 보관 용기들이 높이 쌓여 있었다. 치즈 그리츠, 그린빈 캐서롤, 닭튀김. 물론 빙 체리 샐러드도 있었다. 그래 봤자 버찌, 파인애플, 코카콜라를 젤리 틀에 넣어 찍어 낸 음식에 화려한 이름을 붙인 것에 지나지 않지만. 이런 음식들 외에도 코코넛 케이크, 오렌지 롤빵, 그리고 버번 브레드 푸딩 비슷한 음식 등이 보였다. 하지만 이것이 전부가 아니었다. 메이컨이 죽고 아빠가 떠난 뒤 애마 아줌마는 계속 음식을 만들고 빵을 구워서 쌓아올렸다. 마치 요리로 슬픔을 날려 버릴 수 있다는 듯이. 그럴 수 없다는 건 우리 둘 다 알고 있었는데도.

　애마 아줌마가 이렇게까지 우울해진 건 엄마가 돌아가신 뒤로 처음이었다. 애마 아줌마는 나보다 훨씬 더 옛날부터, 아니 심지어 리나보다도 더 오래전부터 메이컨 레이븐우드와 아는 사이였다. 두 분의 관계가 어떤 것이었는지 짐작할 수는 없지만, 두 분에게 뭔가 의미 있는 관계였음은 분명했다. 두 분은 친구였다. 비록 두 분 모두 그 사실을 인정할 것 같지는 않지만. 그래도 나는 진실을 알고 있었다. 애마 아줌마의 표정에, 우리 집 부엌에 쌓인 음식에 진실이 적나라하게 드러나 있었다.

"서머스 박사님한테서 전화가 왔다." 서머스 박사는 아빠를 담당하고 있는 정신과 의사였다. 애마 아줌마는 와플 틀에서 고개를 들지 않았고, 나는 와플을 구울 때 반드시 와플 틀을 뚫어져라 바라볼 필요는 없다는 말을 굳이 하지 않았다.

"뭐라고 하세요?" 나는 낡은 떡갈나무 식탁에 앉아 애마 아줌마의 등을 유심히 살폈다. 앞치마 끈이 허리에서 묶여 있었다. 내가 몰래 애마 아줌마 뒤로 다가가 그 끈을 푸는 장난을 수없이 했던 것이 기억났다. 애마 아줌마의 키가 워낙 작아서 앞치마 끈이 거의 앞치마 길이만큼 늘어져 있었다. 나는 최대한 오랫동안 그 기억에 매달렸다. 아빠에 대한 생각만 아니라면 무엇이든 좋았다.

"네 아버지가 곧 집으로 돌아올 수 있을 것 같다고 하더라."

나는 빈 잔을 들어 올려 그 잔을 통해 그 뒤의 풍경을 바라보았다. 내 기분과 마찬가지로 사물이 뒤틀려 보였다. 아빠는 두 달 전부터 콜럼비아의 블루 호라이즌즈에 가 있었다. 애마 아줌마는 아빠가 1년 내내 책을 쓰는 척했지만 사실은 아무것도 쓰지 않았다는 사실과 아빠가 하마터면 발코니에서 뛰어내릴 뻔한 '사건'을 알게 된 뒤 캐롤라인 이모에게 연락했다. 그리고 이모는 바로 그날 아빠를 차에 태우고 블루 호라이즌즈로 갔다. 이모는 그곳이 온천 휴양지라고 말했다. 개틀린 사람들은 '개별적인 관심'이라고 부르고 남부 이외의 지역에서는 누구나 치료라고 부르는 것이 필요할 만큼 미쳐 버린 가족이나 친척을 보내는 온천 휴양지.

"잘됐네요."

잘됐군. 이젠 아빠가 돌아와서 오리가 그려진 잠옷 차림으로 개틀린을 돌아다니게 생겼네. 그렇지 않아도 애마 아줌마와 나 사이에는 이미 광기가 돌아다니고 있었다. 크림 대신 슬픔이 들어간 캐서롤들 사이에 끼인 채로. 거의 매일 밤 그러는 것처럼 오늘 밤에도 나는 그 음식들을 제일감리교회에 가져다줄 것이다. 나는 감정 전문가가 아니지만, 애마 아줌마의 감정이 케이크 반죽 속에서 요동치고 있는 건 사실이었다. 하지만 나한테 속내를 털어놓을 생각은 없는 것 같았다. 그럴 바에야 차라리 케이크를 남에게 줘 버리는 사람이었다.

나는 한번 애마 아줌마와 그 이야기를 해 보려고 했다. 장례식 다음 날에. 하지만 애마 아줌마는 대화가 시작되기도 전에 이야기를 끝내 버렸다. "벌어진 일은 벌어진 일이고, 간 사람은 간 사람이야. 메이컨 레이븐우드가 지금 어디 있는지는 몰라도 앞으로 다시 만나기는 어렵겠지. 이승에서든 저승에서든." 애마 아줌마는 마치 그 사실을 받아들이고 마음이 편해진 사람처럼 말했지만, 두 달이 지난 지금도 나는 여전히 케이크와 캐서롤을 배달하고 있었다. 애마 아줌마는 자신의 삶에서 중요한 자리를 차지하던 남자 두 명을 하룻밤에 모두 잃었다. 우리 아빠와 메이컨. 아빠는 돌아가시지는 않았지만, 우리 집 부엌을 보면 그 차이가 뚜렷이 드러나지 않았다. 애마 아줌마의 말처럼, 간 사람은 간 사람이었다.

"지금 와플을 굽는 중이다. 네가 배가 고프면 좋을 텐데."

아침 내내 애마 아줌마한테서 들을 수 있는 말은 십중팔구 이것이 전부일 것이다. 나는 내 잔 옆에 있는 초콜릿 밀크 팩을 들어 습관적으로 잔에 가득 따랐다. 애마 아줌마는 내가 아침 식사 때 초콜릿 밀크를 마시는 걸 두고 잔소리를 하곤 했다. 하지만 지금은 아무 말 없이 케이크 한 조각을 뭉텅 잘라 준다. 그런 걸 보면 나는 점점 더 불안해질 뿐이었다. 하지만 그보다 더 무서운 건, 〈뉴욕 타임스〉 일요판의 십자말풀이가 펼쳐져 있지 않다는 점이었다. 그리고 날카롭기 짝이 없는 검은색 연필이 서랍 속에 감춰져 있다는 점도. 애마 아줌마는 부엌 창문을 통해 하늘의 목을 조르고 있는 구름을 물끄러미 바라보았다.

L.A.C.O.N.I.C. 십자말풀이에서 가로 일곱 글자. 이건 내가 뭐든 말할 필요가 없다는 뜻이다, 이선 웨이트. 다른 날 같으면 애마 아줌마가 이렇게 말했을 것이다.

나는 초콜릿 밀크를 꿀꺽 마시다가 하마터면 사레가 들릴 뻔했다. 설탕은 너무 달고, 애마 아줌마는 너무 조용했다. 확실히 전과는 다르다는 느낌이 들었다.

와플이 타서 와플 틀에서 연기가 피어오르는 것도 또 하나의 증거였다.

지금쯤 학교로 향하고 있어야 하지만, 나는 9번 도로로 들어서서 레이븐우드로 향했다. 리나는 생일 전날부터 줄곧 학교에 나오지 않았다. 메이컨이 죽은 뒤 하퍼 교장 선생님은 리나에게 학교로 돌아올 마음이 들 때까지 집에서 가정 교사와 함께 공부해도 좋다고 '너그럽게' 허락해 주었다. 교장 선생님이 겨울 무도회 이후에 리나를 학교에서 쫓아내는 운동에 앞장섰던 링컨 부인을 도왔다는 점을 생각하면, 틀림없이 리나가 영원히 학교에 돌아올 마음이 들지 않기를 바라고 있을 것 같았다.

솔직히 말해서 나는 조금 질투가 났다. 리나는 이제 굳이 학교에 나와서 리 선생님이 '북부의 공격으로 벌어진 전쟁'에 대해 지루하게 설명하는 것을 듣지 않아도 되고, 잉글리시 선생님의 잘 보이는 눈 쪽에 앉을 필요도 없었다. 이제는 잉글리시 선생님의 수업 때 그 자리에 앉는 사람이 애비 포터와 나밖에 없었기 때문에, 수업 시간에 《지킬 박사와 하이드 씨》에 관한 질문에 답하는 사람도 우리 둘뿐이었다. 지킬 박사가 하이드 씨로 변하게 된 요인은 무엇인가? 두 사람이 정말로 다른 인물인가? 이런 질문들의 답이 무엇인지 짐작이라도 하는 사람이 전혀 없었기 때문에, 잉글리시 선생님의 가짜 유리 눈 쪽에 앉은 아이들은 모두 자고 있었다.

하지만 리나가 없는 잭슨 고등학교는 예전과 달랐다. 적어도 내게는 그랬다. 그래서 두 달 뒤 나는 리나에게 제발 다시 학교에 나오라고 간청했다. 어제 리나가 생각해 보겠다고 하기에 나는 그런 건 학교로 가는 길에 생각해도 된다고 말했다.

나는 다시 갈림길에 서 있었다. 여긴 나와 리나의 길이었다. 우리가 처음 만난 날 밤에 9번 도로를 벗어나 레이븐우드로 나를 데려간 길. 그날 나는 리나가 개틀린으로 이사 오기 훨씬 전부터 내 꿈에 나타나던 소녀가 바로 리나였다는 사실을 처음으로 깨달았다.

이 길을 보자마자 노랫소리가 들렸다. 마치 내가 라디오를 켜기라도 한 것처럼 아주 자연스럽게 볼보 자동차 안으로 노랫소리가 흘러 들어왔다. 똑같은 노래였다. 가사도 똑같았다. 지난 두 달 동안 들어온 바로 그 노래. 내가 아이팟을 켤 때, 천장을 빤히 바라볼 때, 만화 〈실버 서퍼〉를 펼쳤지만 한 장도 제대로 넘기지 못하고 있을 때 들려오던 노래였다.

〈열일곱 개의 달〉. 항상 이 노래가 들렸다. 나는 라디오의 주파수를 바꿔 보았지만, 소용없었다. 이제 노래는 스피커가 아니라 내 머릿속에서 들려오고 있었다. 마치 누가 켈팅으로 그 노래를 들려주고 있는 것 같았다.

> 열일곱 개의 달, 열일곱 해,
> 어둠 또는 빛이 나타나는 눈,
> 황금색은 예, 초록색은 아니오,
> 열일곱이 마지막으로 알게 되리라…

노랫소리가 사라졌다. 이 노래를 무시하면 안 된다는 것쯤은 알고 있었지만, 내가 이 노래 이야기를 꺼낼 때마다 리나가 어떻게 반응하는지도 잘 알고 있었다.

"그냥 노래일 뿐이야." 리나는 아무것도 아니라는 듯이 말했다. "아무 의미도 없어."

"그럼 〈열여섯 개의 달〉도 아무 의미가 없었던 거게? 이건 우리 노래야." 리나가 이 사실을 알고 있는지는 중요하지 않았다. 리나가 내 말에 동의하는지도 중요하지 않았다. 리나는 그저 이 노래 이야기만 나오면 공격적으로 돌변했고, 이야기가 엉뚱한 방향으로 흘러가 버렸다.

"내 노래라고 해야지. 어둠 또는 빛? 내가 너한테 새라핀처럼 굴지 어떨지 모르겠다는 거야? 내가 어둠이 될 거라고 이미 결론을 내렸으면서, 이제 그만 인정하지 그래?"

이쯤 되면 나는 대개 화제를 바꾸려고 일부러 멍청한 소리를 했다. 하지만 나중에는 아예 아무 말도 하지 않는 편이 낫다는 것을 알게 되었다. 그래서 우리는 지금 내 머릿속에 흐르는 노래에 대해 아무 말도 하지 않았다. 리나의 머릿속에도 이 노래가 흐르고 있는데도.

〈열일곱 개의 달〉. 우리는 이 노래를 피할 수 없었다.

이 노래는 틀림없이 리나의 운명이 결정되는 순간에 대해 이야기하고 있었다. 리나가 빛인지 어둠인지 영원히 결정되는 순간. 그렇다면 이 노래의 의미는 단 하나였다. 리나의 운명이 아직 결정되지 않았다는 것. 아직은. 황금색은 예, 초록색은 아니오? 나는 이 가사의 의미를 알고 있었다. 어둠의 주술사의 황금색 눈과 빛의 주술사의 초록색 눈. 리나의 생일, 그러니까 열여섯 개의 달의 날 이후로 나는 모든 것이 끝났다고, 리나의 운명이 반드시 결정될 필요는 없다고, 리나는 예외적인 존재라고 자신을 납득시키려고 애쓰고 있었다. 리나의 모든 면이 예외적인 것 같은데, 운명의 결정 또한 남들과 다르지 말라는 법이 없지 않은가?

하지만 다르지 않았다. 〈열일곱 개의 달〉이 그 증거였다. 나는 리나의 생일이 되기 몇 달 전부터 〈열여섯 개의 달〉을 들었다. 그건 앞으로 다가올 일들의 전조였다. 지금은 그 노래의 가사가 바뀌었고, 또다시 으스스한 예언이 내 앞에 있었다. 선택이 이루어져야 했는데, 리나는 선택하지 않았다. 노래들은 결코 거짓말을 하지 않았다. 적어도 아직까지는.

나는 이런 생각을 하고 싶지 않았다. 레이븐우드 장원의 문을 향해 길게 뻗은 길을 올라가는 동안, 타이어가 자갈에 긁히는 소리조차 피할 수 없는 단 하나의 진실을 되풀이해서 말하는 것 같았다. 아직 열일곱 개의 달이 존재한다면, 우리가 한 일이 모두 허사였다는 뜻이었다. 메이컨의 죽음도 헛된 것이었다.

리나에게는 빛과 어둠 중 하나를 선택해서 자신의 운명을 영원히 결정하는 절차가 아직 남아 있었다. 주술사 세계에서 한 번 결정이 내려진 뒤에는 돌이킬 수 없었다. 하지만 리나가 어느 편이든 선택하는 순간, 그 선택으로 인해 친척들 중 절반이 죽을 것이다. 빛의 주술사들이 죽든지, 어둠의 주술사들이 죽든지. 둘 중 한 편만이 살아남을 수 있다는 저주 때문이었다. 하지만 수세대 동안 주술사들이 자유의지를 행사하지 못하고 열여섯 번째 생일에 어둠이든 빛이든 결정이 내려지는 대로 따를 수밖에 없었던 집안에서, 리나가 어떻게 그런 선택을 할 수 있을까?

자신의 운명을 직접 선택하는 것은 바로 리나가 평생 동안 원하던 일이었다. 이제 그 소원은 이루어졌지만, 이 상황은 마치 잔인한 우주적 농담 같았다.

나는 장원의 문 앞에 차를 세우고 시동을 끈 뒤 눈을 감고 기억을 떠올렸다. 점점 커지던 두려움, 환영, 꿈, 노래. 이번에는 내 꿈속에서 불행한 결말을 훔쳐갈 메이컨이 없었다. 우리를 어려움에서 구해 줄 사람이 한 명도 남지 않았는데, 운명은 빠르게 다가오고 있었다.

레몬과 재

⤘ 4.17 ⤙

　내가 레이븐우드 앞에 차를 세웠을 때, 리나는 다 쓰러져 가는 베란다에 앉아 기다리고 있었다. 리나는 낡은 남방에 청바지를 입고, 낡아 빠진 척 테일러 운동화를 신은 차림이었다. 순간적으로 석 달 전으로 돌아가서 그냥 평범한 하루를 맞이한 것 같았다. 하지만 리나가 메이컨의 가는 줄무늬 조끼를 입고 있다는 점이 그때와 달랐다. 메이컨이 죽은 뒤로 레이븐우드는 왠지 예전 같지 않았다. 유일한 사서인 메리언 아줌마가 없는 개틀린 카운티 도서관이나 '미국 혁명의 딸들(DAR)' 중에서도 가장 중요한 딸인 링컨 부인이 없는 DAR 같았다. 엄마가 없는 우리 집 서재와도 비슷했다.

　올 때마다 레이븐우드의 상태는 점점 악화되었다. 아치처럼 늘어진 수양버들 사이로 보이는 정원이 이토록 빨리 황폐해진 것을 믿을 수 없었다. 어렸을 때 애마 아줌마가 내게 잡초라고 열심히 가르쳐 주었던 꽃들이 건조한 땅에서 서로 공간을 차지하려고 싸우고 있었다. 목련나무 밑에서는 히아신스가 히비스커스와 뒤엉켜 있고, 헬리오트로프 꽃밭은 물망초의 침략을 받았다. 마치 정원도 슬픔에 젖어 있는 것 같았다. 사실 그건 얼마든지 가능한 일이었다. 레이븐우드 장원은 언제나 자기만의 의지를 갖고 있는 것처럼 보였으니까. 정원이라고 다르지 말란 법이 없지 않은가? 리나가 지닌 슬픔의 무게 또한 영향을 미치고 있을 가능성이 높았다. 이 집은 리나의 기분을 비춰 주는 거울이었다. 예전에 항상 메이컨의 기분을 비춰 주었던 것처럼.

메이컨이 죽은 뒤 리나가 레이븐우드를 물려받았다. 하지만 가끔 그러지 않는 편이 더 나았을지도 모른다는 생각이 들었다. 레이븐우드는 날이 갈수록 나아지는 것이 아니라 황량해졌다. 차를 몰고 오르막길을 오를 때마다 나는 나도 모르게 숨을 죽이고, 아주 희미한 생명의 징조라도 보게 되기를 바랐다. 무엇이든 새로이 꽃을 피우면 좋을 텐데. 하지만 오르막길을 다 오른 뒤에 내 눈에 보이는 것은 언제나 전보다 더 앙상해진 나뭇가지들 뿐이었다.

리나가 볼보에 올라탔다. 입으로는 벌써 투덜거리고 있었다. "난 가기 싫어."

"어차피 학교에 가는 걸 좋아하는 사람은 없어."

"내 말이 무슨 뜻인지 알잖아. 거긴 끔찍해. 그냥 집에서 하루 종일 라틴어를 공부하는 편이 더 나아."

쉽지 않을 것 같았다. 나도 학교에 가고 싶지 않은데 어떻게 리나를 설득할 수 있을까? 고등학교는 정말 끔찍한 곳이었다. 이건 보편적인 진실이다. 고교 시절이 인생 최고의 황금기라고 말하는 사람이 있다면, 그 사람은 십중팔구 술에 흠뻑 취했거나 망상에 빠진 환자일 것이다. 나는 반대 심리를 이용하는 수밖에 없다는 결론을 내렸다. "고교 시절은 원래 인생에서 최악의 시기야."

"그래?"

"당연하지. 그래도 다시 학교에 나와야 돼."

"그러면 내 기분이 나아지기라도 한대? 어떻게?"

"나도 몰라. 고교 시절이 워낙 끔찍하니까, 여기에 비하면 앞으로 살아

갈 인생은 아주 근사해 보일 거라고 생각하는 건 어때?"

"네 말대로라면, 난 하퍼 교장이랑 하루를 보내야겠네."

"아니면 치어리더 오디션을 보든지."

리나는 목걸이를 손가락으로 돌렸다. 리나만의 독특한 부적들이 목걸이에 매달린 채 서로 부딪혔다. "그거 괜찮은 생각이네." 리나가 웃음을 지었다. 금방이라도 소리 내어 웃음을 터뜨릴 것 같았다. 확실히 나와 같이 학교에 갈 생각이 든 모양이었다.

리나는 학교로 가는 동안 내내 내게 어깨를 기대고 있었다. 주차장에 도착한 뒤에는 쉽사리 차에서 내리지 못했다. 나는 차마 시동을 끌 수 없었다.

잭슨 고등학교의 여왕인 서배너 스노가 몸에 딱 붙는 티셔츠를 청바지 위로 와락 잡아당기면서 우리 옆을 지나갔다. 서배너의 심복인 에밀리 애셔가 그 뒤를 따라 자동차들 사이를 걸어가며 문자를 보내고 있었다. 에밀리가 우리를 발견하고 서배너의 팔을 잡았다. 두 사람 모두 걸음을 멈췄다. 개틀린에서 엄마한테 제대로 교육을 받고 자란 여자아이라면 최근에 친척을 잃은 사람을 만났을 때 당연히 보이는 반응이었다. 서배너는 책을 가슴에 꼭 끌어안고 우리를 향해 슬픈 듯이 고개를 저었다. 아주 오래된 무성 영화를 보는 것 같았다.

'네 삼촌은 더 좋은 곳에 가신 거야, 리나. 삼촌은 진주로 장식한 문 앞에 서 있고, 천사들의 합창단이 언제나 사랑이 넘치는 창조주께로 삼촌을 데려가고 있을 거야.'

나는 리나를 위해 서배너의 행동을 번역해 주었다. 하지만 리나는 서배너와 에밀리가 무슨 생각을 하고 있는지 이미 알고 있었다.

'그만해!'

리나는 낡은 스프링노트로 얼굴을 가리며 서배너와 에밀리의 시야에서 사라지려고 했다. 에밀리가 한 손을 들어 올려 수줍게 흔드는 시늉을 했다.

우리에게 지나치게 다가오지 않으면서 자신이 가정 교육을 잘 받았을 뿐만 아니라 아주 섬세하기까지 하다는 것을 보여 주는 행동이었다. 나 역시 굳이 남의 마음을 읽는 능력이 없어도 에밀리의 생각을 알 수 있었다.

'난 그쪽으로 안 갈 거야. 네가 평화롭게 슬퍼할 수 있게 해 줄게, 예쁜 리나 두케인. 하지만 나는 언제나 네 옆에 있을 거야. 정말이야. 성경 말씀과 우리 엄마한테서 배운 대로.'

에밀리가 서배너에게 고개를 까딱하더니 둘이 함께 슬픈 표정으로 천천히 멀어져 갔다. 몇 달 전에 리나를 학교에서 쫓아내겠다는 단 하나의 목적을 위해 잭슨 고등학교 나름의 자경단이라고 할 수 있는 수호천사 클럽을 둘이서 만든 주제에. 어떤 의미에서는 지금이 더 견디기 힘들었다. 에머리가 서배너와 에밀리를 따라잡으려고 달려가다가 우리를 보고 속도를 늦춰 우울하게 걸으며 내 자동차의 후드를 두드렸다. 몇 달 동안 나한테 한 마디도 안 했으면서 지금은 나를 위로하는 것처럼 굴다니. 정말이지 말도 안 되는 일이었다.

"아무 말도 하지 마." 리나는 몸을 공처럼 둥글게 말고 조수석에 앉아 있었다.

"저 녀석 모자도 안 벗었잖아. 집에 가면 제 엄마한테 신나게 맞을 거야." 나는 시동을 껐다. "이걸 제대로 이용하면 치어리더가 될 수도 있겠다, 예쁜 리나 두케인."

"쟤들은… 쟤들은 정말…." 리나가 불 같이 화를 냈기 때문에 나는 방금 한 말을 후회했다. 하지만 하루 종일 이런 일을 겪게 될 테니 리나가 학교 복도에 발을 내딛기 전에 먼저 마음의 준비를 시켜 주고 싶었다. 나 역시 '작년에 엄마를 잃은 가엾은 이선 웨이트'로 지낸 시간이 짧지 않기 때문에 앞으로 벌어질 일들을 잘 알고 있었다.

"위선적이라고?" 이 말로는 한참 부족했다.

"멍청해." 이 말로도 부족했다. "난 치어리더가 되기 싫어. 걔들하고 같은 식탁에 앉기도 싫어. 걔들이 나를 보는 것도 싫어. 그날 쟤들이 리들리한테 조종당한 건 나도 알지만, 만약 쟤들이 내 생일 파티를 열어 주지 않았다면… 내가 메이컨 삼촌 말대로 레이븐우드에서 나오지 않았다면…."

리나의 말을 끝까지 듣지 않아도 나는 알 수 있었다. 그랬더라면 메이컨이 살아 있을지도 모른다는 말을 하려는 거겠지.

"그건 모르는 일이야, L. 그랬다면 새라핀이 너한테 접근할 다른 길을 찾았을걸."

"쟤들이 날 미워하는 것도 당연해." 리나의 머리카락이 구불구불해지기 시작했다. 순간적으로 폭우가 내릴 것 같다는 생각이 들었다. 리나는 미친 듯이 흩날리는 머리카락 속으로 사라지는 눈물 방울들을 무시한 채 손에 얼굴을 묻었다. "변하지 않는 게 하나라도 있어야지. 난 쟤들과 달라."

"이런 말을 해서 미안하지만, 넌 쟤들과 같았던 적 없어. 앞으로도 절대 없을 거야."

"그건 나도 알아. 하지만 뭔가가 변했어. 모든 게 변했어."

나는 차창 밖을 바라보았다. "전부 변한 건 아냐."

부 래들리가 내 시선을 맞받았다. 녀석은 우리 옆의 주차 공간을 표시한, 빛바랜 흰 선 위에 앉아 있었다. 마치 이 순간을 줄곧 기다리고 있었던 것 같았다. 부는 훌륭한 주술사 개답게 지금도 리나가 어딜 가든 항상 따라다녔다. 나는 저 개를 차에 태워 줄 생각을 한 게 몇 번이나 되는지 기억을 더듬어 보았다. 그러면 저 녀석도 집으로 돌아가는 시간을 절약할 수 있을 텐데. 내가 자동차 문을 열어 주었지만 부는 움직이지 않았다.

"알았어. 그럼 그렇게 해." 나는 부가 결코 차에 타지 않으리라는 것을 알고 있었기 때문에 문을 다시 닫으려고 했다. 그런데 그때 부가 내 무릎으로 뛰어오르더니 기어를 건너뛰어 리나의 품으로 달려들었다. 리나는 녀석의 털에 얼굴을 묻고 깊이 숨을 들이쉬었다. 더러운 개의 몸이 바깥의 공기와는 다른 공기를 만들어 주기라도 하는 것처럼.

리나의 검은 머리와 부의 검은 털이 하나로 엉키고, 둘은 서로 얼싸안은 채 가늘게 몸을 떨었다. 잠시 동안이지만, 우주 전체가 약해져서 내가 엉뚱한 방향으로 입김을 불거나 실 한 가닥만 잘못 잡아당겨도 우주가 산산조각날 것 같았다.

내가 해야 하는 일이 무엇인지 알 수 있었다. 그 느낌을 말로 설명할 수는 없지만, 리나를 처음 만났을 때 나를 휩쓸고 지나가던 그 꿈들처럼 강렬했다. 우리가 항상 함께 꾸던 그 꿈은 내 이불에 진흙 자국이 남거나 강물이 내 방 바닥에 뚝뚝 떨어질 정도로 사실적이었다. 지금의 느낌도 그때와 다르지 않았다.

내가 어떤 실을 잡아당겨야 하는지 반드시 알아내야 했다. 입김을 어떤 방향으로 불어야 하는지 반드시 알아야 했다. 리나는 지금 앞길을 잘 볼 수 없으니까 내가 보아야 했다.

리나는 지금 길을 잃은 상태였다. 하지만 이대로 내버려 둘 수는 없었다.

나는 차에 시동을 걸고 기어를 후진으로 바꿨다. 우리는 겨우 학교 주차장까지밖에 오지 못했지만, 누가 말하지 않아도 이제는 리나를 집으로 데려다 주어야 한다는 것을 알 수 있었다. 가는 동안 내내 부는 눈을 감고 있었다.

우리는 낡은 담요를 들고 그린브라이어로 가서 제너비브의 무덤 근처에 누워 몸을 둥글게 말았다. 화덕의 바닥돌과 다 무너져 가는 돌담 옆의 작은 풀밭이었다. 검게 변한 나무들과 풀밭이 사방에서 우리를 에워쌌고, 초록색 풀들은 이제 겨우 딱딱한 땅을 뚫고 고개를 내미는 중이었다. 지금도 이곳은 우리만의 장소였다. 리나가 잉글리시 선생님의 수업 시간에 주술사의 힘과 시선만으로 창문을 산산조각낸 뒤 우리가 처음으로 이야기를 나눴던 곳. 델 이모는 타 버린 묘지와 폐허가 된 정원을 차마 보지 못했지만, 리나는 신경 쓰지 않았다. 리나가 메이컨을 마지막으로 본 곳이 여기이므로, 이곳은 안전했다. 이유는 알 수 없지만 화재가 남긴 폐허가 친숙했다. 심지어 이 폐허를 보니 마음이 놓이기까지 했다. 불은 모든 걸 가지고 가 버렸다. 앞으로 또 무엇이 닥쳐올지, 언제 닥쳐올지 걱정할 필요가 없었다.

초록색 풀이 촉촉하게 젖어 있었다. 나는 담요로 우리 몸을 감쌌다. "가까이 와. 몸이 얼음처럼 차잖아." 리나는 나를 보지 않고 미소만 지었다.

"언제부터 내가 너한테 다가가는 데 이유가 필요해진 거야?" 리나는 다시 내 어깨에 몸을 기댔고, 우리는 조용히 앉아 있었다. 우리의 몸이 서로를 따뜻하게 해 주고, 손가락이 한데 얽히면서 내 팔을 타고 전기가 찌릿 흘렀다. 우리의 몸이 맞닿을 때마다 항상 그랬다. 우리가 서로에게 닿으면 가벼운 전기가 흘렀다. 주술사와 일반인은 하나가 될 수 없음을 일깨워 주는 증거. 주술사와 하나가 된 일반인에게는 죽음뿐이다.

나는 뒤틀린 검은 가지들과 황량한 하늘을 올려다보았다. 내가 처음 리나를 찾아 이 정원으로 들어온 날이 생각났다. 그날 리나는 높게 자란 풀속에서 울고 있었다. 그때 우리는 파란 하늘에서 회색 구름이 사라지는 것을 지켜보았다. 리나가 생각만으로 구름을 움직인 것이다. 파란 하늘…. 그녀에게는 내가 바로 그런 존재였다. 리나는 허리케인 리나였고, 나는 평범한 이선 웨이트였다. 리나가 없는 내 삶은 상상이 가지 않았다.

"봐." 리나가 내 몸을 타고 올라가 바스라질 것 같은 검은 가지들 속으로 손을 뻗었다.

흠 잡을 데 없이 완벽한 노란색 레몬, 이 정원에 단 하나밖에 없는 그 열매가 재에 둘러싸여 있었다. 리나가 레몬을 따자 검은 재가 허공에 날렸다. 노란 껍질이 리나의 손에서 반짝거렸다. 리나는 내 품으로 떨어지듯 아래로 내려왔다. "이것 좀 봐. 전부 불에 탄 건 아닌가 봐."

"여기 나무들도 전부 다시 자랄 거야, L."

"나도 알아." 리나는 레몬을 양손으로 이리저리 돌려 보며 별로 확신이 없는 목소리로 말했다.

"내년 이맘때면 여기에 검은색은 전혀 없을 거야." 리나는 가지들과 그 위의 하늘을 올려다보았다. 나는 리나의 이마, 코, 광대뼈에 있는 완벽한 초승달 모양의 점에 입을 맞췄다. "모든 게 초록색으로 변할 거야. 이 나무들도 다시 자랄 거야." 우리는 서로 발을 밀어 대며 발로 차듯이 신발을 벗었다. 맨살이 닿을 때마다 찌릿찌릿 전기가 흐르는 익숙한 감각이 느껴졌다. 우리가 아주 가까이 붙어 있었기 때문에 구불구불한 리나의 머리카락이 내 얼굴로 쏟아졌다. 내가 입김을 불자 머리카락은 사방으로 흩어졌다.

나는 우리를 한데 묶어 주기도 하고 더 이상 다가갈 수 없게 막기도 하는 전기의 충격으로 리나의 힘에 묶여 있었다. 내가 입을 맞추려고 몸을 기울이자 리나가 놀리듯이 레몬을 내 코앞으로 들어 올렸다. "냄새 맡아 봐."

"너랑 같은 냄새가 나." 레몬과 로즈마리. 우리가 처음 만났을 때 내가 리나에게 끌리게 해 준 냄새.

리나는 코를 킁킁거리며 레몬 냄새를 맡아보더니 얼굴을 찡그렸다. "시어. 나처럼."

"나한테는 신맛이 아냐." 나는 리나를 가까이 끌어당겼다. 우리 머리카락에 재와 풀이 잔뜩 묻고, 씁쓸한 레몬은 담요 밑에서 우리 발 아래 어딘가로 사라져 버렸다. 내 피부가 뜨거웠다. 불이라도 붙은 것처럼. 요즘은 리나의 손을 잡을 때마다 얼얼할 정도로 차가운 느낌밖에 없지만, 키스를 할 때는, 진짜 키스를 할 때는 온통 열기뿐이었다. 나는 리나를 사랑했다. 리나 몸의 원자 하나하나, 타오르는 세포 하나하나를 모두. 우리는 내 심장 박동이 박자를 건너뛰기 시작할 때까지 입을 맞췄다. 나의 시각, 촉각, 청각이 점점 희미해져서 어둠으로 변하기 시작했다….

리나가 나를 밀어냈다. 나를 위해서였다. 나는 리나와 함께 풀밭에 누워

숨을 골랐다.

'괜찮아?'

'괘… 괜찮아.'

거짓말이었다. 하지만 나는 아무 말도 하지 않았다. 타는 냄새가 나는 것 같아서 살펴보니 담요였다. 바닥에 닿아 있는 담요의 아랫부분에서 연기가 피어올랐다.

리나가 몸을 일으켜 담요를 걷었다. 우리가 누워 있던 자리의 풀이 검게 그을린 채 눌려 있었다. "이선, 여기 풀 좀 봐."

"풀이 왜?" 나는 아직도 숨을 고르는 중이었지만, 리나에게 들키지 않으려고 애썼다. 리나의 생일 이후로 상황은 점점 나빠지기만 했다. 육체적인 면에서. 나는 리나를 만지고 싶은 마음을 억누를 수 없었다. 가끔은 리나를 만질 때의 고통이 참을 수 없을 만큼 강렬한데도.

"여기 풀이 탔어."

"그거 이상하네."

리나는 차분한 얼굴로 나를 바라보았다. 리나의 눈이 묘하게 어두우면서 동시에 밝았다. 리나는 불에 탄 풀들을 손으로 잡아 던졌다. "나 때문이야."

"네가 워낙 뜨거우니까."

"지금 농담할 때야? 점점 심해지고 있어." 우리는 나란히 앉아서 폐허가 된 그린브라이어를 바라보았다. 하지만 사실 우리가 보고 있는 것은 그린브라이어가 아니라, 또 다른 불길의 힘이었다. "엄마랑 똑같아." 리나가 사무치는 표정으로 말했다.

불은 변이체의 상징이었다. 그리고 리나의 생일날 밤에 이곳을 한 치도 남기지 않고 몽땅 태워 버린 것은 새라핀의 불이었다. 이제는 리나가 자기도 모르게 불을 내기 시작했다. 뱃속이 졸아드는 것 같았다.

"풀도 다시 자랄 거야."

"만약 내가 그런 걸 바라지 않는다면 어쩔 건데?" 리나가 또 풀을 잡아 손가락 사이로 흘려보내며 부드럽고 이상한 목소리로 말했다.

"뭐?"

"꼭 다시 자라야 할 이유가 없잖아?"

"원래 생명은 계속되는 거야, L. 새들과 벌들이 자기 임무를 해내면, 씨앗이 사방으로 흩어져서 모든 게 다시 자랄 거야."

"그다음에는 모든 게 다시 불에 타겠지. 내가 가까이 있는 한."

리나가 이런 기분에 빠져 있을 때는 말다툼을 벌여 봤자 아무 소용이 없었다. 애마 아줌마가 우울해지는 모습을 평생 보아 온 덕분에 나는 그 점을 잘 알고 있었다. "그럴 때도 있겠지."

리나는 무릎을 끌어올려 턱을 괴었다. 리나의 몸이 실제보다 훨씬 더 큰 그림자를 만들었다.

"그래도 난 운이 좋아." 나는 빛이 비치는 곳으로 내 다리를 움직여 긴 선 모양의 다리 그림자가 리나의 그림자와 섞이게 했다.

우리는 그렇게 나란히 앉아 있었다. 맞닿은 것은 우리의 그림자뿐이었다. 마침내 해가 넘어가자 그림자는 검은 나무들을 향해 길게 늘어나서 어스름 속으로 사라져 버렸다. 우리는 아무 말 없이 매미 소리에 귀를 기울이며 아무 생각도 하지 않으려고 했다. 다시 비가 내리기 시작했다.

추락

✦ 5.1 ✦

그 뒤로 몇 주 동안 나는 리나를 설득해서 그 집에서 끌어내는 데 도합 세 번 성공했다. 링크(초등학교 2학년 때부터 가장 친한 친구)와 함께 영화를 보러 간 것이 그중 한 번인데, 리나가 극장에서 항상 먹는 팝콘과 밀크더드(밀크초콜릿을 겉에 입힌 캐러멜 캔디―옮긴이)도 리나의 기분을 바꿔 주지 못했다. 또 한 번은 리나가 우리 집에 와서 애마 아줌마의 당밀 쿠키를 먹고 좀비 영화만 몇 편이나 보았다. 내가 꿈꾸던 환상의 데이트였지만, 현실은 달랐다. 마지막 한 번은 샌티 강을 따라 산책을 나간 거였는데, 10분 만에 우리 둘이 합쳐서 60군데나 벌레에게 물리고는 그냥 돌아와 버렸다. 어딜 가든 리나는 좋아하지 않았다.

오늘은 달랐다. 마침내 리나가 편안한 장소를 찾아냈기 때문에. 비록 나는 전혀 예상하지 못한 장소였지만.

내가 리나의 방으로 들어갔을 때, 리나는 천장에 팔다리를 쭉 뻗고 누워 있었다. 양팔은 크게 벌렸고, 머리카락은 검은 부채처럼 머리를 둘러쌌다.

"언제부터 그런 걸 할 수 있게 된 거야?" 나는 리나의 능력에 익숙했지만, 열여섯 번째 생일 이후로는 리나의 능력이 점점 더 강하고 황당해지는 것 같았다. 마치 리나가 어색하게나마 주술사인 자신에게 점점 익숙해지고 있는 것 같았다. 날이 갈수록 주술사 리나는 자신이 어떤 일들을 할 수 있는지 알아보려고 능력을 한껏 쓰면서 점점 예측할 수 없는 존재로 변해 갔다. 게다가 리나가 그렇게 발휘하는 능력은 요즘 온갖 문제를 일으키고 있었다.

링크와 내가 비터를 타고 학교로 가고 있을 때도 그랬다. 링크의 노래가 라디오에서 흘러나오기 시작한 것이다. 마치 방송국에서 그 노래를 튼 것 같았다. 링크가 너무 놀라서 핸들을 갑자기 꺾는 바람에 애셔 부인의 집 앞 산울타리에 차가 거의 60센티미터나 처박혀 버렸다. "실수야." 리나는 비뚤어진 미소를 지으며 이렇게 말했다. "링크의 노래가 머리에 박혀 버려서." 링크의 노래를 머리에 박힐 만큼 좋아하는 사람은 아무도 없다. 하지만 링크는 리나의 말을 믿고, 정말이지 참을 수 없을 만큼 거들먹거렸다. "내가 할 말이 없네. 내가 원래 여자들한테 한 인기 하지. 내 목소리가 버터처럼 부드럽잖아."

그리고 일주일 뒤 링크와 내가 복도를 걷고 있을 때 리나가 다가와서 나를 꽉 끌어안았다. 바로 그 순간 종이 울리기 시작했다. 나는 리나가 마침내 학교에 다시 나오기로 한 줄 알았다. 하지만 사실 리나는 그 자리에 있지도 않았다. 리나의 모습은 일종의 환영이었다. 주술사들이 자기 애인을 바보처럼 만들어 버리는 그 주술을 뭐라고 부르는지는 잘 모르겠지만. 링크는 내가 자기를 껴안으려고 한 줄 알고 그 뒤로 며칠 동안 나를 '러버 보이'라고 불렀다. "네가 보고 싶어서 그랬어. 그게 그렇게 큰 죄야?" 리나는 재미있어 했지만, 나는 리나의 할머니가 나서서 혼을 내 주었으면 좋겠다는 생각이 들었다. 좋은 일을 할 생각이 없는 자연체를 혼내는 방법이 있을 것이다.

'어린애처럼 굴지 마. 미안하다고 했잖아.'

'넌 5학년 때의 링크처럼 위험한 존재야. 그때 링크는 우리 엄마의 토마

토 밭에서 토마토에 죄다 빨대를 꽂고 즙을 빨아 먹어 버렸어.'

'다시는 안 그럴게. 맹세해.'

'옛날에 링크도 그렇게 말했어.'

'그래서 실제로 안 했잖아. 맞지?'

'그랬지. 우리가 더 이상 토마토를 기르지 않게 된 다음부터.'

"이리 내려와."

"난 위에 있는 게 좋아."

나는 리나의 손을 잡았다. 전기가 내 팔을 타고 흘렀지만 나는 손을 놓지 않고 리나를 침대 옆 내 자리로 끌어당겼다.

"아야." 리나는 웃고 있었다. 내게 등을 돌리고 있는데도 어깨가 들썩거리는 것이 보였다. 아니, 어쩌면 웃는 게 아니라 우는 것일 수도 있었다. 요즘은 그게 아주 드문 일이긴 하지만. 리나는 이제 거의 울지 않게 되었다. 그리고 그 자리에 울음보다 더 나쁜 것이 들어앉았다. 무표정.

무표정은 기만적이었다. 무표정은 말로 설명하기도, 바로잡기도, 저지하기도 더 힘들었다.

'이야기하고 싶어, L?'

'무슨 이야기?'

나는 리나를 더 가까이 끌어당겨 리나의 머리에 내 머리를 기댔다. 리나의 몸이 진정되었다. 나는 있는 힘껏 리나를 안았다. 리나가 아직도 천장에 붙어 있고, 내가 거기에 매달리고 있는 것처럼.

'아무것도 아냐.'

⁓

천장에 붙어 있었던 것에 대해 아무 말도 하지 말걸 그랬다. 천장보다 더 황당한 장소들은 얼마든지 있었다. 지금 우리가 있는 곳도 그랬다.

"느낌이 안 좋아." 나는 땀을 흘리고 있었지만, 얼굴을 훔칠 수 없었다. 지금 있는 곳에 붙어 있으려면 양손이 다 필요했다.

"그거 이상하네." 리나가 나를 내려다보며 싱긋 웃었다. "난 느낌이 아주 좋은데." 리나의 머리카락이 산들바람에 흩날렸다. 하지만 나는 그 바람이 진짜 바람인지 확신할 수 없었다. "그리고 이제 거의 다 됐어."

"이게 미친 짓인 건 너도 알지? 경찰차가 지나가다 보면 우리를 체포하든지 아니면 우리 아빠가 있는 블루 호라이즌스로 보내 버릴 거야."

"미친 짓 아냐. 낭만적인 일이지. 연인들은 항상 여기에 온다고."

"사람들이 급수탑에 간다고 할 때는 말이야, L, 급수탑 꼭대기에 올라가겠다는 뜻이 아냐." 이제 조금만 있으면 우리는 급수탑 꼭대기에 도착할 터였다. 우리 둘과 땅에서 대략 30미터쯤 되는 높이에서 불안하게 흔들리고 있는 철제 사다리, 그리고 캐롤라이나의 밝은 파란색 하늘뿐이었다.

나는 아래를 내려다보지 않으려고 애썼다.

내가 지금 급수탑을 오르고 있는 것은 리나의 꼬임에 빠졌기 때문이다. 리나의 들뜬 목소리가 왠지 내 마음을 움직였다. 이렇게 멍청한 짓을 하면, 리나가 지난번에 나랑 함께 여기 왔을 때 느꼈던 기분을 되찾을 수 있을지도 모른다는 생각이 들었다. 그날 리나는 빨간 스웨터를 입고 행복하게 웃고 있었다. 나는 분명히 기억하고 있었다. 리나의 부적 목걸이에 빨간 실 조각이 하나 걸려 있으니까.

리나도 기억하고 있음이 틀림없었다. 그래서 나는 리나의 꼬임에 넘어가 지금 사다리에 들러붙어 있었다. 아래를 보지 않으려고 위만 바라보면서.

탑 꼭대기에 도착한 뒤 전망을 보고서야 나는 리나의 말을 이해했다. 리나가 옳았다. 위에 있는 편이 더 나았다. 모든 것이 아주 멀게 보여서 아무래도 상관없을 것 같았다.

나는 가장자리에 앉아 다리를 늘어뜨렸다. "옛날에 엄마가 오래된 급수탑 사진을 모았었는데."

"그래?"

"세 할머니들이 숟가락을 모으는 거랑 같아. 엄마의 수집품이 급수탑 사진이랑 세계 박람회 때의 엽서였다는 게 다를 뿐이지."

"급수탑은 전부 이거랑 똑같이 생긴 줄 알았는데. 커다란 흰색 거미 같잖아."

"일리노이 주 어딘가에는 케첩 병처럼 생긴 급수탑도 있어."

리나가 웃음을 터뜨렸다.

"작은 집처럼 생긴 것도 있고. 높이가 요만 해."

"그게 우리 집이면 좋겠다. 그러면 나는 꼭대기로 올라가서 다시는 안 내려올 텐데." 리나는 하얀 페인트가 칠해진 따스한 바닥에 누웠다. "개틀린에는 복숭아 모양의 급수탑을 세워야 할 것 같아. 아주 커다란 개틀린 복숭아."

나도 리나 옆에 나란히 누웠다. "복숭아 모양은 이미 하나 있어. 개틀린이 아닐 뿐이지. 개프니에 있거든. 그쪽 사람들이 먼저 생각해 냈나 봐."

"그럼 파이 모양은 어때? 물탱크를 색칠해서 애마 아줌마가 만드는 파이처럼 꾸미면 되잖아. 애마 아줌마도 좋아할 거야."

"그런 건 아직 나도 못 봤는데. 하지만 엄마가 모은 사진 중에는 옥수수 속대처럼 생긴 것도 있었어."

"그래도 난 집처럼 생긴 걸 갖고 싶어." 리나는 하늘을 빤히 올려다보았다. 하늘에는 구름 한 점 없었다.

"난 케첩 병이든 옥수수 속대든 상관없어. 너만 옆에 있다면."

리나는 손을 뻗어 내 손을 잡았다. 우리는 서머빌의 평범한 흰색 급수탑 꼭대기에서 그렇게 개틀린을 바라보았다. 개틀린이 작은 장난감 인형들로 가득 찬 작은 장난감 마을 같았다. 엄마가 우리 집 크리스마스트리 밑에 놓아두던 마분지 마을만큼이나 작았다.

저렇게 조그만 사람들한테도 골치 아픈 일이 생길 수 있는 걸까?

"리나, 내가 뭘 좀 가져왔어." 리나가 내 말을 듣고 일어나 앉아서 아이처럼 나를 바라보았다.

"뭔데?"

나는 급수탑 너머를 바라보았다. "떨어져도 죽지 않을 곳까지 간 다음에 꺼내는 게 낫겠다."

"우린 안 죽어. 겁쟁이처럼 굴지 마."

나는 뒷주머니에 손을 넣었다. 특별하지는 않지만, 내가 한동안 가지고 있던 물건이었다. 나는 이 물건 덕분에 리나가 조금이라도 옛날 모습을 되찾기를 바라고 있었다.

내가 주머니에서 꺼낸 것은 열쇠가 달린 미니 샤피 마커였다.

"어때? 네 목걸이에 잘 맞을 거야. 이렇게." 나는 떨어지지 않게 주의하면서 리나의 목걸이로 손을 뻗었다. 리나는 이 목걸이를 벗는 법이 없었다. 리나에게 특별한 의미가 있는 갖가지 물건들이 목걸이에 뒤엉켜 있었다. 우리가 처음으로 데이트를 했던 시네플렉스의 자동판매기에서 나온, 납작한 1센트 동전. 메이컨이 겨울 무도회 날 리나에게 준 은색 초승달 목걸이. 빗속에서 만났던 그날 리나가 입고 있던 조끼의 단추. 이것들은 리나의 추억이었다. 리나는 그 행복하고 완벽했던 순간들을 증명해 주는 증거가 없으면 추억마저 사라질지 모른다고 생각하는지, 그 물건들을 항상 몸에 지니고 다녔다.

나는 샤피를 목걸이에 끼웠다. "이제 뭘 쓰고 싶을 때 항상 쓸 수 있어."

"천장에 매달려 있을 때도?" 리나는 나를 바라보며 미소를 지었다. 조금은 비뚤어지고, 조금은 슬픈 미소였다.

"급수탑 꼭대기에 있을 때도."

"마음에 들어." 리나는 샤피의 뚜껑을 열며 조용히 말했다.

내가 알아차리기도 전에 리나는 하트를 그리고 있었다. 하얀 페인트 위의 검은 하트. 서머빌의 급수탑 꼭대기에 숨겨진 하트였다.

잠시 동안 나는 행복했다. 하지만 이내 아래로 떨어질 것 같은 느낌이 들었다. 리나가 우리들에 대해 생각하고 있지 않기 때문이었다. 리나는 자신의 다음 생일, 열일곱 번째 달에 대해 생각하고 있었다. 벌써부터 남은 날짜를 세는 중이었다.

검은 하트의 중심에 리나는 우리 이름을 쓰지 않았다.

대신 숫자를 썼다.

부름

➤ 5.16 ➤

나는 급수탑 꼭대기에 쓴 숫자에 대해 리나에게 물어보지 않았지만, 그 숫자를 잊을 수는 없었다. 지난 1년 동안 우리가 갖은 노력을 했어도 결국 그 일을 피할 수 없었는데, 내가 어찌 그 숫자를 잊을 수 있을까. 나는 마침내 용기를 내서 리나에게 왜 그 숫자를 썼는지, 무엇을 헤아리는 숫자인지 물어보았지만 리나는 대답하려 하지 않았다. 사실은 리나 자신도 정확한 답을 모르는 것 같았다.

그건 정확한 답을 아는 것보다 더 나빴다.

그 뒤로 2주가 흘렀다. 내가 아는 한 리나는 자신의 공책에 아직 아무것도 쓰지 않았다. 목걸이에 그 작은 샤피를 매달고 다니기는 했지만, 내가 스톱 앤 스틸에서 샀을 때의 상태 그대로 잉크가 전혀 닳지 않은 것 같았다. 손이나 낡은 운동화에 뭔가를 자주 갈겨쓰곤 하던 리나가 아무것도 쓰지 않는 모습을 보니 기분이 이상했다. 요즘은 낡은 운동화도 잘 신지 않았다. 그 운동화 대신 낡아 빠진 검은 부츠를 신고 다녔다. 머리 모양도 달라졌다. 마법의 기운을 없애 버리려는 듯이 머리를 하나로 묶고 다닐 때가 대부분이었다.

우리는 우리 집 현관 베란다의 계단 맨 위에 앉아 있었다. 리나가 자신이 주술사라고, 일반인에게는 그때까지 한 번도 털어놓은 적이 없는 비밀을 처음 고백했을 때 우리가 앉아 있던 바로 그 자리였다. 나는《지킬 박사와 하이드 씨》를 읽는 척했다. 리나는 자신의 스프링노트를 펼쳐 놓고 아무것도 없는 종이를 물끄러미 내려다보고 있었다. 종이에 쳐진 가느다란 파란 선들이 리나의 모든 문제에 대한 해답을 알고 있기라도 한 것처럼.

나는 리나를 지켜보다가 거리를 바라보다가 했다. 오늘은 아빠가 돌아오시는 날이었다. 나는 이모가 아빠를 블루 호라이즌즈에 입원시킨 뒤 매주 한 번씩 있는 가족의 날에 애마 아줌마와 함께 아빠를 면회하러 갔다. 아빠는 예전 모습을 회복하지 못했지만, 솔직히 이제는 정상인과 거의 비슷해 보였다. 그래도 아직은 불안했다.

"왔다." 망사문이 내 뒤에서 쾅 하고 닫혔다. 애마 아줌마가 도구 주머니가 있는 앞치마를 입고 현관 베란다에 서 있었다. 애마 아줌마는 특히 이런 날에는 전통적인 앞치마보다 그 앞치마를 더 좋아했다. 애마 아줌마는 목에 걸고 있는 황금색 부적을 손가락으로 만지작거렸다.

나는 거리를 바라보았지만, 보이는 거라고는 자전거를 타고 가는 빌리 왓슨뿐이었다. 리나도 앞으로 몸을 기울이고 거리를 살펴보았다.

'차가 안 보이는데.'

내 눈에도 보이지 않았다. 하지만 5초만 지나면 곧 차가 나타날 터였다. 애마 아줌마는 자존심이 높았다. 특히 천리안으로서 자신의 능력에 대한 자부심이 컸다. 아빠가 오고 있다는 확신이 없었다면 애마 아줌마가 '왔다'는 말을 하지도 않았을 것이다.

'금방 올 거야.'

틀림없었다. 이모의 하얀 캐딜락이 코튼 벤드를 향해 우회전을 했다. 차창이 내려가 있었다. 캐롤라인 이모는 그렇게 창을 열어 놓는 것을 가리켜 360도 에어컨이라고 했다. 이모가 저 아래쪽에서 손을 흔드는 것이 보였다. 내가 일어서는데 애마 아줌마가 팔꿈치로 나를 밀치며 앞서 나갔다. "얼른 와라. 네 아빠가 돌아오시는 걸 제대로 환영해드려야지." 이건 '얼른 일어나, 이선 웨이트'라는 뜻의 암호였다.

나는 깊이 숨을 들이쉬었다.

'너 괜찮아?' 리나의 개암 빛깔 눈에 햇빛이 비쳤다.

'응.' 나는 거짓말을 했다. 리나도 알았겠지만, 아무 말도 하지 않았다. 나는 리나의 손을 잡았다. 차가운 손이었다. 요즘은 항상 그랬다. 내 몸에 전류가 흐르는 느낌이 동상에 걸렸을 때처럼 찌릿했다.

"미첼 웨이트. 설마 나 말고 다른 사람이 만든 파이를 먹고 온 건 아니겠지? 쿠키 단지에 빠져서 나오는 길을 못 찾고 헤매다 온 사람 같은 꼴이잖아." 아빠는 다 안다는 듯한 표정으로 애마 아줌마를 바라보았다. 애마 아줌마가 아빠를 키웠으니, 애마 아줌마가 놀리는 말에는 따뜻하게 껴안아줄 때 만큼이나 많은 애정이 배어 있다는 것을 아빠도 알고 있었다.

애마 아줌마가 열 살짜리 아이를 대하듯이 법석을 떨며 아빠를 맞이하는 동안 나는 가만히 서 있었다. 애마 아줌마와 이모는 방금 아빠와 함께 장을 보고 돌아온 사람들처럼 수다를 떨어 댔다. 아빠는 나를 향해 힘없는 미소를 지었다. 우리가 블루 호라이즌즈로 문병을 갔을 때 아빠가 짓던 바로 그 미소였다. '난 이제 미치지 않았어. 그냥 부끄러울 뿐이야'라는 뜻이 그 미소에 담겨 있었다. 아빠는 낡은 듀크 대학 티셔츠에 청바지를 입은 차림이었는데, 왠지 예전보다 더 젊어 보이는 것 같았다. 하지만 아빠가 나를 안으려고 어색하게 끌어당기자 눈가의 주름이 깊어졌다. "잘 지냈니?"

순간적으로 목이 메어서 나는 기침을 했다. "잘 지냈어요."

아빠는 리나를 바라보았다. "다시 만나서 반갑구나, 리나. 네 삼촌 일은 유감이다." 이건 남부 사람들에게 단단히 각인된 예의였다. 이렇게 어색한 순간에도 아빠는 메이컨의 일에 조의를 표하지 않고 그냥 넘어갈 수 없었다.

리나는 미소를 지으려고 했지만, 지금의 내 기분만큼이나 불편한 표정이 되고 말았다. "고맙습니다, 아저씨."

"이선, 이리 와서 사랑하는 이모도 좀 안아 줘야지." 캐롤라인 이모가 양팔을 내밀었다. 나는 이모를 끌어안고, 꽉 막힌 가슴이 풀릴 만큼 나를 꼭 안아 주는 이모의 손길을 느끼고 싶었다.

"안으로 들어가자." 애마 아줌마가 현관 베란다 위에서 아빠에게 손짓했다. "내가 코카콜라 케이크랑 닭튀김을 만들었어. 빨리 안 들어가면 닭이 정신을 차리고 집으로 가 버릴 거다."

캐롤라인 이모가 아빠의 팔을 자신의 팔로 감고 계단으로 인도했다. 이모는 엄마와 똑같이 머리카락이 갈색이고 몸집이 작았기 때문에 순간적으로 부모님이 다시 집으로 돌아와 낡은 망사문 안으로 걸어 들어가는 것처럼 보였다.

"난 집에 가 봐야 돼." 리나는 자신의 공책을 방패처럼 가슴에 꼭 끌어안고 있었다.

"꼭 가야 되는 건 아니잖아. 들어가자."

'부탁이야.'

내가 리나에게 같이 들어가자고 권한 건 예의 때문이 아니었다. 나는 혼자 안으로 들어가기가 싫었다. 몇 달 전이었다면 리나도 그걸 알아차렸을 것이다. 하지만 오늘은 리나의 마음이 다른 곳에 가 있는지 내 심정을 알아차리지 못했다.

"너도 가족들하고 시간을 보내는 게 좋잖아." 리나는 발끝으로 서서 내게 입을 맞췄다. 입술이 내 뺨을 간신히 스치고 떨어졌다. 내가 뭐라고 말하기도 전에 리나는 벌써 차가 있는 곳까지 절반쯤 가 있었다.

나는 라킨의 패스트백 자동차가 거리 저편으로 사라지는 것을 지켜보았다. 이제 리나는 영구차를 몰고 다니지 않았다. 내가 아는 한 리나는 메이컨이 죽은 뒤로 그 차에 눈길도 주지 않았다. 바클레이 이모부가 낡은 헛간 뒤에 그 차를 주차시키고 방수포를 덮어 두었다. 리나는 온통 검은색으로 번쩍거리는 라킨의 차를 몰고 다녔다. 링크는 그 차를 처음 본 날 입에 거품을 물었다. "이런 차를 타고 다니면 여자애들을 얼마나 쉽게 꼬실 수 있는지 알아?"

리나의 사촌인 라킨은 온 가족을 배신했으므로, 나는 리나가 왜 이 차를 몰고 다니는지 이해할 수 없었다. 내가 물어보았더니 리나는 어깨를 으쓱하며 이렇게 말했다. "이제 라킨한테는 이 차가 필요없거든." 어쩌면 리나는 이 차를 몰고 다니는 것이 라킨을 벌하는 방법이라고 생각하는지도 몰랐다. 라킨이 메이컨의 죽음에 일조했다는 사실을 리나는 영원히 용서하지 않을 것이다. 나는 나도 함께 사라질 수 있으면 좋겠다는 생각을 하면서 모퉁이를 돌아가는 차를 지켜보았다.

내가 부엌으로 들어와 보니, 벌써 치코리 커피(치코리 뿌리는 커피의 대용품으로 쓰임 - 옮긴이)가 끓고 있었다. 분위기도 끓어오르고 있었다. 애마 아줌마는 싱크대 앞을 오락가락하면서 전화를 하고 있었는데, 1~2분마다 한 번씩 수화기를 손으로 가리고 캐롤라인 이모에게 통화 상대방의 말을 전해 주었다.

"어제부터 걔를 못 봤대." 애마 아줌마는 다시 수화기를 귀에 댔다. "머시 할머니한테 토디(위스키나 럼 등에 더운물을 섞고 설탕을 탄 음료 - 옮긴이)를 만들어 주고 걔를 찾을 때까지 침대에 누워 계시게 해."

"찾다니 누굴요?" 나는 아빠를 바라보았지만 아빠는 어깨를 으쓱했다.

캐롤라인 이모가 나를 싱크대로 끌고 가서 남부의 숙녀들이 큰 소리로 말하기에는 너무나 끔찍한 이야기를 할 때처럼 목소리를 낮춰 속삭였다. "루실 볼이 없어졌대." 루실 볼은 머시 할머니의 샴 고양이였다. 녀석은 빨랫줄과 연결된 목줄을 매고 세 할머니들의 집 앞마당을 뛰어다니는 게 주요 일과였다. 세 할머니들은 그것을 운동이라고 불렀다.

"무슨 소리예요?"

애마 아줌마가 다시 수화기를 손으로 가리고 눈을 가늘게 뜨며 턱에 힘을 주었다. 애마 아줌마 특유의 표정이었다. "누가 네 할머니 머리에 고양이는 항상 집으로 돌아오니까 굳이 묶어 두지 않아도 된다는 요상한 생각을 불어넣은 모양이야. 설마 너는 모르는 일이겠지?" 이건 질문이 아니었다. 내가 몇 년 전부터 줄곧 그런 말을 했다는 건 우리 둘 다 알고 있었다.

"고양이는 원래 묶어 두면 안 돼요." 나는 자기변호에 나섰지만, 이미 때가 늦었다.

애마 아줌마는 나를 한 번 노려보고 캐롤라인 이모를 바라보았다. "머시 할머니가 빨랫줄에 매달려 있는 빈 목줄만 바라보면서 현관 베란다에 앉아 내내 기다리고 있는 모양이야." 애마 아줌마는 수화기에서 손을 뗐다. "할머니를 집 안으로 모시고 들어가서 발을 높이 올리고 계시게 해. 할머니가 현기증이 난다고 하시면, 민들레를 좀 끓여서 드리고."

나는 애마 아줌마의 눈이 더 가늘어지기 전에 살금살금 부엌에서 나왔다. 백 살이나 되신 할머니의 고양이가 사라졌다. 내 잘못으로. 링크에게 전화해서 차를 몰고 나랑 같이 루실을 찾으러 돌아다닐 수 있냐고 물어봐야 할 것 같았다. 어쩌면 루실이 링크의 데모 테이프를 듣고 놀라서 은신처에서 나올지도 모른다.

"이선?" 아빠가 부엌 문 바로 밖의 복도에 서 있었다. "나랑 잠깐 얘기 좀 할 수 있겠니?" 이것이야말로 내가 줄곧 두려워하던 일이었다. 아빠가 전부 잘못했다고 사과하며 거의 1년 동안 나를 무시했던 이유를 설명하려고 애쓰는 것.

"네, 그럼요." 하지만 아빠의 말을 듣고 싶은 생각이 별로 없었다. 이젠 그다지 화가 나지도 않았다. 하마터면 리나를 잃어버릴 뻔했을 때 나는 아빠가 그렇게 완전히 혼란에 빠져 버린 이유를 마음 한구석에서 이해할 수 있었다. 나는 리나가 없는 삶을 상상도 할 수 없었다. 그런데 아빠는 18년이 넘는 세월 동안 엄마를 사랑했다.

그래서 이제는 아빠가 안쓰러웠지만, 그래도 지난 1년 동안의 고통은 아직 남아 있었다.

아빠는 머리카락을 손으로 쓸어 넘기고 조심스레 내게 다가왔다. "미안하다는 말을 하고 싶었다." 아빠는 자기 발을 빤히 내려다보며 잠시 말이 없었다. "뭐가 어떻게 된 건지 모르겠어. 분명히 서재에서 글을 쓰고 있었는데, 언제부터인지 네 엄마 생각밖에 안 나더라. 그래서 네 엄마의 의자에 앉아 보고, 네 엄마가 보던 책의 냄새를 맡아 보고, 네 엄마가 내 어깨 너머로 글을 읽어 보는 모습을 상상해 보는 것밖에 할 수 없었어." 아빠는 내가 아니라 자신의 손을 향해 말하는 사람처럼 양손을 열심히 바라보았다. 이건 혹시 블루 호라이즌즈에서 가르쳐 준 요령인 걸까? "내가 네 엄마를 가까이 느낄 수 있는 곳은 거기밖에 없었다. 엄마를 보내 줄 수가 없었어."

아빠는 회반죽을 바른 지 이미 오래된 천장을 올려다보았다. 눈물 한 방울이 눈꼬리에서 빠져나와 얼굴을 타고 천천히 흘러내렸다. 아빠는 평생의 사랑을 잃고 낡은 스웨터처럼 풀어져 버렸다. 나는 그냥 보기만 했을 뿐 아무것도 하지 않았다. 그러니 어쩌면 이건 아빠만의 잘못이 아닌지도 모른다. 나는 지금 미소를 지어야 한다는 걸 알고 있었지만, 그럴 기분이 아니었다.

"알아들었어요, 아빠. 아빠가 저한테도 뭐라고 얘기를 해 주셨으면 좋았을 텐데. 저도 엄마가 보고 싶었다고요."

아빠는 간신히 조용한 목소리로 입을 열었다. "너한테 무슨 말을 해야 할지 몰랐어."

"괜찮아요." 이것이 나의 진심인지 아직 확신할 수는 없었지만, 아빠의 얼굴에 안도감이 번지는 것이 보였다. 아빠는 손을 뻗어 나를 끌어안고 내 등을 주먹으로 꼭 눌러 주었다.

"이젠 내가 옆에 있어 줄게. 나한테 하고 싶은 얘기 있니?"

"무슨 얘기요?"

"여자 친구를 사귈 때 알아야 하는 것들 말이야."

이것이야말로 내가 가장 이야기하고 싶지 않은 주제였다. "아빠, 그럴 필요는…."

"난 경험이 아주 많아. 네 엄마가 그동안 여자들에 관해 몇 가지 가르쳐 준 게 있거든."

나는 여기서 빠져나갈 길을 궁리하기 시작했다.

"언제든 나랑 이야기를 하고 싶다면…."

서재 창문으로 나가서 산울타리 사이로 빠져나가면 될까?

"감정에 대해서 말이야."

나는 하마터면 아빠의 면전에서 웃음을 터뜨릴 뻔했다. "네?"

"애마 아줌마 말이, 리나가 삼촌이 돌아가신 것 때문에 힘들어한다고 하더라. 행동이 예전 같지 않다고."

천장에 누워 있기도 하고, 학교에 가는 걸 거부하기도 하고, 나한테 마음을 열지 않기도 하고, 급수탑에 올라가기도 하죠. "아뇨, 리나는 괜찮아요."

"글쎄, 여자들은 우리랑 다른 생물이니까."

나는 고개를 끄덕이고는 아빠의 눈을 똑바로 보지 않으려고 애썼다. 아빠는 방금 자신이 얼마나 옳은 말을 했는지 전혀 모르고 있었다.

"난 네 엄마를 무척 사랑했지만, 네 엄마가 무슨 생각을 하는지 도무지 알 수 없을 때가 많았어. 남녀 관계란 복잡한 거야. 궁금한 게 있으면 뭐든지 물어봐라."

내가 뭘 물어볼 수 있을까? 키스를 할 때마다 심장이 거의 멈출 지경이 되는데 어떻게 하죠? 상대의 마음을 읽어야 할 때와 읽지 말아야 할 때가 따로 있나요? 여자 친구가 선인지 악인지 영원히 결정될 거라는 사실을 일찌감치 알려 주는 전조란 어떤 거죠?

아빠는 마지막으로 한 번 내 어깨를 꽉 쥐었다. 아빠가 내 어깨를 놓을 때도 나는 여전히 머릿속으로 무슨 말을 해야 할지 고민 중이었다. 아빠는 복도 저편을 빤히 바라보았다. 서재가 있는 쪽이었다.

이선 카터 웨이트의 초상화가 들어 있는 액자가 복도에 걸려 있었다. 나는 지금도 그 그림이 익숙하지 않았다. 메이컨의 장례식 다음 날 그 그림을 벽에 건 사람이 바로 나였는데도. 그 사진은 그동안 줄곧 천으로 가려져 있었다. 내가 보기에는 그것이 잘못된 일인 것 같았다. 이선 카터 웨이트는 자신의 신념과 일치하지 않는 전쟁을 거부하고 전쟁터를 떠나와서 자신이 사랑하는 주술사 아가씨를 구하려다 죽었다.

그래서 나는 못을 찾아 그 그림을 벽에 걸었다. 그래야 할 것 같았다. 그림을 건 뒤 나는 아빠의 서재로 들어가서 사방에 흩어진 종이들을 주웠다. 그리고 종이에 그려진 낙서와 원들을 마지막으로 한 번 더 보았다. 그건 사랑이 얼마나 깊어질 수 있는지, 상실감이 얼마나 오랫동안 지속될 수 있는지를 보여 주는 증거였다. 나는 방을 청소하고 그 종이들을 버렸다. 이것 역시 그래야 할 것 같았다.

아빠는 그림 앞으로 다가가서 생전 처음 그것을 보는 사람처럼 유심히 살펴보았다. "이분을 보는 게 정말 오랜만이구나."

화제가 바뀐 것이 너무나 반가워서 내 입에서 저절로 말이 흘러나왔다. "제가 걸었어요. 괜찮죠? 천으로 덮어 둘 게 아니라 거기 걸어야 할 것 같더라고요."

아빠는 남군 군복을 입은 청년의 초상화를 한동안 뚫어져라 올려다보았다. 청년은 나와 나이 차이가 그리 많아 보이지 않았다. "이 그림은 내가 어렸을 때도 항상 천으로 덮여 있었어. 내 조부모님은 이 그림에 대해 별다른 말이 없었지만, 탈영병의 그림을 벽에 걸 생각은 전혀 없었지. 이 집을 물려받은 뒤에 내가 다락에서 천으로 덮여 있던 이 그림을 발견하고 서재로 가져왔다."

"그럼 벽에 걸지 그러셨어요." 나는 아빠도 어렸을 때 나처럼 천으로 감쳐진 그림의 윤곽만 바라보았을 것이라고는 상상도 하지 못했다.

"글쎄. 네 엄마도 그러라고 했는데. 네 엄마는 이분의 사연을 좋아했다. 전쟁을 거부하고 전쟁터를 떠난 것 말이야. 결국 목숨을 잃기는 했지만. 나도 그림을 걸 생각이었어. 그런데 이 그림에 천이 씌워져 있는 모습이 너무 익숙해서 말이야. 내가 그 문제를 극복하기도 전에 네 엄마가 죽어 버렸어." 아빠는 조각이 새겨진 액자 아래쪽을 손으로 쓸었다. "네 이름은 이분의 이름을 딴 거다."

"알아요."

아빠는 이번에도 역시 생전 처음 보는 사람을 보듯이 나를 바라보았다. "네 엄마는 이 그림에 푹 빠져 있었어. 네가 이걸 걸어 줘서 다행이다. 여기가 이분의 자리야."

나는 닭튀김에서도, 애마 아줌마의 죄책감에서도 도망치지 못했다. 그래서 저녁을 먹은 뒤 링크와 함께 차를 타고 세 할머니가 사시는 동네를 돌아다니며 루실을 찾았다. 링크는 기름 묻은 종이 타월로 싼 닭다리를 뜯는 사이사이에 루실의 이름을 불렀다. 손에 묻은 기름 때문에, 링크가 삐죽삐죽하게 세운 금발을 손으로 한 번 쓸 때마다 안 그래도 반짝이던 머리가 더욱 반짝거렸다.

"닭튀김을 더 가져오지 그랬어. 고양이는 닭을 좋아하잖아. 야생에서도 새를 잡아먹으니까." 링크는 내가 거리를 살피며 루실을 찾을 수 있게 평소보다 느리게 차를 몰았다. 핸들을 잡은 손으로는 자기네 밴드의 끔찍한 신곡인 〈러브 비스킷〉의 박자를 맞췄다.

"닭튀김을 가져와서 어쩌라고? 네가 운전하는 동안 나는 닭다리를 든 손을 창밖으로 내밀고 있으라고?" 링크는 속이 훤히 들여다보였다. "네가 애마 아줌마의 닭튀김을 더 먹고 싶은 것뿐이잖아."

"너도 아는구나. 코카콜라 케이크도 먹고 싶어." 링크는 닭의 다리뼈를 창밖으로 내밀었다. "여기 있다, 야옹아, 야옹아….."

나는 인도를 훑어보며 샴고양이를 찾았지만, 뭔가 다른 것이 눈에 들어왔다. 초승달이었다. 남군 깃발 모양의 범퍼 스티커와 부바의 트럭 앤 트레일러를 광고하는 스티커 사이의 자동차 번호판에 새겨져 있었다. 내가 이미 수천 번이나 본 사우스캐롤라이나 주의 상징이 그려진 평범한 번호판이었다. 다만 내가 이 상징에 대해 한 번도 진지하게 생각해 본 적이 없을 뿐이었다. 파란색 야자수와 초승달이라. 어쩌면 주술사의 달인지도 몰랐다. 주술사들은 정말로 오래전부터 여기서 살았으니까 말이다.

"고양이가 생각보다 멍청하네. 놈이 애마 아줌마의 닭튀김을 몰라보다니."

"암컷이야. 루실 볼은 여자애라고."

"그냥 고양이야." 링크가 핸들을 휙 꺾었다. 우리는 모퉁이를 돌아 중앙로로 들어섰다. 부 래들리가 길가에 앉아 우리 차가 지나가는 것을 지켜보았다. 우리가 길 저편으로 사라져 가는 동안 녀석은 꼬리로 땅을 철썩 쳤다. 우리를 알아보았다는 유일한 표시였다. 녀석은 이 마을에서 가장 고독한 개였다.

부를 보고 링크가 헛기침을 했다. "여자애 말이 나와서 말인데, 리나는 어때?" 링크는 요즘 리나를 자주 보지 못했다. 그래도 다른 사람들보다는 많이 본 편이지만. 리나는 레이븐우드에서 할머니와 델 이모의 감시를 받으며 지내거나, 두 사람의 감시를 피해 숨어 있을 때가 많았다.

"그럭저럭 지내고 있어." 정확히 말하면 거짓말은 아니었다.

"그래? 요새 좀 달라 보이던데. 리나가 원래 별나긴 해도 확실히 달라 보여." 링크는 이 마을에서 리나의 비밀을 아는 소수의 사람 중 하나였다.

"삼촌이 돌아가셨잖아. 그런 일을 겪으면 사람이 변하지." 링크라면 누구보다 잘 알고 있을 것이다. 내가 엄마의 죽음을 받아들이려고 애쓰는 것을 지켜보았으니까. 링크는 그런 걸 받아들이는 건 불가능하다는 것을 알고 있었다.

"그렇기야 하지만, 요새 리나는 말도 잘 안 하잖아. 옷도 삼촌처럼 입고. 그거 좀 이상하지 않냐?"

"리나는 아무 문제 없어."

"뭐, 네가 그렇다면야."

"그냥 운전이나 해. 루실을 찾아야지." 나는 창밖의 텅 빈 거리를 바라보았다. "멍청한 고양이 같으니."

링크는 어깨를 으쓱하고는 테이프 소리를 키웠다. 링크의 밴드인 홀리 롤러스의 노랫소리가 스피커를 쾅쾅 울렸다. 〈그녀는 가 버렸다〉는 노래였다. 링크는 항상 여자한테 차이는 가사만 썼다. 이것이 링크 나름대로 상처를 이겨 나가는 방법이었다. 하지만 나는 아직 나만의 방법을 찾아내지 못했다.

~~~

우리는 루실을 찾지 못했다. 그리고 나는 링크나 아빠와 나눈 대화를 도무지 머릿속에서 떨쳐 버릴 수 없었다. 집 안은 조용했다. 머릿속의 생각을 떨쳐 버리려고 애쓰는 사람에게 좋은 환경은 아니었다. 내 방의 창문은 열려 있었지만, 날이 뜨겁고 바람 한 점 없었다. 오늘은 모든 것이 그랬다.

링크의 말이 옳았다. 리나의 행동은 확실히 이상했다. 하지만 이제 겨우 몇 달이 지났을 뿐이었다. 리나도 언젠가는 정신을 차릴 것이고, 그러면 모든 것이 예전으로 돌아갈 것이다.

나는 내 책상에 쌓여 있는 책들과 종이들을 뒤지며《은하계를 여행하는 히치하이커를 위한 안내서》를 찾았다. 내가 복잡한 생각에서 벗어나고 싶을 때 보는 책이었다. 하지만 낡은 〈샌드맨〉 만화책 더미 밑에서 다른 것을 찾아냈다. 갈색 종이로 싸고 끈으로 묶은 꾸러미였다. 갈색 종이는 메리언 아줌마가 항상 쓰는 것과 같았지만, 꾸러미에는 '개틀린 카운티 도서관'이라는 도장이 찍혀 있지 않았다.

메리언 아줌마는 엄마의 가장 오랜 친구이자 개틀린 카운티 도서관의 수석 사서였다. 주술사 세계의 '보관자'이기도 했다. 보관자란 주술사들의 비밀과 역사를 지키는 일반인을 뜻하는데, 메리언 아줌마는 주술사 도서관인 루나에 리브리를 지키는 사람이었다. 루나에 리브리에도 역시 그 나름의 비밀이 가득했다. 이 꾸러미는 메리언 아줌마가 메이컨이 죽은 뒤 내게 준 것이지만, 나는 그동안 까맣게 잊고 있었다. 꾸러미 안에는 메이컨의 일기가 들어 있었다. 메리언 아줌마는 리나가 이걸 갖고 싶어 할 거라고 생각했지만, 틀린 생각이었다. 리나는 이 일기를 보는 것도, 만지는 것도 싫어했다. 심지어 레이븐우드에 들여놓으려 하지도 않았다. "네가 가져." 리나가 말했다. "삼촌의 필체를 차마 못 볼 것 같아." 그래서 이 일기는 그 뒤로 내내 내 책상에서 먼지를 뒤집어쓰고 있었다.

나는 꾸러미를 손으로 돌려 보았다. 무거웠다. 거의 책 한 권과 맞먹을 만큼. 모양이 어떤지 궁금했다. 십중팔구 많이 낡아서 가죽 표지에 금이 가 있을 것이다. 나는 끈을 풀고 종이를 벗겼다. 일기를 읽을 생각은 없고, 그냥 한번 보기만 할 생각이었다. 하지만 포장지를 벗긴 뒤에 드러난 것은 책이 아니었다. 기묘한 주술사 상징들이 치밀하게 조각된 검은색 나무 상자였다.

나는 뚜껑을 손으로 쓸어 보며 메이컨이 과연 어떤 글을 썼을지 생각해 보았다. 그가 리나처럼 시를 쓰는 건 상상이 가지 않았다. 그보다는 원예 관련 메모가 가득할 가능성이 높았다. 나는 조심스레 뚜껑을 열었다. 메이컨이 매일 만지던 물건, 메이컨이 중요하게 여기던 물건을 보고 싶었다. 상자의 안감은 검은 새틴이었고, 상자 안에는 누렇게 변한 종이들이 제본되지 않은 채 들어 있었다. 메이컨의 섬세한 필체가 흐릿하게 바래 가고 있었다. 나는 한 손가락으로 종이를 만져 보았다. 하늘이 빙글빙글 돌면서 내 몸이 앞으로 쓰러지는 것이 느껴졌다. 바닥이 쑥 올라왔지만, 내 몸은 바닥을 그대로 통과해 버렸다. 연기구름이 나를 둘러쌌다….

강을 따라 불길이 타올랐다. 몇 시간 전까지 그 자리에 서 있던 농장들의 흔적이라고는 그것뿐이었다. 그린브라이어도 이미 불길에 휩싸여 있었다. 다음 차례는 레이븐우드일 것이다. 북군 병사들은 승리에 취하고, 개틀린의 부잣집들에서 약탈해 온 술에 취해서 잠시 쉬고 있는 모양이었다.

에이브러햄은 시간이 별로 없었다. 병사들이 곧 올 것이다. 그는 그들을 죽일 작정이었다. 레이븐우드를 구할 방법이 그것밖에 없었다. 일반인들은 그의 상대가 되지 않았다. 병사들도 마찬가지였다. 그들은 몽마의 적수가 아니었다. 혹시라도 에이브러햄의 남동생 조나가 터널에서 돌아온다면, 병사들은 두 몽마와 싸워야 할 것이다. 에이브러햄이 걱정하는 건 총뿐이었다. 일반인들의 무기로는 몽마 일족을 죽일 수 없다 해도, 총알 때문에 힘이 약해지는 건 사실이었다. 그렇게 되면 병사들이 레이븐우드에 불을 놓을 짬이 생길 수도 있었다.

에이브러햄은 먹이가 필요했다. 연기 속에서도 근처에 있는 일반인의 절망과 두려움의 냄새가 났다. 두려움은 그를 강하게 만들어 줄 것이다. 두려움은 추억이나 꿈보다 더 많은 힘과 영양분을 제공해 주었다.

에이브러햄은 그 냄새를 향해 '이동'했다. 하지만 그린브라이어 너머의 숲에 모습을 드러냈을 때, 그는 이미 너무 늦었음을 알아차렸다. 냄새가 희미했다. 저 멀리 진흙탕에서 제너비브 두케인이 시체 위에 웅크려 있는 것이 보였다. 그린브라이어의 요리사인 아이비는 뭔가를 가슴에 꼭 껴안은 채 제너비브 뒤에 서 있었다.

아이비가 에이브러햄을 발견하고 쏜살같이 달려왔다. "레이븐우드 님, 아이고, 주님, 감사합니다." 아이비는 목소리를 낮췄다. "이걸 받으세요. 제가 찾으러 갈 때까지 안전한 곳에 보관해 주세요." 아이비는 앞치마 자락 속에서 무거운 검은 책을 꺼내 에이브러햄의 양손에 불쑥 올려놓았다. 에이브러햄은 책이 손에 닿는 순간 그 힘을 느낄 수 있었다.

이 책은 마치 심장을 지닌 것처럼 그의 손바닥에서 박동하며 살아 있었다. 책이 어서 받으라고, 자신을 펼쳐서 그 안에 숨겨진 것들을 해방시키라고 속삭이는 소리가 들리는 듯했다. 표지에는 글자가 전혀 없었다. 초승달 한 개가 그려져 있을 뿐이었다. 에이브러햄은 손가락으로 가장자리를 쓸어 보았다.

아이비는 에이브러햄의 침묵을 망설임으로 오해하고 계속 떠들어 대고 있었다. "부탁입니다, 레이븐우드 님. 달리 이 책을 맡길 분이 없어요. 그렇다고 제너비브 아가씨께 맡길 수도 없고요. 지금은 안 돼요." 제너비브가 비와 불길의 포효 속에서 두 사람의 이야기가 들리기라도 한 것처럼 고개를 들었다.

제너비브가 두 사람을 향해 고개를 돌리는 순간 에이브러햄은 상황을 알아차렸다. 어둠 속에서 제너비브의 노란색 눈이 빛났다. 어둠의 주술사의 눈이었다. 그 순간 에이브러햄은 자신이 손에 든 책의 정체 또한 알 수 있었다.

《달의 책》.

에이브러햄은 이 책을 본 적이 있었다. 제너비브의 어머니인 마르그리트의 꿈속에서. 이 책은 무한한 힘을 지니고 있었다. 마르그리트는 이 책을 두려워하면서 동시에 숭배했다. 마르그리트는 남편과 딸들에게 이 책을 숨겼다. 지금 살아 있었다면 이 책이 어둠의 주술사나 몽마의 손에 들어가는 것을 결코 허락하지 않았을 것이다. 어쩌면 이 책이 레이븐우드를 구해 줄 수도 있었다.

아이비는 치맛자락 속에서 뭔가를 꺼내 책 표면에 대고 문질렀다. 하얀 결정체들이 책 가장자리 너머로 굴러떨어졌다. 소금이었다. 미신을 믿는 섬 여자들의 무기. 그들은 조상들의 땅인 슈가 제도에서 올 때부터 자기들 나름의 능력을 지니고 있었다. 그들은 소금이 악마를 쫓아 준다고 믿었다. 에이브러햄은 그 믿음을 항상 재미있어 했다. "제가 가지러 갈게요. 가능한 한 빨리. 맹세해요."

"내가 안전하게 보관해 주지. 약속하마." 에이브러햄은 책의 열기를 피부로 다시 느껴 보고 싶어서 책 표지에서 소금을 조금 쓸어 냈다. 그리고 다시 숲을 향해 돌아섰다. 그는 아이비가 놀라지 않게 몇 미터쯤 걸어갈 것이다. 흑인 여자들은 그가 '이동'하는 것을 보면 그의 정체를 새삼 떠올리며 항상 겁에 질렸다.

"잘 보관해 두세요, 레이븐우드 님. 무슨 일이 있어도 그 책을 펼치면 안 됩니다. 그 책에 손대는 사람에게는 불행뿐이에요. 책이 나리를 부르더라도 듣지 마세요. 제가 가지러 갈게요." 하지만 이것은 이미 때늦은 경고였다.

에이브러햄은 책의 부름에 귀를 기울이고 있었다.

정신을 차려 보니 나는 내 방 바닥에 누워 천장을 바라보고 있었다. 내 방 천장은 우리 집의 모든 천장과 마찬가지로 어리호박벌이 집을 짓지 못하게 하려고 하늘색으로 칠해져 있었다.

나는 일어나 앉았다. 머리가 어지러웠다. 상자는 뚜껑이 닫힌 채 내 옆에 있었다. 나는 뚜껑을 열었다. 종이 뭉치는 그 안에 그 대로 있었다. 이번에는 그 종이에 손을 대지 않았다.

　도무지 말이 되지 않았다. 내가 왜 또 환영을 본 걸까? 대화재 때 오로지 레이븐우드만이 살아남았다는 이유로 수 세대 전부터 이 마을 사람들이 의심해 온 에이브러햄 레이븐우드가 왜 환영 속에 나타난 걸까? 나야 마을 사람들이 하는 말을 그다지 믿는 편은 아니지만 말이다.

　제너비브의 로켓 때문에 환영을 보았을 때는 그럴 만한 이유가 있었다. 리나와 내가 찾아내야 하는 답이 있었다. 그런데 에이브러햄 레이븐우드는 우리와 도대체 무슨 상관이 있단 말인가. 공통점이라고는《달의 책》뿐이었다. 로켓 덕분에 본 환영 속에도, 이번 환영 속에도 그 책이 있었다. 하지만 그 책은 이제 사라졌다. 리나의 생일날 납골당 탁자 위에서 불길에 둘러싸여 있던 것이 그 책의 마지막 모습이었다. 다른 것들과 마찬가지로 그 책도 지금은 재로 변해 있었다.

남은 것들

다음 날 학교에서 나는 맛없는 커피를 네 잔이나 가져와서 링크와 단둘이 점심을 먹었다. 피자를 먹는 동안 머릿속에 떠오르는 것이라고는 링크가 리나에 대해 했던 말뿐이었다. 링크가 옳았다. 리나는 변했다. 조금씩, 조금씩 변해 가서 이제는 예전 모습이 어땠는지 거의 기억나지 않을 정도였다. 만약 누구에게든 의논을 해 본다면, 다들 리나에게 시간이 좀 필요할 거라고 말할 터였다. 하지만 나는 더 이상 뭐라고 말할 수도 없고 해 줄 것도 없을 때 사람들이 바로 이런 말을 한다는 것을 알고 있었다.

리나는 다시 일어나지 못할 것이다. 예전의 자신으로 돌아가거나 내게 돌아오지 않을 것이다. 리나는 누구보다도 특히 내게서 점점 멀어지고 있었다. 나는 점점 더 리나에게 닿을 수 없게 되었다. 속마음을 통해서도, 켈팅을 통해서도, 키스를 통해서도. 예전에 우리가 서로에게 닿을 때 사용하던 다른 방법들도 모두 마찬가지였다. 이제는 내가 리나의 손을 잡으면 느껴지는 것이라고는 냉기뿐이었다.

식당 저편에서 나를 바라보는 에밀리 애셔의 시선에도 동정만이 가득했다. 이번에도 나는 남들에게 동정을 받는 대상이었다. 이제 '작년에 엄마가 돌아가신 이선 웨이트'가 아니라 '여자 친구가 삼촌을 잃은 뒤 사이코가 되어 버린 이선 웨이트'였다. 사람들은 뭔가 문제가 있다는 것도, 리나가 나와 함께 학교에 나온 적이 없다는 것도 알고 있었다.

이 한심한 사람들은 리나를 좋아하지 않았고, 다른 사람의 불행을 구경하는 것을 좋아했다. 지금 나는 불행을 독점하고 있었다. 나는 단순한 불행보다 더한 불행에 빠져 있었고, 점심 쟁반에 남긴 맛없는 커피보다 더 형편없었다. 나는 혼자였다.

⌦

일주일쯤 지난 어느 날 오전에 머릿속에서 계속 이상한 소리가 들렸다. 뭔가를 가는 소리 같기도 하고, 레코드가 긁히는 소리 같기도 하고, 종이를 찢는 소리 같기도 했다. 나는 역사 수업을 듣는 중이었는데, 남북 전쟁 이후의 재통합이 수업 주제였다. 남북 전쟁이 끝난 뒤 미국이 다시 하나로 통합되던 이 시기는 정말이지 지루했다. 개틀린의 학교에서 이 주제는 지루하다기보다는 당혹스러웠다. 사우스캐롤라이나 주가 노예 제도를 인정했으며, 전쟁에서 편을 들지 말아야 할 쪽에 섰다는 사실을 새삼 들춰야 하기 때문이었다. 우리 모두 그 사실을 알고 있었지만, 우리 조상들 덕분에 우리는 이 나라의 도덕 성적표에서 항상 F 학점을 받을 수밖에 없었다. 깊이 베인 상처는 아무리 열심히 치료해도 흉터를 남기는 법이다. 리 선생님은 문장을 하나 마칠 때마다 극적인 한숨을 내쉬며 지루한 수업을 계속하고 있었다.

나는 수업을 듣지 않으려고 애쓰다가 타는 냄새를 맡았다. 엔진이 과열됐거나, 누가 라이터를 켠 것 같았다. 나는 교실 안을 둘러보았다. 리 선생님에게서 나는 냄새는 아니었다. 비록 역사 시간에 뭔가 끔찍한 냄새가 날 때마다 리 선생님이 원인일 때가 가장 많았지만, 지금은 아니었다. 게다가 다른 사람들은 냄새를 전혀 눈치채지 못한 것 같았다.

소음이 점점 커져서 혼란스러워졌다. 찢어지는 소리, 이야기 소리, 고함 소리가 마구 뒤섞여 있었다. 리나.

'L?'

아무 대답이 없었다. 소음 속에서 리나가 시를 중얼거리는 소리가 들렸다. 밸런타인데이에 누군가에게 보낼 만한 시는 아니었다.

'손을 흔드는 게 아니라 물에 빠지는 것…'

무슨 시인지 알 것 같았다. 좋지 않았다. 리나가 스티비 스미스의 시를 읽는다는 건, 어둡기 짝이 없는 실비아 플라스의 시를 읽기 직전이라는 뜻이었다. 리나에게 이건 빨간 경고등이었다. 링크가 죽은 케네디 일가 사람들의 말에 귀를 기울일 때나, 애마 아줌마가 큰 칼로 스프링롤에 들어갈 채소들을 다질 때와 같았다.

'조금만 기다려, L. 내가 금방 갈게.'

뭔가가 변했다. 그것이 다시 변하기 전에 나는 내 책들을 집어 들고 달려 나갔다. 리 선생님이 다시 한숨을 내쉬기도 전에 나는 벌써 교실을 벗어났다.

내가 안으로 들어갔을 때 리스는 나를 보려 하지 않았다. 잠자코 계단만 가리켰다. 리나의 가장 어린 사촌 동생인 라이언이 슬픈 표정으로 부와 함께 계단 맨 아래칸에 앉아 있었다. 내가 머리를 헝클어뜨리자 라이언은 손가락을 입술에 갖다 댔다. "리나 언니가 신경 발작을 일으켰어. 그러니까 할머니랑 엄마가 집에 오실 때까지 우리는 조용히 있어야 돼."

리나는 신경 발작이라는 말로도 모자란 상태였다.

문이 살짝 열려 있었다. 내가 문을 밀자 경첩이 삐걱거렸다. 마치 내가 범죄 현장으로 들어가는 것 같았다. 누가 방을 뒤집어엎어 버린 것 같았다. 가구들은 뒤집혀 있거나, 부서져 있거나, 아예 자취도 없었다. 방 전체가 책에서 찢어 낸 종이로 뒤덮여 있었다. 벽과 천장과 바닥에 그 종이들을 풀로 붙여 놓은 것이다. 책꽂이에는 책 한 권 남아 있지 않았다. 폭탄을 맞은 도서관 같았다. 불에 탄 종이들이 아직도 연기를 피워 올리며 바닥에 쌓여 있었다. 하지만 리나는 어디서도 보이지 않았다.

'L? 어디 있어?'

나는 방 안을 훑어보았다. 리나의 침대 옆 벽에는 리나가 사랑했던 책의 잔해들이 붙어 있지 않았다. 대신 다른 것으로 뒤덮여 있었다.

망자 노바디 & 산 자 노바디

노바디가 굴복하고 & 노바디가 죽는다

노바디가 내 말을 듣지만 노바디가 신경 쓸 뿐이다

노바디가 나를 무서워하지만 노바디가 그저 보기만 할 뿐이다

노바디는 내 것이 아니고 & 노바디가 남았다

아무것도 모르는 노바디는 없다

남은 것은 잔해뿐이다

노바디와 노바디, 둘 중 하나는 메이컨이겠지? 망자 노바디.

그럼 다른 하나는 누구지? 나?

이젠 내가 그렇게 된 건가? 노바디라고?

세상의 모든 남자들이 여자 친구의 마음을 헤아리기 위해 이토록 열심히 애써야 하는 걸까? 금이 간 회벽에 샤피로 쓴 뒤틀린 시들을 해석해 가면서?

남은 것은 잔해뿐이다.

나는 벽에 손을 대고 '잔해'라는 말을 지웠다.

남은 것이 잔해밖에 없는 건 아니니까. 그 밖에도 남은 것이 있을 터였다. 리나와 내게도, 다른 모든 것에게도. 메이컨만 사라진 것이 아니다. 우리 엄마도 돌아가셨지만, 지난 몇 달 동안의 일로 알 수 있듯이 엄마의 일부는 내 곁에 남아 있다. 나는 시간이 갈수록 엄마 생각을 더 많이 하고 있었다.

스스로 결정을 내려라. 이건 엄마가 리나에게 준 메시지였다. 우리 집에서 엄마가 가장 좋아하던 방의 바닥에 흩어진 책들의 페이지 번호를 암호로 이용해서. 엄마가 내게 보내는 메시지는 굳이 글로 쓸 필요가 없었다. 숫자로도 꿈으로도 보여 줄 필요가 없었다.

리나의 방 바닥이 그날 우리 집 서재와 조금 비슷했다. 책들이 사방에 흩어져 있는 모습이. 다만 이 책들은 껍데기만 남아 있다는 점이 달랐다. 따라서 이 책들이 전해 주는 메시지도 완전히 다른 것이었다.

고통과 죄책감. 캐롤라인 이모가 내게 준, 슬픔의 다섯 단계인지 뭔지에 관한 모든 책의 두 번째 장(章)의 주제는 언제나 고통과 죄책감이었다. 리나는 1단계인 충격과 부정은 이미 겪어 냈다. 그러니까 2단계가 올 거라고 미리 예상했어야 하는 건데. 리나의 2단계는 자신이 가장 사랑했던 것 하나를 포기하는 것인 모양이었다. 그게 바로 책이었다.

적어도 나는 이것이 그런 뜻이기를 바랐다. 나는 속이 텅 빈 채 불에 탄 흔적이 남은 책표지들을 피해 조심스레 발을 디뎠다. 리나의 모습이 눈에 들어오기 전에 숨죽여 우는 소리가 먼저 들렸다.

나는 벽장문을 열었다. 리나는 무릎을 가슴에 끌어안은 채 어둠 속에서 웅크리고 있었다.

'괜찮아, L.'

리나가 고개를 들어 나를 보았지만, 그 눈으로 과연 무엇을 보고 있는지 알 수 없었다.

'내 책들이 전부 삼촌 같은 말을 해. 그 소리를 막을 수가 없어.'

'괜찮아. 이제 다 괜찮아.'

나는 괜찮지 않다는 것을 알고 있었다. 괜찮은 건 하나도 없었다. 분노와 두려움과 비참함 사이의 어디선가 리나는 모퉁이를 돌았다. 이제 다시는 돌아올 수 없다는 걸 나는 경험으로 알고 있었다.

～

리나의 할머니가 마침내 앞으로 나서서 리나에게 무조건 다음 주부터 학교에 나가라는 명령을 내렸다. 학교에 가지 않는다면, 아무도 소리 내서 말하지 않는 곳, 즉 블루 호라이즌즈 같은 곳으로 가야 한다는 것이었다. 주술사 세계에도 그런 게 있는지는 잘 모르겠지만. 나는 리나가 학교에 나올 때까지는 숙제를 전해 주러 들렀을 때만 리나를 만날 수 있었다. 나는 아무 의미도 없는 자료들과 작문 과제 등을 스톱 앤 스틸의 쇼핑백에 담아 들고 리나의 집까지 터벅터벅 걸어 올라갔다.

'왜 날 만나면 안 되는 건데? 내가 무슨 짓을 했다고.'

'날 흥분시키는 사람이랑 같이 있으면 안 되나 봐. 리스 언니가 그랬어.'

'나 때문에 네가 흥분한다고?'

슬그머니 웃음이 비어져 나오려고 했다.

'당연하지. 어른들이 생각하는 거랑 종류는 좀 다르지만.'

리나의 방문이 마침내 열리자 나는 쇼핑백을 놓아 버리고 리나를 품으로 끌어당겼다. 리나를 본 지 겨우 며칠밖에 안 됐는데도 리나의 머리카락에서 나는 레몬과 로즈마리 향기가 그리웠다. 내게는 이미 친숙한 냄새였다. 하지만 오늘은 그 냄새가 나지 않았다. 나는 리나의 목덜미에 얼굴을 묻었다.

'나도 보고 싶었어.'

리나가 고개를 들어 나를 바라보았다. 리나는 검은 티셔츠에 정신없이 여기저기가 찢어진 검은 레깅스를 입고 있었다. 목덜미에 묶어 둔 머리카락은 헐렁하게 빠져나와 구불거렸다. 목걸이는 아래로 늘어져 있고, 눈가에는 검은 그림자가 드리워져 있었다. 걱정스러웠다. 리나 뒤쪽의 방을 바라보니 걱정이 한층 더 깊어졌다.

할머니의 고집이 통한 모양이었다. 불에 탄 책도 없고, 어질러진 것도 전혀 없었다. 그게 문제였다. 방 안 어디에도 샤피로 그은 줄 하나, 시 한 편, 종이 한 장 없었다. 대신 벽은 빙 둘러서 테이프로 공들여 붙여 둔 사진들로 뒤덮여 있었다. 마치 그 사진들이 리나를 안에 가둬 두는 울타리 같았다.

'신성한. 잠들어 있는. 사랑하는. 딸.'

사진들은 묘석을 찍은 것이었다. 어찌나 가까이서 찍었는지, 끌로 새긴 글자들 뒤의 거친 표면과 글자들이 모두 똑똑히 보였다.

'아버지. 기쁨. 절망. 영원한 안식.'

"네가 사진을 좋아하는 줄은 몰랐는데." 내가 모르는 게 또 있는지 궁금했다.

"사진 안 좋아해, 별로." 리나는 곤혹스러운 표정이었다.

"사진 잘 찍었는데."

"나를 위해서 붙여 둔 거야. 삼촌이 돌아가셨다는 걸 나도 알고 있다고 식구들한테 증명해야 하거든."

"그래. 우리 아빠도 요즘은 감정 일기를 써야 한다고 하시더라." 이 말을 하자마자 나는 다시 주워 담고 싶었다. 리나를 아빠와 비교하는 건 어떻게 봐도 칭찬이 아니었다. 하지만 리나는 알아차리지 못한 것 같았다. 리나가 카메라를 들고 '영원한 안식의 정원'을 얼마나 오르락내리락했는지, 내가 그걸 왜 알아차리지 못했는지 궁금했다.

'병사. 잠들어 있는. 유리를 통해, 어둡게.'

나는 마지막 사진에 이르렀다. 평화로운 안식과는 거리가 있어 보이는 유일한 사진이었다. 묘비에 기대어 세워 둔 할리데이비슨 오토바이를 찍은 것이었으니까. 반짝이는 오토바이는 오래된 묘석들과 전혀 어울리지 않았다. 그 사진을 보면서 내 심장이 두근거리기 시작했다. "이건 뭐야?"

리나는 아무것도 아니라는 듯 손사래를 쳤다. "누가 성묘를 왔나 보지. 그 사람은 그냥… 거기 있었어. 그 사진을 떼야겠다고 계속 생각하고 있는데… 빛의 방향이 형편없거든." 리나는 손을 뻗어 벽에서 압정을 뽑았다. 리나의 손이 마지막 압정을 뽑아내자 사진은 검은 벽에 작은 구멍 네 개만 남기고 사라져 버렸다.

사진들을 제외하면, 방은 거의 텅 빈 거나 마찬가지였다. 마치 리나가 어디 먼 대학에라도 입학해서 짐을 챙겨 떠나 버린 것 같았다. 침대도 없고, 책꽂이와 책들도 전혀 없었다. 우리가 몇 번이나 그네처럼 흔들리게 만들었기 때문에 저러다 천장에서 떨어지는 게 아닐까 싶던 오래된 샹들리에도 없었다. 방바닥 한가운데에 소파베드가 있고, 그 옆에 은으로 만든 작은 참새가 있었다. 그걸 보자 장례식 때의 기억이 머릿속으로 홍수처럼 흘러 들어왔다. 목련나무가 잔디밭에서 뽑혀 나오고, 진흙이 묻은 리나의 손에 은색 참새가 들려 있던 기억.

"전부 달라졌네." 나는 참새에 대해서, 그 참새가 리나의 침대 옆에 있는 이유에 대해서 생각하지 않으려고 애썼다. 그 이유라는 건 메이컨과 아무런 상관이 없는 일이었다.

"그거야, 뭐, 봄 대청소를 한 거지. 내가 방을 아주 지저분하게 만들었으니까."

누더기 같은 책 몇 권이 소파베드 위에 놓여 있었다. 나는 아무 생각 없이 한 권을 펼쳤다. 하지만 내가 최악의 범죄를 저질렀다는 걸 이내 깨달았다. 겉에는 《지킬 박사와 하이드 씨》의 낡은 표지가 테이프로 붙어 있었지만, 그 안은 전혀 책이 아니었다. 그것은 리나의 스프링노트였다. 그런데 내가 그걸 리나 앞에서 펼쳐 버린 것이다. 그게 아무것도 아닌 것처럼. 내가 읽어도 되는 물건인 것처럼.

문제는 그것뿐만이 아니었다. 공책은 대부분 백지 상태였다.

아빠가 소설을 쓰고 있는 줄 알다가 사실은 무의미한 낙서만 하고 있었다는 사실을 알았을 때와 거의 맞먹는 충격이 느껴졌다. 리나는 어디를 가든 항상 공책을 가지고 다녔다. 만약 리나가 공책에 생각나는 말을 적는 걸 그만뒀다면, 상황이 내 생각보다 더 심각하다는 뜻이었다.

리나는 내 생각보다 더 심각한 상태였다.

"이선! 너 뭐 하는 거야?"

내가 손을 떼자 리나가 공책을 움켜쥐었다.

"미안해, L."

리나는 머리끝까지 화가 나 있었다.

"그냥 책인 줄 알았어. 책처럼 생겼잖아. 아무나 볼 수 있는 곳에 네가 공책을 그냥 놔둘 줄은 몰랐어."

리나는 공책을 가슴에 꼭 끌어안은 채 나를 바라보려 하지 않았다.

"요새는 왜 글을 안 써? 너 글 쓰는 거 좋아했잖아."

리나는 눈을 흘기며 공책을 펼쳐서 내게 보여 주었다. "요새도 써."

리나가 백지를 펄럭이자 줄마다 갈겨쓴 글자들이 나타났다. 한 번 쓰고서 가위표로 지운 뒤 다시 고쳐 쓰기를 수천 번이나 반복한 흔적이 있었다.

"네가 마법을 걸어 둔 거야?"

"글자들이 일반인의 현실에서 벗어나게 만든 거야. 내가 누군가에게 일부러 보여 주지 않는 한, 주술사만이 이걸 읽을 수 있어."

"정말 굉장하다. 이 노트를 살필 가능성이 가장 높은 리스가 주술사라니 정말 공교롭네." 리스는 강압적인 동시에 참견쟁이이기도 했다.

"리스 언니는 굳이 이걸 읽을 필요가 없어. 내 얼굴만 봐도 뭐든 읽어 낼 수 있으니까." 사실이었다. 시빌인 리스는 사람들의 생각과 비밀을 읽어 낼 수 있었다. 사람의 눈만 바라보면, 그 사람이 계획하고 있는 것까지 모조리 알아낼 수 있었다. 그래서 나는 되도록 리스를 피해 다니는 중이었다.

"그러면 왜 이렇게 숨겨 둔 건데?" 나는 리나의 소파베드에 털썩 주저앉았다. 리나는 내 옆에 앉아 책상다리로 균형을 잡았다. 나는 겉으로는 편안한 척하고 있었지만 사실은 그렇지 않았다.

"나도 몰라. 항상 뭘 쓰고 싶기는 한데, 남들한테 보여 주고 싶지는 않은가 보지. 아니, 남들이 읽어 봤자 이해할 수 없을 것 같아서 그러는 것 같기도 하고."

나는 턱에 힘을 주었다. "남이라는 건 나를 말하는 거구나."

"그런 뜻이 아냐."

"나 말고 어떤 일반인이 네 공책을 보겠어?"

"넌 아무것도 몰라."

"아는 것 같은데."

"조금이야 알지도 모르지."

"네가 나한테 보여 주면 나도 모두 이해할 수 있을 거야."

"그럴 수는 없어, 이선. 너한테 설명해 줄 수가 없으니까."

"나한테 보여 줘." 나는 손을 뻗었다.

리나는 한쪽 눈썹을 치뜨며 내게 공책을 건네주었다. "넌 못 읽을 거야."

나는 노트를 펼쳤다. 리나 때문인지 이 책 자체가 그런 술수를 부리는 건지는 모르겠지만, 단어들이 한 번에 하나씩 천천히 나타났다. 리나의 시도, 노래 가사도 아니었다. 단어가 많지도 않았다. 이상한 그림, 도형, 소용돌이 등이 부족의 상징들을 모아 놓은 것처럼 종이 위에 구불구불 그려져 있었다.

그리고 종이 아래쪽에 목록이 하나 있었다.

내가 기억하는 것

어머니

이선

메이컨

헌팅

볼

바람

비

납골당

내가 아닌 나

살인도 할 수 있는 나

시체들

비

책

반지

애마 아줌마의 부적

달

리나가 내 손에서 공책을 빼앗아 갔다. 아직 몇 줄이 더 남아 있었지만, 나는 미처 읽지 못했다. "그만둬!"

나는 리나를 바라보았다. "그건 뭐야?"

"아무것도 아냐. 이건 프라이버시야. 원래 너는 볼 수 없는 건데."

"그럼 왜 내가 읽을 수 있었던 거야?"

"내가 베르붐 켈라툼 주술을 잘못 걸었나 보지. '숨겨진 단어'의 주술 말이야." 리나는 불안한 표정으로 나를 바라보았다. 눈빛이 차츰 부드럽게 변했다. "그런 건 상관없어. 난 그날 밤 일을 기억하려고 했어. 메이컨 삼촌이… 사라진 날."

"돌아가신 거야, L. 메이컨 삼촌이 돌아가신 날."

"삼촌이 돌아가신 건 나도 알아. 당연히 돌아가셨지. 그냥 그 말을 하고 싶지 않을 뿐이야."

"네가 울적하다는 건 나도 알아. 그게 정상이니까."

"뭐?"

"그게 두 번째 단계야."

리나의 눈이 번득였다. "네 어머니가 돌아가신 것도 알고, 우리 삼촌이 돌아가신 것도 알아. 하지만 나한테는 슬픔을 겪어 내는 나만의 단계가 있어. 이건 내 감정 일기 같은 게 아니라고. 난 네 아버지도 아니고, 너도 아냐, 이선. 우린 네 생각만큼 비슷하지 않아."

우리는 서로를 바라보았다. 그런 시선으로 서로를 바라본 건 아주 오랜만이었다. 아니, 어쩌면 한 번도 없었던 것 같기도 했다. 뭐라고 이름을 붙일 수 없는 순간이었다. 나는 내가 온 뒤로 우리가 소리를 내서 말하고 있었음을 깨달았다. 켈팅으로는 한 마디도 하지 않았다. 리나가 무슨 생각을 하고 있는지 알 수 없었다. 이런 일은 처음이었다. 리나 역시 내 기분을 모르고 있음이 분명했다.

아니, 알고 있었다. 리나는 팔을 뻗어 나를 끌어안았다. 우리 둘이 만난 뒤 처음으로 내가 울고 있었기 때문에.

⁓

집에 돌아와 보니 불이 모두 꺼져 있었다. 나는 안으로 들어가지 않고 현관 베란다에 앉아 개똥벌레들이 어둠 속에서 깜박거리는 것을 지켜보았다. 아무도 만나고 싶지 않았다. 생각을 좀 하고 싶었다. 리나가 내 생각을 듣지 못할 거라는 느낌이 들었다. 어둠 속에 혼자 앉아 있으니 세상이 얼마나 크고 우리 모두가 서로에게서 얼마나 멀리 떨어져 있는지 새삼 알 것 같았다. 하늘의 별들은 손을 뻗으면 닿을 것처럼 가깝게 보이지만 사실은 그렇지 않다. 다른 사물들 역시 실제보다 훨씬 더 가깝게 보일 때가 간

혹 있다.

나는 어둠 속을 빤히 노려보았다. 하도 오랫동안 그렇게 하고 있어서 우리 집 앞마당의 늙은 떡갈나무 옆에서 뭔가가 움직이는 것 같았다. 순간적으로 내 맥박이 빨라졌다. 대부분의 개틀린 주민들은 아예 문을 잠그지도 않는다. 하지만 나는 빗장을 질러 두어도 뚫고 들어올 수 있는 것들이 아주 많다는 것을 알고 있었다. 다시 바람이 바뀌는 것이 보였다. 거의 알아차릴 수 없을 만큼 미세하게. 아지랑이처럼. 뭔가가 우리 집에 침입하려는 게 아니었다. 누군가 다른 사람 집에서 뭔가가 뛰쳐나와서 움직이고 있었다.

루실. 세 할머니들의 고양이. 현관 베란다로 소리 없이 올라오는 녀석의 파란 눈이 어둠 속에서 빛났다.

"네가 조만간 집을 찾아올 거라고 내가 사람들한테 말했는데, 엉뚱한 집을 찾아왔구나." 루실이 고개를 갸우뚱하게 기울였다. "세 할머니들이 이제 다시는 너를 빨랫줄에서 풀어 주지 않을 거야."

루실은 내 말을 모두 알아듣기라도 한 것처럼 나를 빤히 바라보았다. 집에서 도망칠 때부터 나중에 자신이 어떻게 될지 알고 있었지만 그래도 집을 떠났다고 말하는 것 같았다. 개똥벌레 한 마리가 내 앞에서 깜박거리자 루실은 계단에서 훌쩍 뛰어올랐다.

개똥벌레가 점점 높이 날아 올라갔다. 그래도 그 멍청한 고양이는 계속 개똥벌레를 향해 발을 뻗었다. 녀석은 개똥벌레가 얼마나 멀리 있는지 모르고 있었다. 개똥벌레는 별들처럼, 그 밖의 여러 가지 것들처럼 멀리 있었다.

내 꿈속의 소녀

❧ 6.12 ❧

어둠.

아무것도 보이지 않았지만, 내 허파에서 공기가 빠져나가는 것이 느껴졌다. 숨을 쉴 수 없었다. 사방에 연기가 가득했고, 나는 숨이 막혀서 기침을 했다.

'이선!'

그녀의 목소리가 들렸지만, 아주 멀었다.

주위가 뜨거웠다. 재와 죽음의 냄새가 났다.

'이선, 안 돼!'

머리 위에서 칼이 번득이는 것이 보이더니, 불길한 웃음소리가 났다. 새라핀. 하지만 얼굴이 보이지 않았다.

칼이 내 배에 박히는 순간 나는 여기가 어딘지 깨달았다.

그린브라이어였다. 납골당 지붕 위. 나는 이제 곧 죽을 터였다.

비명을 지르려고 했지만 소리가 나오지 않았다. 새라핀은 고개를 뒤로 젖히고 웃어 댔다. 손은 내 배에 박힌 칼을 쥐고 있었다. 나는 죽어 가는데 새라핀은 웃고 있었다. 사방에 피가 흘러서 내 귓속으로, 콧속으로, 입속으로 쏟아져 들어왔다. 피 특유의 맛이 났다. 구리 맛 또는 짠 맛.

허파가 무거운 시멘트 자루로 변해 버린 것 같았다. 콸콸 피 흐르는 소리가 귓속에 울려 퍼져서 새라핀의 목소리가 들리지 않게 되었을 때, 친숙한 상실감이 나를 압도했다. 초록색과 황금색. 레몬과 로즈마리. 피와 연기와 재 속에서도 그 냄새가 났다. 리나.

언제나 나는 리나가 없이는 살 수가 없다고 생각했다. 하지만 이제는 그런 걱정을 할 필요가 없었다.

꿈속에서 입은 부상인데.

"이선 웨이트! 샤워하는 소리가 왜 안 나는 거야?" 나는 땀에 흠뻑 젖은 채 침대에서 벌떡 일어나 앉았다. 그리고 손으로 티셔츠 안의 살갗을 쓸어 보았다. 피는 없었지만, 꿈속에서 칼에 찔렸던 자리가 도톰하게 솟아 있는 것이 느껴졌다. 나는 셔츠를 올리고 그 울퉁불퉁한 분홍색 선을 바라보았다. 흉터가 내 아랫배를 가로지르고 있었다. 칼에 찔린 자국처럼. 이런 흉터가 느닷없이 나타나다니. 꿈속에서 입은 부상인데.

하지만 이건 진짜였다. 아팠다. 리나의 생일 이후로 그런 꿈을 꾼 적이 없었는데 왜 이제 와서 이런 꿈을 꾸게 된 건지 알 수 없었다. 나는 자다가 일어나서 침대에 진흙이 묻은 걸 보거나 허파에 연기가 가득한 것 같은 느낌이 드는 일에 익숙했다. 하지만 통증을 느낀 건 이번이 처음이었다. 나는 그 일이 현실이 아니라고 되뇌며 꿈을 털어 버리려고 했다. 하지만 배가 욱신거렸다. 나는 열린 창문을 바라보았다. 메이컨이 와서 이 꿈을 훔쳐 가 주면 좋을 텐데. 여러 가지 이유로 메이컨의 존재가 간절했다.

나는 눈을 감고 정신을 집중하려 했다. 리나를 느낄 수 있는지 보려고. 하지만 느껴지지 않으리라는 것을 나는 이미 알고 있었다. 리나가 내 머릿속에서 빠져나가면 나도 그것을 느낄 수 있었다. 그리고 요즘은 리나가 그렇게 멀어져 있을 때가 대부분이었다.

애마 아줌마가 계단 밑에서 다시 나를 불렀다. "너 시험에 늦기라도 하면 네 방에서 여름 내내 옥수수 과자나 깔고 앉아 있게 될 거다. 두고 봐."

루실 볼이 침대 발치에서 나를 빤히 바라보았다. 요즘 아침마다 자주 보이는 모습이었다. 루실이 우리 집 현관 베란다에 나타난 뒤 나는 녀석을 머시 할머니 집에 데려다 주었다. 하지만 다음 날 녀석은 또 우리 집 현관 베란다에 앉아 있었다. 그 뒤로 프루 할머니가 루실이 집에서 마음이 떠났다고 다른 할머니들을 설득했다. 그래서 녀석은 아예 우리 집에서 살게 되었다. 애마 아줌마가 루실을 맞아들였을 때 나는 깜짝 놀랐지만, 애마 아줌마에게는 나름대로 이유가 있었다. "집에서 고양이를 기르는 게 뭐 어때서? 고양이들은 사람이 못 보는 걸 봐. 저승으로 건너간 사람들이 다시 건너오는 모습이라든가…. 좋은 사람이든 나쁜 사람이든 전부. 게다가 고양이는 쥐도 잡아 주잖아." 내가 보기에 루실은 동물의 왕국판 애마 아줌마라고 하면 될 것 같다.

샤워를 하러 들어갔더니 뜨거운 물이 내 몸에 부딪혀 모든 것을 밀어냈다. 그 흉터만 빼고. 물을 더 뜨겁게 틀었는데도 샤워에 정신을 집중할 수 없었다. 꿈, 칼, 웃음소리가 흉터와 뒤엉켜 있었다.

영어 기말시험.

젠장.

나는 밤에 공부를 다 하지도 않고 잠들어 버렸다. 이번 시험을 망치면 낙제점을 받을 것이다. 이번 학기에 내 성적은 그리 좋은 편이 아니었다. 다시 말해서, 링크와 비슷한 수준이라는 뜻이다. 여느 때는 공부를 하지 않아도 그럭저럭 성적이 나왔지만 지금은 아니었다. 역사는 벌써 낙제 직전이었다. 리나의 생일날 리나와 나란히 허니힐 전투 재연을 빼먹은 탓이었다. 그런데 영어마저 낙제를 한다면, 여름 내내 너무 낡아서 에어컨도 없는 학교에 나와야 할 것이다. 아니면 아예 2학년을 처음부터 다시 다니든지.

이건 정말이지 심각한 문제였다.

초대형 아침 식사가 나온 게 벌써 닷새째였다. 기말고사가 이번 주 내내
있었는데, 애마 아줌마는 내 식사량과 성적이 직접적으로 관련되어 있다
고 믿었다. 그래서 나는 월요일부터 베이컨과 달걀을 내 몸무게만큼 먹었
다. 죽을 것처럼 속이 아프고 악몽을 꾸는 것도 무리가 아니었다. 어쨌든
나는 속으로 이렇게 되뇌며 나 자신을 타일렀다.

나는 포크로 달걀프라이를 쿡쿡 찔렀다. "또 달걀이에요?"

애마 아줌마가 수상쩍다는 듯 눈을 가늘게 뜨고 나를 바라보았다. "네가
무슨 꿍꿍이인지는 모르겠지만, 난 지금 그런 장난을 받아 줄 기분이 아
냐." 애마 아줌마가 달걀 하나를 또 내 접시에 쓱 올려놓았다. "오늘은 날
건드리지 마라, 이선 웨이트."

나는 애마 아줌마와 말다툼을 할 생각이 없었다. 이미 내 문제만으로도
머리가 복잡했다.

아빠가 한들한들 부엌으로 들어와 찬장을 열고 시리얼을 찾았다. "애마
아줌마한테 장난치지 마. 아줌마가 싫어하시는 거 너도 알잖니." 아빠가
숟가락을 흔들어 대며 애마 아줌마를 바라보았다. "우리 애는 정말이지 S.
C. A. B. R. O. U. S.('골치 아프다'는 뜻─옮긴이)예요. 그러니까…."

애마 아줌마가 아빠를 노려보며 찬장 문을 쾅 하고 닫았다. "미첼 웨이
트, 이렇게 계속 내 찬장을 멋대로 건드리면 너도 다칠 줄 알아." 아빠는 웃
음을 터뜨렸다. 그리고 잠시 후 틀림없이 애마 아줌마도 빙긋 웃고 있는 것
같았다. 제정신이 아닌 아빠가 애마 아줌마를 원래 모습으로 돌려놓는 것
을 나는 가만히 지켜보았다. 그 순간은 비누 거품처럼 순식간에 터져서 사
라져 버렸지만, 내가 본 것이 틀림없었다. 분명히 변화가 일어나고 있었다.

나는 아빠가 낮에 이리저리 돌아다니며 시리얼을 먹거나 가벼운 잡담
을 나누는 광경이 아직도 낯설었다. 넉 달 전에 이모가 아빠를 블루 호라이

즌즈에 입원시켰다는 사실을 믿을 수가 없었다. 캐롤라인 이모의 고백처럼, 아빠가 정확히 말해서 새사람이 된 것은 아니지만 정말로 예전과 같은 사람인지 의심이 갈 만큼 변한 것은 사실이었다. 아빠가 내게 치킨샐러드 샌드위치를 만들어 주지는 않았다. 하지만 서재에서 나와 있는 시간이 점점 늘어났고, 가끔은 심지어 집 밖으로 나가기까지 했다. 메리언 아줌마는 찰스턴 대학 영문과의 객원 강사 자리에 아빠를 소개해 주었다. 버스를 타고 다녀야 했기 때문에 승용차로는 40분밖에 안 걸리는 통근 시간이 두 시간으로 늘어났지만, 아직은 아빠에게 기계를 다루게 할 수 없었다. 아빠는 나름대로 만족하는 것 같았다. 그러니까, 몇 달 동안 서재에 틀어박혀서 미친 듯이 낙서나 해 대던 사람치고는 그렇게 보였다는 뜻이다. 이제 아빠의 울타리가 상당히 낮아져 있었다.

아빠가 이렇게까지 변할 수 있다면, 그리고 애마 아줌마도 웃음을 지을 수 있게 되었다면, 리나도 변할 수 있지 않을까?

그럴 수 있지 않을까?

하지만 그 순간은 지나가 버렸다. 애마 아줌마는 다시 싸움꾼이 되었다. 얼굴에 다 드러나 있었다. 아빠는 내 옆에 앉아 시리얼에 우유를 부었다. 애마 아줌마는 앞치마에 손을 닦았다. "미첼, 너도 거기 달걀 좀 먹어라. 시리얼은 아침 식사라고 할 수 없어."

"애마 아줌마도 안녕히 주무셨어요?" 아빠가 애마 아줌마에게 미소를 지었다. 틀림없이 어렸을 때부터 하던 짓인 것 같았다.

애마 아줌마는 눈을 가늘게 뜨고 아빠를 바라보더니 초콜릿 밀크 잔을 내 접시 옆에 쾅 하고 내려놓았다. 이젠 내가 초콜릿 밀크를 거의 마시지 않는데도.

"내 눈엔 별로 좋아 보이지 않아." 애마 아줌마는 코웃음을 치고 엄청난 양의 베이컨을 내 접시로 옮기기 시작했다. 애마 아줌마의 눈에 나는 언제나 여섯 살짜리 아이일 것이다. "너 요즘 꼴이 유령 같아. 머리에 좋은 음식을 먹어야 돼. 시험을 잘 치르려면."

"네, 아줌마." 나는 애마 아줌마가 아빠에게 준 물을 단숨에 마셔 버렸다. 애마 아줌마는 중간에 구멍이 있는 악명 높은 나무 숟가락을 들어 올렸다. 내가 '외눈박이 괴물'이라고 부르는 숟가락이었다. 내가 어렸을 때 건방지게 말대꾸를 하면 애마 아줌마는 그 숟가락을 들고 도망치는 나를 잡으러 다녔다. 하지만 그걸로 나를 때린 적은 한 번도 없었다. 나는 애마 아줌마에게 장단을 맞추려고 목을 움츠리며 매를 피하는 시늉을 했다.

"너 시험을 하나라도 낙제하기만 해 봐. 페티네 애들처럼 여름 내내 학교에 다니는 꼴은 못 본다. 여름에는 네 말대로 아르바이트를 해." 애마 아줌마는 숟가락을 휘두르며 코웃음을 쳤다. "시간이 남아돌면 말썽을 피우게 돼 있지. 넌 안 그래도 이미 문제가 산더미잖아."

아빠가 웃음이 터지려는 것을 참으며 미소를 지었다. 아빠가 내 나이 때 애마 아줌마한테서 정확히 똑같은 말을 들었음이 분명했다.

"네, 아줌마."

자동차 경적 소리가 들렸다. 지극히 비터다운 소리도 들렸다. 나는 가방을 집어 들었다. 내 눈에 보이는 것이라고는 내 뒤에서 잘 보이지도 않을 정도로 빠르게 흔들리는 숟가락뿐이었다.

나는 비터에 올라타서 창문을 내렸다. 리나의 할머니가 나선 덕분에 리나는 일주일 전부터 학교에 다시 나오고 있었다. 나는 리나가 학교에 나오기 시작한 첫날 차를 몰고 레이븐우드까지 갔다. 심지어 중간에 스톱 앤 스틸에 들러 그 집의 유명한 빵도 하나 샀다. 하지만 내가 도착해 보니 리나는 이미 학교로 출발한 뒤였다. 그 뒤로 줄곧 리나는 직접 차를 몰고 학교에 다녔기 때문에 나는 다시 링크가 모는 비터를 타게 되었다.

링크가 자동차 창문을 넘어 동네 전체에 쾅쾅 울려 퍼지던 음악을 줄였다.

"학교에서 날 망신시키기만 해 봐, 이선 웨이트. 그리고 넌 음악 좀 줄이지 못하겠니, 웨슬리 제퍼슨 링컨! 그놈의 음악 소리 때문에 내 텃밭의 순무가 죄다 쓰러져 버리겠다." 링크는 애마 아줌마를 향해 경적을 울렸다. 애마 아줌마는 숟가락으로 기둥을 두드리고, 양손으로 엉덩이를 짚더니 한층 부드러워진 목소리로 말을 이었다. "시험을 잘 보면 파이를 구워 주마."

"설마 개틀린 복숭아 파이는 아니죠, 아줌마?"

애마 아줌마는 코웃음을 치고 고개를 끄덕였다. "그럴지도 모르지."

애마 아줌마는 결코 인정하지 않겠지만, 이제야 비로소 링크를 대하는 태도가 조금 부드러워져 있었다. 링크는 자기 엄마가 새라핀에게 몸을 빼앗긴 것을 애마 아줌마가 안쓰럽게 생각해서 그러는 줄 알고 있었지만 사실은 그렇지 않았다. 애마 아줌마가 안쓰럽게 생각하는 것은 링크였다. "그 녀석이 그 집에서 그 여자랑 같이 살아야 한다니. 차라리 늑대를 엄마라고 부르며 크는 편이 나을 거다." 지난주 링크에게 줄 피칸파이를 싸 주면서 애마 아줌마가 한 말이었다.

링크가 나를 보며 히죽 웃었다. "내 인생에서 최고의 일이었어. 리나의 엄마랑 우리 엄마가 뒤섞인 게. 내 평생 애마 아줌마 파이를 그렇게 많이 먹어 본 건 처음이야." 링크가 악몽 같았던 리나의 생일에 대해 말한 것은 이번이 거의 처음이라도 해도 될 정도였다. 링크가 가속페달을 밟자 비터는 끽 하는 소리를 내며 도로를 달리기 시작했다. 여느 때와 마찬가지로 우리가 지각이라는 사실은 굳이 말할 필요도 없었다.

"영어 공부 좀 했냐?" 이건 질문이 아니었다. 링크가 7학년 때 이후로 책을 펼쳐 본 적이 없다는 건 내가 잘 알고 있었다.

"아니. 컨닝할 거야."

"누구 걸 베낄 건데?"

"누구든 무슨 상관이야? 너보다 똑똑한 녀석이면 돼."

"그래? 너 지난번에는 제니 매스터슨의 답안지를 베꼈잖아. 그러고서 둘이 똑같이 D를 받았지."

"공부할 시간이 없었어. 노래를 만들었다고. 마을 축제에서 그 노래를 연주하게 될지도 모르니까, 잘 들어 봐." 링크는 스피커에서 나오는 노래를 따라 불렀다. 링크가 녹음된 자신의 목소리를 따라 부르는 거라서 이상하게 들렸다. "막대사탕 아가씨, 한 마디 말도 없이 떠나 버렸지, 네 이름을 불렀지만 넌 듣지 못했어."

아이고. 또 리들리 얘기를 노래로 만들었군. 놀랄 일도 아니었다. 링크는 넉 달 전부터 오로지 리들리 이야기만 노래로 만들고 있으니까. 아무래도 링크는 앞으로도 계속 리나의 사촌인 리들리에게 매달려 있을 것 같았다. 리들리는 리나와 전혀 다른 사람인데. 리들리는 막대사탕을 빼는 방법으로 설득의 능력을 발휘해서 남들을 마음대로 조종하는 사이렌이었다. 한동안은 링크를 조종하기도 했다. 리들리가 링크를 이용한 뒤 사라져 버렸는데도, 링크는 리들리를 잊지 못했다. 하지만 링크를 탓할 수는 없었다. 어둠의 주술사를 사랑하는 건 아마 힘든 일일 것이다. 빛의 주술사를 사랑하는 것도 때로는 아주 힘든 일이었다.

귀가 멍멍할 정도로 쾅쾅거리는 음악 소리 속에서도 나는 계속 리나를 생각했다. 그런데 링크의 목소리가 점점 잦아들더니 〈열일곱 개의 달〉이 들려오기 시작했다. 하지만 가사가 달랐다.

> 열일곱 개의 달, 열일곱 개의 변화
> 눈이 너무나 어둡고 밝아서 그것이 타오른다
> 때가 무르익었으나 사람이 더 무르익었다
> 달을 불길 속으로 끌어들인다…

때가 무르익어? 이게 무슨 뜻이지? 리나의 열일곱 번째 달은 아직 여덟 달이나 남아 있었다. 그런데 왜 지금 때가 무르익었다는 걸까? 그리고 무르익었다는 사람은 누구고, 불길은 또 뭐지?

링크가 내 옆통수를 후려치는 것이 느껴지더니 노랫소리가 사라졌다. 링크는 자신의 노랫소리보다 더 크게 고함을 지르고 있었다. "백비트를 좀 줄이면 꽤나 끝내주는 노래가 될 거야." 내가 링크를 빤히 바라보자 링크는 또 내 머리를 때렸다. "정신 차려. 그냥 시험일 뿐인데 뭘 그래. 너 꼭 루니 아줌마처럼 미친 것 같다. 뜨거운 점심을 주는 그 아줌마 말이야."

사실 링크의 말은 그리 틀린 게 아니었다.

≈

비터가 잭슨 고등학교 주차장에 들어갈 때까지도 오늘이 학기의 마지막 날이라는 실감이 나지 않았다. 물론 4학년들은 내일도 학교에 나와야 했다(잭슨 고등학교는 4년제―옮긴이). 졸업식이 바로 내일이었으니까. 밤새 계속되는 파티도 내일 열릴 터였다. 그 파티에서는 매년 거의 급성 알코올 중독의 경지에 이르는 사람들이 적잖이 나왔다. 하지만 우리 2학년과 3학년들은 오늘 시험만 하나 더 치르면 자유였다.

서배너와 에밀리가 링크와 내 옆을 지나가며 우리를 알은척도 하지 않았다. 치마가 평소보다도 더 짧았고, 탱크탑 아래로 비키니 끈이 늘어진 것이 보였다. 홀치기염색과 분홍색 깅엄이 보였다.

"저것 봐라. 비키니 시즌이야." 링크가 활짝 웃었다.

나는 거의 잊어버리고 있었다. 시험을 하나만 더 치르면 호수에서 오후를 보내게 될 거라는 사실을. 모두들 옷 속에 수영복을 입고 있었다. 물트리 호수에서 수영을 해야만 여름이 공식적으로 시작되기 때문이었다. 잭슨 고등학교 아이들은 호숫가에서도 특히 몽크의 코너에 모였다. 호수가 깊고 넓어서 마치 바닷속에서 수영하는 것 같은 느낌을 주는 곳이었다. 늪에서 자라는 수초들과 메기만 아니라면, 바다에 나와 있다고 해도 믿을 정도였다. 작년 이맘 때 나는 에밀리, 서배너, 링크, 그리고 농구부원 절반과 함께 에머리의 형이 모는 트럭 짐칸을 타고 호수로 갔다. 하지만 그건 어디까지나 작년 일이었다.

"너도 갈 거냐?"

"아니."

"차 안에 수영복이 하나 더 있어. 이것만큼 근사하지는 않지만." 링크는 셔츠를 들어 올려 내게 자기 수영복을 보여 주었다. 밝은 오렌지색과 노란색 격자무늬가 있는 수영복이었다. 링크가 고른 옷치고는 그나마 얌전한 편이었다.

"난 안 갈래." 내가 안 가려는 이유를 링크도 알고 있었지만, 나는 굳이 입 밖에 내서 말하고 싶지 않았다. 아무 일도 없는 것처럼 행동해야 할 것 같았다.

리나와 나 사이에 아무 일도 없는 것처럼.

하지만 오늘은 링크도 그냥 물러날 기색이 없었다. "에밀리가 너한테 수건 반쪽 정도는 내줄 것 같은데." 이건 농담이었다. 에밀리가 그럴 리 없다는 걸 우리 둘 다 잘 알고 있었으니까. 우리를 겨냥한 증오의 캠페인도 사라졌지만, 우리를 안쓰럽게 여기던 분위기 또한 함께 사라진 뒤였다. 요즘은 우리가 너무 쉬운 상대라서 아예 건드릴 생각이 들지 않는 것 같았다.

"냅둬."

링크가 걸음을 멈추더니 한 손을 들어 올려 나까지 멈춰 세웠다. 나는 링크가 입을 열기도 전에 그 손을 밀어 버렸다. 링크가 무슨 말을 할 건지는 뻔했다. 적어도 내 입장에서 보면, 그런 대화는 하나마나였다.

"이러지 마라. 걔 삼촌이 돌아가신 건 나도 알아. 하지만 아직도 장례식 때랑 똑같이 행동하는 건 좀 그렇잖아. 네가 걔를 사랑하는 건 알지만…." 링크는 말하고 싶지 않은 모양이었다. 하지만 우리 둘 다 생각하는 건 똑같았다. 링크는 링크였으므로 그 이야기를 결코 입에 올리지 않았다. 그리고 점심시간에 아무도 내 옆에 앉지 않을 때 항상 나와 같은 식탁에 앉았다.

"다 괜찮아." 다 잘 해결될 것이다. 그래야 했다. 리나가 없으면 어떻게 살아가야 할지 알 수 없었다.

"보기가 힘들어서 그래, 인마. 요즘 리나가 널 대하는 걸 보면 꼭…."

"꼭 뭐?" 이건 도전이었다. 내 손가락이 저절로 구부러져서 주먹이 되었다. 나는 뭔가 핑계가 생기기를 기다리고 있었다. 뭐라도 좋았다. 금방이라도 폭발할 것 같았다. 그만큼 간절히 뭔가를 치고 싶었다.

"여자애들이 나를 대하는 태도 같아." 링크는 내가 한 대 때리기를 기다리고 있었던 것 같다. 아니, 그러기를 원했던 건지도 모른다. 그것이 내게 도움이 되기만 한다면. 링크는 어깨를 으쓱했다.

나는 손가락을 폈다. 링크는 링크였다. 비록 내가 가끔 엉덩이를 발로 차 주고 싶은 기분이 들기는 하지만. "미안하다."

링크는 살짝 웃더니 평소보다 조금 빠르게 복도를 걷기 시작했다. "괜찮아, 이 사이코야."

피할 수 없는 운명을 향해 걸음을 옮기면서 나는 이미 내게 친숙한 고독을 느꼈다. 링크의 말이 맞는 것 같기도 했다. 리나 없이 앞으로 얼마나 더 이런 식으로 버틸 수 있을지 나도 알 수 없었다. 모든 것이 예전과 달랐다. 링크조차 그것을 알아차릴 정도라면, 이제 현실과 직면할 때가 된 것 같았다.

배가 아파와서 나는 옆구리를 움켜쥐었다. 내 손으로 고통을 짜낼 수 있는 것처럼.

'어디 있어, L?'

❧

내가 책상에 앉는 순간 종이 울렸다. 리나는 언제나 그랬듯이 내 옆자리에 앉아 있었다. 잉글리시 선생님이 잘 볼 수 있는 자리. 하지만 리나는 리나답지 않은 모습이었다.

하얀 V넥 티셔츠는 너무 컸고, 검은 치마는 너무 짧았다. 석 달 전만 해도 리나가 결코 입지 않았을 옷이었다. 원래 메이컨의 것이었던 셔츠 밑으로 치마가 보일락 말락 했다. 이제는 리나가 메이컨의 옷을 입고 있다는 게 새삼스럽게 보이지도 않았다. 리나는 메이컨의 반지도 줄에 끼워 목에 걸고 있었다. 메이컨이 생각에 잠겼을 때 손가락에 낀 채로 빙빙 돌리던 반지였다. 새 줄에 끼워진 그 반지는 우리 엄마의 반지와 나란히 늘어져 있었다. 옛날 목걸이 줄은 생일날 밤에 끊어져서 재 속 어딘가로 사라져 버렸다. 내가 리나에게 엄마의 반지를 준 것은 리나를 사랑하기 때문이었지만, 리나가 지금도 그 사랑을 느끼고 있는지는 알 수 없었다. 이유가 무엇이든 리나는 자신의 유령과 나의 유령을 벗어 버리지 않고 꼿꼿이 걸고 다녔다. 돌아가신 우리 엄마와 돌아가신 리나의 삼촌이 금과 백금과 그 밖의 귀금속으로 만든 원에 갇혀서 리나의 부적 목걸이 위에 걸려 있었다. 원래 리나의 것이 아닌 면 셔츠 속에서.

잉글리시 선생님이 벌써 시험지를 나눠 주는 중이었다. 아이들 중 절반이 수영복을 입거나 비치타월을 갖고 있는 것을 보고 그다지 좋아하는 기색이 아니었다. 에밀리는 수영복도 입고 비치타월도 갖고 있었다.

"단답형 문제 다섯 개는 각각 10점, 객관식 문제는 25점, 그리고 서술형 문제가 25점이다. 미안하지만 이번에는 부 래들리 문제가 없어.《지킬 박사와 하이드 씨》에 관한 문제들이다. 아직은 여름이 아니니 정신 차려." 우리가《앵무새 죽이기》를 읽은 것은 지난 가을이었다. 리나가 낡은 책을 들고 교실에 처음 나타났던 날이 생각났다.

"부 래들리는 죽었어요, 잉글리시 선생님. 심장에 말뚝이 박혔거든요." 누가 이 말을 했는지는 모른다. 에밀리와 함께 뒷자리에 앉아 있던 여자애들 중 한 명일 것이다. 이것이 메이컨에 관한 말이라는 것은 우리 모두 알고 있었다. 옛날에도 그랬듯이, 이건 리나를 겨냥한 말이었다. 나는 웃음소리가 잦아드는 동안 잔뜩 긴장했다. 금방이라도 창문이 깨지든지 아니면 다른 일이 일어나든지 할 것 같았지만, 창문에는 금조차 가지 않았다. 리나는 아무런 반응도 보이지 않았다. 아이들의 말을 듣고 있지 않았거나, 아니면 아이들의 말에 더 이상 신경을 쓰지 않는 것 같았다.

"레이븐우드 노친네는 틀림없이 마을 묘지에 묻혀 있지도 않을걸. 관이 텅 비어 있을 거야. 아예 관이 없을지도 모르고." 이 목소리는 꽤 컸기 때문에 잉글리시 선생님이 교실 뒤쪽으로 시선을 돌렸다.

"닥쳐, 에밀리." 내가 숨죽여 소리쳤다.

이번에는 리나가 고개를 돌려 에밀리를 똑바로 바라보았다. 단지 그것뿐이었다. 단 한 번 바라보았을 뿐. 에밀리는 시험지를 펼쳤다. 《지킬 박사와 하이드 씨》에 대해 잘 아는 사람처럼. 아무도 리나에게 덤벼들려고 하지 않았다. 그저 뒤에서 리나에 관한 이야기들을 떠들어 댈 뿐이었다. 리나가 새로운 부 래들리였다. 메이컨이 있었다면 뭐라고 했을지 궁금했다.

내가 이런 생각을 하고 있을 때 교실 뒤쪽에서 비명이 들렸다.

"불이야! 누가 좀 도와줘!" 에밀리가 손에 든 시험지가 타오르고 있었다. 에밀리는 시험지를 바닥에 떨어뜨리고 계속 비명을 질렀다. 잉글리시 선생님은 의자 등받이에 걸쳐 두었던 스웨터를 집어 들고 교실 뒤쪽으로 가서 잘 보이는 눈으로 상황을 볼 수 있게 몸을 홱 돌렸다. 스웨터로 세 번 확실하게 후려치자 불이 꺼졌고, 검게 타서 연기를 피워 올리는 바닥에 역시 검게 타서 연기를 피워 올리는 시험지만 남게 되었다.

"이거 틀림없이 자언발화('자연발화'에서 '자연'을 뜻하는 spontaneous를 에밀리가 spot-aneous라고 잘못 발음한 것 – 옮긴이) 같은 거예요. 제가 답을 쓰고 있는데 갑자기 불이 났단 말이에요."

잉글리시 선생님은 에밀리의 책상 한가운데에서 반짝이고 있는 검은 라이터를 집어 들었다. "그래? 가방 싸라. 하퍼 교장 선생님한테 가서 잘 설명해 봐."

에밀리는 쿵쿵 발소리를 내며 밖으로 나가 버렸고, 잉글리시 선생님은 교실 앞으로 척척 걸어갔다. 선생님이 내 옆을 지나갈 때 라이터에 은색 초승달이 새겨져 있는 것이 눈에 들어왔다.

리나는 자신의 시험지로 시선을 돌려 답을 쓰기 시작했다. 나는 리나의 헐렁한 하얀 셔츠와 그 밑에서 짤랑거리는 목걸이를 빤히 바라보았다. 리나의 머리카락은 이상한 모양으로 틀어 올려져 있었다. 이것 역시 최근 들어 달라진 점 중 하나였는데, 리나는 왜 머리 모양을 바꿨는지 결코 설명해 주지 않았다. 나는 연필로 리나를 쿡쿡 찔렀다. 리나는 펜을 멈추고 나를 바라보며 입꼬리를 올려 살짝 냉소를 지었다. 요즘 리나가 지을 수 있는 최고의 미소는 겨우 이 정도였다.

나는 마주 미소를 지어 주었지만, 리나는 다시 시험지로 시선을 돌렸다. 나를 보느니 차라리 문제를 푸는 편이 낫다는 태도였다. 마치 나를 보면 실제로 몸이 아파지기라도 한다는 듯이. 아니 아예 나를 보기가 싫다는 듯이. 이편이 더 나빴다.

종이 울리자 잭슨 고등학교는 축제 분위기로 변했다. 여자애들은 껍질을 벗듯이 탱크탑을 벗고 비키니만 입은 채 주차장을 가로질러 뛰어갔다. 사물함은 텅 비었고, 공책들은 쓰레기통에 던져졌다. 이야기 소리는 고함 소리로 변하더니 이내 악을 쓰는 소리가 되었다. 이제 2학년은 3학년이 되고, 3학년은 4학년이 되었다. 다들 1년 내내 고대하던 것을 손에 넣어서 기뻐하고 있었다. 자유와 새 출발.

하지만 나는 예외였다.

리나와 나는 주차장까지 걸어갔다. 리나가 걸음을 내디딜 때마다 리나의 가방이 흔들렸다. 우리의 몸이 살짝 스치기도 했다. 몇 달 전과 마찬가지로 찌릿 하고 전기가 흘렀지만, 몸은 여전히 차가웠다. 리나는 나를 피해 옆으로 물러났다.

"그래, 어땠어?" 나는 생전 처음 보는 사람을 만났을 때처럼 어떻게든 대화를 이어 가려고 애썼다.

"뭐가?"

"영어 시험 말이야."

"아마 낙제할 거야. 읽기 숙제를 전혀 안 했거든." 리나가 읽기 숙제를 안 했다는 건 상상하기 힘든 일이었다. 전에 《앵무새 죽이기》를 공부할 때 리나는 몇 달 동안 계속 선생님의 질문에 항상 답을 내놓았었다.

"그래? 난 A를 받을 것 같은데. 지난주에 잉글리시 선생님의 책상에서 시험지를 훔쳤거든." 이건 거짓말이었다. 애마 아줌마가 옆에 있으니 시험에서 속임수를 쓰느니 차라리 낙제를 하는 편이 나았다. 하지만 리나는 어차피 내 말에 관심이 없었다. 나는 리나의 눈앞에서 손을 흔들었다. "L? 내말 듣고 있어?" 나는 꿈에 대해 이야기하고 싶었지만, 그러려면 먼저 리나가 내 존재를 인정하게 만들어야 했다.

"미안. 생각이 많아서." 리나는 시선을 피했다. 별말은 아니었지만, 리나가 이만큼이라도 말한 것은 몇 주 만에 처음이었다.

"무슨 생각?"

리나는 머뭇거렸다. "아무것도 아냐."

'좋은 일이 아니라는 뜻? 아니면 여기서 이야기할 수 없는 일이라는 뜻?'

리나는 걸음을 멈추고 나를 바라보았다. 나와 머릿속으로 대화를 나누는 걸 거부하겠다는 뜻이었다. "우린 개틀린을 떠날 거야. 온 식구가 전부."

"뭐?" 뜻밖의 말이었다. 틀림없이 리나가 내게 알리고 싶어 하지 않았을 것이다. 그래서 내가 자기 마음속을 들여다보지 못하게 나를 막은 것이다. 리나는 자기 생각과 감정들을 내게 알리고 싶어 하지 않았다. 나는 시간이 흐르면 달라질 거라고 계속 생각하고 있었다. 하지만 리나가 내게서 떨어져서 시간적 여유를 갖고 싶어 하는 줄은 미처 깨닫지 못했다.

"너한테 말하고 싶지 않았어. 겨우 몇 달뿐이야."

"혹시 그거…." 이미 익숙해진 두려움이 내 뱃속에 돌덩이처럼 쿵 하고 내려앉았다.

"그 여자하고는 아무 상관없어." 리나는 시선을 내리깔았다. "할머니랑 델 이모는 내가 레이븐우드를 떠나면 그 일을 덜 생각하게 될지도 모른다고 보시는 모양이야. 삼촌을 덜 생각하게 될 거라고."

'너한테서 떨어져 있으면.' 내 귀에는 리나의 말이 이렇게 들렸다.

"그래 봤자 소용 없어, 리나."

"뭐?"

"여기서 도망친다고 메이컨 아저씨를 잊을 수는 없다고."

리나는 메이컨의 이름을 듣고 뻣뻣하게 굳었다. "그래? 어디 책에서라도 본 거야? 그럼 나는 몇 단계야? 5단계? 잘하면 6단계?"

"정말로 그렇게 생각해?"

"나도 한 가지 말해 줄까? 도망칠 수 있을 때 모든 걸 버리고 도망쳐라. 난 이 단계에 언제쯤 도달할 것 같아?"

나는 걸음을 멈추고 리나를 바라보았다. "네가 원하는 게 그거야?"

리나는 긴 은줄에 달린 부적 목걸이를 비틀면서 우리의 작은 조각들을 만졌다. 우리가 함께하고 함께 본 것들의 조각이 거기에 달려 있었다. 리나가 목걸이를 아주 단단하게 비틀었기 때문에 순간적으로 저러다 끊어질 것 같다는 생각이 들었다. "나도 모르겠어. 여길 떠나서 다시는 돌아오기 싫다는 마음도 있지만, 삼촌이 사랑하던 레이븐우드를 나한테 남겨 줬는데 차마 여길 떠날 수는 없다는 마음도 있어."

'이유는 그것뿐이야?'

나는 리나가 말을 끝맺기를 기다렸다. 내 곁을 떠나고 싶지 않다고 말하기를. 하지만 리나는 말하지 않았다.

나는 화제를 바꿨다. "어쩌면 그래서 우리가 그날 밤 일을 꿈꾸는 건지도 몰라."

"그게 무슨 소리야?" 마침내 리나가 내게 주의를 돌렸다.

"어젯밤에 우리가 꾼 꿈 말이야. 네 생일날 있었던 일. 새라핀이 날 죽이는 부분만 빼면 네 생일이랑 똑같았잖아. 진짜 생시 같았어. 일어나 보니까 이런 것까지 생겼더라." 나는 셔츠를 들어 올렸다.

리나는 도톰한 분홍색 흉터를 뚫어져라 바라보았다. 흉터는 울퉁불퉁하게 내 배를 가로지르고 있었다. 리나는 금방이라도 기절할 것 같은 표정이었다. 하얗게 질린 얼굴에 두려움이 가득했다. 리나의 눈에 어떤 감정이든 떠오른 것을 본 것은 몇 주 만에 처음이었다. "네가 무슨 소리를 하는 건지 모르겠어. 난 어젯밤에 꿈 안 꿨어." 리나의 말투와 표정이 묘했다. 리나의 말은 거짓말이 아니었다.

"그거 이상하네. 보통은 우리가 같은 꿈을 꾸잖아." 나는 차분한 척하려고 했지만, 심장이 벌렁거리기 시작했다. 우리는 만나기도 전부터 같은 꿈을 꾸었다. 메이컨이 한밤중에 내 방을 찾아오곤 했던 것도 바로 그 꿈 때문이었다. 메이컨은 리나에게 보여 주기 싫은 내 꿈의 조각들을 훔쳐 갔다. 그러면서 우리가 서로 워낙 강하게 연결되어 있어서 리나가 나와 똑같은 꿈을 꾸는 거라고 말했다. 하지만 이제 리나가 나와 같은 꿈을 꿀 수 없다면, 우리 사이의 유대는 어떻게 된 거지?

"네 생일날 밤에 있었던 일들이 꿈에 나왔어. 네가 나를 부르는 소리가 들렸는데, 내가 납골당 위로 올라갔더니 새라핀이 거기 있었어. 칼을 들고."

리나는 금방이라도 토할 것 같은 얼굴이었다. 아마도 내가 거기서 이야기를 그만둬야 했겠지만, 나는 그럴 수 없었다. 계속 리나를 밀어붙여야 했다. 그런데 나 자신도 그 이유를 알 수 없었다. "그날 밤에 무슨 일이 있었던 거야, L? 넌 나한테 제대로 이야기해 준 적이 없어. 그래서 내가 꿈을 꾸는 건지도 몰라."

'이선, 말할 수 없어. 날 다그치지 마.'

믿을 수가 없었다. 리나가 다시 내 머릿속에 들어와서 켈팅으로 말을 걸

고 있었다. 나는 리나의 문을 조금만 더 열고 리나의 머릿속으로 들어가려
고 했다.

'우리 서로 의논해 보자. 네가 먼저 그날 일을 나한테 말해 줘.'

리나가 지금 무슨 감정을 느끼고 있는지는 모르겠지만, 리나는 그 감정
을 털어 버렸다. 우리 둘 사이의 문이 다시 쾅 하고 닫히는 것이 느껴졌다.
"그날 일은 너도 알잖아. 네가 납골당 위로 올라가려다가 떨어져서 기절
했어."

"그럼 새라핀은 어떻게 됐어?"

리나는 가방 끈을 잡아당겼다. "나도 몰라. 사방에 불이 붙어 있었잖아."

"그래서 새라핀이 그냥 사라졌다고?"

"나도 몰라. 아무것도 안 보였다고. 불이 잦아든 다음에 보니까 벌써 사
라지고 없었어." 리나가 변명을 하고 있는 것 같았다. 내가 리나를 비난하
는 것도 아닌데. "그걸 왜 이렇게 꼬치꼬치 묻는 거야? 네가 꿈을 꿨는데,
나는 안 꿨어. 그게 뭐? 다른 사람들이랑 똑같잖아. 그냥 아무 의미도 없는
일이야." 리나는 다시 걷기 시작했다.

나는 리나의 앞을 가로막고 다시 셔츠를 걷어 올렸다. "그럼 이건 어떻
게 설명할 건데?"

울퉁불퉁한 흉터는 이제 막 나은 상처처럼 여전히 분홍색을 띠고 있었
다. 휘둥그레진 리나의 눈에 여름 첫날의 햇빛이 부딪혔다. 빛을 받은 리나
의 밤색 눈이 황금색으로 빛나는 것 같았다. 리나는 한마디도 하지 않았다.

"게다가 그 노래… 가사가 바뀌고 있어. 너한테도 그 노래가 들린다는
거 알아. 때가 무르익었다고? 그것도 의논 안 할 거야?" 리나는 내게서 뒷
걸음질을 치기 시작했다. 아무래도 그것이 리나의 대답인 모양이었다. 하
지만 나는 신경 쓰지 않았다. 그런 건 어찌 되든 상관없었다. 이제는 나도
나 자신을 억제할 수 없었다. "뭔가 벌어지고 있는 거지?"

리나는 고개를 저었다.

"무슨 일이야? 리나…."

내가 더 이상 뭐라고 말하기도 전에 링크가 달려와 수건으로 나를 후려쳤다. "오늘은 아무도 호수에 못 갈 것 같아. 혹시 너희 둘만 예외냐?"

"무슨 소리야?"

"저 타이어 좀 봐라. 누가 전부 칼로 그어 놨어. 주차장에 있는 차는 전부. 비터도 그래."

"전부?" 잭슨 고등학교에서 학생들의 출결 상황을 감독하는 패티가 들으면 좋아 죽을 일이었다. 나는 주차장에 자동차가 몇 대나 있을지 계산해 보았다. 이 문제가 서머빌까지 올라갈 정도는 되었다. 어쩌면 보안관서까지 나설지도 몰랐다. 패티가 좋아하는 걸로 끝날 일이 아니었다.

"리나 차만 빼고 전부." 링크가 주차장에 세워진 패스트백을 가리켰다. 나는 그것이 리나 차라는 사실을 아직 머리로 잘 받아들일 수 없었다. 주차장은 혼돈 그 자체였다. 서배너는 휴대전화로 통화 중이었고, 에밀리는 이든 웨스털리에게 고함을 질러대고 있었다. 농구 팀도 발이 묶여 있었다.

링크가 어깨로 리나의 어깨를 툭 쳤다. "다른 애들 차를 그은 건 상관없는데, 비터까지 꼭 그래야 했어? 새 타이어를 사려면 돈이 모자란단 말이야."

나는 리나를 바라보았다. 리나는 못 박힌 것처럼 서 있었다.

'리나, 네가 했어?'

"내가 아냐." 뭔가가 이상했다. 옛날의 리나라면 이런 걸 물어봤다는 이유만으로 우리를 물어뜯으려고 했을 것이다.

"그럼 혹시 리들리나…." 나는 링크를 바라보았다. 새라핀의 이름을 입에 담고 싶지 않았다.

리나는 고개를 저었다. "리들리도 아냐." 평소와 다른 목소리였다. 아니, 자신을 잃어버린 목소리였다. "믿거나 말거나, 일반인을 미워하는 건 리들리만이 아냐."

나는 리나를 바라보았지만, 우리 둘 다 생각하고 있던 것을 입 밖에 낸 것은 링크였다. "네가 그걸 어떻게 알아?"

"그냥 알아."

주차장의 혼돈 속에서 오토바이에 시동을 거는 소리가 들렸다. 검은 티셔츠를 입은 남자가 주차된 차들 사이를 뚫고 휙 달려나가며 성난 치어리더들의 얼굴에 배기가스를 내뿜었다. 그는 도로로 나가서 사라졌다. 남자가 헬멧을 쓰고 있었기 때문에 얼굴은 볼 수 없었다. 오토바이가 할리데이 비슷이라는 것만 알 수 있었다.

하지만 나는 뱃속이 단단하게 뭉치는 것 같았다. 오토바이가 낯익었다. 저걸 어디서 봤더라? 잭슨 고등학교에는 오토바이를 가진 사람이 없었다. 그나마 오토바이와 가까운 것이 있다면, 행크 포터의 ATV(all-terrain vehicle, 험한 지형에서도 달릴 수 있게 만든 차량 – 옮긴이) 정도였다. 하지만 그 ATV는 행크가 지난번 서배너의 파티 이후에 한 번 몬 뒤로 고장이 나버렸다. 내가 듣기로는 그랬다. 이제 나는 서배너의 파티에 초대받지 못하기 때문에 눈으로 직접 보지는 못했지만.

리나는 유령이라도 본 사람처럼 오토바이의 뒷모습을 바라보았다. "여기서 나가자." 리나는 자신의 차로 향했다. 사실상 뛰다시피 계단을 내려가고 있었다.

"어디로 가게?" 나는 리나를 따라잡으려고 애썼다. 링크도 내 뒤에서 뛰어오고 있었다.

"여기만 아니면 어디든."

호수

❧ 6.12 ❧

"리들리도 아니라면, 왜 네 타이어는 멀쩡한 거야?" 나는 다시 리나를 밀어붙였다. 주차장에서 벌어진 일은 말이 되지 않았다. 나는 그 생각을 떨쳐버릴 수 없었다. 오토바이도 머릿속을 떠나지 않았다. 내가 그걸 어디서 봤지?

리나는 나를 무시한 채 수면만 바라보았다. "아마 우연의 일치일 거야." 우리 둘 다 우연의 일치는 믿지 않았다.

"그래?" 나는 모래를 한 줌 쥐었다. 갈색 모래알이 거칠었다. 링크만 빼면, 호숫가에 있는 사람은 우리뿐이었다. 다른 사람들은 모두 타이어 재고가 떨어지기 전에 새 타이어를 사려고 가게 앞에 줄을 서 있을 터였다.

다른 마을 사람들이 보면 여기 모래는 그냥 흙이고, 특히 우리가 앉아 있는 쪽의 호수는 늪이겠지만, 개틀린에서 수영을 할 수 있는 곳이라고는 물트리 호수의 탁한 물밖에 없었다. 학생들은 모두 호수 북쪽에서 놀았다. 그곳이 숲 가장자리와 맞닿아 있는 데다가 차에서 내린 뒤 조금 걸어와야 하는 곳이라서 다른 사람들, 특히 부모님과 만날 염려가 없기 때문이었다.

우리가 왜 지금 이 자리를 택했는지는 나도 알 수 없었다. 호숫가를 독

차지하고 앉아 있으려니 기분이 이상했다. 오늘은 학교의 아이들이 모두 이리로 나올 예정이었는데. 리나가 여기에 오고 싶다고 했을 때 나는 내 귀를 믿을 수 없었다. 하지만 리나가 진심이었으므로 우리는 이리로 왔다. 링크는 물속에서 물장난을 치고 있었고, 우리는 링크가 비터 뒷좌석에서 가져온 더러운 수건을 깔고 함께 앉아 있었다.

리나가 내 옆에서 몸을 틀었다. 잠시 동안이지만 모든 것이 정상으로 돌아가서 리나가 나와 함께 수건 위에 앉아 있는 것을 정말로 원하는 것처럼 보였다. 하지만 그 순간은 잠시뿐이었고, 곧 침묵이 내려앉았다. 리나의 하얀 피부가 얇은 흰색 티셔츠 속에서 반짝이는 것이 보였다. 6월이면 사우스캐롤라이나를 찾아오는, 숨이 막힐 것 같은 더위와 습기 때문에 티셔츠가 몸에 착 달라붙어 있었다. 매미 소리가 어색한 침묵을 거의 집어삼키다시피 했다. 거의. 리나의 검은 치마는 엉덩이에 낮게 걸려 있었다. 나는 우리도 수영복을 가져올 걸 그랬다는 생각을 벌써 백 번째로 하고 있었다. 리나가 수영복을 입은 모습은 한 번도 본 적이 없었다. 나는 그 생각을 하지 않으려고 애썼다.

'내가 네 생각을 들을 수 있다는 걸 잊어버린 거야?'

나는 눈썹을 치떴다. 리나가 다시 들어와 있었다. 내 머릿속에. 하루에 두 번이나. 마치 한 번도 그곳을 떠난 적이 없는 것처럼. 조금 전까지만 해도 나한테 말도 잘 걸지 않던 리나가 갑자기 그동안 아무 일도 없었던 것처럼 굴고 있었다. 우리가 그 문제에 대해 이야기를 나눠야 한다는 건 알고 있었지만, 더 이상 리나와 싸우고 싶지 않았다.

'네가 비키니를 입은 모습을 보면 절대 못 잊어버릴 거야, L.'

리나가 몸을 가까이 기울여 내 색 바랜 셔츠를 머리 위로 끌어올렸다. 리나의 머리카락 몇 개가 내 어깨를 스치는 것이 느껴졌다. 리나는 내 목에 팔을 두르고 나를 가까이 끌어당겼다. 얼굴을 맞대고 보니 리나의 눈에서 햇빛이 황금색으로 빛나고 있었다. 리나의 눈이 이토록 확실한 황금색으로 보인 적은 처음이었다.

리나는 벗겨 낸 내 셔츠를 내 얼굴에 던지고, 물을 향해 뛰어갔다. 그리고 아이처럼 웃으며 옷을 입은 채로 호수에 뛰어들었다. 리나가 웃거나 농담하는 모습을 본 건 몇 달 만이었다. 오늘 오후만은 리나가 다시 내게로 돌아온 것 같았다. 비록 그 이유는 알 수 없었지만. 나는 이런 생각을 머릿속에서 밀어내고 리나의 뒤를 쫓아 물속으로 뛰어들어 수심이 얕은 호수 가장자리를 가로질렀다.

"그만해!" 리나가 내게 물을 튀겼다. 나도 마주 물을 튀겼다. 리나의 옷에서 물이 뚝뚝 떨어지고, 내 반바지에서도 물이 뚝뚝 떨어졌다. 하지만 햇빛을 받으며 노는 것이 즐거웠다. 저 멀리서 링크가 부두를 향해 헤엄치고 있었다. 정말로 우리 둘뿐이었다.

"L, 잠깐 기다려." 리나는 어깨 너머로 한 번 웃어 보이고는 물속으로 뛰어들었다.

"그렇게 쉽게 도망칠 수 있을 줄 알고." 나는 리나가 사라지기 전에 리나의 다리를 움켜쥐고 끌어당겼다. 리나가 웃으며 발길질을 하고 몸을 비트는 바람에 나도 리나와 나란히 물속으로 넘어져 버렸다.

"물고기가 닿은 것 같아." 리나가 새된 소리로 비명을 지르듯이 말했다.

나는 리나의 허리를 끌어당겼다. 우리는 얼굴을 맞대고 있었다. 태양과 물과 우리 둘 외에는 아무것도 없었다. 이제 서로를 피할 길이 없었다.

"난 네가 떠나는 거 싫어. 모든 게 예전으로 돌아갔으면 좋겠어. 그러면 안 될까? 옛날처럼…."

리나가 손을 뻗어 내 입술을 만졌다. "쉬." 손가락 끝의 온기가 입술에서 내 어깨를 지나 몸으로 퍼져 나갔다. 거의 잊어버리고 있던 감각이었다. 그 열기와 전기. 리나는 양손으로 내 양팔을 쓸어내리더니 등 뒤에서 손을 맞잡았다. 그리고 내 가슴에 머리를 기댔다. 리나가 닿은 곳이 따끔거려서 피부에서 김이 솟아오를 것 같았다. 리나와 이렇게 가까이 닿아 본 게 몇 주만이었다. 나는 깊이 숨을 들이쉬었다. 레몬과 로즈마리… 그리고 뭔가 다른 냄새.

'사랑해, L.'

'알아.'

리나가 나를 향해 얼굴을 들어 올렸다. 나는 리나에게 키스했다. 그러고는 몇 초 되지도 않아 리나는 내 품에 폭 안겨 있었다. 몇 달 만에 처음이었다. 키스가 깊어지면서 우리 몸이 제멋대로 움직이기 시작했다. 마치 우리가 우리만의 주술 같은 것에 걸려 있는 것 같았다. 나는 리나를 안아 올렸다. 리나의 다리가 내 팔 위에서 대롱거리고, 물이 우리 몸에서 뚝뚝 떨어졌다. 나는 수건이 있는 곳까지 리나를 데려가서 더러운 모래 속에 함께 누웠다. 우리 몸의 온기가 불길로 변했다. 우리가 지금 걷잡을 수 없는 상태라는 것, 당장 멈춰야 한다는 것을 나는 알고 있었다.

'L.'

리나가 내 몸 아래에서 가쁘게 숨을 몰아쉬었다. 우리는 끌어안은 채로 다시 몸을 굴렸다. 나는 숨을 고르려고 애썼다. 리나는 고개를 뒤로 젖히고 웃음을 터뜨렸다. 내 등골이 서늘해졌다. 나는 그 웃음을 기억하고 있었다. 바로 꿈에 나왔던 웃음. 새라핀의 웃음. 리나의 웃음소리가 그것과 똑같았다.

'리나.'

이건 내 상상일까? 정신을 차리고 보니 리나가 내 위에 있고, 나는 다른 건 전혀 생각할 수 없는 상태가 되어 있었다. 나는 순식간에 리나에게 휩쓸려 빠져 들어갔다. 가슴이 좁아들면서 숨이 점점 가빠지는 것이 느껴졌다. 지금 멈추지 않으면 나는 결국 응급실로 실려가는 신세가 될 것이다. 아니, 그보다 더 심각한 일이 벌어질 수도 있었다.

'리나!'

입술에 타는 듯한 통증이 느껴졌다. 나는 리나를 밀어내고, 너무 놀라서 멍한 상태로 몸을 굴렸다. 리나는 흙속에서 미끄러지듯 내게서 멀어져 뒷걸음질을 쳤다. 눈이 황금색으로 커다랗게 빛나고 있었다. 초록색은 거의 보이지 않았다. 리나도 숨이 가빴다. 나는 몸을 구부리고 숨을 고르려고 애썼다. 내 몸의 모든 신경에 불이 붙은 듯했다. 한 번에 성냥불이 하나씩 켜지듯이. 리나가 고개를 들어 올렸다. 엉망으로 헝클어진 머리카락과 지저분한 흙먼지 때문에 얼굴이 거의 보이지 않았다. 그 이상한 황금색 빛만 보일 뿐이었다.

"나한테 가까이 오지 마." 리나가 천천히 말했다. 말 한 마디, 한 마디가 리나 내면의 아주 깊은 곳, 누구도 닿을 수 없는 곳에서 나오는 것 같았다.

링크는 물 밖으로 나와서 뾰족뾰족한 머리를 수건으로 문지르고 있었다. 어렸을 때 제 엄마가 씌워 주던 플라스틱 고글을 여전히 쓰고 있는 모습이 우스꽝스러웠다. "무슨 일 있었어?"

나는 내 입술을 만져 본 뒤 손가락을 바라보았다. 몸이 움찔거렸다. 손가락에 피가 묻어 있었다.

리나가 일어서서 우리에게서 뒷걸음질을 쳤다.

'자칫하면 나 때문에 네가 죽었을지도 몰라.'

리나는 몸을 돌려 나무들 속으로 뛰어갔다.

"리나!" 나도 그 뒤를 쫓아갔다.

사우스캐롤라이나의 숲 속을 맨발로 달리는 것은 그다지 추천할 만한 일이 아니다. 그동안 날이 가물었기 때문에 호수 주위에는 삼나무 잎들이 바싹 마른 바늘처럼 흩어져 있었다. 그것이 수천 개나 되는 작은 칼처럼 내 발을 파고들었다. 그래도 나는 계속 달렸다. 리나가 내 앞에서 나뭇가지들을 마구 부러뜨리며 도망치고 있었기 때문에, 리나의 모습보다는 소리를 따라간다고 해야 옳았다.

'나한테 가까이 오지 마!'

무거운 소나무 가지 하나가 느닷없이 쪼개져서 내 앞 1미터쯤 되는 지점을 가로막듯이 떨어졌다. 저 앞에서 벌써 또 다른 가지가 신음하는 소리가 들렸다.

'L, 너 미쳤어?'

사방에서 가지들이 떨어졌다. 나와의 거리는 겨우 몇 센티미터에 불과했다. 내가 가지에 맞지는 않았지만, 리나가 무슨 말을 하고 싶은 건지는 분명했다.

'그만해!'

'따라오지 마, 이선! 날 내버려 둬!'

우리 사이의 거리가 점점 벌어져서 나는 속도를 높였다. 나무들과 덤불들이 휙휙 내 옆을 지나갔다. 리나는 눈에 띄게 나 있는 길을 따라가는 게 아니라, 나무들을 끼고 휙휙 방향을 바꾸고 있었다. 고속도로로 나갈 생각인 것 같았다.

나무 하나가 또 내 앞에서 쓰러져 내 양옆의 나무줄기들에 수평으로 걸쳐졌다. 나는 순간적으로 덫에 갇힌 꼴이 되어 버렸다. 부러진 나무에 물수리 둥지가 거꾸로 뒤집혀 있었다. 리나가 제정신이라면 새를 해치는 일은 꿈에도 생각하지 않았을 것이다. 나는 가지를 잡고 깨진 알들을 살펴보았다.

오토바이 소리가 들렸다. 가슴이 철렁 내려앉았다. 나는 가지를 밀치고 그 밑으로 빠져나왔다. 얼굴이 긁혀서 피투성이였지만, 고속도로까지 나갈 수 있었다. 마침 리나가 할리 데이비슨의 뒷자리에 올라타는 참이었다.

'너 뭐 하는 거야, L?'

리나는 잠시 나를 뒤돌아보고는 검은 머리카락을 휘날리며 고속도로 저편으로 사라져 버렸다.

'여기서 도망치는 거야.'

리나의 하얀 양팔이 잭슨 고등학교 주차장에서 보았던 남자에게 매달려 있었다. 오토바이를 타고 와서 타이어를 모조리 그어 버린 남자.

그 오토바이를 어디서 보았는지 이제야 알 것 같았다. 리나가 묘지에서 찍은 사진 중 하나였다. 내가 질문을 던진 직후에 리나의 방 벽에서 사라진 바로 그 사진.

리나는 아무렇게나 낯선 남자의 오토바이에 올라탈 사람이 아니었다.

틀림없이 그 남자와 아는 사이일 것이다.

하지만 그때는 그편이 더 나쁜 건지 어떤지 알 수 없었다.

남자 주술사

✤ 6.12 ✤

링크와 나는 호수에서 돌아오는 길에 별로 말이 없었다. 리나의 차를 가져와야 했지만, 나는 전혀 운전할 수 있는 상태가 아니었다. 발바닥에는 베인 상처가 가득했고, 마지막 나무를 넘어가다가 발목도 다친 뒤였다.

링크는 괜찮다고 했다. 오히려 패스트백을 운전하게 된 것을 즐거워하고 있었다. "야, 이거 진짜 힘이 좋은데. 망아지 같아." 링크는 항상 패스트백을 숭배하지만, 오늘은 그것이 거슬렸다. 머릿속이 빙빙 도는 것 같아서 링크가 리나의 차에 대해 몇 번이나 이야기하는 소리를 듣고 싶지 않았다.

"그럼 속도 좀 올려. 리나를 찾아야지. 어떤 남자의 오토바이를 얻어 타고 가 버렸단 말이야." 리나와 그 남자가 아는 사이일지도 모른다는 말은 차마 할 수 없었다. 리나가 묘지에서 그 할리데이비슨의 사진을 찍은 게 언제일까? 나는 갑갑한 마음에 문을 주먹으로 쳤다.

링크는 뻔한 소리를 굳이 말로 하지 않았다. 리나가 내게서 도망쳤다는 것. 우리가 자신을 찾아내는 걸 리나가 원하지 않는다는 건 확실히 알 수 있었다. 링크는 그냥 운전만 했고, 나는 조수석에서 창밖만 바라보았다. 뜨거운 바람이 수백 개의 작은 칼날처럼 내 얼굴을 찔러 댔다.

얼마 전부터 분명히 일이 잘못 돌아가고 있었다. 내가 그걸 인정하려 하지 않았을 뿐이다. 누가 우리한테 무슨 짓을 한 건지, 내가 리나한테 뭘 잘못한 건지, 아니면 리나가 내게 무슨 짓을 한 건지는 알 수 없었다. 어쩌면 리나가 자신을 괴롭히고 있기 때문일 수도 있었다. 리나의 생일날 모든 것이 시작되었다. 그날은 메이컨이 죽은 날이기도 했다. 혹시 새라핀이 원흉인지도 모른다는 생각이 들었다.

지금까지 나는 리나가 메이컨을 잃은 슬픔 때문에 그런 행동을 하는 거라고 생각했다. 하지만 리나의 황금색 눈과 꿈에서 들었던 웃음소리가 생각났다. 이것이 슬픔과는 상관없는 일이라면 어쩌지? 뭔가 초자연적인 일이라면? 어둠의 일이라면?

우리가 내내 두려워하던 일이 벌어지고 있는 거라면?

나는 또 문을 쳤다.

"리나는 괜찮을 거야. 그냥 좀 떨어져 있고 싶어진 거겠지. 여자애들은 항상 그런 소리를 하잖아." 링크가 라디오를 켰다가 다시 껐다. "스테레오가 죽여 주네."

"그러냐?"

"야, 우리 데-리키에 가서 샬럿이 일하는지 보자. 샬럿이 우리랑 놀아 줄지도 몰라. 이렇게 멋진 차를 타고 가니까 말이야." 링크는 내 생각을 다른 곳으로 돌리려고 애쓰고 있었지만, 소용없었다.

"이 마을에 이 차가 누구 건지 모르는 사람이 어디 있냐? 게다가 이 차를 빨리 갖다 줘야 돼. 델 이모가 걱정하고 계실 거야." 차를 돌려준다는 핑계로 오토바이가 리나의 집에 있는지 확인할 수도 있을 것이다.

하지만 링크는 고집을 굽히지 않았다. "리나도 없는데 차만 가져간다고? 그럼 델 이모가 걱정 안 하실 것 같냐? 그러지 말고 잠시 마음을 가라앉히고 생각을 해 보자. 누가 아냐? 리나가 데-리키에 있을지. 고속도로만 벗어나면 바로니까."

옳은 말이었지만, 내 기분은 조금도 나아지지 않았다. 오히려 기분이 더 나빠졌다. "데-리키가 그렇게 좋으면 거기 취직이라도 하지 그러냐? 아니지, 넌 취직 못하지? 생물 시험에 낙제한 만년생들이랑 같이 보충 수업을 받으면서 개구리 해부나 해야 하니까 말이야." 만년생들이란 만년 4학년으로 항상 학교에 있는 것 같은데도 무슨 이유인지 결코 졸업하지 못하는 사람들을 가리키는 말이었다. 그들은 몇 년 뒤에 스톱 앤 스틸에서 일하게 되더라도 항상 학교의 마크가 달린 재킷을 입었다.

"그래, 마음대로 떠들어라. 여름이 아주 지겹게 생겼다. 그보다 더 지겨운 거라면 도서관 아르바이트 정도?"

"내가 너랑 책을 맺어 줄 수도 있어. 그전에 네가 글자를 배워야겠지만."

링크는 메리언 아줌마와 도서관에서 일할 거라는 내 여름 계획을 듣고 황당해했지만, 나는 상관없었다. 리나와 리나의 집안, 빛의 주술사와 어둠의 주술사에 관한 의문들이 아직도 잔뜩 남아 있기 때문이었다. 리나가 열여섯 번째 생일에 스스로 운명을 결정하지 않았는데도 왜 괜찮았던 걸까? 그건 쉽게 벗어날 수 없는 일 같았는데. 리나가 빛이든 어둠이든 과연 선택할 수 있을까? 그게 그렇게 간단한 일인가? 《달의 책》이 불에 타서 사라졌으므로, 이제 답을 찾아낼 수 있는 곳은 루나에 리브리뿐이었다.

하지만 그것 외에 다른 의문들도 있었다. 나는 어머니 생각은 하지 않으려고 애썼다. 오토바이를 탄 낯선 사람들과 악몽과 피가 난 입술과 황금색 눈에 대해서도 생각하지 않으려고 애썼다. 그 대신 창밖을 획획 스쳐 지나가는 나무들만 빤히 바라보았다.

＊

데-리키에는 발 디딜 틈이 없었다. 그리 놀랄 일도 아니었다. 잭슨 고등학교에서 걸어서 갈 수 있는 곳이라고는 여기밖에 없었으니까. 여름에 파리들이 돌아다니는 길을 대충 따라오다 보면 결국 이곳에 이르게 된다. 원래 데어리 킹이었던 이곳은 젠트리 일가가 이곳을 사들인 뒤에 돈이 아까워서 간판의 빠진 글자를 채워 넣지 않았기 때문에 새로운 이름을 얻게 되었다. 오늘은 모든 사람이 평소보다 더 땀을 많이 흘리면서 더 짜증을 내고 있는 것 같았다. 사우스캐롤라이나의 더위 속에서 1.5킬로미터를 걸어갔는데도 신나게 놀 수 있는 여름의 첫날을 놓치고 호숫가에서 미지근한 맥주나 마시는 건 누가 봐도 즐거운 일이 아니었다. 이건 마치 공휴일이 취소된 거나 마찬가지였다.

에밀리, 서배너, 이든은 구석의 좋은 자리에서 농구 팀과 어울려 놀고 있었다. 셋 다 맨발에 비키니 상의와 엄청나게 짧은 청치마를 입은 차림이었다. 게다가 치마 맨 위의 단추를 하나 열어 놓아서 치마가 아래로 흘러내리지는 않으면서 비키니 하의가 살짝 보이는 강렬한 모습이었다. 기분이 좋은 사람은 하나도 없었다. 개틀린에 남은 타이어가 하나도 없었기 때문에, 학교 주차장의 자동차들 중 절반은 아직도 그 자리에 그대로 있었다. 그런데도 데-리키에는 시끄럽게 키득거리는 소리, 머리카락을 휙휙 넘기는 소리가 가득했다. 에밀리는 끈으로 된 비키니 상의 밖으로 가슴이 흘러나올 듯한 모습이었고, 에밀리가 요즘 희생물로 삼은 에머리는 좋아 죽겠다는 표정이었다.

링크는 고개를 절레절레 저었다. "나 참, 쟤네들은 어디서든 주인공이 되려고 하지. 장례식에서 시체 역할도 하라면 할 거야."

"그 자리에 나를 초대하지만 않으면 괜찮아."

"야. 넌 단 걸 좀 먹어야 돼. 내가 가서 줄 설게. 너 뭐 먹고 싶은 거 있냐?"

"아니, 괜찮아. 돈 있냐?" 링크는 돈을 가지고 다니는 법이 없었다.

"아니, 샬럿을 꼬실 거야."

링크는 무슨 일이든 말솜씨로 해결할 수 있었다. 나는 북적거리는 사람들 사이를 뚫고 에밀리와 서배너에게서 가능한 한 먼 곳으로 갔다. 그래서 음료수 진열대 밑의 형편없는 구석자리 탁자에 늘어지듯 앉았다. 여기 진열대의 음료수들 중에는 우리 아빠가 어렸을 때부터 이 자리에 있던 것도 있었다. 갈색, 오렌지색, 빨간색 음료수들이 몇 년 동안 증발된 탓에 병의 거의 바닥까지 줄어 있는 것이 보였다. 꽤나 께름칙한 모습이었다. 음료수 병이 그려진 1950년대의 벽지와 파리들도 마찬가지였다. 하지만 한참 시간이 흐르고 나면 그런 것이 있는지도 모르게 된다.

나는 자리에 앉아 거의 다 사라지기 직전인 검은색 음료수를 바라보았다. 그 모습이 바로 내 기분을 대변하는 것 같았다. 아까 호수에서 리나는 왜 그랬던 걸까? 분명히 나와 키스를 하고 있었는데, 정신을 차리고 보니 리나가 내게서 도망치고 있었다. 게다가 그 황금색 눈이라니. 나는 바보가 아니었다. 그게 무슨 뜻인지 알고 있었다. 빛의 주술사들은 눈이 초록색이고, 어둠의 주술사들은 황금색이다. 리나의 눈동자는 완벽한 황금색이 아니었지만, 호숫가에서 본 그 눈은 충분히 수상쩍었다.

파리 한 마리가 반짝거리는 빨간색 탁자에 내려앉았다. 나는 녀석을 빤히 바라보았다. 또 뱃속이 졸아드는 친숙한 느낌이 들었다. 두려움과 공포가 모두 둔탁한 분노로 변하고 있었다. 나는 리나에게 너무 화가 나서 내 자리 옆의 유리창을 발로 차 버리고 싶었다. 하지만 도대체 지금 무슨 일이 벌어지고 있는 건지, 할리데이비슨을 탄 그 남자는 누구인지 알고 싶은 마음도 있었다. 그 남자의 엉덩이를 차 주는 건 그다음에 해도 되는 일이었다.

링크가 엄청나게 커다란 아이스크림을 들고 내 앞에 앉았다. 그렇게 큰 아이스크림은 생전 처음이었다. 플라스틱 컵 위로 아이스크림이 10센티미터나 솟아 있었다. "샬럿은 진짜 가능성이 있어." 링크가 빨대를 핥으며 말했다.

나는 아이스크림의 달콤한 냄새만으로도 속이 메스꺼워졌다. 땀과 기름과 파리와 에머리와 에밀리가 모두 내게 달려드는 것 같았다.

"리나는 여기 없어. 그만 가자." 나는 아무 일도 없는 것처럼 여기에 앉아 있을 수 없었다. 하지만 링크는 그렇지 않았다. 눈이 오든 비가 오든 상관없었다.

"야, 진정해. 내가 이거 금방 다 먹을게."

이든이 다이어트 코크 리필을 받으러 가다가 우리를 내려다보며 싱긋 웃었다. 언제나 그렇듯이 가짜 미소였다. "정말 귀여운 커플이네. 이선, 타이어를 칼로 긋고 창문을 부숴 대는 애랑 시간 낭비할 필요 없어. 너랑 링크는 정말 천생연분의 짝이니까."

"네 타이어를 그은 건 걔가 아냐, 이든." 이번 일이 리나에게 어떤 영향을 미칠지 나는 알고 있었다. 그러니 얘들 어머니가 나서기 전에 아이들 입을 막아야 했다.

"맞아. 내가 그랬어." 링크가 입안에 아이스크림을 가득 문 채로 말했다. "리나는 자기가 그 생각을 먼저 못 한 게 억울하다고 화를 냈을 뿐이야." 링크는 치어리더들을 놀릴 기회가 오면 참는 법이 없었다. 치어리더들에게 리나는 놀려 봤자 더 이상 재미없는 낡은 장난감이었지만, 아무도 차마 리나를 내려놓지는 못했다. 작은 마을의 특징이 바로 그거였다. 사람이 변해도, 그 사람을 바라보는 다른 사람들의 시선은 결코 바뀌지 않는다는 것. 나중에 리나가 할머니가 되어도, 이 아이들 앞에서는 항상 영어 수업 때 창문을 박살 낸 미친 아이일 것이다. 지금 우리와 함께 영어 수업을 듣는 아이들은 그때도 대부분 개틀린에 살고 있을 테니까.

하지만 나는 아니었다. 앞으로도 계속 이런 일들이 벌어진다면 나는 여길 떠날 것이다. 리나가 개틀린에 온 뒤로 내가 여길 떠나는 것을 진지하게 생각해 본 건 이번이 처음이었다. 내 침대 밑에 넣어 둔 대학 팸플릿 상자는 지금도 그 자리에 있었다. 내 옆에 리나가 있는 한, 나는 개틀린에서 벗어날 수 있는 날을 손꼽아 헤아리지 않았다.

"어머. 저게 누구야?" 이든의 목소리가 너무 컸다.

데-리키의 문이 닫히면서 종소리가 났다. 무슨 클린트 이스트우드 영화 같았다. 주인공이 한 마을을 평정하고 술집으로 들어서는 장면. 우리와 가까운 곳에 앉아 있던 모든 여자아이들의 목이 문 쪽으로 홱 돌아갔다. 기름기 흐르는 금발 머리채들이 허공을 날았다.

"나도 모르지만, 누군지 꼭 알아보고 싶네." 에밀리가 이든의 뒤로 다가오면서 즐거운 목소리로 말했다.

"난 처음 보는 사람인데, 너희는?" 서배너는 지금 머릿속으로 학교 연감을 뒤지고 있음이 분명했다.

"못 봤어. 봤으면 틀림없이 기억하지." 불쌍한 남자 같으니. 에밀리가 벌써 그를 겨냥하고 있었다. 그 남자가 누군지는 몰라도, 이렇게 된 이상 전혀 승산이 없었다. 나는 그 남자를 잘 보려고 고개를 돌렸다. 얼과 에머리는 자기 여자 친구들이 그 남자 때문에 침을 질질 흘리고 있는 걸 알면 그 남자를 흠씬 패 줄 것이다.

남자는 색 바랜 검은색 티셔츠, 청바지, 낡은 검은색 군용 장화 차림으로 문간에 서 있었다. 내가 앉은 곳에서는 잘 보이지 않았지만, 장화에 긁힌 자국이 있다는 것을 나는 분명히 알고 있었다. 그가 지난번 메이컨의 장례식에서 허공을 찢고 사라질 때와 정확히 똑같은 차림이었으니까.

그 낯선 사람이었다. 몽마가 아닌 몽마. 햇볕을 쬐도 되는 몽마. 리나가 내 침대에서 자면서 손에 쥐고 있던 은색 참새가 생각났다.

저 남자가 여긴 웬일이지?

검은 문신이 그의 팔을 휘감고 있었다. 무슨 부족의 상징 같기도 하고, 내가 전에 본 적이 있는 것 같기도 했다. 내 배에 칼이 박힌 것 같은 느낌에 나는 흉터를 만져 보았다. 그 자리가 욱신거렸다.

서배너와 에밀리는 카운터로 다가가서 뭔가를 주문할 것처럼 굴었다. 어차피 다이어트 코크 외의 물건에는 손도 대지 않으면서.

"저거 누구야?" 링크는 걱정할 필요 없었다. 어차피 저 남자한테 이길 수 있는 상대가 아니니까.

"나도 몰라. 하지만 메이컨의 장례식 때도 왔었어."

링크는 그 남자를 뚫어지게 바라보았다. "저 사람도 리나의 이상한 친척이야?"

"정체는 모르지만, 리나의 친척은 아니야." 하지만 저 남자가 메이컨의 장례식에 참석했던 건 사실이다. 그래도 뭔가가 마음에 걸렸다. 맨 처음 그를 봤을 때도 같은 느낌이었다.

문이 닫히면서 다시 종소리가 들렸다.

"어이, 엔젤 페이스, 기다려."

나는 그대로 얼어붙었다. 그 목소리라면 언제 어디서나 알아차릴 수 있었다. 링크도 문을 뚫어져라 바라보고 있었다. 유령이라도 본 것 같은 얼굴이었다. 아니, 그보다 더 나빴다….

리들리.

리나의 사촌이자 어둠의 주술사인 리들리는 언제나 그랬듯이 지금도 위험하고 섹시한 모습이었다. 사실상 벗은 거나 마찬가지인 옷차림도 여전했다. 아니, 계절이 여름인 만큼 평소보다 훨씬 더 노출이 심했다. 리들리는 몸에 착 달라붙은 레이스 같은 검은 탱크톱에 열 살짜리 아이 옷인가 싶을 만큼 작은 검은 치마를 입고 있었다. 그 어느 때보다 길어 보이는 다리는 뱀파이어의 가슴에 박을 말뚝으로 써도 될 만큼 높고 뾰족한 샌들 같은 물건 위에서 균형을 잡고 있었다. 이제는 여자애들만 입을 헤 벌리고 있는 게 아니었다. 학교의 학생들 대부분이 겨울 무도회에 참석했었다. 리들리가 무대를 죄다 망가뜨렸던 그날. 그런데도 리들리는 그날 딱 한 명만 빼고 다른 모든 여자애들보다 더 섹시한 모습이었다.

리들리가 뒤로 몸을 기울이며 양팔을 머리 위로 쭉 뻗었다. 긴 낮잠을 자고 일어나 기지개를 켜는 사람 같았다. 리들리가 양손을 깍지 끼고 팔을 더 쭉 펴자 맨살이 더욱 더 드러나면서 배꼽을 둘러싼 검은 문신이 모습을 드러냈다. 아까 그 남자의 팔에 있던 문신과 아주 비슷한 모양이었다. 리들리가 그 남자에게 뭐라고 귓속말을 했다.

"젠장, 리들리잖아." 링크가 천천히 상황을 받아들였다. 리나의 생일날 이후로 링크가 리들리를 본 건 오늘이 처음이었다. 그날 링크는 우리 아빠를 죽이려던 리들리를 설득해서 불행한 일을 막았다. 하지만 그 뒤로 리들리를 만나지 못했다고 해서 생각조차 안 한 건 아니었다. 링크가 그 뒤로 만든 노래 가사들을 보면, 리들리를 엄청 많이 생각하고 있음이 분명했다. "저 남자랑 사귀는 거야? 저 녀석도, 그러니까, 리들리랑 같을까?" 어둠의 주술사냐는 뜻이었다. 링크는 그 말을 차마 입에 올리지 못했다.

"아닐걸. 눈이 노랗지 않잖아." 그래도 뭔가 우리와 다른 존재임은 분명했다. 어떤 존재인지 내가 모를 뿐이었다.

"둘이 이쪽으로 오고 있어." 링크는 아이스크림을 내려다보았다. 리들리가 다가왔다.

"어머, 내가 제일 좋아하는 사람 둘이 있네. 안 그래도 여기서 만날 수 있을까 했지. 존이랑 나는 목이 말라서 죽을 지경이었거든." 리들리는 분홍색 줄무늬가 섞인 금발을 어깨 너머로 넘겼다. 그러고는 우리 맞은편의 칸막이 좌석에 앉아 남자에게 앉으라고 손짓했다. 하지만 남자는 앉지 않았다.

"존 브리드." 그가 나를 똑바로 바라보며 단숨에 말했다. 언뜻 '존브리드'처럼 들렸다. 그의 눈은 옛날 리나의 눈처럼 초록색이었다. 빛의 주술사가 왜 리들리랑 함께 있는 거지?

리들리가 그를 향해 싱긋 웃었다. "얘는 리나의… 음, 내가 전에 얘기한 사람 있지?" 리들리는 나 같은 건 신경 쓸 필요도 없다는 듯이 자주색 매니큐어를 칠한 손을 흔들었다.

"난 리나의 남자 친구 이선이에요."

존은 어리둥절한 표정이었지만, 그건 순간에 불과했다. 그는 무슨 일이든 결국 자기 뜻대로 될 거라고 확신하듯이 언제나 느긋한, 그런 사람이었다. "리나는 남자 친구가 있다는 말은 한 번도 안 했는데."

내 몸의 모든 근육이 긴장했다. 이 사람은 리나를 아는데, 나는 이 사람을 몰랐다. 이 사람은 장례식 이후로 리나를 만났다. 아니, 최소한 이야기라도 나눠 보았다. 언제였을까? 리나는 왜 내게 그런 이야기를 하지 않았을까?

"내 여자 친구랑 정확히 어떻게 아는 사이예요?" 내 목소리가 지나치게 컸기 때문에 사람들이 나를 바라보는 것이 느껴졌다.

"긴장 풀어, 남자 친구. 근처에 왔다 들른 거야." 리들리는 링크를 바라보았다. "잘 지냈어, 작은 고추?"

링크는 어색하게 헛기침을 했다. "잘 지냈어." 새된 목소리였다. "진짜잘 지냈어. 네가 여길 떠난 줄 알았는데." 리들리는 아무 말도 하지 않았다.

나는 여전히 존을 바라보고 있었다. 존도 나를 빤히 바라보며 평가하고 있었다. 나를 제거할 수많은 방법들을 생각하고 있겠지. 존은 틀림없이 뭔가를, 아니 누군가를 손에 넣으려 하고 있는데, 내가 앞길을 가로막고 있으니 말이다. 리들리가 4개월이나 지난 지금 아무 이유 없이 이 남자와 함께 불쑥 여기에 나타나지는 않았을 것이다.

나는 존에게서 눈을 떼지 않았다. "리들리, 넌 여기 오면 안 돼."

"너무 열 내지 마, 남자 친구. 그냥 지나가던 길에 들른 것뿐이야. 레이븐우드에 들렀다 가는 중이거든." 별일 아닌 것처럼 태평한 말투였다.

나는 웃음을 터뜨렸다. "레이븐우드? 거기 식구들이 널 들여놓을 것 같아? 리나는 차라리 집을 태워 버리려고 들걸." 리들리와 리나는 자매처럼 함께 자란 사이였지만, 리들리가 어둠이 되면서 모든 것이 달라졌다. 리들리는 리나의 생일에 새라핀이 리나를 찾아낼 수 있게 도와주었고, 그 덕분에 아빠를 포함한 우리 모두가 하마터면 목숨을 잃을 뻔했다. 그러니 리나가 리들리와 어울릴 리가 없었다.

리들리는 싱긋 웃었다. "사정이 변했어, 남자 친구. 내가 식구들고 사이가 별로 안 좋은 건 사실이지만, 리나하고는 얘기가 잘 됐다고. 네가 리나한테 직접 물어보지 그래?"

"거짓말이야."

리들리가 새빨간 막대사탕의 포장을 벗겼다. 전혀 해로울 것이 없는 물건처럼 보였지만, 리들리의 손에 들린 그것은 최고의 무기였다. "너 진짜 남의 말을 안 믿는구나. 너한테 상담이라도 해 주고 싶지만, 우리가 이만 가 봐야 돼서 말이야. 이 마을의 촌스런 주유소에 기름이 다 떨어지기 전에 존의 오토바이에 기름을 넣어야지." 식탁을 쥐고 있는 내 손의 손마디가 하얗게 변했다.

존의 오토바이.

그것이 지금 바로 가게 앞에 서 있다는 얘기였다. 틀림없이 할리데이비슨일 터였다. 내가 리나의 방에서 본 사진 속의 그 오토바이. 물트리 호수에서 리나를 태우고 간 사람은 바로 존 브리드였다. 그는 한 마디도 하지 않았지만, 나는 존 브리드가 곧 사라질 생각이 없음을 깨달았다. 리나를 태워 줄 사람이 또 필요해지면, 그가 길모퉁이에서 기다리고 있을 것이다.

나는 일어섰다. 나 자신은 뭘 어떻게 할 건지 알 수 없었지만, 링크는 어떻게 해야 하는지 알고 있었다. 자리에서 일어난 링크가 나를 문 쪽으로 밀었다. "빨리 여기서 나가자."

리들리가 뒤에서 소리쳤다. "정말로 네가 보고 싶었어, 작은 고추." 리들리는 빈정거리듯이 말하려고 했다. 농담을 던질 때처럼. 하지만 빈정거리는 말투가 목구멍에 걸려 버렸는지, 진심처럼 들렸다. 내가 손바닥으로 문을 후려치자 문이 활짝 열렸다.

하지만 문이 닫히기 전에 존의 목소리가 들렸다. "만나서 반갑다, 이선. 리나한테 인사 좀 전해 줘." 손이 부들부들 떨리고, 리들리의 웃음소리가 들렸다. 오늘은 리들리가 내 마음에 상처를 주려고 군이 거짓말을 할 필요가 없었다. 진실이 리들리의 편이었으니까.

레이븐우드로 가는 동안 우리는 아무 말도 하지 않았다. 우리 둘 다 무슨 말을 해야 할지 알 수 없었다. 원래 여자들은 가끔 이런 짓을 한다. 주술사 여자애는 더 그렇다. 레이븐우드 저택으로 이어진 긴 도로의 꼭대기에 다다르자, 저택으로 통하는 철세공 문이 닫혀 있었다. 지금껏 한 번도 없던 일이었다. 담쟁이덩굴이 마치 옛날부터 항상 그랬던 것처럼 구불구불한 철세공 위를 뒤덮고 있었다. 나는 차에서 내려 문을 흔들어 보았다. 혹시 문이 열릴까 싶어서였지만, 열리지 않으리라는 건 이미 나도 알고 있었다. 나는 문 뒤의 저택을 올려다보았다. 창문들은 어두웠고, 하늘은 그보다 더 어두운 것 같았다.

어떻게 된 거지? 호수에서 내가 리나의 발작을 달랠 수도 있었을 것이다. 당장 거기서 도망치려는 리나를 막을 수도 있었을 것이다. 하지만 리나는 그 남자를 택했다. 왜? 왜 할리데이비슨을 갖고 있는 그 주술사를 택했을까? 리나는 도대체 언제부터 그 남자와 어울려 다닌 걸까? 리들리는 그 일과 어떻게 관련되어 있는 걸까?

리나한테 지금만큼 화가 났던 적은 없었다. 자기가 미워하는 사람에게 공격을 받는 건 그렇다 쳐도, 지금 이건 완전히 다른 일이다. 사람을 이렇게 아프게 할 수 있는 건 자신이 사랑하는 사람, 날 사랑할 거라고 믿었던 사람뿐이다. 이건 마치 안에서부터 칼에 찔린 것 같은 느낌이었다.

"너 괜찮냐?" 링크가 운전석 문을 쾅 닫으며 물었다.

"아니." 나는 우리 앞으로 길게 뻗어 있는 길을 내려다보았다.

"나도 그래." 링크는 자동차의 열린 창문으로 열쇠를 던져 넣고, 나와 함께 길을 내려가기 시작했다.

우리는 마을까지 걸어서 돌아왔다. 링크는 몇 분마다 한 번씩 고개를 돌려 우리 뒤로 뻗어 있는 도로에 할리데이비슨이 나타나지 않았는지 확인했다. 하지만 내가 보기에는 오토바이가 나타나지 않을 것 같았다. 그 오토바이는 마을로 가지 않을 것이다. 어쩌면 이미 저택의 닫힌 문 안에 들어가 있을 수도 있었다.

⚜

나는 저녁을 먹으러 내려가지 않았다. 그것이 나의 첫 번째 실수였다. 두 번째 실수는 검은 컨버스 운동화 상자를 연 것이었다. 상자를 흔들어 열자 그 안에 있던 것들이 내 침대 위로 쏟아졌다. 리나가 구겨진 스니커스 포장지 뒷면에 써 준 메모, 우리가 처음 데이트할 때 보았던 영화의 표, 빛바랜 데-리키 영수증, 리나를 연상시키는 책에서 뜯어내서 밑줄을 그어 둔 종이. 나는 이 상자 안에 우리의 추억을 모두 감춰 두었다. 리나에게 목걸이가 있다면, 내게는 이 상자가 있었다. 하지만 사내 녀석이 할 짓 같지 않아서 나는 심지어 리나에게도 이 상자에 대해 전혀 내색하지 않았다.

나는 겨울 무도회 때 찍은, 구겨진 사진을 집어 들었다. 이른바 친구라는 녀석들이 비눗물을 우리한테 쏟아붓기 직전에 찍은 것이었다. 흐릿한 사진이었지만, 우리가 키스를 하는 모습이 찍혀 있었다. 너무나 행복한 모습이어서 지금은 차마 보기가 힘들었다. 이 사진을 찍은 직후 끔찍한 일들이 벌어졌다는 걸 알고 있는데도, 그날 밤을 떠올리자 나의 일부가 지금도 거기서 리나와 입을 맞추고 있는 것 같았다.

"이선 웨이트, 안에 있니?"

나는 문이 열리는 소리를 듣고 모든 물건을 상자 안에 쓸어 담으려고 했다. 하지만 상자가 떨어지면서 모든 것이 바닥에 흩어져 버렸다.

"너 괜찮니?" 애마 아줌마가 방으로 들어와 침대 발치에 앉았다. 내가 6학년 때 독감에 걸린 이후로 처음 있는 일이었다. 애마 아줌마가 날 사랑하지 않아서 그런 것은 아니었다. 이제는 애마 아줌마가 내 침대 발치에 앉는 것 말고 다른 방법들이 있기 때문이었다.

"그냥 피곤해서 그래요."

애마 아줌마는 어질러진 바닥을 내려다보았다. "강바닥의 메기보다 더 처져 있는 것 같구나. 더할 나위 없이 훌륭한 포크찹도 저 아래 식당에서 너처럼 한심한 꼴을 하고 있고. 둘 다 좀 그렇다." 애마 아줌마는 몸을 기울여 내 눈을 가린 갈색 머리카락을 쓸어 올렸다. 애마 아줌마는 항상 나더러 머리를 좀 자르라고 잔소리를 해 대곤 했다.

"알아요, 알아요. 눈은 영혼의 창이니까 머리를 잘라야 한다는 거죠?"

"머리를 자르는 것보다 앞을 잘 보는 게 더 중요해." 애마 아줌마는 슬픈 표정으로 내 턱을 잡았다. 마치 턱을 잡고 나를 들어 올리려는 것 같았다. 조건만 제대로 갖춰진다면, 애마 아줌마는 그러고도 남을 사람이었다. "넌 지금 정상이 아냐."

"정상이 아니라고요?"

"그래. 그런데 넌 내 아이니까 이건 내 잘못이다."

"그게 무슨 소리예요?" 나는 애마 아줌마의 말을 이해할 수 없었다. 애마 아줌마도 자세히 설명하지 않았다. 우리 둘 사이의 대화는 대개 이런 식이었다.

"그 아이도 정상이 아냐." 애마 아줌마가 내 방 창문 밖을 바라보며 조용히 말했다. "정상이 아닌 게 항상 누군가의 잘못은 아니지. 그냥 그런 일이 벌어지는 거다. 카드를 뽑을 때처럼." 애마 아줌마에게는 모든 것이 운명이었다. 타로 카드나 무덤에 늘어놓는 뼛조각들처럼 애마 아줌마가 읽어 낼 수 있는 운명.

"네."

애마 아줌마가 내 눈을 들여다보았다. 눈이 빛나고 있었다. "때로는 겉으로 보이는 모습이 진짜가 아닐 수도 있어. 심지어 천리안도 앞으로 무슨 일이 벌어질지 모를 때가 있다." 애마 아줌마는 내 손을 잡고 손바닥에 뭔가를 내려놓았다. 작은 구슬들을 엮어 넣은 빨간 끈. 애마 아줌마의 부적이었다. "이걸 손목에 묶어라."

"아줌마, 남자는 팔찌 같은 거 안 해요."

"네 눈에는 내가 장신구 같은 거나 만드는 사람으로 보이니? 그런 건 시간은 많은데 머리는 나쁜 여자들이나 하는 짓이다." 애마 아줌마는 앞치마를 홱 잡아당겨 똑바로 폈다. "빨간 끈은 저승과 이어져 있어. 그래서 나는 줄 수 없는 보호막이 되어 주지. 그러니까 얼른 손목에 묶어."

애마 아줌마가 이런 표정을 할 때 반항하면 안 된다는 것쯤은 잘 알고 있었다. 두려움과 슬픔이 뒤섞인 표정. 애마 아줌마는 지금 너무 무거워서 감당할 수 없는 짐처럼 그 표정을 짓고 있었다. 내가 팔을 내밀자 애마 아줌마가 끈을 손목에 묶어 주었다. 그러고 나서 내가 뭐라고 하기도 전에 벌써 창가로 다가가 앞치마 주머니에서 꺼낸 소금 한 줌을 창틀을 따라 뿌렸다.

"이제 다 괜찮을 거예요. 걱정 마세요."

애마 아줌마는 문간에서 걸음을 멈추고 나를 뒤돌아보았다. 아줌마가 눈을 비비자 눈의 광채가 사라졌다. "오후 내내 양파를 썰었더니…."

뭔가가 이상했다. 애마 아줌마 말처럼. 하지만 왠지 내가 문제가 아닌 것 같았다. "혹시 존 브리드라는 사람 알아요?"

애마 아줌마의 몸이 뻣뻣하게 굳었다. "이선 웨이트, 내가 포크찹을 루실한테 주면 좋겠니?"

"아뇨."

애마 아줌마는 뭔가를 알고 있었다. 그리고 그건 좋은 내용이 아니었다. 그래서 내게 말해 줄 생각이 없었다. 이건 포크찹의 조리법만큼이나 확실했다. 그리고 내가 아는 한, 애마 아줌마의 포크찹에는 양파가 전혀 들어가지 않았다.

책벌레

※ 6.14 ※

"멜빌 듀이가 괜찮다면, 나도 괜찮아." 메리언 아줌마가 마분지 상자에서 새 책들을 꺼내며 내게 한쪽 눈을 찡긋하고는 책 냄새를 깊이 들이마셨다. 사방에 책이 쌓여 있었다. 거의 아줌마의 머리 높이까지 이를 정도였다.

루실은 탑처럼 쌓인 책들 사이를 요리조리 돌아다니며 길 잃은 매미를 찾고 있었다. 메리언 아줌마는 원래 동물이 들어올 수 없는 개틀린 카운티 도서관의 규칙에 예외를 적용해 주었다. 이곳에 책은 가득한데 사람은 전혀 없기 때문이었다. 여름의 첫날 도서관에 오는 건 바보밖에 없을 것이다. 아니면 어디 다른 데 정신을 쏟을 곳이 필요하거나, 여자 친구랑 도무지 이야기를 못하고 있거나, 여자 친구가 도무지 말을 걸어 주지 않거나, 그 여자 친구가 아직도 자기 여자 친구인지 확신할 수 없는 사람일 수도 있었다. 이 모든 게 길고 길었던 이틀 동안 벌어진 일이었다.

나는 아직도 리나와 이야기를 나눠 보지 못했다. 나는 내가 너무 화가 났기 때문에 말을 걸지 않은 거라고 속으로 되뇌었지만, 그건 자신이 옳은 일을 하고 있다고 스스로를 설득하려고 할 때 사람들이 늘어놓는 거짓말 중 하나였다. 솔직히 말하자면, 나는 리나에게 무슨 말을 해야 할지 알 수 없었다. 궁금한 것들을 물어보고 싶지도 않았고, 리나가 내 질문에 무슨 대답을 할지도 무서웠다. 게다가 어떤 남자와 함께 오토바이를 타고 달아난 건 리나지 내가 아니었다.

"정신이 하나도 없어요. 듀이의 십진분류표가 사람을 비웃는 것 같다니까요. 달 궤도의 패턴 변화를 기록한 연감조차 찾을 수가 없잖아요." 책 더미 속에서 들려오는 목소리에 나는 깜짝 놀랐다.

"자, 올리비아…" 메리언 아줌마는 손에 든 책들의 표지를 살피며 미소 띤 얼굴로 혼잣말을 했다. 아줌마가 우리 엄마와 비슷한 나이라니, 믿기가 힘들었다. 짧은 머리에 흰머리라고는 흔적도 보이지 않았고, 황금빛이 도는 갈색 피부에도 주름 하나 없어서 서른 살 이상으로는 보이지 않았다.

"애시크로프트 교수님, 지금은 1876년이 아니에요. 시대가 변했다고요." 이건 젊은 여자의 목소리였다. 말씨도 독특했다. 영국식 말씨인 것 같았다. 지금까지 제임스 본드 영화에서만 들어 본 말씨였다.

"듀이 십진분류표도 마찬가지야. 정확히 말해서, 스물두 번이나 바뀌었어." 메리언 아줌마가 책 한 권을 서가에 꽂았다.

"의회도서관은 어때요?" 젊은 목소리는 화가 난 것 같았다.

"나한테 백 년만 더 줘."

"그럼 보편적인 십진분류표라도 만들어 내시게요?" 이젠 정말로 짜증이 난 목소리였다.

"여긴 사우스캐롤라이나야. 벨기에가 아니라."

"그럼 하버드-옌칭 분류법은요?"

"이 마을에는 중국어를 하는 사람이 하나도 없어, 올리비아."

호리호리한 금발 아가씨가 책 더미들 뒤에서 고개를 불쑥 내밀었다. "틀렸어요, 애시크로프트 교수님. 적어도 여름 방학 동안에는 그렇지 않아요."

"중국어를 할 줄 알아요?" 나도 모르게 불쑥 말이 튀어나왔다. 메리언 아줌마가 여름 동안 연구 조수를 두겠다는 말은 했지만, 그 조수가 10대 때의 자신과 똑같은 모습이라는 말은 하지 않았다. 군데군데 줄무늬가 있는 벌꿀색 머리카락과 하얀 피부와 말씨만 빼면, 두 사람은 모녀지간이라고 해도 될 정도였다. 한눈에 봐도 그 아이는 말로는 설명하기 힘들지만 마을의 어느 누구에게서도 찾아볼 수 없는 '메리언다움'을 갖고 있었다.

여자아이가 나를 바라보았다. "넌 못해?" 그리고는 내 옆구리를 쿡 찔렀다. "농담이야. 내 생각에 이 나라 사람들은 영어도 제대로 못하는 것 같아." 여자아이는 싱긋 웃으며 손을 내밀었다. 그 애도 키가 컸지만 내 키가 더 컸다. 그 애는 마치 우리가 이미 아주 절친한 사이가 됐다고 확신하는 것 같은 표정으로 나를 올려다보았다. "올리비아 듀런드야. 친구들은 리브라고 불러. 네가 이선 웨이트구나. 솔직히 믿기는 어렵지만. 애시크로프트 교수님 얘기를 듣고, 나는 총검을 들고 허세를 부리는 녀석일 거라고 생각했거든."

메리언 아줌마가 웃음을 터뜨렸다. 나는 얼굴이 새빨개졌다. "아줌마가 뭐라고 했는데?"

"네가 믿을 수 없을 만큼 똑똑하고 용감하고 착해서 가히 세상을 구할 것 같은 사람이라고 했어. 사랑하는 라일라 이버스 웨이트의 아들에게서 기대할 수 있는 모습 그대로라고. 아, 네가 올여름에 내 조수가 될 거라는 얘기도 하셨어. 그러니까 내가 널 마음대로 막 부려도 된대." 올리비아가 나를 향해 방긋 웃었고, 나는 머릿속이 텅 비어 버렸다.

올리비아는 리나와 전혀 달랐다. 개틀린의 다른 여자아이들과도 달랐다. 그것만으로도 내게는 혼란스럽기 그지없었다. 올리비아가 몸에 걸친 것들은 색 바랜 청바지와 손목에 찬 갖가지 끈들과 구슬들에서부터 공업용 테이프로 묶어 둔 구멍 난 은색 하이탑 운동화와 초라한 핑크 플로이드 티셔츠에 이르기까지 모든 것이 낡아 보였다. 손목에는 또한 괴상한 문자판이 달린 크고 검은 플라스틱 시계가 끈들 사이에 걸려 있었다. 나는 너무 당황스러워서 아무 말도 할 수 없었다.

메리언 아줌마가 나를 구원하려고 나섰다. "신경 쓰지 마라. 리브가 그냥 장난치는 거야. '신들도 농담을 좋아한다'는 말이 있잖니, 이선."

"플라톤. 잘난 척은 그만하세요." 리브가 웃음을 터뜨렸다.

"그래." 메리언 아줌마는 감탄한 표정으로 미소를 지었다.

"저 애는 안 웃잖아요." 리브가 갑자기 진지한 표정으로 변해서 나를 가리켰다. "대리석 강당에 울리는 공허한 웃음소리."

"셰익스피어?" 나는 리브를 바라보았다.

리브는 윙크를 하며 자신의 티셔츠를 잡아당겼다. "핑크 플로이드야. 너 아직도 한참 공부해야겠다." 메리언 아줌마의 10대 소녀 팬이라니. 도서관에서 여름에 아르바이트를 하기로 했을 때는 전혀 예상하지 못한 일이었다.

"자, 얘들아." 메리언 아줌마가 손을 뻗었다. 나는 그 손을 잡고 아줌마를 일으켜 세웠다. 오늘처럼 더운 날에도 메리언 아줌마는 무슨 수를 쓰는지 서늘해 보였다. 머리카락 한 올도 흐트러짐이 없었다. 내 앞에서 걸어가는 아줌마에게서 무늬가 있는 블라우스 천이 스르르 스치는 소리가 났다. "저기 쌓여 있는 책들은 너한테 맡길게, 올리비아. 이선한테는 저기 서고에서 특별한 일을 맡길 거야."

"어련하시겠어요. 고도의 훈련을 받은 역사 전공 대학생은 책 더미를 정리하고, 학교도 제대로 안 다니는 게으름뱅이는 서고 일을 맡는 법이죠. 정말 미국식이에요." 올리비아는 눈을 흘기며 책 상자 하나를 들어 올렸다.

서고는 지난달 내가 여름 아르바이트 때문에 메리언 아줌마를 만나러 왔을 때와 똑같은 모습이었다. 그날 나는 아르바이트 이야기 대신 리나와 아빠와 메이컨에 대한 이야기를 했다. 메리언 아줌마는 언제나 그렇듯이 내 이야기를 자기 일처럼 들어주었다. 엄마의 책상 위 선반에는 남북 전쟁 때의 낡은 기록부들과 엄마가 모은 옛날 유리 서진들이 쌓여 있었다. 내가 초등학교 1학년 때 엄마에게 만들어 준 엉터리 찰흙 사과 바로 옆에서는 검은 공 같은 것이 반짝이고 있었다. 탁자 위에는 낡아서 누렇게 변한 레이븐우드와 그린브라이어의 지도가 펼쳐져 있고, 그 위에는 엄마와 메리언 아줌마의 책들과 메모들이 여전히 쌓여 있었다. 갈겨쓴 글씨가 있는 종이를 볼 때마다 마치 엄마가 여기 있는 것 같았다. 지금은 내 삶의 모든 것이 잘못된 방향으로 흘러가고 있는 것 같은데도, 여기에만 오면 항상 기분이 나아졌다. 엄마와 함께 있는 것 같은 기분이 들기 때문이었다. 엄마는 항상 잘못된 일을 바로잡는 법을 알고 있었다. 아니, 꼭 그렇지는 않더라도 하다못해 일을 바로잡을 방법이 있다는 확신을 내게 불어넣어 줄 수는 있었다.

하지만 나는 지금 다른 것을 생각하고 있었다. "쟤가 여름 인턴이에요?"

"응."

"저런 애일 거라고는 말하지 않았잖아요."

"저런 애라니?"

"아줌마랑 똑같아요."

"그게 신경이 쓰이는 거야? 머리가 좋을 것 같아서? 아니면 긴 금발 머리 때문에? 사서들한테 정해진 모습이 있기라도 한 거니? 커다란 안경을 쓰고, 희끗희끗한 머리를 틀어 올린 모습 같은 거? 네 엄마랑 내가 적어도 그게 잘못된 생각이라는 사실 정도는 너한테 깨우쳐 준 줄 알았는데." 맞는 말이었다. 엄마와 메리언 아줌마는 언제나 개틀린에서 가장 아름다운 사람들이었다. "리브는 여기 오래 있지 않을 거야. 너랑 나이 차이도 얼마 안 나고. 네가 리브한테 마을을 구경시켜 주면서 네 또래 아이들을 좀 소개해 주면 어떨까 했는데."

"내 또래 애들이라니 누구요? 링크요? 그러면 링크의 어휘력은 나아지겠지만, 리브의 뇌세포는 수천 개나 죽어 버릴 걸요." 링크가 리브에게 어떻게든 수작을 걸어 보려고 할 것이라는 말은 하지 않았다. 어차피 수작을 걸어도 성공하지는 못할 터였다.

"난 리나를 생각하고 있었어." 방 안의 침묵이 당황스러웠다. 심지어 나 조차도. 그래, 당연히 리나를 생각했겠지. 그럼 나는 왜 생각하지 못했을까? 메리언 아줌마가 차분한 표정으로 나를 바라보았다. "오늘 네가 정말로 하고 싶은 얘기를 이제 해 보지 그러니?"

"여기서 제가 뭘 했으면 좋겠어요, 메리언 아줌마?" 나는 마음속의 이야기를 하고 싶지 않았다.

메리언 아줌마는 한숨을 내쉬며 다시 서고로 시선을 돌렸다. "나랑 같이 이걸 좀 정리하자고 할 생각이었어. 여기 있는 자료들 중에는 그 로켓이나 이선이나 제너비브랑 관련된 게 아주 많아. 그 이야기가 어떻게 끝났는지 이제 알게 됐으니까, 다음 이야기를 위해 공간을 좀 비워 두어도 되겠다 싶어서 말이야."

"다음 이야기라니요?" 나는 로켓을 걸고 있는 제너비브의 낡은 사진을 집어 들었다. 리나와 함께 이 사진을 처음 보았을 때가 떠올랐다. 그 뒤로 몇 달이 아니라 몇 년이 흐른 것 같았다.

"내 생각에 다음 이야기는 네 이야기이자 리나의 이야기일 것 같아. 리나의 생일날 있었던 일들을 보고 몇 가지 의문이 생겼지만, 내가 대답을 찾을 수 없는 게 대부분이지. 주술사가 운명이 결정되는 날 밤에 빛인지 어둠인지 선택하지 않아도 되는 상황이 있다는 건 처음 듣는 얘기야. 리나의 집안에서는 스스로 결정을 내리는 게 아니라, 그냥 결정이 내려지는 거지만. 이제는 메이컨이 우리를 도와줄 수도 없게 됐으니 우리가 직접 답을 찾아 나서야 할 것 같다." 루실이 귀를 쫑긋 세우고 엄마의 의자 위로 뛰어 올랐다.

"저는 어디서부터 시작해야 할지 모르겠어요."

"길이 시작되는 곳을 선택하는 것은 곧 그 길이 향하는 곳을 선택하는 것이다."

"소로인가요?"

"해리 에머슨 포스딕. 소로보다 조금 나이가 많고 덜 유명하지만, 그래도 여전히 꽤 중요한 사람이야, 내 생각에는." 메리언 아줌마는 빙긋 웃으며 문 가장자리를 손으로 잡았다.

"절 도와주실 거 아니에요?"

"올리비아를 오랫동안 혼자 내버려 둘 수는 없어. 그랬다가는 올리비아가 중국식 분류법으로 책을 꽂아 버려서 우리 모두 중국어를 배워야 할 걸." 메리언 아줌마는 잠시 입을 다물고 나를 가만히 지켜보았다. 엄마와 아주 비슷한 모습이었다. "내가 보기에 이건 너 혼자서 충분히 해낼 수 있어. 적어도 처음에는 그럴 거야."

"어차피 저한테는 선택의 여지가 없는 거잖아요, 그렇죠? 아줌마는 보관자니까 절 도와줄 수 없을 것 아니에요." 나는 엄마가 주술사 세계와 관련된 사람이라는 걸 알면서도 내게 설명해 주지 않았다는 사실에 아직도 화가 나 있었다. 엄마와 엄마의 죽음에 관해 메리언 아줌마가 지금까지도 말해 주지 않은 것들이 너무 많았다. 언제나 보관자로서 메리언 아줌마가 지켜야 하는, 한없이 많은 규칙들이 문제였다.

"난 네가 스스로 도울 수 있게 도와주는 것밖에 할 수 없어. 나는 일이 진행되는 경로, 어둠과 빛의 전개, 세상의 이치를 결정할 수 없으니까."

"그런 건 전부 헛소리예요."

"뭐?"

"〈스타 트렉〉의 제1규칙 같은 거라고요. 행성이 고유의 속도로 발전하게 해야 하니까, 행성의 주민들이 스스로 초공간이나 초광속 기술을 발견하기 전에는 그런 기술을 알려 주면 안 된다는 게 제1규칙이잖아요. 하지만 엔터프라이즈 호의 커크 선장과 승무원들은 언제나 그 규칙을 깨뜨려요."

"커크 선장과 달리 내 경우에는 선택의 여지가 없어. 보관자는 어둠이나 빛 중 어느 한 편을 위해 움직여서는 안 된다는 강력한 속박에 묶여 있으니까. 설사 내가 원한다 해도 내 운명을 바꿀 수는 없어. 주술사 세계의 자연스러운 질서, 세상의 이치 속에 나만의 자리가 있으니까 말이야."

"그러시겠죠."

"그건 선택의 문제가 아냐. 나는 세상을 바꿀 권위가 없어. 만약 내가 그런 일을 해 보겠다고 나선다면, 나 자신뿐만 아니라 내가 도우려던 사람들까지 파멸로 몰아넣을지 몰라."

"어쨌든 엄마는 죽어 버렸잖아요." 내가 왜 이 말을 꺼냈는지 모르겠지만, 어쨌든 나는 메리언 아줌마의 논리를 이해할 수 없었다. 메리언 아줌마는 자신이 사랑하는 사람들을 지키기 위해 중립을 지켜야 한다고 말하지만, 아줌마가 가장 사랑하던 우리 엄마는 어차피 죽어 버리지 않았는가.

"내가 네 엄마의 죽음을 막을 수도 있지 않았느냐고 묻는 거니?" 메리언 아줌마는 굳이 내게 묻지 않아도 이미 답을 알고 있었다. 나는 내 운동화를 내려다보았다. 아줌마의 대답을 들을 마음의 준비가 된 건지 나도 잘 알 수 없었다.

메리언 아줌마가 내 턱을 잡고 얼굴을 들어 올려 나와 눈을 맞췄다. "난 네 엄마가 위험하다는 걸 몰랐어, 이선. 하지만 네 엄마는 위험이 닥칠 수도 있다는 걸 알고 있었지." 메리언 아줌마의 목소리가 흔들리고 있었다. 내가 지나친 소리를 했다는 건 알고 있었지만, 나도 어쩔 수 없었다. 이건 몇 달 전부터 벼르고 벼른 끝에 꺼낸 이야기였다. "내가 할 수만 있었다면 기꺼이 그 차에 네 엄마 대신 탔을 거야. 라일라를 살리기 위해 내가 어떻게든 할 수 있지 않았을까 하는 생각을 내가 벌써 수천 번이나…." 아줌마의 목소리가 잦아들었다.

'나도 그래요. 아줌마는 나와 똑같은 구멍의 반대편 가장자리를 붙들고 있을 뿐이에요. 우리 둘 다 길을 잃고 헤매기는 마찬가지라고요.' 나는 이런 말을 하고 싶었다. 하지만 나는 내 어깨를 잡고 나를 거칠게 끌어안는 메리언 아줌마에게 그냥 몸을 맡겼다. 아줌마가 팔을 내리고 문을 닫는 것도 거의 느끼지 못했다.

나는 종이 더미들을 뚫어져라 바라보았다. 루실이 의자에서 내려와 탁자 위로 뛰어올랐다. "조심해. 여기 있는 것들은 너보다 훨씬 더 나이가 많아." 루실은 고개를 갸우뚱하게 기울이고 그 푸른 눈으로 나를 바라보았다. 그러더니 그대로 얼어붙었다.

루실은 엄마의 의자를 뚫어지게 바라보고 있었다. 눈을 휘둥그렇게 뜨고 못이라도 박힌 듯이. 의자에는 아무것도 없었지만, 나는 애마 아줌마의 말을 떠올렸다. "고양이는 죽은 사람을 볼 수 있어. 그래서 그렇게 한참 동안 뭔가를 뚫어져라 바라보곤 하는 거다. 그냥 허공을 보는 것 같지만, 사실은 그게 아냐. 허공을 꿰뚫어 보는 거지."

나는 의자로 가까이 다가섰다. "엄마?" 엄마는 대답하지 않았다. 아니, 어쩌면 대답한 건지도 모른다. 조금 전까지만 해도 없던 책 한 권이 의자에 놓여 있었으니까.《어둠과 빛: 마법의 기원》. 메이컨의 책이었다. 레이븐우드에 있는 메이컨의 서재에서 본 적이 있었다. 내가 책을 들어 올리자 껌 포장지 하나가 떨어졌다. 엄마가 서표로 꽂아 놓았음이 분명했다. 내가 허리를 굽혀 포장지를 주우려고 하자 방이 흔들리기 시작하더니 빛과 색깔들이 내 주위에서 소용돌이쳤다. 나는 쓰러지지 않으려고 무엇에든 시선의 초점을 맞추려고 했지만, 현기증이 너무 심했다. 나무 바닥이 나를 향해 불쑥 올라오고, 내가 바닥과 충돌하는 순간 연기가 내 눈을 찔러 댔다.

에이브러햄이 레이븐우드로 돌아왔을 때에는 이미 집 안에까지 재가 날려 들어와 있었다. 개틀린의 훌륭한 저택들에서 불에 그을린 채 날아온 잔해들이 검은 눈송이처럼 2층의 열린 창문들을 통해 들어왔다. 2층으로 올라가는 에이브러햄의 발이 벌써 바닥을 얄팍하게 덮은 검은 재 위에 자국을 남겼다. 에이브러햄은 2층 창문들을 단단히 닫으면서도《달의 책》을 잠시도 손에서 놓지 않았다. 사실 내려놓고 싶어도 내려놓을 수가 없었다. 그린브라이어의 늙은 요리사인 아이비의 말이 옳았다. 이 책이 그를 부르고 있었다. 오로지 그만이 들을 수 있게 속삭이는 목소리로.

서재에 다다른 에이브러햄은 반짝이는 마호가니 책상에 책을 내려놓았다. 어떤 페이지를 펼쳐야 할지 그는 정확히 알고 있었다. 마치 책이 그를 위해 저절로 펼쳐진 것처럼 보였다. 마치 그가 원하는 것을 책이 알고 있는 것처럼 보였다.《달의 책》을 처음 보는데도 에이브러햄은 자신이 원하는 답이 그 안에 있다는 것을 알고 있었다. 레이븐우드가 반드시 살아남게 해 줄 방법.

책은 그가 무엇보다도 바라는 것을 제공해 주었다. 그리고 그 대가를 요구했다.

에이브러햄은 라틴어 글자들을 빤히 내려다보았다. 그 글의 정체는 금방 알아차렸다. 다른 책에서 설명을 읽은 적이 있는 주문이었다. 지금까지는 항상 신화에 불과하다고 생각했던 것. 하지만 지금 그 주문이 눈앞에 있으니, 그의 생각은 틀린 것이었다.

조나의 목소리가 들려왔다. "형, 여기서 나가야 돼요. 북부 놈들이 올 거예요. 놈들이 모든 걸 태우고 있어요. 서배너까지 가서야 비로소 멈출 거예요. 우린 빨리 터널로 들어가야 해요."

에이브러햄의 목소리는 단호했지만, 심지어 그의 귀에도 왠지 조금 다르게 달렸다. "난 아무 데도 안 간다, 조나."

"무슨 소리예요? 챙길 수 있는 것만 챙겨서 빨리 나가야 돼요." 조나가 형의 팔을 움켜쥐다가 펼쳐진 책의 존재를 알아차렸다. 조나는 눈앞의 광경을 믿을 수 없다는 듯이 글자들을 빤히 바라보았다.

"다에모니스 파크툼? 악마의 거래?" 조나는 뒤로 물러났다. "이거 정말로 그거예요?《달의 책》?"

"네가 이걸 알아보다니 놀랍구나. 공부할 때 제대로 듣지도 않는 것 같더니만."

조나는 에이브러햄에게 무시당하는 데 익숙했지만, 오늘은 말투가 조금 다른 것 같았다. "형, 안 돼요."

"나한테 이래라저래라 하지 마라. 넌 아무 생각도 못하고 집이 타서 쓰러지는 걸 보기만 할 녀석이야. 넌 필요한 때에 필요한 행동을 하는 법이 없지. 어머니처럼 약해 빠져서."

조나는 움찔했다. 마치 누군가에게 정말로 얻어맞은 것처럼. "이거 어디서 났어요?"

"그런 건 신경 쓰지 마라."

"형, 정신 차려요. 악마의 거래는 너무 강력해요. 통제할 수가 없다고요. 자기가 뭘 희생해야 하는지도 모르는 상태에서 거래를 하는 거잖아요. 집은 여기 말고도 또 있어요."

에이브러햄은 동생을 밀어냈다. 에이브러햄의 손이 거의 닿지도 않았는데 조나는 방 저편으로 날아가 버렸다. "다른 집들? 레이븐우드는 일반인 세상에서 우리 가문의 힘이 자리하고 있는 곳이야. 병사들 몇 명이 이 집을 태워 버리는 걸 내가 가만히 두고 볼 것 같으냐? 이걸 이용하면 레이븐우드를 구할 수 있어."

에이브러햄의 목소리가 높아졌다. "엑스신데, 네카, 오디움 인센데. 모르스 포르탐 파테파시트. 파괴하라, 죽이라, 증오하라. 죽음이 문을 연다."

"형, 멈춰요!"

하지만 이미 때늦은 외침이었다. 단어들이 에이브러햄의 혀에서 유창하게 굴러 나왔다. 마치 태어나면서부터 알고 있던 말을 하는 것 같았다. 조나는 겁에 질려서 두리번거리며 주문이 효과를 발휘하기를 기다렸다. 하지만 그는 형이 주문을 걸며 요구한 것이 무엇인지 전혀 모르고 있었다. 그것이 무엇이든 반드시 이루어질 것이라는 사실을 알 뿐이었다. 그것이 주문의 힘이었다. 하지만 주술에는 대가가 따랐다. 대가는 언제나 달랐다. 조나는 형에게 달려갔다. 달걀만 한 크기의 완벽한 구 하나가 그의 주머니에서 미끄러져 나와 바닥을 굴렀다.

에이브러햄은 자신의 발치에서 빛나는 그 구를 들어 올려 손가락으로 굴렸다. "네가 왜 아크라이트를 갖고 있는 거냐, 조나? 이 고대의 장치에 가둬야 하는 몽마라도 있는 거냐?"

조나가 뒷걸음질을 치자 에이브러햄이 한 걸음, 한 걸음 보조를 맞추며 다가왔다. 하지만 에이브러햄의 속도는 엄청나게 빨랐다. 눈 깜짝할 사이에 그는 조나를 벽에 찍어 누르고, 강철 같이 강한 손으로 동생의 목을 조르고 있었다.

"아니에요. 그럴 리가 없잖아요. 나는…."

에이브러햄이 손에 힘을 주었다. "몽마가 자신의 일족을 가둘 수 있는 유일한 도구를 갖고 할 수 있는 일이 또 뭐가 있어? 내가 그렇게 어리석게 보이느냐?"

"형 자신한테서 형을 지키고 싶을 뿐이에요."

에이브러햄은 유연하게 흐르는 듯한 동작으로 덤벼들어 동생의 어깨에 이를 박았다. 그러고는 상상조차 할 수 없는 일을 했다.

동생의 피를 마신 것이다.

거래가 이루어졌다. 이제 에이브러햄은 일반인들의 추억과 꿈만으로는 살아갈 수 없을 것이다. 오늘부터 그는 피를 갈망할 것이다.

실컷 피를 마신 뒤 에이브러햄은 축 늘어진 동생의 몸을 놓고 손에 묻은 재를 핥았다. 검은 재 속에는 아직도 살의 맛이 남아 있었다. "넌 너 자신을 지키는 데 더 신경을 써야 했다."

에이브러햄은 동생의 시체에서 시선을 돌렸다. "이선."

"이선!"

나는 눈을 떴다. 나는 서고 바닥에 누워 있었다. 메리언 아줌마는 아줌마땅지 않게 당황해서 나를 내려다보고 있었다. "어떻게 된 거야?"

"저도 몰라요." 나는 일어나 앉아서 머리를 문질렀다. 몸이 움찔거렸다. 내 머리카락 밑에서 혹이 점점 커지고 있었다. "쓰러지면서 탁자에 부딪혔나 봐요."

메이컨의 책이 펼쳐진 채 내 바로 옆 바닥에 있었다. 메리언 아줌마는 초능력을 발휘할 것 같은 으스스한 모습으로 나를 바라보았다. 하지만 메리언 아줌마가 겨우 몇 달 전에 나와 함께 환영을 보았다는 점을 감안하면, 굳이 초능력이라고 할 것도 없었다. 메리언 아줌마는 곧 냉찜질 팩을 가져와 욱신거리는 내 머리에 대 주었다. "또 환영을 본 거지?"

나는 고개를 끄덕였다. 여러 이미지들이 내 머릿속을 어지럽게 돌아다니고 있어서 어느 한 장면에 초점을 맞출 수가 없었다. "두 번째예요. 며칠 전 밤에 메이컨 아저씨의 일기를 들고서 환영을 봤거든요."

"뭘 봤는데?"

"화재가 났던 그날 밤 일이었어요. 로켓으로 봤던 환영처럼. 이선 카터 웨이트는 이미 죽었고, 아이비가 《달의 책》을 가지고 있다가 에이브러햄 레이븐우드에게 줬어요. 에이브러햄은 오늘 본 환영에도 나왔어요." 그의 이름이 내 입에서 둔하고 탁하게 울려 나왔다. 에이브러햄 레이븐우드는 개틀린 카운티의 원조 도깨비였다.

나는 탁자 가장자리를 움켜쥐고 몸을 지탱했다. 누가 내게 이런 환영을 보여 주는 걸까? 아니, 그보다 중요한 의문은 따로 있었다. 왜 이걸 보여 주는 걸까?

메리언 아줌마는 여전히 책을 든 채 가만히 있다가 에이브러햄 레이븐우드의 이름을 듣더니 "뭐?" 하고 놀랐다. 그리고 조심스레 나를 바라보았다.

"그리고 누가 또 있었어요. J로 시작되는 이름이었는데, 주다스? 조지프? 조나. 그거예요. 둘이 형제인 것 같아요. 둘 다 몽마였어요."

"그냥 몽마가 아냐." 메리언 아줌마가 책을 탁 닫았다. "에이브러햄 레이븐우드는 강력한 흡혈 몽마였어. 레이븐우드 흡혈 몽마 혈통의 아버지지."

"그게 무슨 소리예요?" 그렇다면 사람들이 오래전부터 해 오던 이야기가 사실인 건가? 내가 개틀린의 초자연적인 역사에서 또 한 꺼풀 안개를 벗겨 낸 모양이었다.

"몽마는 원래 천성적으로 어둠이지만, 모든 몽마가 흡혈을 선택하지는 않아. 하지만 일단 흡혈을 선택하고 나면, 그 본능이 유전되는 것 같더라."

나는 탁자에 몸을 기댔다. 환영에서 본 것들이 머릿속에서 점점 선명해졌다. "에이브러햄… 레이븐우드 장원이 불에 타지 않은 건 그 사람 때문이죠? 그 사람은 악마와 거래를 한 게 아니에요. 《달의 책》과 거래를 했어요."

"에이브러햄은 위험한 사람이었어. 아마 그 어떤 주술사보다도 위험한 사람이었을 거야. 네가 왜 그 사람의 환영을 보고 있는지 도저히 모르겠다. 다행히 그 사람은 일찍 죽었어. 메이컨이 태어나기 전에."

나는 계산을 해 보았다. "그게 일찍이에요? 몽마들은 대개 수명이 얼마나 되는데요?"

"150살에서 2백 살." 메리언 아줌마가 책을 자신의 작업대에 놓았다. "이게 너나 메이컨의 일기랑 무슨 관계가 있는 건지 잘 모르겠지만, 처음부터 내가 너한테 이걸 준 게 잘못이었어. 내가 개입한 꼴이니까. 이 책을 여기에 넣고 잠가 둬야겠다."

"메리언 아줌마…."

"이선! 더 이상 알려고 하지 마. 다른 사람한테 이야기하지도 말고. 애마 아줌마한테도 안 돼. 네가 애마 아줌마 앞에서 에이브러햄 레이븐우드라는 이름을 말하면 애마 아줌마가 어떤 반응을 보일지 상상도 할 수 없어." 메리언 아줌마는 한 팔로 나를 끌어안고 꼭 안아 주는 시늉을 했다. "이제 올리비아가 경찰을 부르기 전에 가서 저 책 더미들을 전부 정리해 버리자." 메리언 아줌마는 문을 향해 돌아서서 열쇠를 구멍에 꽂았다.

하지만 아직 한 가지가 더 남아 있었다. 반드시 그 말을 해야 했다. "그 사람이 저를 봤어요, 메리언 아줌마. 에이브러햄이 저를 똑바로 바라보면서 제 이름을 불렀다고요. 환영 속에서 그런 일이 벌어진 건 처음이에요."

메리언 아줌마는 움직임을 멈추고 문을 뚫어져라 바라보았다. 정말로 문을 꿰뚫어 볼 수 있는 사람처럼. 적잖이 시간이 흐른 뒤 메리언 아줌마가 열쇠를 다시 돌려 문을 활짝 열었다. "올리비아? 아무리 멜빌 듀이가 어려워도 나랑 차 한잔할 시간은 있겠지?"

우리 대화는 그걸로 끝이었다. 메리언 아줌마는 보관자이자 주술사 도서관인 루나에 리브리의 수석 사서였다. 따라서 규정 때문에 내게 말해 줄 수 있는 것에는 한계가 있었다. 메리언 아줌마는 어느 한쪽 편을 들 수도 없고, 이미 움직이기 시작한 일의 방향을 바꿀 수도 없었다. 나를 위해 메이컨의 역할을 해 줄 수도 없고, 내 엄마가 되어 줄 수도 없었다. 나는 혼자였다.

종이 밑

⇒ 6.14 ⇐

"이걸 전부요?" 대출 데스크에 갈색 종이로 싼 꾸러미 더미가 세 개나 있었다. 메리언 아줌마는 마지막 더미에 눈에 익은 '개틀린 카운티 도서관' 스탬프를 찍었다. 스탬프는 항상 두 번 찍었고, 꾸러미를 묶는 끈은 항상 똑같이 생긴 하얀 끈이었다.

"아니, 저것도 가져가." 메리언 아줌마가 가장 가까운 손수레에 실린 꾸러미들을 가리켰다.

"이 동네에는 책을 읽는 사람이 없는 줄 알았는데요."

"없긴 왜 없어? 자기가 무슨 책을 읽는지 털어놓지 않을 뿐이지. 그래서 우리가 도서관 대 도서관 배달뿐만 아니라 가정 배달도 해 주는 거야. 책만. 물론 배달 신청을 처리하는 데 2~3일이 걸리지만."

끝내주는군. 나는 갈색 종이로 싼 꾸러미들 속에 무엇이 들어 있는지 차마 물을 수 없었다. 굳이 알고 싶지도 않았다. 나는 낑낑거리며 책 더미를 들어 올렸다. "이거 뭐예요? 백과사전이라도 돼요?"

리브가 맨 위의 꾸러미에서 영수증을 꺼냈다. "맞아. 《탄약 백과사전》이야."

메리언 아줌마가 손짓으로 문을 가리켰다. "이선이랑 같이 가, 리브. 이 아름답고 작은 마을을 아직 못 봤잖아."

"제가 혼자 할 수 있어요."

리브는 한숨을 내쉬며 손수레를 문 쪽으로 밀었다. "얼른 와, 헤라클레스. 짐 싣는 걸 도와줄게. 개틀린의 부인들을 기다리시게 할 수 없잖아…". 리브는 또 다른 영수증을 살펴보았다. "…《캐롤라이너 케이크 닥터의 요리책》을 기다리고 계시는데 말이야. 안 그래?"

"캐롤라이나야." 나는 자동적으로 발음을 고쳐 주었다.

"그렇게 말했잖아. 캐롤라이너라고."

두 시간 뒤 우리는 책 배달을 대부분 끝내고 차를 몰아 잭슨 고등학교와 스톱 앤 스틸 앞을 지나갔다. 차가 제너럴스 그린을 빙 도는 동안, 나는 메리언 아줌마가 언제나 텅 비어 있어서 여름 동안 특별히 직원이 필요하지도 않은 도서관에 나를 아르바이트생으로 들이려고 그토록 애쓴 이유를 깨달았다. 아줌마는 처음부터 나를 리브의 관광 가이드로 삼을 작정이었다. 마을의 호수와 데-리키를 리브에게 보여 주고, 이 마을 사람들이 하는 말에 숨은 속뜻을 알려 주는 것이 내 역할이었다. 또한 리브의 친구가 되어 주는 것도 역시 내 역할이었다.

리나가 이걸 알면 어떻게 생각할지 궁금했다. 먼저 리나가 이걸 알아차려 주어야 하겠지만.

"남부가 전쟁에 이기지도 못했는데 왜 장군의 동상을 마을 한복판에 세워 놨는지 아직도 이해를 못하겠어. 그 전쟁은 여기 사람들한테 전체적으로 창피한 일이잖아."

"여기 사람들은 전사자를 소중하게 생각해. 전사자들만을 위한 박물관도 있어." 나는 '쓰러진 병사들'에서 몇 달 전 우리 아빠가 리들리의 꾐에 넘어가 자살하려 했다는 이야기는 하지 않았다.

나는 볼보의 운전석에서 리브를 바라보았다. 조수석에 리나 말고 다른 여자애가 앉았던 게 언제인지 기억도 나지 않았다.

"넌 진짜 형편없는 가이드야."

"여긴 개틀린이야. 볼 게 별로 없다고." 나는 백미러를 흘깃 보았다. "내가 보여 주고 싶은 게 별로 없는 것일 수도 있지만."

"그게 무슨 뜻이야?"

"훌륭한 가이드라면 보여 줘야 할 것과 감춰야 할 것을 잘 아는 법이지."

"내가 말을 잘못했다. 넌 엄청나게 잘못된 생각을 하는 가이드야." 리브는 주머니에서 고무줄을 꺼냈다. 그러고는 금발을 두 가닥으로 땋기 시작했다. 더위 때문에 뺨이 분홍색으로 달아올라 있었다. 사우스캐롤라이나의 무더위에 익숙하지 않은 탓이었다.

"뭘 보고 싶은데? 9번 도로 옆의 옛날 면화 공장 뒤에서 깡통에 총 쏘는 걸 하고 싶어? 철로 위에서 납작해진 동전들을 보여 줄까? 파리 떼를 따라 데-리키로 가서 위험하든 말든 기름 범벅인 음식을 먹는 건 어때?"

"그래, 전부 다 좋겠다. 특히 마지막 것이 좋아. 배고파 죽을 지경이거든."

리브가 마지막으로 남은 도서관 영수증을 두 개의 더미 중 한 곳에 놓았다. "…일곱, 여덟, 아홉. 내가 이겼네. 네가 졌어. 그러니까 그 칩에서 손 떼. 그건 이제 내 거야." 리브가 빨간 플라스틱 식탁 위에서 칠리 프라이를 자기 쪽으로 잡아당겼다.

"칩이 아니라 프라이겠지."

"나 지금 장난하는 거 아냐." 리브 앞에는 이미 양파링, 치즈버거, 케첩,

마요네즈, 달콤한 차가 잔뜩 놓여 있었다. 리브가 식탁에 프렌치프라이를 만리장성처럼 줄줄이 놓아두었기 때문에 리브와 나의 구역이 확실하게 정해져 있었다.

"울타리가 좋으면 이웃도 착해진다."

영어 시간에 이 시를 들었던 것이 기억났다. "월트 휘트먼."

리브는 고개를 저었다. "로버트 프로스트야. 내 양파링에서 손 떼."

내가 그 시를 모르다니. 리나가 프로스트의 시를 인용하거나, 여러 구절들을 변형해서 자기 것으로 만들어 버리는 걸 그렇게 많이 봤는데.

우리는 점심을 먹으러 데-리키에 와 있었다. 우리가 배달을 위해 마지막으로 들른 두 곳, 즉 입스위치 부인 댁(《장의 청결 가이드》)과 할로 씨 댁(《제2차 세계 대전 때의 고전적인 핀업 사진들》)에서 길을 따라 쭉 내려오기만 하면 바로 데-리키였다. 할로 씨 댁에서는 마침 할로 씨가 집에 없어서 부인에게 책을 주었다. 그때야 비로소 나는 책을 갈색 종이로 싼 이유를 알 수 있었다.

"믿을 수가 없어." 나는 냅킨을 뭉쳤다. "개틀린 사람들이 이렇게 낭만적이라니." 나는 틀림없이 교회 관련 책들이 들어 있을 거라는 데에 내기를 걸었다. 리브는 로맨스 소설에 걸었다. 결과는 8 대 9로 나의 패배였다.

"그냥 낭만적이기만 한 게 아니라 낭만적이면서 동시에 훌륭하기까지 하잖아. 굉장한 조합이야. 진짜…."

"위선적이라고?"

"천만에. 미국적이지. 우리가 《성경이 필요하다》와 《성스러울 만큼 달콤한 딜라일라》를 같은 집에 배달해 준 거 알아?"

"난 그게 요리책인 줄 알았는데."

"딜라일라가 이 칠리 칩보다 훨씬 더 맵고 뜨거운 걸 만들어 낸다면 또 모르지." 리브가 칠리 프라이를 허공에서 흔들어 댔다.

"프라이라니까."

"누가 뭐래?"

나는 얼굴이 빨개졌다. 우리가 그 두 권의 책을 배달한 곳은 바로 링컨 부인의 집이었다. 링컨 부인의 당황한 표정이 생각났다. 딜라일라를 좋아하는 그 부인이 바로 나와 가장 친한 친구의 어머니이자 이 마을에서 가장 무자비하게 훌륭한 일들을 벌이는 사람이라는 얘기는 리브에게 하지 않았다.

"그래, 데-리키는 마음에 들어?" 나는 화제를 바꿨다.

"미치게 좋아." 리브는 치즈버거를 한입 베어 물었다. 베어 낸 덩어리가 어찌나 큰지 링크도 무색해질 정도였다. 나는 이미 리브가 평범한 대학 농구 선수의 점심 식사보다 더 많은 양의 음식을 게걸스레 먹어치우는 걸 본 적이 있었다. 리브는 자기가 내 눈에 어떻게 보일지 전혀 신경 쓰지 않는 모양이었다. 다행한 일이었다. 요즘 리나와의 일이 계속 어긋나기만 하기 때문에 더욱 그랬다.

"그래, 너라면 어떤 책을 주문할까? 교회 책? 로맨스 소설? 아니면 둘 다?"

"나도 몰라." 나는 이미 감당하기 힘들 만큼 비밀이 많았지만, 리브에게 속사정을 털어놓을 생각은 조금도 없었다.

"말해 봐. 그런 비밀쯤은 누구한테나 다 있어."

"다 그런 건 아니야." 나는 거짓말을 했다.

"넌 아무것도 안 본다고?"

"그래. 아무것도 안 봐." 어떤 의미에서는 차라리 그 말이 사실이었으면 좋겠다는 생각이 들었다.

"넌 양파 같은 애네."

"그냥 평범하고 오래된 감자 같다고 해 줘."

리브는 칠리 프라이 하나를 들어 자세히 살폈다. "이선 웨이트는 절대 평범하고 오래된 감자가 아니네요. 프렌치프라이지." 리브가 빙긋 웃으며 칠리 프라이를 입 속에 던져 넣었다.

나는 웃음을 터뜨리며 한발 물러섰다. "그래, 프렌치프라이라고 하지, 뭐. 그래도 비밀 같은 건 없어."

리브가 빨대로 달콤한 차를 저었다. "이제 확실하네. 너 틀림없이 《성스러울 만큼 달콤한 딜라일라》를 보려고 대기 신청을 해 놨을 거야."

"이런, 들켰네."

"내가 뭘 약속해 줄 수는 없지만, 사서랑 아는 사이라는 건 분명히 말해 두지. 사실 꽤 잘 알아."

"그럼 내 편의를 봐줄 거야?"

"봐줄게." 리브가 웃음을 터뜨렸다. 나도 따라 웃었다. 리브와 함께 있으면 편안했다. 마치 아주 오래전부터 알던 사이 같았다. 즐거웠다. 하지만 우리가 웃음을 멈출 때쯤에는 즐거움이 죄책감으로 바뀌었다. 도대체 이유가 뭔지.

리브가 다시 칠리 프라이로 시선을 돌리며 말했다. "이 마을 사람들이 이렇게 비밀스럽게 구는 거 낭만적인 것 같아. 네 생각은 어때?" 나는 어떻게 대답해야 할지 알 수 없었다. 이 마을 사람들의 비밀이라는 게 워낙 깊었으니까.

"내가 사는 마을에서는 술집이 교회랑 같은 거리에 있어. 그래서 사람들은 교회에서 곧장 술집으로 가기도 하고, 술집에서 곧장 교회로 가기도 해. 심지어 일요일 저녁 식사를 거기서 할 때도 있어."

나는 미소를 지었다. "성스러울 만큼 맛있어?"

"그런 편이야. 그다지 맵고 뜨겁지는 않은 것 같지만. 하지만 음료수는 별로 차갑지 않아." 리브는 칠리 프라이로 차를 가리켰다. "모름지기 얼음이란 찻잔보다는 땅 위에 있는 게 제격이지."

"개틀린 카운티의 명물인 달콤한 차에 무슨 문제라도 있어?"

"원래 차는 뜨겁게 마셔야 하는 거야. 주전자에서 바로 부어 마셔야 한다고."

나는 칠리 프라이 하나를 훔쳐서 그걸로 리브의 차를 가리켰다. "글쎄요, 아가씨, 남부의 엄격한 침례교인에게 그건 악마의 음료랍니다."

"차갑기 때문에?"

"그게 차이기 때문에. 카페인은 금지거든."

리브는 충격을 받은 모양이었다. "차가 금지됐다고? 이 나라는 정말 이해할 수가 없어."

나는 칠리 프라이 하나를 또 훔쳤다. "신성 모독 얘기를 해 볼까? 중앙로에 있는 밀리스 식당이 냉동 빵을 내놓기 시작했을 때 사람들이 어떤 반응을 보였는지 알아? 우리 세 할머니들이 그 식당을 아예 부술 것처럼 난리를 쳤어. 의자가 날아다닐 정도였으니까."

"그분들 혹시 수녀님이야?" 리브는 치즈버거 안에 양파링 하나를 끼워 넣었다.

"누구?"

"세 할머니들." 양파링 하나가 더 들어갔다.

"아니. 그냥 세 자매이신데(여기에 '세 할머니들'이라고 번역한 것이 원문에는 'The Sisters'. sister에는 '자매'라는 뜻과 '수녀'라는 뜻이 있음 – 옮긴이)."

"그렇구나." 리브가 치즈버거를 탁 내려놓았다.

"너 아직도 이해 못하지?"

리브는 치즈버거를 들어 한입 베었다. "전혀." 우리 둘 다 다시 웃음을 터뜨렸다. 그래서 젠트리 씨가 뒤에서 다가오는 소리를 듣지 못했다.

"많이 먹었니?" 젠트리 씨가 천으로 손을 닦으며 물었다.

나는 고개를 끄덕였다. "네, 아저씨."

"네 여자 친구는 잘 지내니?" 젠트리 씨가 물었다. 내가 이제 정신을 차리고 리나를 차 버렸으면 좋겠다고 바라는 듯한 표정이었다.

"어, 네, 아저씨."

젠트리 씨는 실망한 표정으로 고개를 끄덕이고는 카운터로 돌아갔다. "엠마 아줌마한테 안부 좀 전해 줘."

"저 아저씨는 네 여자 친구를 안 좋아하는 모양이지?" 리브가 물었다. 하지만 나는 뭐라고 대답해야 할지 알 수 없었다. 다른 남자의 오토바이를 타고 가 버리는 여자애를 아직도 내 여자 친구라고 할 수 있을까? "애시크로프트 교수님한테서 그 애 이야기를 들은 것 같아."

"리나야. 내… 걔 이름은 리나야." 불편한 기색이 겉으로 드러나지 않아야 할 텐데. 리브는 내 기분을 알아차리지 못한 것 같았다.

리브가 차를 한 모금 마셨다. "아마 도서관에서 걔를 만나게 되겠지?"

"리나가 도서관에 들를지 잘 모르겠어. 요즘 좀 일이 꼬여서." 내가 왜 이 말을 했는지 모르겠다. 리브와는 잘 아는 사이도 아닌데. 하지만 이 말을 하고 나니 기분이 좋아지고, 꼬였던 속이 좀 풀리는 것 같았다.

"금방 괜찮아질 거야. 집에서는 나도 내 남자 친구랑 만날 싸웠어." 경쾌한 목소리였다. 리브는 날 위로하려고 애쓰고 있었다.

"얼마나 사귀었는데?"

리브가 허공에서 손을 흔들어 대자 그 이상한 시계가 손목을 타고 아래로 미끄러졌다. "아, 지금은 헤어졌어. 애가 좀 얼간이 같았거든. 여자 친구가 자기보다 똑똑한 게 싫었던 것 같아."

나는 여자 친구 얘기는 그만하고 싶었다. 아니, 이제는 예전 여자 친구라고 해야 할지도 모르지만. "근데 그건 뭐야?" 나는 고갯짓으로 시계를 가리켰다.

"이거?" 리브가 팔목을 탁자 위로 올려서 그 투박한 검은색 시계를 내게 보여 주었다. 직사각형 위에 다이얼 세 개와 작은 은색 바늘 하나가 지그재그 무늬로 연결되어 있었다. 지진의 강도를 재는 기계와 조금 비슷했다. "이건 셀레노미터야."

나는 멍한 표정으로 리브를 바라보았다.

"셀레네는 그리스 신화에 나오는 달의 여신이고, 메트론은 그리스어로 '측정하다'라는 뜻이야." 리브가 빙긋 웃었다. "그리스어 어원은 잘 몰라?"

"조금."

"달의 인력을 재는 기계야." 리브가 다이얼 하나를 조심스레 돌렸다. 바늘 아래에 숫자가 나타났다.

"달의 인력을 재서 뭐 하게?"

"난 아마추어 천문학자야. 주로 달에 관심이 있어. 달이 지구에 엄청난 영향을 미치잖아. 밀물 썰물 같은 거. 그래서 이걸 만들었어."

나는 하마터면 입안의 콜라를 뿜을 뻔했다. "직접 만들었다고? 진짜?"

"너무 그렇게 감탄하지 마. 별로 안 어려웠어." 리브의 뺨이 다시 붉어졌다. 나 때문에 당황하고 있었다. 리브가 손을 뻗어 칠리 프라이를 하나 집었다. "이 칩은 진짜 맛있다."

나는 리브가 영국식 데-리키라고 해도 될 것 같은 곳에 앉아 칠리 프라이를 산더미처럼 쌓아 놓고 달의 인력을 재는 모습을 상상해 보았다. 리나가 존 브리드의 할리데이비슨 뒷좌석에 탄 모습을 떠올리는 것보다는 나았다. "이제 너희 마을 얘기 좀 해 봐. 칠리 프라이를 엉뚱한 이름으로 부르는 사람들이 사는 곳 말이야." 나는 기껏해야 서배너까지밖에 가 본 적이 없었다. 그러니 다른 나라 사람들이 어떻게 살고 있는지 상상할 수가 없었다.

"우리 마을?" 분홍색으로 달아올랐던 얼굴이 점점 정상으로 돌아왔다.

"네가 사는 곳."

"난 런던 북쪽에 있는 마을에 살아. 킹스 랭글리라는 곳이야."

"뭐?"

"허트포드셔에 있어."

"처음 듣는데."

리브가 치즈버거를 한입 더 베었다. "그럼 이건 어때? 거긴 오벌틴(코코아 음료의 상품명 - 옮긴이)이 처음 발명된 곳이야. 오벌틴이 뭔지는 알지?"
리브가 한숨을 내쉬었다. "오벌틴을 우유에 타서 저으면 초코 우유가 되
잖아."

내 눈이 휘둥그레졌다. "초콜릿 밀크 말이야? 네스퀵 같은 거?"

"그래. 정말 놀라운 물건이야. 너도 언제 한번 먹어 봐."

내가 콜라 잔을 향해 웃음을 터뜨리는 바람에 내 색 바랜 아타리 티셔츠
에 콜라가 튀었다. 오벌틴 마을의 여자애와 네스퀵 마을의 남자아이가 만
난 셈이다. 링크에게 이 말을 해 주고 싶었지만, 링크는 이 말을 엉뚱하게
알아들을 것 같았다.

만난 지 겨우 몇 시간밖에 안 됐는데도 벌써 리브와 친구가 된 것 같았다.

"오벌틴이나 셀레노미터 말고 다른 얘기도 더 해 봐. 평소에 뭐 해, 킹스
랭글리의 올리비아 듀런드 씨?"

리브는 치즈버거를 싸고 있던 종이를 구겼다. "글쎄. 대개는 책을 읽고 학
교에 가. 우리 학교 이름은 해로야. 같은 이름의 남학교랑 착각하면 안 돼."

"정말?"

"뭐?" 리브가 콧잔등에 주름을 잡았다.

"해로잉?" H. A. R. R. O. W. I. N. G. ('마음이 아프다'와 '힘들다'는 뜻이 있
음 - 옮긴이). 아홉 글자. 이젠 이 아픈 가슴을 더 이상 못 견디겠어, 이선 웨
이트.

"기회만 생기면 하여튼 말도 안 되는 말장난을 하는구나." 리브가 빙긋
웃었다.

"내 질문에 대답이나 해."

"아니, 특별히 힘들진 않아. 내가 힘들 리가 없지."

"왜?"

"뭐, 우선, 난 천재니까." 리브는 있는 사실을 그대로 말한다는 식이었다.
자신이 금발이라거나 영국인이라고 말할 때처럼.

"그럼 개틀린에는 왜 온 거야? 여긴 천재들이 딱히 끌릴 만한 데가 아닌데."

"아, 난 AGE 소속이야. '학문적으로 재능이 있는 학생들의 교환 프로그램 *Academically Gifted Exchange*.' 듀크 대학이랑 우리 학교 사이에서 실시되고 있는 프로그램이지. 거기 마요우네즈 좀 줄래?"

"마요네즈야." 나는 일부러 천천히 말했다.

"그렇게 말했잖아."

"듀크 대학에서는 왜 널 굳이 개틀린으로 보낸 건데? 서머빌 커뮤니티 칼리지에서 수업이라도 들으래?"

"그럴 리가 있냐, 멍청아. 내 논문 지도 교수인 저명한 메리언 애시크로프트 교수님이랑 같이 공부하라고 보낸 거지. 자신의 분야에서 진정 독보적인 분이니까."

"네 논문 주제가 뭔데?"

"민담과 신화. 미국 남북 전쟁 이후 공동체 형성과 관련해서."

"여기서는 그 전쟁을 아직도 '주들 사이의 전쟁'이라고 부르는 사람이 대부분이야." 내가 말했다.

리브는 즐거운 표정으로 웃음을 터뜨렸다. 그걸 재미있다고 생각하는 사람이 있다니 다행인 건가. 나한테는 그저 창피한 일일 뿐이었다. "남부 사람들이 가끔 남북 전쟁 때의 의상을 입고 전투를 그대로 재현하면서 즐긴다는 게 정말이야?"

나는 일어섰다. 내가 그 일에 대해 이러쿵저러쿵 떠들 수는 있어도, 리브의 입에서 그런 소리를 듣고 싶지는 않았다. "이제 그만 가야겠다. 아직 배달할 책이 남았잖아."

리브는 칠리 프라이를 집어 들면서 고개를 끄덕였다. "이걸 두고 가면 안 되지. 루실한테 가져다주자."

루실은 애마 아줌마가 주는 닭튀김과 먹고 남은 캐서롤에 익숙하다는 얘기를 나는 리브에게 하지 않았다. 애마 아줌마는 세 할머니들의 지시에 따라 루실만의 도자기 접시에 음식을 담아 주었다. 루실이 기름기 많은 튀김을 먹는 건 본 적이 없었다. 세 할머니들에게 물어보면, 루실은 트윅벼얼하다고 말할 것이다. 루실은 리나도 좋아했다.

리브와 함께 문으로 걸어가는 동안 기름때로 범벅이 된 유리창 밖의 자동차 한 대가 내 시선을 끌었다. 그 패스트백 자동차는 자갈이 깔린 주차장 끝에서 방향을 돌리는 중이었다. 리나가 우리 앞을 지나가지 않으려고 일부러 애를 쓴 것이다.

끝내주는군.

나는 가만히 서서 차가 끽 하는 소리를 내며 도브 거리로 들어서는 것을 지켜보았다.

꧁꧂

그날 밤 나는 침대에 누워 깍지 낀 손으로 머리를 받치고 파란 천장을 빤히 올려다보았다. 몇 달 전 같으면 리나와 내가 각자 자신의 방에 있으면서도 함께 있는 것처럼 침대에 누워 책도 읽고, 웃기도 하고, 그날 하루 동안 있었던 일을 이야기하기도 했을 시간이었다. 나는 리나 없이 잠드는 법을 거의 잊어버린 것 같았다.

나는 몸을 굴려 돌아누워서 금이 간 내 낡은 휴대전화기를 살펴보았다. 리나의 생일날 이후로 잘 작동하지 않고 있었지만, 그래도 누가 전화를 걸면 벨이 울리기는 할 터였다. 누가 전화를 걸어 주기만 한다면.

하지만 리나는 전화를 사용하는 애가 아니었다.

내 방에 걸려 있던 모든 직소 퍼즐들을 내던져 퍼즐 조각들을 잔뜩 헝클어 버렸던 일곱 살 때로 돌아간 것 같았다. 내가 어렸을 때 엄마는 바닥에 앉아 내가 퍼즐 조각들을 다시 맞출 수 있게 도와주었다. 하지만 나는 이제 아이가 아니고, 엄마도 계시지 않았다. 나는 머릿속의 퍼즐 조각들을 이리 저리 굴려 보았지만, 아무래도 생각이 정리되지 않았다. 나는 여전히 리나 를 미친 듯이 사랑하고 있었다. 그건 변하지 않았다. 다만 리나가 자신의 비밀을 내게 털어놓지 않을 뿐만 아니라 아예 내게 거의 말도 걸지 않는다 는 점이 문제였다.

내가 환영을 보는 것도 문제였다.

자신의 친동생을 죽인 흡혈 몽마인 에이브러햄 레이븐우드가 내 이름 을 알고 있었다. 나를 볼 수도 있었다. 내 머릿속의 이런 퍼즐 조각들을 맞 추지 않는 한 아무것도 눈에 들어오지 않을 것이다. 이 퍼즐 조각들을 다시 상자에 쓸어 담을 수도 없었다. 그러기에는 이미 너무 늦어 버렸다. 한 조 각만이라도 어디다 놓아야 하는지 누가 말해 줬으면 좋겠다는 생각이 들 었다. 나는 무의식적으로 몸을 일으켜 창문을 열었다.

그리고 몸을 밖으로 내밀고 어둠을 들이마셨다. 그때 틀림없는 루실의 울음소리가 들렸다. 애마 아줌마가 루실을 안에 들여놓는 걸 잊은 모양이 었다. 내가 곧 내려가겠다고 루실에게 소리를 지르려는데 그들이 눈에 들 어왔다. 내 창문 밑, 현관 베란다 가장자리에 루실 볼과 부 래들리가 달빛 을 받으며 나란히 앉아 있었다.

부가 꼬리를 쿵 하고 내리치자 루실이 응답하듯 야옹거렸다. 두 녀석은 현관 베란다로 통하는 계단 맨 위에 그렇게 앉아 계속 쿵쿵거리고 야옹거 렸다. 마치 이 여름밤에 사람들처럼 점잖은 대화를 나누고 있는 것 같았다. 녀석들이 무슨 얘기를 하는지는 모르겠지만, 굉장한 내용임이 틀림없었 다. 나는 침대에 누워 메이컨의 개와 세 할머니들의 고양이가 조용히 나누 는 대화 소리에 귀를 기울이다가 스르르 잠이 들었다.

서던 크러스티

✢ 6.15 ✢

"내가 말하기 전에는 내 파이에 손가락 하나도 대지 마, 이선 웨이트."

나는 양손을 허공에 들고 애마 아줌마에게서 뒷걸음질을 쳤다. "그냥 돕고 싶어서 그런 거예요."

애마 아줌마는 경연 대회에서 두 번이나 상을 탄 고구마 파이를 깨끗한 행주로 싸면서 나를 노려보았다. 사우어크림과 건포도를 넣은 파이는 금방이라도 아이스박스에 넣을 수 있는 상태로 버터밀크 파이와 나란히 식탁 위에 놓여 있었다. 과일 파이는 아직 선반에서 열을 식히는 중이었고, 하얀 밀가루가 부엌의 모든 물건 위에 엷게 내려앉아 있었다.

"여름이 시작된 지 겨우 이틀밖에 안 지났는데 벌써 내 일을 방해해? 대회에서 상을 탄 내 파이들을 하나라도 떨어뜨렸다가는 차라리 학교에서 여름 학기 수업을 들을걸 하는 생각을 하게 될 거다. 날 도우려고 그랬다고? 그럼 걸레질은 관두고 가서 차나 꺼내 놔."

기온이 높은 만큼 짜증도 심해졌다. 우리는 볼보를 타고 덜컹덜컹 고속도로로 나가면서 별로 말을 하지 않았다. 나는 말이 없어졌지만 누가 그걸 눈치챘던 것 같지는 않다. 오늘은 애마 아줌마에게 1년 중 가장 중요한 날이었다. 내가 기억하는 한, 매년 개틀린 카운티 축제에서 과일 파이 경연대회 1등과 크림 파이 경연 대회 2등을 차지한 날이었기 때문이다. 애마아줌마가 상을 타지 못한 건 작년이 유일했다. 엄마가 사고로 돌아가신 지겨우 두 달밖에 안 됐을 때라서 우리는 아예 대회에 참가하지 못했다. 개틀린 축제가 우리 주에서 최고라거나 가장 역사가 깊다고 할 수는 없었다. 햄프턴 카운티 수박 축제는 규모도 우리보다 훨씬 크고 역사도 아마 20년은더 오래됐을 것이다. 개틀린에서 복숭아 왕자와 공주 행렬에 뽑히는 것 역시 햄프턴의 수박 아가씨와 수박 명인 행렬에 뽑히는 영예에 비하면 아무것도 아니었다.

하지만 먼지가 자욱한 주차장에 차를 세울 때 애마 아줌마가 지은 포커페이스는 나나 아빠를 속이지 못했다. 오늘 축제의 중심은 행렬과 파이였으므로, 다들 포장지로 싼 파이를 첫아이처럼 조심스레 안고 다니거나 아니면 머리에 롤을 말고 손에는 홀을 쥔 아이들을 누각 쪽으로 데려갔다. 서배너의 엄마는 개틀린 복숭아 행렬 담당자였고, 서배너는 작년의 복숭아공주로 올해도 그 자리를 노리고 있었다. 스노 부인은 아마 하루 종일 행렬을 감독하게 될 것이다. 우리 마을에 일정한 나이가 지나야만 왕관을 쓸 수있다는 규칙 같은 건 없었다. 아기들이 장밋빛 뺨과 기저귀 모양 등으로 자웅을 겨루는 경연 대회는 자동차 파괴 경기보다 더 인기를 끌었다. 작년에는 스키펫 씨의 아기가 속임수를 썼다는 이유로 출전 자격을 빼앗겼다. 심판이 아기의 장밋빛 뺨을 만졌을 때 손에 색깔이 묻어 나왔기 때문이었다. 카운티 축제에는 엄격한 규칙이 있었다. 두 살 때까지는 예복을 입힐 수 없고, 여섯 살 때까지는 화장을 할 수 없고, 열두 살 때까지는 '나이에 적절한화장'만 허락한다는 규칙이었다.

살아 계실 때 항상 스노 부인에게 도전할 태세를 갖추고 있던 엄마는 복숭아 행렬을 즐겨 겨냥하곤 했다. 엄마의 목소리가 지금도 들리는 듯하다.

"나이에 적절한 화장? 그게 무슨 소리예요? 일곱 살이라는 나이에 적절한 화장은 어떤 거죠?" 하지만 그러면서도 우리 식구들 역시 한 번도 축제를 빼먹지 않았다. 작년만이 예외였다. 올해 우리는 다시 축제에 나왔다. 그리고 언제나 그랬듯이 파이를 든 채 사람들 사이를 뚫고 축제장으로 들어갔다.

"자꾸 밀지 마, 미첼. 이선 웨이트, 얼른 와. 너희 둘 때문에 다른 여자들이 날 제치고 상장을 받게 되면 어쩔 거야." 애마 아줌마가 말하는 '다른 여자들'은 항상 똑같은 사람들이었다. 링컨 부인, 애셔 부인, 스노 부인, 그리고 DAR의 나머지 회원들.

내가 도착을 증명하는 스탬프를 손에 받았을 때쯤에는 이미 서너 카운티 사람들이 몰려와 있는 것 같았다. 다들 축제가 시작하는 날을 놓치고 싶지 않은 모양이었다. 축제장까지 먼 길을 와야 하는데도 말이다. 축제장까지 이어진 길에는 엄청난 양의 퍼늘 케이크(funnel cake, 반죽을 깔때기로 뽑아서 굽거나 튀긴 케이크. 미국에서 각종 행사에 자주 등장하는 스낵 − 옮긴이)가 있었고, 날이 너무나 무더워서 가만히 서 있기만 해도 쓰러질 것 같았다. 하지만 운이 좋다면 '미래의 미국 농부들'이 닭장을 차려 놓은 헛간 뒤에서 여자랑 놀 수도 있었다. 올해 나는 더위와 퍼늘 케이크 외에는 그다지 기대할 것이 없을 것 같았다.

아빠와 나는 얌전히 애마 아줌마의 뒤를 따라 '서던 크러스티'라고 적힌 거대한 플래카드 밑에 자리 잡은 심사위원석으로 갔다. 이 대회의 스폰서는 매년 달라졌는데, 필스베리나 새라 리가 스폰서로 나서지 않으면 결국 서던 크러스티와 손을 잡을 수밖에 없었다. 행렬은 군중을 즐겁게 하는 행사였지만, 파이 경연 대회는 모든 행사의 할아버지 격이었다. 사람들은 몇 세대에 걸쳐 자기 집에 내려오는 요리법으로 매년 파이를 만들어 내놓았고, 여기서 상을 타는 것은 훌륭한 남부 가문의 자랑이었다. 들리는 말에 따르면, 마을 여자들 몇 명이 올해는 애마 아줌마가 1등을 하지 못하게 하려고 단단히 벼르고 있다고 했다. 하지만 애마 아줌마가 일주일 내내 부엌에서 구시렁거리며 파이를 구운 걸 보면, 애마 아줌마가 1등에서 밀려나는 일은 지옥이 얼어붙은 뒤에나 가능할 것이다. 그때가 되면 그 여자들은 아마 지옥의 빙판 위에서 스케이트를 타겠지.

우리가 귀한 파이들을 내려놓을 때쯤 애마 아줌마는 벌써 식탁을 이렇게 차리면 어떡하냐고 심사위원들을 괴롭히고 있었다. "버찌 다음에 식초를 놓으면 안 돼. 내 크림 파이들 사이에 대황을 놓아도 안 되고. 그랬다가는 내 파이 맛을 알 수 없게 된단 말이야. 설마 그렇게 만들려고 일부러 이렇게 놓은 건 아니겠지?"

"또 시작이군." 아빠가 숨죽인 소리로 말했다. 마침 아빠가 이 말을 하는 순간 애마 아줌마가 그 특유의 표정으로 심사위원들을 바라보자 심사위원들이 움츠러들었다.

아빠는 출구 쪽을 흘깃 바라보았다. 우리는 애마 아줌마가 우리더러 아무 죄도 없는 자원봉사자들을 겁주고 심사위원들을 위협하라고 강요하기 전에 살금살금 밖으로 빠져나왔다. 그리고 밖에서 군중과 마주치자마자 본능적으로 서로 반대 방향으로 몸을 돌렸다.

"이 고양이를 데리고 축제를 구경할 거니?" 아빠가 내 발치의 흙 위에 앉아 있는 루실을 내려다보았다.

"그래야 할 것 같은데요."

아빠가 웃음을 터뜨렸다. 아빠가 다시 웃을 수 있게 되었다는 사실이 나는 아직도 낯설었다. "뭐, 귀찮은 일이나 생기지 말아야 할 텐데."

"그런 일은 없어요."

아빠는 나를 향해 고개를 끄덕였다. 진짜 아빠와 진짜 아들 같았다. 나는 작년 일을 생각하지 않으려고 애쓰면서 마주 고개를 끄덕였다. 작년에는 내가 어른이었고 아빠는 제정신이 아니었다. 아빠는 아빠가 원하는 방향으로 가고, 나도 내 갈 길로 갔다. 우리 둘 다 더위 속에서 땀을 뻘뻘 흘리는 사람들 속으로 사라졌다.

축제장에는 사람이 빽빽하게 들어차 있었다. 그래서 링크를 찾아내는 데 시간이 꽤 걸렸다. 링크는 링크답게 게임기들 옆에서 자기한테 눈길을 주는 여자란 여자는 죄다 꼬시려고 하고 있었다. 오늘은 다른 곳에서 온 여자들을 만날 수 있는 최고의 날이었으니까. 링크는 거대한 고무 망치로 힘을 증명할 수 있는 기계 앞에 서서 망치를 어깨에 걸치고 있었다. 색 바랜 티셔츠를 입고, 청바지 뒷주머니에 드럼 스틱을 꽂은 모습이 완벽한 드러머였다. 지갑은 체인에 걸린 채 드럼 스틱 밑에 매달려 있었다.

"이걸 어떻게 하는 건지 보여 드리죠, 아가씨들. 뒤로 물러서세요. 다치면 안 되잖아요."

아가씨들은 키득거리고 링크는 최고의 힘으로 망치를 휘둘렀다. 측정기의 눈금이 올라가며 링크의 힘을 표시했다. 그 눈금은 링크가 여자를 꼬실 가능성도 동시에 표시하고 있는 거나 마찬가지였다. 눈금이 '진짜 겁쟁이'와 '겁쟁이'를 지나 맨 꼭대기의 종을 향해 올라갔다. 그 옆에는 '진짜 남자'라는 말이 적혀 있었다. 하지만 눈금은 끝까지 가지 못하고 중간쯤에 있는 '병아리'에서 멈췄다. 여자들은 눈을 흘기고는 반지 던지기 게임으로 향했다.

"주최 측에서 기계를 조작한 거예요. 누구나 다 아는 사실이에요." 링크가 망치를 흙바닥에 떨어뜨리며 여자들을 향해 외쳤다. 아마 맞는 말이겠지만, 그런 건 중요하지 않았다. 개틀린에서는 모든 것이 조작되어 있었다. 그러니 축제의 게임이라고 다를 리가 없었다.

"야, 너 돈 좀 있냐?" 링크는 제 주머니를 뒤지는 시늉을 했다. 마치 주머니에 돈이 있을지도 모른다고 정말로 생각하는 사람처럼.

나는 고개를 절레절레 저으며 5달러 지폐를 주었다. "어디서 아르바이트라도 해라."

"이미 일하고 있잖아. 드러머로."

"그건 일이 아니지. 돈을 받지 못하면 일이라고 할 수 없어."

링크는 사람들을 훑어보았다. 여자들 아니면 퍼늘 케이크를 찾는 거겠지만, 둘 중 어느 쪽인지는 분명하지 않았다. 어느 쪽이든 링크의 반응이 똑같았으니까. "지금 연주할 기회를 얻으려고 애쓰는 중이야."

"홀리 롤러스가 축제에서 연주하는 거야?"

"이렇게 허접한 데서? 그럴 리가." 링크가 바닥을 발로 찼다.

"여기서 너희를 안 받아 주겠대?"

"우리더러 형편없대. 하지만 옛날에 레드 제플린도 형편없다는 소리를 들었어."

축제장을 돌아다니다 보니 탈것들의 크기가 매년 조금씩 줄어들고 게임기들도 점점 초라해진다는 사실이 싫어도 눈에 들어왔다. 불쌍해 보이는 광대가 풍선 다발을 끌며 우리 옆을 지나갔다.

링크가 걸음을 멈추더니 내 팔을 툭 쳤다. "저기 좀 봐. 6시 방향. 삼도화 섹시야." 링크에게 삼도화 섹시라면 최고 등급이었다.

링크가 가리킨 것은 미소를 지으며 우리 쪽으로 걸어오고 있는 금발 아가씨였다. 리브.

"링크⋯." 나는 링크에게 미리 말하려고 했지만, 링크는 이미 정신을 홀딱 빼앗긴 상태였다.

"엄마 말씀처럼, 선하신 주님은 취향도 훌륭하시지, 할렐루야 아멘."

"이선!" 리브가 우리를 향해 손을 흔들었다.

링크가 나를 바라보았다. "이거 농담이지? 너한테는 이미 리나가 있잖아. 이런 법이 어딨어?"

"나는 리브랑 아무 사이도 아냐. 요즘은 리나랑도 과연 사귀는 사이인지 의심스러워. 흥분하지 마." 나는 리브를 향해 미소를 지어 보였다. 리브가 색 바랜 레드 제플린 티셔츠를 입고 있는 것이 눈에 들어왔다.

링크도 나와 동시에 그것을 본 모양이었다. "완벽한 여자야."

"리브, 이쪽은 링크야." 나는 링크의 옆구리를 쿡쿡 찔렀다. 저 입 좀 다

물어 주면 좋을 텐데. "리브는 여름 동안 메리언 아줌마의 연구 조수로 일할 거야. 나랑 같이 도서관에서 일해." 리브가 한 손을 내밀었다.

링크는 멍청하게 서 있기만 했다. "와." 링크는 절대 스스로 부끄러운 짓을 하지 않았다. 나를 부끄럽게 만들 뿐이었다.

"영국에서 온 교환 학생이야."

"와와."

나는 리브를 바라보며 어깨를 으쓱했다. "내가 말했지?"

링크는 리브를 향해 그 어느 때보다 활짝 웃었다. "이선이 우주적으로 섹시한 여자와 함께 일한다는 얘기는 나한테 안 했어."

리브는 짐짓 놀란 척하며 나를 바라보았다. "말 안 했어? 그거 참 슬픈 일이네." 리브는 웃음을 터뜨리며 우리와 팔짱을 끼었다. "가자. 이 이상한 솜을 어떻게 사탕으로 만드는지 설명해 줘."

"국가 기밀을 쉽게 말해 줄 수는 없어."

"난 할 수 있어." 링크가 리브와 팔짱을 낀 팔에 힘을 주었다.

"그럼 다 얘기해 봐."

"사랑의 터널(애인들이 자동차나 보트를 타고 캄캄한 터널로 들어가게 되어 있는 유원지의 놀이 기구 – 옮긴이)이 좋아, 아니면 키스 부스가 좋아?" 링크의 얼굴이 한층 더 헤벌쭉해졌다.

리브는 고개를 갸우뚱하게 기울였다. "흠. 그거 고르기 힘드네. 나는… 관람차로 할래."

그때 낯익은 검은 머리카락이 시야에 들어왔다. 레몬과 로즈마리 냄새도 바람에 실려 왔다.

하지만 내게 낯익은 것은 그것이 전부였다. 리나는 몇 미터 떨어진 곳에서 리들리에게서 빌려온 것 같은 옷을 입고 티켓 판매대 뒤에 서 있었다. 검은 탱크톱은 배까지 올라가 있고, 검은 치마는 10센티미터쯤 더 길어야 맞을 것 같았다. 머리에는 파란 줄무늬가 뒤통수를 따라 구불구불 길게 나 있었다. 하지만 내가 가장 충격을 받은 건 따로 있었다. 얼굴에 선크림 외에는 아무것도 발라 본 적이 없는 리나가 화장을 하고 있었다. 얼굴에 화장품을 덕지덕지 바른 여자들을 좋아하는 남자도 있지만, 나는 다르다. 리나가 눈가를 검게 칠한 것이 특히 신경에 거슬렸다.

길이를 자른 청바지를 입은 사람들, 흙먼지, 지푸라기, 땀, 빨갛고 하얀 체크무늬 테이블보에 둘러싸인 리나는 축제장의 분위기와 전혀 어울리지 않았다. 내가 알아볼 수 있는 것은 리나의 낡은 부츠뿐이었다. 진짜 리나와 지금의 리나를 이어 주는 생명줄처럼 목에 매달려 있는 부적 목걸이도 있었다. 리나는 저런 옷차림을 하고 다닐 애가 아니었다. 적어도 옛날에는 그랬다.

저속한 놈들이 리나를 훑어보고 있었다. 세 명이었다. 나는 그놈들 얼굴을 후려치고 싶은 것을 간신히 참았다.

나는 리브의 팔을 놓았다. "나중에 저쪽에서 보자."

링크는 이게 웬 떡이냐 싶은 표정이었다. "그거 좋지."

"우리가 기다려 줄게." 리브가 제안했다.

"괜찮아. 내가 금방 뒤따라갈게." 리나를 여기서 보게 될 거라고는 생각하지 못했다. 완전히 지쳐 버린 사람처럼 보이지 않으려면 리나에게 어떻게 말해야 하는지 알 수 없었다. 어차피 링크는 이미 내가 완전히 지쳐 버렸다고 생각하는 것 같았지만. 여자 친구가 다른 남자랑 도망쳤는데도 쿨하게 보이는 방법이 있기는 한 걸까.

"이선, 계속 찾아다녔어." 리나가 나를 향해 걸어왔다. 평소와 같은 말투였다. 옛날 모습. 내가 기억하는 몇 달 전 리나의 모습. 내가 미친 듯이 사랑하는 여자애이자 나를 사랑해 주는 여자애. 리나가 리들리와 비슷한 옷차림을 하고 있다 해도 상관없었다. 리나는 까치발로 서서 내 얼굴 위로 흘러내린 머리카락을 쓸어 넘겨주었다. 리나의 손가락이 내 턱 선을 천천히 쓸어내렸다.

"그거 재미있는 소리다. 지난번에는 네가 날 버리고 간 것 아니었어?" 나는 아무렇지도 않은 척하려고 했지만 화난 목소리가 나와 버렸다.

"딱히 널 버리고 간 건 아니야." 리나가 변명하듯 말했다.

"그래, 나한테 나무들을 던지더니 다른 남자가 모는 오토바이 뒷좌석에 폴짝 올라탔지."

"내가 언제 나무를 던졌다고 그래?"

나는 한쪽 눈썹을 치떴다. "뭐라고?"

리나는 어깨를 으쓱했다. "그냥 나뭇가지였어."

오늘은 리나와 대화를 할 수 있을 것 같다는 느낌이 들었다. 리나는 옛날에 내가 준, 종이 클립으로 만든 작은 별을 비틀어 대고 있었다. 나중에는 저러다 목걸이에서 떨어져 나올 것 같다는 생각이 들 정도였다. "미안해, 이선. 나도 뭐가 어떻게 돌아가는 건지 모르겠어." 부드럽고 솔직한 목소리였다. "가끔 모든 게 나를 향해 죄어들어오는 것 같은데, 그걸 도저히 참을 수가 없어. 지난번 호숫가에서 난 너를 버리고 간 게 아니야. 나를 버리고 도망친 거지."

"진짜야?"

리나가 나를 올려다보았다. 눈물 한 방울이 뺨을 타고 미끄러졌다. 리나는 속이 상해서 손가락을 둥글게 말아 쥐고 눈물을 훔쳤다. 그러고는 주먹을 펴서 손을 내 가슴에, 내 심장 위에 놓았다.

'네가 싫어진 게 아냐. 난 널 사랑해.'

"난 널 사랑해." 리나는 소리를 내서 다시 말했다. 이 말이 우리 둘 사이의 허공에 매달려 있는 것 같았다. 켈팅으로 말할 때보다 훨씬 더 공개적인 느낌이 들었다. 내 가슴에 힘이 들어가고, 숨이 막혔다. 나는 뭔가 빈정거리는 말을 생각해 내려고 했지만, 리나가 너무나 아름답다는 생각과 내가 리나를 너무나 사랑한다는 생각밖에 떠오르지 않았다.

이번에는 리나를 쉽게 놓아주고 싶지 않았다. 나는 잠깐 동안의 평화로운 분위기를 깼다. "도대체 무슨 일이 벌어지고 있는 거야, L? 날 그렇게 사랑한다면, 존 브리드는 뭐야?"

리나는 아무 말 없이 시선을 피했다.

'대답해.'

"그런 거 아냐, 이선. 존은 리들리의 친구야. 우리 둘 사이에는 아무 일도 없어."

"아무 일도 없다는 그 관계가 언제 시작된 건데? 네가 무덤에서 그 남자의 사진을 찍었을 때부터야?"

"그건 존의 사진이 아냐. 존의 오토바이를 찍은 거야. 리들리를 만나기로 했는데, 존이 우연히 그 자리에 있었어." 리나는 내 질문을 무시하고 있었다.

"네가 언제부터 리들리랑 어울려 다니기 시작한 거야? 네 엄마가 너만 따로 만나서 어둠으로 넘어오라고 설득하게 해 주려고 리들리가 우리를 떼어놓았던 걸 잊어버린 거야? 리들리가 하마터면 우리 아빠를 죽일 뻔한 건 또 어떻고."

리나는 내게서 팔을 뗐다. 리나가 다시 뒤로 물러나서 내 손이 닿지 않는 곳으로 돌아가려 하는 것이 느껴졌다. "안 그래도 네가 이해하지 못할 거라고 리들리가 말했어. 넌 일반인이니까. 넌 나에 대해서 아무것도 몰라. 진짜 나를 모른다고. 그래서 너한테 말 안 한 거야." 폭풍을 품은 구름이 경고처럼 몰려오면서 갑자기 바람이 불었다.

"내가 이해할지 못할지 네가 어떻게 알아? 나한테 아무것도 얘기해 주지 않았잖아. 내 등 뒤에서 몰래 돌아다니지 말고 나한테 기회를 한 번 줘 보면…."

"나더러 무슨 말을 하라는 거야? 나한테 무슨 일이 벌어지고 있는 건지 나도 전혀 모르겠다는 얘기? 뭔가가 변하고 있는데 그게 뭔지 모르겠다는 얘기? 내가 괴물이 된 것 같은데 지금 상황을 이해할 수 있게 도와줄 사람이 리들리밖에 없다는 얘기?"

리나의 말 한 마디, 한 마디가 귀에 잘 들렸지만 리나의 말처럼 나는 전혀 이해할 수 없었다. "네가 지금 무슨 소리를 하는 건지 알아? 리들리가 널 도우려고 하는 거라고? 넌 리들리를 믿을 수 있어? 리들리는 어둠의 주술사야, L. 지금 네 꼴을 봐! 이제 진짜 너야? 지금 네 기분은 아마 리들리 탓일걸."

나는 폭우가 쏟아지기를 기다렸지만, 오히려 구름이 흩어져 버렸다. 리나가 가까이 다가와서 또 내 가슴에 양손을 얹고 애원하는 눈빛으로 나를 바라보았다. "이선, 리들리는 달라졌어. 어둠으로 있고 싶어 하지 않아. 어둠으로 변했을 때 리들리의 삶이 망가져 버렸으니까. 리들리는 자기 자신을 포함해서 모든 사람을 잃어버렸어. 리들리는 어둠이 되면 사람들에게 느끼는 감정도 달라진대. 자신이 느꼈던 감정이나 자신이 사랑했던 것들을 느낄 수는 있지만, 그게 아주 멀고 막연한 느낌이라는 거야. 마치 그런 감정이 다른 사람 것 같대."

"하지만 그건 리들리도 어쩔 수 없는 일이라고 했잖아."

"내 생각이 틀렸어. 메이컨 삼촌을 봐. 삼촌은 자신을 조절할 수 있었어. 지금은 리들리도 그걸 배우는 중이야."

"리들리는 메이컨 아저씨가 아냐."

뜨거운 번개가 하늘에서 번쩍였다. "넌 아무것도 몰라."

"맞아. 난 멍청한 일반인이야. 너희 주술사 세계의 초특급 비밀이나 불쾌한 주술사 사촌이나 할리데이비슨을 타는 주술사 자식에 대해서는 아무것도 모르지."

리나가 쏘아붙였다. "리들리랑 나는 자매처럼 자랐어. 그러니까 난 리들리한테 등을 돌릴 수 없어. 말했잖아, 지금은 나한테 리들리가 필요해. 리들리한테도 내가 필요하고."

나는 아무 말도 하지 않았다. 리나가 아주 갑갑해하며 화를 내고 있었기 때문에, 관람차가 뚝 떨어져서 어딘가로 굴러가 버리지 않은 게 신기할 정도였다. 내 시야의 가장자리에서 현기증이 일 만큼 빙글빙글 돌고 있는 틸트어휠(비스듬히 기울어진 커다란 원에 탈 것들이 매달려서 돌아가게 되어 있는 놀이 기구—옮긴이)의 불빛들이 보였다. 내가 리나의 눈 속에 빠져들어 나 자신을 잃어버릴 때도 그렇게 현기증이 일었다. 사랑을 하다 보면 가끔 그런 기분을 느끼게 된다. 그래서 휴전을 원하지 않으면서도 휴전을 할 방법을 찾아내게 된다.

반대로 휴전이 저절로 찾아올 때도 있다.

리나가 손을 뻗어 내 목덜미에서 깍지를 끼고 나를 끌어당겼다. 나는 리나의 입술을 찾았다. 우리는 다시는 서로를 만질 수 없게 될까 봐 두려워하는 사람들처럼 정신없이 서로를 탐했다. 이번에는 리나가 내 아랫입술을 가볍게 물어도 피가 나지 않았다. 그저 필사적인 감정만 느껴질 뿐이었다. 나는 몸을 돌려 티켓 판매대 뒤의 거친 나무 벽에 리나를 밀어붙였다. 리나의 거친 숨소리가 내 귓가에서 내 숨소리보다 훨씬 더 크게 울려 퍼졌다. 나는 리나의 구불구불한 머리를 손가락으로 훑으며 리나의 입술을 내 입술로 인도했다. 내 가슴에 압박이 심해지고, 숨이 더욱 가빠지고, 숨소리가 커졌다. 불길이 일었다.

리나도 느낀 모양이었다. 리나가 나를 밀어내며 떨어지자 나는 허리를 숙이고 숨을 골랐다.

"너 괜찮아?"

나는 깊이 숨을 들이쉬고는 몸을 일으켰다. "응, 괜찮아. 일반인치고는."

리나는 진짜 미소를 지으며 내 손을 잡았다. 리나의 손바닥에 샤피로 그린 괴상한 무늬가 있었다. 검은 곡선과 나선형들이 손바닥에서부터 소용돌이치며 올라가 손목을 한 바퀴 돈 뒤 팔까지 뻗어 있었다. 축제장 반대편 가장자리에서 질 나쁜 향냄새가 나는 텐트를 차려 놓고 점을 보는 점쟁이들의 헤나 문신과 비슷한 모양이었다.

"이거 뭐야?" 내가 리나의 손목을 잡았지만, 리나는 내 손에서 빠져나갔다. 리들리에게도 문신이 있던 것이 생각나서, 이것이 정말로 샤피로 그린 것이면 좋겠다는 생각이 들었다.

'맞아.'

"너 가서 뭘 좀 마시는 게 좋겠다." 리나가 나를 데리고 티켓 판매대 옆을 돌아 나갔다. 나는 리나가 이끄는 대로 따라갔다. 리나에게 더 이상 화를 낼 수 없었다. 우리 둘 사이의 벽이 이제야 비로소 사라질 가능성이 조금이라도 있다면, 계속 화만 낼 수는 없었다. 조금 전 리나와 키스할 때 나는 그 가능성을 보았다. 호숫가에서 했던 키스와는 달랐다. 호숫가에서도 키스 때문에 내가 숨이 막히기는 했지만, 지금과는 이유가 달랐다. 그때의 키스가 무엇을 의미하는지 어쩌면 평생 알 수 없을지도 모른다. 하지만 조금 전의 키스는 내가 잘 아는 것이었다. 나는 또한 내게 있는 것이라고는 아직 가능성뿐이라는 것도 알고 있었다.

그 가능성은 겨우 2초 만에 사라졌다.

리브가 솜사탕 두 개를 한 손으로 들고 다른 손을 내게 흔들어 대는 모습을 본 순간, 나는 우리 둘 사이의 벽이 다시 높아질 것임을 깨달았다. 이제 다시는 벽이 낮아지지 않을지도 모른다는 생각이 들었다. "이선, 얼른 와. 내가 네 솜사탕까지 샀어. 얼른 가서 관람차를 타야지!"

리나가 내 손을 놓았다. 지금 광경이 어떻게 보이는지는 나도 잘 알고 있었다. 다리가 길고 키가 큰 금발 여자애가 솜사탕 두 개를 들고 기대에 찬 미소를 짓고 있다. 리브가 관람차를 입에 담기도 전에 나는 이미 끝장이 난 거나 마찬가지였다.

'저 애는 리브야. 메리언 아줌마의 연구 조수. 도서관에서 나랑 같이 일해.'

'그럼 데-리키에서도 둘이 같이 일하는 거야? 여기 축제장에서도?'

뜨거운 번개가 또 하늘을 찢으며 번쩍했다.

'그런 거 아냐, L.'

리브가 내게 솜사탕을 건네주고, 리나를 향해 싱긋 웃으며 한 손을 내밀었다.

'금발?' 리나가 나를 바라보았다. '말도 안 돼.'

"리나지? 난 리브야."

'아, 저 말씨. 이제 알겠군.'

"안녕, 리브." 리나는 마치 우리 둘이서 리브를 놀려 대며 비웃기라도 한 것처럼 리브의 이름을 발음했다. 리브의 손은 잡지도 않았다.

리브가 리나의 냉대를 알아차렸는지는 모르겠지만, 어쨌든 아무 내색도 하지 않고 그냥 손을 내렸다. "만나고 싶었어! 이선한테 널 정식으로 소개해 달라고 계속 말했는데. 이선이랑 내가 여름 내내 같이 묶여 있을 것 같으니까 말이야."

'그러게.'

리나는 나를 바라보려 하지 않았고, 리브는 리나에게서 시선을 떼려 하지 않았다.

"리브, 지금은 좀…." 나는 둘을 막을 수 없었다. 리나와 리브는 보는 사람이 고통스러울 만큼 천천히 충돌 코스를 달리고 있는 두 대의 기차와 같았다.

"시끄러." 리나가 리브의 얼굴에서 생각을 읽을 수 있는 시빌이라도 되는 것처럼 리브를 유심히 살피며 내 말을 끊었다. "만나서 반가워."

'이선하고 실컷 놀아. 노는 김에 이 마을을 다 가져가도 좋아.'

리브는 대략 2초가 흐른 뒤에야 자신이 지뢰를 밟았다는 것을 깨달았지만, 그래도 어떻게든 침묵을 걷어 내려고 애썼다. "이선이랑 나는 항상 네 이야기를 해. 이선이 그러는데, 너 비올라를 연주한다며?"

리나의 몸이 뻣뻣하게 굳었다.

이선이랑 나. 리브에게 나쁜 뜻은 전혀 없었지만, 이 말만으로도 충분했다. 리나에게 이 말이 어떻게 들릴지 나는 이미 알고 있었다. 이선과 일반인 여자아이. 리나가 해 줄 수 없는 것을 모두 해 줄 수 있는 여자아이.

"나 갈래." 리나가 몸을 돌렸다. 내가 미처 팔을 잡을 새도 없었다.

'리나…'

'리들리가 옳았어. 새로운 여자애가 이 마을에 나타나는 건 시간문제라 더니.'

리들리가 리나에게 또 무슨 말을 했는지 궁금했다.

'그게 무슨 소리야? 우린 그냥 친구야, L.'

'우리도 처음에는 그냥 친구였어.'

리나는 땀을 뻘뻘 흘리는 사람들을 밀치며 가 버렸다. 그 바람에 리나가 지나갈 때마다 연쇄적으로 혼란이 일었다. 그 혼란이 잔물결처럼 한없이 번져 나가는 것 같았다. 똑똑히 보이지는 않았지만, 리나와 나 사이의 어디 선가 광대가 손에 든 풍선이 터지는 바람에 허둥거렸고, 어떤 아이가 아이 스크림을 떨어뜨리고서 울음을 터뜨렸고, 어떤 여자가 팝콘 기계에서 연 기가 나더니 불길이 치솟는 것을 보고 비명을 질렀다. 더위와 사람들의 팔 과 소음이 뒤섞여 모든 것이 흐릿한 가운데에서도 리나는 자신이 지나가 는 길목의 모든 것에 영향을 미쳤다. 달이 밀물과 썰물을 일으키는 것만큼, 행성들이 태양에 이끌리는 것만큼 강력한 힘이었다. 비록 리나는 내 궤도 에서 이탈하고 있었지만, 나는 리나의 궤도에 붙들려 있었다.

내가 한 걸음 내딛자 리브가 내 팔을 잡았다. 지금 상황을 분석하려는 건지, 아니면 이제야 상황을 깨달은 건지 하여튼 눈이 가늘어져 있었다. "미안해, 이선. 방해할 생각은 없었어. 정말로 내가 방해를 한 거라면 말이 야. 뭘 방해한 건지는 모르겠지만." 내가 지금 상황을 자진해서 설명해 주 기를 리브가 바라고 있다는 건 나도 알고 있었다. 하지만 나는 아무 말도 하지 않았다. 그것이 내 대답이었다.

그리고 나는 다시 또 한 발을 내딛지 않았다. 그냥 리나가 사라지게 내 버려 두었다.

링크가 힘겹게 사람들을 헤치며 우리에게 다가왔다. 콜라 세 개와 자기 몫의 솜사탕을 들고 있었다. "야, 음료수 매점 앞에 줄이 얼마나 긴지 징글 징글해." 링크는 리브에게 콜라 하나를 건네주었다. "무슨 일 있었어? 리나 였나?"

"리나는 갔어." 리브가 재빨리 말했다. 이 모든 게 아주 간단한 일이라는 듯이.

정말로 그렇게 간단한 일이라면 좋을 텐데.

"그러든지 말든지. 하여튼 관람차는 포기해. 그냥 중앙 텐트로 가자. 파이 경연 대회 우승자를 금방 발표할 거야. 애마 아줌마의 영광스러운 순간에 네가 옆에 있지 않으면, 애마 아줌마가 네 가죽을 벗기려고 들걸."

"사과 파이?" 리브의 얼굴이 반짝 밝아졌다.

"응. 리바이스 청바지 차림으로 냅킨을 여기 셔츠에 끼우고 그걸 먹어야 돼. 콜라를 마시고, 쉐보레를 운전하면서 〈아메리칸 파이〉 노래도 불러야 되고." 나는 링크의 만담과 리브의 편안한 웃음소리에 귀를 기울였다. 두 사람은 내 앞에서 걸어가고 있었다. 저 둘은 악몽을 꾸지도 않고, 괴로움에 시달리지도 않았다. 심지어 걱정도 없었다.

링크가 옳았다. 애마 아줌마의 영광스러운 순간을 놓칠 수는 없었다. 나는 오늘 아무런 상도 받지 못할 것이다. 고무 망치를 들고 낡은 기계를 내려치지 않아도 그 기계에서 어떤 답이 나올지는 이미 알고 있었다. 링크의 눈금은 '병아리'에서 멈췄지만, 내 눈금은 '진짜 겁쟁이'보다 더 낮은 곳에서 멈출 것이다. 내가 아무리 기계를 두들겨 대도 눈금은 항상 그 자리에 머물러 있을 것이다. 요즘은 내가 무슨 짓을 하든 항상 패배자와 0 사이에 붙들려 있는 것 같았다. 그리고 망치를 들고 있는 사람이 리나인 것 같은 기분이 들기 시작했다. 링크가 왜 여자에게 차인 이야기를 노래로 줄줄 쏟아내고 있는지 이제야 알 것 같았다.

사랑의 터널

❧ 6.15 ❧

"여기서 조금만 더 더워지면 사람들이 파리처럼 푹푹 쓰러질 거야. 파리들도 파리처럼 푹푹 쓰러질 거고." 링크는 땀투성이 손으로 땀투성이 이마를 훔쳤다. 그 덕분에 재수 없이 링크 옆에 서게 된 우리에게 링크의 물이 흩뿌려졌다.

"이거 고마워서 어쩌나." 리브는 한 손으로 자신의 얼굴을 닦으며 다른 손으로 축축하게 젖은 셔츠를 몸에서 떼어 놓았다. 불쌍한 몰골이었다. 서던 크러스티 텐트 안에는 사람들이 빽빽이 들어찼고, 최종 결선에 진출한 사람들은 벌써 임시로 만든 나무 무대 위에 서 있었다. 나는 우리 앞에 줄줄이 서 있는 거대한 여자들의 머리 위로 무대를 보려고 애썼지만, 잭슨 고등학교 식당에서 쿠키가 나오는 날 줄을 서 있는 것 같은 기분이었다.

"무대가 거의 안 보여." 리브는 까치발로 서 있었다. "뭐가 어떻게 돌아가는 거야? 행사가 진행되는 걸 우리가 놓친 거야?"

"잠깐 있어 봐." 링크는 거대한 여자들 중에서도 비교적 몸집이 작은 두 명 사이로 살금살금 빠져나가려고 시도해 보았다. "아이고, 더는 앞으로 못 가겠다. 난 포기야."

"저기 애마 아줌마가 있어." 내가 손가락으로 가리켰다. "아줌마는 거의 매년 1등을 하시는 분이야."

"애마 트리도." 리브가 말했다.

"맞아. 아줌마 이름을 어떻게 알았어?"

"애시크로프트 교수님한테서 들었을걸."

칼튼 이튼의 목소리가 스피커에서 쾅쾅 울려 퍼졌다. 매년 우승자를 발표하는 것은 칼튼 이튼의 몫이었다. 그가 다른 사람들의 우편물을 열어 보는 것보다 더 좋아하는 일이 많은 사람들의 주목을 받는 것이었기 때문이다. "여러분, 조금만 기다려 주십시오. 조금 기술적인 문제가 있어서요…. 조금만 기다려 봐…. 누가 레드 좀 불러 줄래? 내가 이 망할 놈의 마이크를 어떻게 고쳐? 제장, 여긴 지옥보다 덥잖아." 칼튼 이튼은 손수건으로 이마를 닦았다. 그는 마이크가 꺼져 있을 때와 켜져 있을 때를 전혀 구분하지 못하는 것 같았다.

애마 아줌마는 자기가 가진 최고의 옷, 그러니까 작은 제비꽃이 잔뜩 그려져 있는 원피스를 입고, 이미 여러 차례 상을 받은 고구마 파이를 든 채 칼튼 이튼의 오른편에 자랑스럽게 서 있었다. 스노 부인과 애셔 부인도 자기 작품을 들고 애마 아줌마 옆에 나란히 서 있었다. 두 사람은 파이 경연 대회 직후에 시작될 모녀 복숭아 행렬을 위해 이미 옷을 차려입은 모습이었다. 각각 물색과 분홍색 드레스를 입은 모습이 똑같이 무시무시했다. 마치 80년대의 졸업 무도회 의상을 차려입은 아줌마들 같았다. 다행히 링컨 부인은 행렬에 참가하지 않기 때문에 언제나 교회에 갈 때 입는 평범한 옷차림으로 애셔 부인 옆에 서 있었다. 링컨 부인이 들고 있는 것은 유명한 체스파이(단맛이 강한 미국 남부의 파이―옮긴이)였다. 지금도 링크의 엄마를 볼 때마다 리나의 생일날의 광기가 떠올랐다. 여자 친구의 어머니가 가장 친한 친구의 어머니 몸에서 튀어나오는 모습은 자주 볼 수 있는 게 아니다. 그래서 지금도 링컨 부인을 보면서 나는 그날을 떠올렸다. 새라핀이 허물을 벗는 뱀처럼 모습을 드러내던 그 순간. 나는 몸을 떨었다.

링크가 내 옆구리를 쿡쿡 찔렀다. "야, 서배너 좀 봐라. 왕관이며 뭐며 다 차려입고 나왔어. 사람을 아주 제대로 압박하는데."

서배너, 에밀리, 이든은 복숭아 행렬 경연자들과 함께 앞줄에 앉아 시대에 뒤떨어진 행렬 참가용 드레스 때문에 땀을 뻘뻘 흘리고 있었다. 서배너의 옷은 개틀린 특유의 번쩍이는 복숭아 색이었고, 가짜 다이아몬드로 만든 복숭아 공주 왕관은 머리에서 완벽하게 균형을 잡고 있었다. 긴 드레스 자락이 금속으로 된 싸구려 접의자에 자꾸만 걸리는데도 왕관은 떨어지지 않았다. 우리 동네 드레스 가게인 리틀미스가 올랜도에 특별히 주문해서 가져온 물건인 것 같았다.

리브가 서배너 스노라는 색다른 구경거리를 힐끔거리며 살금살금 내 옆으로 다가왔다. "그럼 저 애가 서던 크러스티의 여왕이 되는 거야?" 리브의 눈이 반짝였다. 나는 이 모든 게 외부인의 눈에 얼마나 기괴하게 보일지 생각해 보았다.

나도 모르게 빙긋 웃음이 나올 것 같았다. "그렇다고 봐야지."

"빵 굽기가 미국인들한테 이렇게 중요한 일인 줄은 미처 몰랐어. 인류학적인 의미에서 말이야."

"다른 데는 어떤지 몰라도 남부 여자들한테 빵 굽기는 엄청나게 중요한 일이야. 오늘 이 행사는 개틀린 카운티에서 가장 규모가 큰 파이 경연 대회야."

"이선, 이쪽이다!" 머시 할머니가 한 손에는 할머니의 악명 높은 코코넛 파이를 들고, 다른 손으로는 손수건을 흔들고 있었다. 셀마는 머시 할머니의 휠체어를 밀면서 휠체어로 사람들을 밀어냈다. 매년 머시 할머니는 경연 대회에 참가했고, 매년 그 코코넛 파이로 명예상을 받았다. 할머니는 이미 20여 년 전에 코코넛 파이 만드는 법을 잊어버렸는데도 말이다. 그래서 심사위원들 중 어느 누구도 감히 그 파이의 맛을 보려 하지 않았다.

그레이스 할머니와 프루 할머니는 서로 팔짱을 끼고 프루 할머니의 요크셔테리어인 할런 제임스를 끌며 걸어오고 있었다.

"아, 왔구나, 이선. 머시가 상 타는 걸 보려고 왔니?"

"그거야 당연하지, 그레이스. 그렇지 않고서야 이 애가 할머니들만 가득한 텐트에 왜 왔겠어?"

나는 리브를 소개하고 싶었지만, 세 할머니들이 기회를 주지 않았다. 자기들끼리만 계속 말을 주거니 받거니 할 뿐이었다. 하지만 프루 할머니가 나서서 기회를 마련해 주었다. "이 애는 누구니, 이선? 새로 사귄 여자 친구야?"

머시 할머니가 안경을 고쳐 썼다. "지난번 그 애는 어쩌고? 그 검은 머리의 두케인 집안 아이 말이야."

프루 할머니가 수상쩍다는 시선으로 머시 할머니를 바라보았다. "머시, 그건 우리가 간섭할 일이 아니잖아. 그런 걸 물으면 어떻게 해. 그 애가 이선을 버리고 가 버렸나 보지."

"그 애가 왜? 이선, 너 설마 그 여자애한테 옷을 몽땅 벗으라고 한 건 아니지?"

프루 할머니가 화들짝 놀라서 소리쳤다. "머시 린! 그런 소리를 했다가는 주님이 우리 모두를 가만히 두지…."

리브는 어지러운 표정이었다. 백 살이나 된 세 할머니가 강한 사투리와 문법을 무시하는 말투로 주고받는 말을 따라잡기가 힘든 모양이었다.

"그런 소리 안 했어요. 누가 누굴 차지도 않았고요. 리나와 저 사이에는 아무 일도 없어요." 나는 거짓말을 했다. 할머니들이 나중에 교회에 가서 사실을 알게 된다 해도 어쩔 수 없었다. 사실 남들이 쑥덕거리는 소리를 들을 수 있을 만큼 보청기 볼륨을 높여 두어야만 할머니들이 사실을 알게 될 터였다. "이 애는 리브예요. 여름 동안 메리언 아줌마의 연구 조수로 일하고 있어요. 저랑 같이 도서관에서 일해요. 리브, 이 세 분은 우리 증조할머니의 언니들이신 그레이스 할머니, 머시 할머니, 프루던스 할머니셔."

"증조가 아니라 고조 아냐?" 프루 할머니가 허리를 곧추세웠다.

"그래, 맞아, 그 이름이었지. 리나! 아까부터 생각이 날 듯 날 듯 하면서 안 나더니만." 머시 할머니가 리브를 보며 미소를 지었다.

리브도 마주 웃어 주었다. "네, 맞아요. 만나 뵙게 돼서 반가워요."

마침 그때 칼튼 이튼이 마이크를 톡톡 두드렸다. "여러분, 이제 식을 시작할 수 있게 됐습니다."

"우리도 앞줄로 가야지. 금방 저 사람들이 내 이름을 부를 텐데." 머시 할머니의 휠체어가 벌써 통로를 따라 탱크처럼 굴러가고 있었다. "토끼 꼬리가 두 번 흔들린 뒤에 보자, 얘들아."

사람들이 세 곳의 입구에서 텐트 안으로 줄줄이 들어왔다. 캐서롤 경연 대회와 바비큐 경연 대회의 우승자인 레이시 비첨과 엘지 윌크스는 상으로 받은 파란 리본을 들고 무대 옆에 자리를 잡았다. 바비큐 경연 대회는 칠리 경연 대회보다 훨씬 큰 행사였기 때문에, 윌크스 부인은 그 어느 때보다 잔뜩 부풀어 있었다.

나는 애마 아줌마의 표정을 살펴보았다. 애마 아줌마는 아주 당당하고 자신 있는 표정으로 다른 여자들한테는 눈길도 주지 않았다. 그런데 그 표정이 어두워지더니 애마 아줌마가 텐트 한쪽을 바라보았다.

링크가 또 내 옆구리를 찔렀다. "야, 저기 좀 봐. 그 표정이야." 우리는 애마 아줌마의 무서운 시선을 따라 텐트 저편 구석을 바라보았다. 마침내 애마 아줌마가 무엇을 바라보고 있는지 알아낸 나는 잔뜩 긴장했다.

리나가 텐트 기둥에 아무렇게나 몸을 기대고 서서 무대를 바라보고 있었다. 리나가 파이 경연 대회에 흥미를 가질 이유가 없으므로, 여기에 온 것은 아마도 애마 아줌마를 응원하기 위해서일 것이다. 하지만 애마 아줌마는 그렇게 생각하지 않는 것 같은 표정이었다.

애마 아줌마가 알아차리기도 힘들 만큼 살짝 고개를 저었다.

리나는 시선을 피했다.

어쩌면 리나는 나를 찾고 있었던 건지도 모른다. 하지만 리나가 지금 가장 보고 싶지 않은 사람은 바로 나일 것이다. 그럼 여기엔 왜 온 걸까?

링크가 내 팔을 잡았다. "저건… 그게…."

리나가 맞은편의 기둥을 흘깃 보았다. 리들리가 분홍색 미니스커트 차림으로 그 기둥에 기대어 서서 막대사탕의 포장을 벗기고 있었다. 경연 대회에서 누가 상을 탈 건지 정말로 궁금하기라도 한 것처럼 눈은 무대에 고정되어 있었다. 하지만 리들리가 대회에 관심이 있을 리 없었다. 리들리가 좋아하는 일은 말썽을 일으키는 것뿐이었다. 이 텐트 안에만 2백 명쯤 되는 사람들이 있으므로, 말썽을 일으키기에는 딱 좋은 곳이 될 것 같았다.

칼튼 이튼의 목소리가 사람들 머리 위로 울려 퍼졌다. "마이크 시험 중, 마이크 시험 중. 제 말이 들립니까? 좋습니다. 오늘 파이 경연 대회에서는 경합이 아주 치열했습니다. 저도 파이 몇 개를 맛보는 기쁨을 누렸는데요, 여러분께 분명히 말씀드리지만 제가 보기에는 어느 것이나 우승하기에 부족함이 없었습니다. 하지만 오늘 밤 우승자는 한 명밖에 뽑을 수 없으니, 이제 누가 우승을 할 건지 보기로 하겠습니다." 칼튼은 첫 번째 봉투를 제대로 열지 못해 시끄러운 소리를 내며 종이를 찢었다. "여기 있군요. 3등은… 트리샤 애셔의 크림시클(가운데에 아이스크림을 넣은 아이스캔디―옮긴이) 파이입니다." 애셔 부인이 백만 분의 일 초 동안 얼굴을 찌푸렸다가 금세 거짓 미소를 지었다.

나는 리들리에게서 눈을 떼지 않았다. 리들리가 뭔가를 꾸미고 있음이 틀림없었다. 리들리는 파이는 물론 개틀린에서 일어나는 그 어떤 일에도 전혀 관심이 없는 사람이었다. 리들리가 시선을 돌려 텐트 뒤쪽을 향해 고개를 끄덕였다. 나는 뒤를 돌아보았다.

주술사 자식이 미소를 띤 채 뒤쪽 출입구 옆에 서서 최종 결선에 오른 사람들을 지켜보고 있었다. 리들리가 다시 무대로 시선을 돌리더니 천천히, 일부러 막대사탕을 빨기 시작했다. 결코 좋은 징조가 아니었다.

'리나!'

리나는 눈도 깜짝하지 않았다. 바람도 없는데 리나의 머리카락이 구불거리며 주술의 산들바람을 따라 휘날렸다. 더위 때문인지 텐트 안이 좁아서 갑갑한 때문인지 애마 아줌마의 무서운 표정 때문인지는 모르겠지만, 하여튼 점점 걱정이 되기 시작했다. 리들리와 존은 무엇을 꾸미고 있는 걸까? 리나가 왜 여기서 주술을 걸고 있는 거지? 리들리와 존의 꿍꿍이가 뭔지는 몰라도, 리나는 틀림없이 그 두 사람을 막으려 하고 있었다.

이제 뭔지 알 것 같았다. 무서운 표정을 짓고 있는 건 애마 아줌마뿐이 아니었다. 리들리와 존도 애마 아줌마를 노려보고 있었다. 리들리는 애마 아줌마를 건드릴 정도로 멍청한 걸까? 과연 그런 사람이 있을까?

리들리가 대답처럼 막대사탕을 들어 올렸다.

"아, 이런." 링크가 그쪽을 빤히 바라보았다. "우리 여기서 나가는 게 낫겠다."

"네가 리브를 관람차로 데려갈래?" 나는 링크와 시선을 마주치려고 애쓰며 말했다. "여기서는 한동안 지루한 일만 이어질 것 같으니까."

"자, 이제 오늘의 심사에서 가장 짜릿한 순간이 다가왔습니다." 칼튼 이튼이 무슨 신호라도 받은 사람처럼 이렇게 말했다. "여러분, 이제 발표합니다. 이 자리의 이 숙녀분들 중 누가 2등 리본과 5백 달러 상당의 제빵 용품을 집으로 가져가게 될까요? 1등 리본과 서던 크러스티가 제공한 750달러를 가져가는 분은 또 누가 될까요? 서던 크러스티가 없으면 남부도 아니고 크러스티도 아닙니다…." 칼튼 이튼은 하려던 말을 다 끝내지 못했다. 그가 정해진 말을 마치기도 전에 뭔가가 나왔기 때문에….

파이 속에서 그것이 나왔다.

파이 그릇들이 움직이기 시작했다. 사람들은 몇 초가 흐른 뒤에야 상황을 알아차리고 비명을 지르기 시작했다. 구더기와 바퀴벌레들이 파이에서 기어 나왔다. 이 마을과 링컨 부인과 애셔 부인과 스노 부인과 잭슨 고등학교 교장 선생님과 DAR와 학부모회와 모든 교회 단체들의 증오와 거짓과 위선이 그 파이들 속에 들어가서 함께 불에 구워졌다가 이제 살아나고 있는 것 같았다. 무대 위의 모든 파이에서 벌레들이 쏟아져 나왔다. 저 많은 벌레들이 어떻게 작은 파이 그릇 안에 들어 있었나 싶을 정도였다.

애마 아줌마의 것을 제외한 모든 파이가 그런 꼴이었다. 애마 아줌마는 고개를 저으며, 모종의 도전을 받은 사람처럼 눈을 가늘게 떴다. 크림을 뒤집어쓴 구더기와 바퀴벌레가 떼를 지어 대회 참가자들의 발치로 떨어졌다. 하지만 바글거리는 벌레들도 애마 아줌마 주위에서는 두 갈래로 갈라졌다.

스노 부인이 가장 먼저 반응을 보였다. 자신의 파이를 내동댕이친 것이다. 끈적거리는 과일즙을 뒤집어쓴 벌레들이 허공으로 튀어 올랐다가 앞줄 사방에 떨어졌다. 링컨 부인과 애셔 부인도 자신의 파이를 던지자 구더기들이 복숭아 행렬 경연 대회 참가자들의 새틴 드레스 위로 비처럼 쏟아졌다. 서배너가 비명을 지르기 시작했다. 가짜 비명이 아니라 피가 얼어붙을 것 같은 진짜 비명이었다. 어딜 봐도 파이로 범벅이 된 벌레들과 속이 역겨워서 토하고 싶은 걸 간신히 참는 사람들이 있었다. 실제로 잘 참아 내는 사람들도 있었다. 하퍼 교장 선생님은 출구 옆의 쓰레기통을 향해 허리를 숙이고 하루 종일 먹은 퍼늘 케이크를 쏟아 내고 있었다. 만약 소란을 일으키는 것이 리들리의 목적이었다면, 이건 분명한 성공이었다.

리브의 얼굴이 핼쑥했다. 링크는 사람들을 밀어 대며 앞으로 나아가려고 했다. 제 엄마를 구하려는 모양이었다. 요즘은 링크가 이렇게 엄마를 구하려고 드는 일이 아주 많았다. 링크의 어머니가 구제불능이라는 점을 감안하면, 링크의 노력을 인정해 줄 수밖에 없었다.

사람들이 출구를 향해 한꺼번에 몰려드는 가운데, 리브가 내 팔을 움켜쥐었다.

"리브, 여기서 나가. 저쪽으로. 다들 옆으로 향하고 있으니까." 나는 텐트 뒤쪽 출구를 가리켰다. 존 브리드가 자신의 작품을 향해 빙긋 웃으며 여전히 거기 서 있었다. 그의 초록색 눈은 무대에 고정된 채였다. 눈이 초록색이든 아니든, 그는 결코 착한 편이 아니었다.

링크는 무대 위로 올라가 제 엄마의 몸에서 벌레들을 쓸어 냈다. 링컨 부인은 완전히 히스테리 상태였다. 나는 앞쪽을 향해 다가갔다.

"누가 좀 도와줘요!" 스노 부인은 겁에 질려 비명을 질러 대는 공포영화 주인공 같았다. 부인의 드레스에서 벌레들이 꿈틀거렸다. 나도 그런 모습을 보고 좋아할 만큼 스노 부인을 미워하지는 않았다.

막대사탕을 빨아대는 리들리의 모습이 언뜻 보였다. 리들리가 사탕을 빨 때마다 벌레들이 살아났다. 리들리가 혼자서 이렇게 엄청난 일을 벌일 수 있을 것 같지는 않았다. 주술사 자식이 리들리를 도와주었을 것이다.

'리나, 이게 어떻게 된 거야?'

애마 아줌마는 여전히 무대에 서서 눈빛만으로 텐트를 무너뜨려 버릴 것 같은 표정을 짓고 있었다. 벌레들이 애마 아줌마의 발치에서 서로의 몸을 타고 넘으며 기어다녔지만, 감히 애마 아줌마의 몸에 닿으려는 놈은 없었다. 심지어 벌레들조차 그러면 안 된다는 것을 아는 모양이었다. 애마 아줌마는 눈을 가늘게 뜨고 입을 꽉 다문 채 리나를 노려보았다. 링컨 부인의 체스파이에서 처음 구더기가 기어나오던 순간부터 계속 그 상태였다. "네가 감히 나한테 이런 짓을 하는 거냐?"

리나는 텐트 가장자리에 서 있었다. 머리카락은 주술의 바람 때문에 여전히 구불거리고, 입꼬리는 위로 치켜 올라가 아주 희미하게 미소 짓고 있었다. 나는 그 표정이 무엇을 의미하는지 알아차렸다. 만족감이었다.

'이제 자기들 파이 안에 뭐가 들었는지 다들 알 거야.'

리나는 리들리와 존을 막으려던 것이 아니었다. 리나도 한패였다.

'리나! 그만둬!'

하지만 막을 길이 없었다. 이건 수호천사클럽과 징계위원회에 대한 복수, 레이븐우드의 출입문 앞에 사람들이 인사치레로 놓아두던 캐서롤과 동정하듯 바라보던 시선에 대한 복수, 개틀린 사람들이 거짓으로 생각해 주는 척했던 것에 대한 복수였다. 리나는 그 모든 일들을 차곡차곡 쌓아 두었다가 사람들의 면전에서 폭발시키듯 되돌려주고 있었다. 아마도 이것이 리나 나름의 작별 인사였던 것 같다.

애마 아줌마가 텐트 안에 자기들 단둘만 있는 것처럼 리나에게 말했다. "이제 그만해라. 이 사람들한테서는 네가 원하는 걸 얻을 수 없어. 한심한 마을에서 미안하다는 소리를 들어 봤자 한심한 꼴만 잔뜩 보게 될 뿐이지. 파이 그릇에는 아무것도 없다."

프루 할머니의 목소리가 소음을 뚫고 들려왔다. "주님, 도와주세요! 그레이스가 심장 발작을 일으켰어요!" 그레이스 할머니가 의식을 잃고 바닥에 쓰러져 있었다. 그레이슨 페티가 그 옆에 무릎을 꿇고 앉아 맥박을 재고 있었고, 프루 할머니와 머시 할머니는 그레이스 할머니의 몸에서 바퀴벌레들을 쳐냈다.

"그만하라고 했지!" 애마 아줌마가 무대에서 고함을 질렀다. 나는 그레이스 할머니에게 달려가면서 텐트가 우리들 머리 위로 무너져 내릴 거라고 확신했다.

내가 할머니들을 도우려고 허리를 숙이는데, 애마 아줌마가 수첩에서 뭔가를 꺼내 머리 위로 높이 치켜드는 것이 보였다. 우리 집의 낡은 나무 스푼, 우리가 '외눈박이 괴물'이라고 부르는 물건이었다. 애마 아줌마가 우지끈 하는 소리를 내며 그 숟가락으로 앞의 탁자를 내리쳤다.

"아얏!" 텐트 저편에서 리들리가 몸을 찔끔하며 막대사탕을 떨어뜨렸다. 사탕은 마치 애마 아줌마의 스푼에 직접 맞기라도 한 것처럼 흙 위를 굴렀다.

그 순간 모든 것이 멈췄다.

나는 리나가 있던 곳을 바라보았지만, 리나의 모습은 보이지 않았다. 주술은 깨어졌다. 바퀴벌레들은 허겁지겁 텐트 밖으로 나갔고, 텐트 안에는 구더기들만 남았다.

나는 그레이스 할머니가 숨을 쉬는지 확인하려고 허리를 숙였다.

'리나, 너 무슨 짓을 저지른 거야?'

∼

링크가 여느 때처럼 혼란스러운 표정으로 나를 따라 텐트 밖으로 나왔다. "뭐가 뭔지 모르겠다. 리나가 왜 리들리랑 그 주술사 자식을 도와서 이런 난리를 피워? 사람이 심하게 다칠 수도 있었어."

나는 리나나 리들리를 찾아보려고 근처의 놀이기구들을 훑어보았다. 하지만 두 사람은 보이지 않았다. 4H 클럽의 자원봉사자들이 할머니들에게 부채질을 해 주고, 지옥에서 도망쳐 나온 파이 경연 대회 희생자들에게 플라스틱 컵에 담긴 물을 나눠 주고 있을 뿐이었다.

"그레이스 할머니 말이야?"

링크는 제 반바지를 획 잡아당기며 구더기가 묻어 있지 않은지 확인했다. "나는 할머니가 정말로 돌아가신 줄 알았어. 그냥 기절하신 거라니까 천만다행이지. 아마 더위 때문이었을 거야."

"그래. 다행이야." 하지만 다행이라는 느낌이 들지 않았다. 화가 치밀었다. 리나를 찾아야 했다. 리나가 내게서 숨으려 한다 해도 반드시 찾아야 했다. 왜 텐트 안의 모든 사람들을 그렇게 공포로 몰아넣었는지 따져 묻고 싶었다. 도대체 누구에게 복수하려던 것일까? 이미 늙어 버린 예전의 미인 대회 참가자들? 역시나 늙어 가고 있는 링크의 엄마? 리들리라면 이런 짓을 벌일 만했지만, 리나는 아니었다.

날이 점점 어두워지고 있었다. 링크는 번쩍거리는 조명과 히스테리를 일으킨 교회 부인들과 군중 속을 살펴보았다. "리브는 어디 있어? 너랑 같이 있지 않았냐?"

"나도 몰라. 벌레들이 나오기 시작할 때 내가 뒤로 가라고 말했는데."

링크는 '벌레'라는 말에 몸을 움츠렸다. "리브를 찾아봐야 하지 않겠어?"

유령의 집 앞에 사람들이 줄을 서 있어서 나는 그쪽으로 갔다. "리브는 자기 몸 하나는 챙길 줄 알 거야. 이번 일은 그냥 우리끼리 해결해야 할 것 같다."

"그래, 맞아."

우리는 사랑의 터널 입구에서 몇 미터 떨어진 모퉁이를 돌았다. 리들리, 리나, 존이 곤돌라처럼 꾸며 놓은 지저분한 플라스틱 자동차들 앞에 서 있었다. 어깨에 가죽 재킷을 걸친 리나가 가운데였다. 하지만 그 가죽 재킷은 리나의 것이 아니라 존의 것이었다.

나는 미처 깊이 생각해 보지도 않고 리나의 이름을 불렀다. "리나!"

'귀찮게 굴지 마, 이선.'

'싫어. 너 무슨 생각으로 그런 짓을 한 거야?'

'생각 안 했어. 이제야 행동에 나선 거지.'

'그래서 그렇게 바보 같은 짓을 저지른 거야?'

'설마 너도 그놈들 편이 된 거야?'

나는 빠르게 걷고 있었다. 링크가 제대로 따라오지 못할 정도였다. "너 싸울 생각이지? 그 주술사 자식이 우리 몸에 불을 놓거나 우리를 조각상으로 바꿔 놓지 않기를 바라야겠네?" 링크는 대개 싸움을 피하지 않았다. 몸은 비쩍 말랐지만 키는 나와 거의 비슷했고 물불 안 가리는 성격은 나의 두 배쯤 되었다. 하지만 초자연적인 힘과 싸우는 건 그리 내키지 않는 일이었다. 이미 한 번 크게 당한 경험도 있으니까 말이다.

나는 링크가 이 일에 휘말리게 하고 싶지 않았다. "여긴 내가 알아서 할게. 넌 가서 리브나 찾아봐."

"그럴 수야 없지. 네 뒤는 내가 지킨다."

우리가 곤돌라에 다다르자 존이 여자들을 보호하려는 듯 앞으로 나섰다. 그런데 저 애들을 우리한테서 보호할 필요가 있기는 한 건가.

'이선, 오지 마.'

리나의 목소리에 두려움이 배어 있었지만, 이번에는 내가 대답하지 않았다.

"어이, 남자 친구, 잘 지내?" 리들리가 빙긋 웃으며 파란색 막대사탕의 포장지를 벗겼다.

"시끄러워, 리들리."

리들리는 내 뒤를 따라오는 링크를 보고 표정이 바뀌었다. "야, 작은 고추. 사랑의 터널로 들어가고 싶어?" 리들리는 장난처럼 말하려고 했지만, 목소리가 동요하고 있었다.

링크는 리들리의 팔을 잡고 자신에게 끌어당겼다. 마치 진짜 남자 친구라도 되는 것 같았다. "너 무슨 생각으로 그런 짓을 했어? 자칫하면 사람이 죽을 수도 있었어. 4백 살이나 되신 이선의 할머니가 심장 발작을 일으킬 뻔했단 말이야."

리들리는 자신의 팔을 확 빼냈다. "겨우 벌레 몇 마리 가지고 뭘 그래? 난리 피우지 마. 네가 말을 잘 들을 때가 좋았는데."

"그래, 그랬겠지."

리나가 존의 등 뒤에서 앞으로 나섰다. "무슨 일이 있었어? 할머니는 괜찮으셔?" 다시 나의 리나로 돌아온 것 같았다. 상냥한 얼굴로 걱정해 주는 리나. 하지만 나는 이제 리나를 믿지 않았다. 겨우 몇 분 전에 리나는 자신이 증오하는 여자들과 텐트 안에 함께 있던 모든 사람들을 쓰러뜨렸다. 그런데 지금은 티켓 판매 부스 뒤에서 나와 키스했던 여자애의 모습이라니. 말이 되지 않았다.

"너 아까 무슨 짓을 한 거야? 어떻게 이 사람들을 도울 수 있어?" 나는 내

고함 소리를 듣고서야 내가 얼마나 화가 나 있는지 깨달았다. 하지만 존은 일찌감치 알고 있었던 것 같다.

존이 손바닥으로 내 가슴을 세게 치는 바람에 나는 휘청거리며 뒤로 물러났다.

"이선!" 리나는 걱정하고 있었다. 그것만은 분명했다.

'그만해! 잘 알지도 못하면서 끼어들지 마.'

'아까 네가 말했지? 나도 이제야 행동에 나선 거야.'

'그럼 다른 행동을 해. 여기서 도망치라고!'

"리나를 그런 식으로 대하다니. 다치기 전에 그만 가라." 내가 미처 모르는 뭔가가 있는 걸까? 리나가 나를 두고 가 버린 게 겨우 한 시간 전인데, 이제는 존 브리드가 이미 애인이라도 되는 것처럼 리나를 지키고 있었다.

"그래? 사람을 그렇게 함부로 밀면 안 되지, 이 주술사 자식아."

"주술사 자식?" 존이 한 걸음 다가서며 손을 말아 주먹을 쥐었다. 아주 커다란 주먹이었다. "날 그렇게 부르지 마라."

"그럼 뭐라고 부를까? 더러운 놈?" 나는 존이 나를 때리게 만들고 싶었다.

존이 내게 달려들었지만, 먼저 주먹을 날린 건 나였다. 그건 멍청한 짓이었다. 나는 그동안 품고 있던 모든 분노와 좌절감을 나의 부드럽고 인간적인 주먹에 담아 존의 강철처럼 단단하고 초자연적인 턱을 쳤다. 마치 시멘트를 때린 것 같았다.

존이 눈을 깜박이자 초록색 눈이 석탄처럼 새까맣게 변했다. 내 주먹 같은 건 아예 느껴지지도 않는 것 같았다. "난 주술사가 아냐."

나도 나름대로 싸움을 해 본 적이 있지만, 존 브리드의 주먹에는 속수무책이었다. 메이컨이 동생인 헌팅과 싸우던 모습이 생각났다. 그들의 힘과 속도는 믿을 수 없을 정도였다. 존은 거의 움직이지도 않았는데, 내 등이 바닥에 세게 부딪혔다. 기절할 것 같았다.

"이선! 존, 그만해!" 리나가 비명을 지르고 있었다. 검은 화장품 자국이 리나의 얼굴을 타고 흘러내렸다.

존이 링크를 바닥에 내동댕이치는 소리가 들렸다. 장하게도 링크는 나보다 빨리 일어섰다. 그만큼 빨리 다시 쓰러졌다는 게 문제이긴 해도. 나는 바닥에서 몸을 일으켰다. 아직 움직이지도 못할 만큼 얻어맞은 건 아니지만, 애마 아줌마한테 멍을 숨기기는 힘들 것 같았다.

"그만해, 존." 리들리는 냉정한 목소리를 내려고 애썼지만, 목소리에 날이 서 있고 표정에는 걱정이 배어 있었다. 어디까지나 리들리의 수준에서 그랬다는 얘기다. 리들리가 존의 팔을 잡았다. "가자. 갈 데가 있어."

링크는 리들리의 눈을 똑바로 바라보았다. 링크가 바닥에 쓰러져 있었기 때문에 그것만으로도 힘이 들었다. "괜히 나한테 호의를 베풀 필요 없어, 리드. 내 몸은 내가 알아서 챙길 수 있으니까."

"그건 나도 알아. 권투 선수도 울고 갈 거야." 링크는 이 빈정거리는 말에 움찔했다. 아니, 어쩌면 몸이 아파서 그런 것 같기도 했다.

어쨌든 링크는 싸울 때 바닥에 쓰러져 있는 경험에는 익숙하지 않았다. 링크가 벌떡 일어서서 주먹을 쥐고 다시 달려들 준비를 갖췄다. "이건 분노의 주먹이야, 베이비. 싸움은 이제부터 시작이라고."

리들리가 존과 링크 사이에 끼어들었다. "아니, 싸움은 끝났어."

링크는 주먹을 내리고 흙을 발로 찼다. "그래, 뭐, 나도 이길 수 있어. 저 녀석이… 그나저나 넌 도대체 정체가 뭐야?"

나는 존에게 대답할 틈을 주지 않았다. 존의 정체가 뭔지 이미 거의 확신하고 있었기 때문이다. "일종의 몽마야." 나는 리나를 바라보았다. 리나는 자신의 허리를 양팔로 끌어안고 여전히 울고 있었지만, 나는 리나에게 말을 걸지 않았다. 이젠 리나의 정체조차 알 수 없었다.

"내가 몽마라고? 악마 병사?" 존이 웃었다.

리들리는 눈을 흘겼다. "잘난 척하지 마. 요새는 몽마보고 악마 병사라는 말은 아무도 안 해."

존이 손마디를 뚝뚝 꺾었다. "난 구식이야."

링크는 뭐가 뭔지 모르겠다는 표정이었다. "뱀파이어들은 원래 낮에 실내에 있어야 하는 것 아냐?"

"그럼 너희 촌뜨기들은 보닛에 남군 깃발을 그려 넣은 트랜스엠 자동차를 몰아야 되는 것 아냐?" 존이 웃었다. 하지만 그의 말은 전혀 웃기지 않았다. 리들리는 여전히 링크와 존 사이에 서 있었다.

"그런 게 너한테 무슨 상관이야, 작은 고추? 존은 일반적인 것과는 상관없는 사람이야. 뭐랄까… 독특하다고. 난 존이 두 세계의 가장 좋은 점들만 갖고 있다고 생각해." 리들리의 말이 무슨 뜻인지 도무지 알 수 없었다. 존의 정체가 무엇인지는 몰라도, 리들리는 말해 줄 생각이 전혀 없었다.

"그래? 나는 저 녀석이 자기 세계로 뿔뿔 기어가서 우리 세계에는 다시 들어오지 말았으면 좋겠는데." 링크는 강한 척했지만, 존의 시선을 받고는 얼굴이 하얗게 질려 버렸다.

리들리가 존에게 시선을 돌렸다. "가자." 두 사람은 다시 사랑의 터널을 향해 돌아섰다. 터널을 돌아다니는 자동차들은 여전히 베네치아의 다리를 본뜬 낡은 나무 아치 아래를 돌고 있었다. 리나가 머뭇거렸다.

"리나, 이 사람들이랑 같이 가지 마."

리나는 잠시 가만히 서 있었다. 내 품으로 뛰어들까 말까 고민하는 것처럼. 하지만 뭔가가 리나의 발목을 붙들고 있었다. 존이 귓속말을 하자 리나는 플라스틱 곤돌라에 올랐다. 나는 내가 유일하게 사랑했던 여자아이를 바라보았다. 검은 머리카락과 황금색 눈. 이제 초록색이 아니었다.

그 황금색에 아무 의미도 없는 척할 수가 없었다. 이제는 그럴 수 없었다.

나는 링크와 나를 남겨 두고 곤돌라가 사라지는 것을 지켜보았다. 우리는 5학년 때 운동장에서 에머리 형제와 붙었던 날처럼 흠씬 두들겨 맞고 멍투성이가 되어 있었다.

"우리도 그만 가자." 링크는 벌써 걸어가고 있었다. 이제 날이 어두워서 빙빙 돌아가는 관람차의 불빛들이 반짝였다. "왜 저 녀석이 몽마라고 생각한 거야?" 링크는 자신을 걷어찬 것이 평범한 녀석이 아니라 악마라는 사실에서 위안을 얻고 있었다.

"저 녀석 눈이 까맣게 변하고 나니까 꼭 각목으로 후려치는 것 같더라."

"맞아. 하지만 낮에 돌아다닐 때는 눈이 초록색이었어. 리나처럼…." 링크는 말을 멈췄지만, 나는 링크가 하려던 말이 무엇인지 알고 있었다.

"옛날에 리나가 그랬던 것처럼? 나도 알아. 말이 안 되는 일이지." 오늘밤에는 말이 되는 일이 하나도 없었다. 리나가 나를 바라보던 시선이 내 머릿속에서 떠나지 않았다. 한순간이지만 나는 리나가 그 두 사람을 따라가지 않을 거라고 확신했다. 나는 리나를 생각하고 있었지만, 링크는 여전히 존에 관해 떠들어 대고 있었다.

"두 세계의 좋은 점 어쩌고 하는 소리는 또 뭐지? 두 세계라니 무슨 세계? 무서운 세계랑 그보다 더 무서운 세계?"

"나도 몰라. 난 그놈이 진짜 몽마인 줄 알았어."

링크는 어깨를 돌리며 얼마나 다쳤는지 살펴보았다. "정체가 뭐든, 그놈 힘은 진짜 초능력자 같았어. 그것 말고 또 다른 능력도 있나 몰라."

우리는 모퉁이를 돌았다. 사랑의 터널 출구 근처였다. 나는 걸음을 멈췄다. '두 세계의 가장 좋은 점.' 만약 존이 몽마처럼 하늘을 찢고 우리 둘을 늘씬하게 패 주는 것 외에도 아주 많은 일들을 할 수 있다면? 존의 눈동자는 초록색이었다. 만약 존이 리들리처럼 남을 마음대로 조종하는 능력을 지닌 일종의 주술사라면? 리들리가 혼자 힘으로 리나를 조종할 수는 없었을 것이다. 하지만 존이 리들리를 도와줬다면?

그렇다면 리나의 이상한 행동을 이해할 수 있었다. 나와 함께 가고 싶은 표정이었으면서, 존이 귓속말을 하자 곤돌라에 올라탄 이유도. 존은 언제부터 리나에게 귓속말을 하기 시작한 거지?

링크가 손등으로 내 팔을 쳤다. "야. 이상하지 않냐?"

"뭐가?"

"녀석들이 안 나왔어."

"무슨 소리야?"

링크는 사랑의 터널 출구를 가리켰다. "저기서 안 나왔다고." 링크의 말이 옳았다. 우리가 모퉁이를 돌기 전에 그 세 사람이 밖으로 나왔을 가능성은 전혀 없었다. 우리는 계속 빈 채로 나오는 곤돌라들을 지켜보았다.

"그럼 어디로 간 거지?"

링크는 고개를 저었다. 아무리 생각해도 답이 없는 모양이었다. "모르지. 셋이서 저 안에서 괴상한 짓이라도 하는 것 아냐?" 우리 둘 다 움찔했다. "가서 확인해 보자. 보는 사람도 없잖아." 링크는 벌써 출구 쪽으로 다가가고 있었다.

링크가 옳았다. 터널 안에서는 계속 빈 곤돌라만 나왔다. 링크가 울타리의 출입문을 훌쩍 뛰어 넘어 고개를 숙이고 터널 안으로 들어갔다. 터널 안에는 궤도 양편으로 공간이 조금 있었지만, 움직이는 곤돌라들에 부딪히지 않게 조심하면서 걷기가 쉽지 않았다.

링크가 곤돌라에 정강이를 부딪혔다. "이 안에는 아무도 없어. 셋 다 어디로 간 거지?"

"그냥 사라졌을 리가 없어." 나는 메이컨의 장례식 때 존 브리드가 공간을 찢고 사라지던 것을 떠올렸다. 하지만 리들리와 리나가 그런 식으로 이동할 수는 없었다.

링크가 손으로 벽들을 훑었다. "여기 주술사들의 비밀 문 같은 게 있는 거 아닐까?"

내가 아는 주술사 문은 개틀린은 물론이고 모든 일반인 세상의 지하에서 조용히 잠자고 있는 미로 같은 통로인 터널로 통하는 문밖에 없었다. 그곳은 세계 속의 세계였으며, 우리가 사는 세상과 어찌나 다른지 시간과 거리마저 바꿔 버렸다. 하지만 내가 아는 한 터널의 모든 입구는 건물들 안에 있었다. 레이븐우드, 루나에 리브리, 그린브라이어의 납골당 같은 곳들. 색칠한 합판 몇 장 같은 것은 건물이라고 하기 힘들었고, 사랑의 터널 지하에는 흙 외에 아무것도 없었다. "어디로 통하는 문? 이건 지금 축제장 한가운데에 있잖아. 겨우 이틀 전에 사람들이 설치한 거라고."

링크는 살금살금 사랑의 터널 출구로 향했다. "그럼 그 녀석들이 어디로 간 거야?"

존과 리들리가 자기들의 능력을 이용해서 리나를 조종하고 있는 건지 반드시 알아내야 했다. 그래도 지난 몇 달 동안의 일이나 황금색으로 변한 리나의 눈동자를 설명할 수는 없겠지만, 리나가 존과 함께 있는 이유는 알아낼 수 있을지도 모른다. "내가 거기로 가 봐야겠다."

링크는 이미 뒷주머니에서 열쇠를 꺼내고 있었다. "어째 그 말이 나올 것 같더라니."

링크는 비터까지 나를 따라왔다. 나를 따라잡으려고 뛰어오는 링크의 운동화 밑에서 자갈이 버석버석 소리를 냈다. 링크는 녹슨 자동차 문을 휙 열고 운전석에 앉았다. "어디로 가면 돼? 아니면 내가…" 링크의 말이 끝나기도 전에 그 소리가 들렸다. 내 심장을 살짝 잡아당기는 아주 작은 목소리.

'안녕, 이선.'

그러고는 사라져 버렸다. 그 목소리도, 리나도. 비누 거품처럼, 솜사탕처럼, 은빛으로 빛나는 꿈의 마지막 조각처럼.

틀림없어

✦ 6.15 ✦

비터가 역사학회 앞에 끽 하고 멈춰 섰다. 앞쪽 타이어는 도로 턱에 반쯤 올라섰고, 텅 빈 거리에 엔진 소리가 울렸다.

"소리 좀 줄일래? 이러다 사람들이 듣겠다." 링크가 평소와 달리 거칠게 운전한 건 아니었다. 하지만 지금 우리 차가 서 있는 곳은 DAR의 본부 역할을 하는 건물에서 겨우 1미터 남짓 거리였다. DAR 건물의 지붕이 이제야 수리된 것이 보였다(리나가 자기 생일 며칠 전에 허리케인을 일으켜 이 건물 지붕을 날려 버렸다). 잭슨 고등학교도 똑같은 폭풍에 강타당했지만, 학교 건물 수리는 그다지 급하지 않다고들 생각한 모양이었다. 이것이 이 마을 사람들 나름의 우선순위였다.

사우스캐롤라이나에서는 거의 모든 사람이 남부연방과 관련되어 있으므로, '남부연방의 딸들'에 가입하는 것은 쉬운 일이었다. 하지만 DAR에 가입하려면 조상 중에 미국 독립 전쟁에서 직접 싸운 사람이 있어야 했다. 그런데 그 증거를 구하기가 쉽지 않았다. 독립 선언문에 직접 서명한 사람은 지금 아무도 없으니, 다들 산더미 같은 서류를 추적해서 증거를 찾아내야 했다. 게다가 그렇게 증거를 찾아낸 뒤에도 DAR의 초청을 받아야만 가입할 수 있었다. 그리고 DAR의 초청을 받으려면 링크의 엄마에게 아부를 떨어야 했다. 만약 링크의 엄마가 이런저런 주제로 탄원서를 준비 중이라면 그 탄원서에 서명도 해야 했다. 어쩌면 우리가 북부 사람들에 비해 이런 문제를 너무 중요하게 생각하는 건지도 모른다. 마치 우리가 예전에 전쟁에서 모두 한편이 되어 싸웠다는 것을 반드시 증명하려고 드는 것 같았다. 그런 의미에서 우리 마을의 일반인 세계도 주술사 세계 못지않게 혼란스러웠다.

오늘 밤에는 DAR 건물에 아무도 없는 것 같았다.

"우리 소리를 들을 사람도 없는데, 뭐. 자동차 파괴 경기가 끝날 때까지는 다들 축제장에 있을 거야." 옳은 말이었다. 지금은 개틀린을 유령 마을이라고 해도 될 것 같았다. 대부분의 사람들은 아직도 축제장에 있거나, 아니면 집에서 오늘 서던 크러스티 행사장에서 있었던 일을 전화로 친구들에게 자세히 보고하고 있었다. 오늘 일은 앞으로 수십 년 동안 역사에 남을 사건이었다. 링컨 부인은 자신이 파이 경연 대회에서 애마 아줌마를 제치고 1등에 도전하는 모습을 지켜보라며 DAR 회원들을 모두 그 자리에 붙들어 두었을 것이다. 하지만 지금은 틀림없이 다른 요리를 만들걸 그랬다고 후회하고 있을 것 같았다.

"그렇지 않은 사람도 있어." 나는 이제 요즘의 일들을 어떻게 설명해야 할지 알 수 없었지만, 어디에 가면 힌트라도 얻을 수 있는지 알고 있었다.

"정말 들어갈 거야? 메리언 아줌마가 없으면 어쩌려고?" 링크는 불안해하고 있었다. 리들리가 돌연변이 몽마 같은 녀석과 함께 돌아다니는 꼴을 봤으니 기분이 좋을 리가 없었다. 하지만 링크가 걱정할 것은 전혀 없었다. 존 브리드의 표적이 누군지는 확실했으니까. 리들리는 그 표적이 아니었다.

나는 휴대전화를 확인했다. 거의 11시가 다 된 시각이었다. "오늘은 개틀린에서 은행이 쉬는 날이야. 그게 무슨 뜻인지 알지? 지금쯤 메리언 아줌마는 루나에 리브리에 계실 거야." 그것이 이 마을의 규칙이었다. 메리언 아줌마는 평일 오전 9시부터 저녁 6시까지는 개틀린 카운티 도서관의 수석 사서였지만, 은행이 쉬는 날에는 밤 9시부터 아침 6시까지 주술사 도서관의 수석 사서였다. 개틀린 도서관의 문이 닫혀 있었으므로, 주술사 도서관이 문을 열었다는 뜻이었다. 그 주술사 도서관 루나에 리브리에는 터널로 통하는 문이 있었다.

나는 비터의 문을 쾅 닫았고, 링크는 대시보드 서랍에서 손전등을 꺼냈다. "알아, 알아. 개틀린 도서관이 닫혔으니 주술사 도서관이 밤새 문을 연다는 거 아냐. 메리언 아줌마의 고객들이 대개 낮에는 찾아오질 않으니까." 링크는 우리 앞의 건물을 향해 손전등을 흔들었다. '미국 독립혁명의 딸들'이라고 적힌 황동 명판이 보였다. "그래도 우리 엄마나 애셔 부인이나 스노 부인이 이 건물 지하에 뭐가 있는지 알면…." 링크는 무기라도 휘두르듯이 무거운 금속 손전등을 휘둘렀다.

"그걸로 누굴 한 대 치기라도 하게?"

링크는 어깨를 으쓱했다. "저 아래에 뭐가 있을지 아무도 모르잖아."

링크가 무슨 생각을 하는지는 알고 있었다. 우리 둘 다 리나의 생일 이후로 루나에 리브리에 간 적이 없었다. 그리고 지난번 그곳에 들렀을 때는 책보다도 위험한 일들을 더 많이 만났다.

위험과 죽음. 그날 밤 우리는 실수들을 저질렀고, 그중 일부는 바로 여기서 저질러졌다. 만약 내가 레이븐우드에 조금만 더 일찍 도착했더라면, 내가 《달의 책》을 찾아냈더라면, 내가 새라핀과 싸우는 리나를 도와줄 수 있었더라면, 우리가 뭐가 하나라도 실수를 덜 저질렀더라면 메이컨이 아직 살아 있을까?

우리는 낡은 붉은 벽돌 건물 뒤로 돌아갔다. 달빛이 비쳤다. 링크는 땅바닥 가까이 있는 쇠창살을 손전등으로 비췄고, 나는 그 옆에 웅크리고 앉았다. "준비됐냐?"

링크의 손에 들린 불빛이 흔들렸다. "당연하지."

나는 건물 뒤편의 낯익은 쇠창살 속으로 손을 쑥 집어넣었다. 언제나 그 랬듯이, 내 손은 환영으로 감춰둔 루나에 리브리의 입구 속으로 사라졌다. 개틀린에는 처음에 본 겉모습이 속과 일치하는 경우는 별로 없었다. 적어 도 주술사가 관련된 일들에서는 그랬다.

"아직도 주문이 작동할 줄은 몰랐는데." 링크는 내가 쇠창살에서 멀쩡 한 손을 다시 꺼내는 것을 지켜보았다.

"리나 말로는 어려운 주문이 아니래. 라킨이 쓰는 은폐 주문 같은 거라 더라."

"이게 혹시 함정일지도 모르잖아." 손전등 불빛이 어찌나 심하게 흔들 리는지 쇠창살을 제대로 비추지 못했다.

"그걸 알아낼 방법은 하나뿐이야." 나는 눈을 꾹 감고 발을 내디뎠다. 조 금 전까지만 해도 DAR 건물 뒤의 웃자란 덤불 속에 서 있던 내가 루나에 리브리의 심장부로 통하는 돌계단에 서 있었다. 나는 주술이 걸린 문턱을 넘어 도서관으로 들어가며 몸을 부르르 떨었다. 뭔가 초자연적인 느낌 때 문은 아니었다. 몸의 떨림과 뭔가가 잘못된 것 같은 느낌은 이곳이 우리 세 계와 전혀 다르지 않게 느껴지기 때문에 생긴 것이었다. 쇠창살 이편이나 저편이나 공기는 똑같았다. 다만 이편이 칠흑처럼 어두울 뿐이었다. 마법 의 기운이 느껴지지 않는 것도 평범한 개틀린에 있을 때와 같았다. 몸에는 멍이 들고 화도 났지만 나는 아직 희망을 잃지 않았다. 나는 리나가 존에게 호감을 갖고 있다고 확신했었다. 하지만 만약 그 생각이 틀렸을 가능성이 있다면, 그러니까 존과 리들리가 리나를 조종하고 있는 거라면, 이렇게 쇠 창살을 통과할 만한 가치가 있었다.

링크가 나를 쫓아 비틀거리며 입구를 통과하면서 손전등을 떨어뜨렸 다. 손전등은 쿵쿵 소리를 내며 계단 아래로 굴러떨어졌다. 우리는 가파른 계단의 벽에 설치된 횃불들이 저절로 켜질 때까지 어둠 속에 서 있었다. "미안. 저 물건은 항상 저렇게 나를 내팽개친다니까."

"링크, 마음이 내키지 않으면…." 어두워서 링크의 표정이 보이지 않았다.

1초쯤 침묵이 흐른 뒤 어둠 속에서 링크의 목소리가 들렸다. "당연히 마음이 안 내키지. 하지만 해야 돼. 뭐, 리드가 내 평생의 사랑이라는 소리는 아냐. 진짜로 아니니까. 그런 생각을 하는 건 미친 짓이지. 하지만 만약 리나의 말이 사실이라면? 정말로 리드가 변하고 싶어 한다면? 그 뱀파이어 녀석이 리드한테도 뭔가 술수를 부리고 있는 거라면?" 리들리가 자기 말고 남의 술수에 넘어가 조종당할 것 같지는 않았지만, 나는 아무 말도 하지 않았다.

이건 단순히 리나와 나만의 문제가 아니었다. 리들리가 아직도 링크의 마음속에 있었다. 그리고 링크는 그것 때문에 괴로워하고 있었다. 사이렌과는 사랑에 빠지지 않는 게 좋다. 그냥 주술사와 사랑에 빠지는 것만도 워낙 힘든 일이었다.

나는 링크를 따라서 횃불 빛이 일렁이는 어두운 지하 세계로 내려갔다. 우리는 지금 개틀린을 떠나 주술사 세계로 들어가는 중이었다. 이곳에서는 무슨 일이 일어날지 알 수 없었다. 나는 무슨 일이든 일어나 주기를 바랐던 때를 떠올리지 않으려고 애썼다.

도무스 루나에 리브리라는 말이 새겨진 돌 아치를 지나는 건 곧 또 다른 세계, 일종의 평행 우주로 들어가는 것이었다. 이제는 이 세계에도 친숙하게 느껴지는 것들이 몇 가지 생겼다. 이끼 낀 돌의 냄새, 남북 전쟁은 물론 그 이전까지 거슬러 올라가는 자료들의 알싸한 냄새, 조각이 새겨진 천장 근처까지 한들한들 올라가서 어른거리는 횃불의 연기. 축축한 벽의 냄새가 느껴지고, 지하수가 돌바닥에 가끔 똑똑 떨어져 무늬를 그리며 흘러가는 소리도 들렸다. 하지만 이곳에는 결코 친숙해질 수 없는 것들도 있었다. 서가들이 서 있는 곳 가장자리의 어둠. 그곳은 이 도서관에서 일찍이 그 어느 일반인도 보지 못한 곳이었다. 엄마는 여기서 무엇을 얼마나 보았는지 궁금했다.

우리는 계단 발치에 다다랐다.

"이젠 뭘 하지?" 링크가 손전등을 찾아서 자기 옆의 기둥을 비췄다. 돌로 새긴 무서운 그리핀(그리스 신화에서 독수리의 머리와 날개에 사자 몸을 한 괴물—옮긴이) 상의 머리가 우리를 향해 으르렁거렸다. 링크는 손전등의 불빛을 치웠다. 하지만 이번에는 엄니가 뾰족한 가고일에 불빛이 부딪혔다. "이런 게 도서관이라면, 주술사 감옥은 어떨지 생각하기도 싫어."

불꽃이 확 일면서 불이 켜지는 소리가 들렸다. "잠깐 기다려 봐."

둥근 홀을 에워싼 횃불들이 하나씩 차례로 확 타올랐다. 이제 조각이 새겨진 주랑이 보였다. 신화 속의 무서운 생물들, 주술사 몇 명, 일반인 몇 명이 기둥마다 새겨져 뱀처럼 구불구불하게 기둥을 감싸고 있었다.

링크가 움찔했다. "여긴 아무리 봐도 이상해. 말하자면 그렇다고."

나는 돌로 새긴 불꽃 속에 고뇌에 찬 표정으로 일그러져 있는 여자의 얼굴을 만졌다. 링크는 송곳니가 줄줄이 늘어선 또 다른 얼굴을 손으로 쓸었다. "이 개 좀 봐. 부랑 닮았다." 하지만 링크는 얼굴을 다시 보고서 그 송곳니가 남자의 머리에서 뻗어 있음을 깨달았다. 링크는 냉큼 손을 떼어 냈다.

돌과 연기로 만들어진 것처럼 보이는 돌 조각상들이 정신없이 널려 있었다. 비틀어지고 접힌 것처럼 보이는 기둥에서 모습을 드러낸 얼굴이 낯익었다. 하지만 그 주위를 돌이 잔뜩 둘러싸고 있어서 누구의 얼굴인지는 알 수 없었다. 그 얼굴은 우리를 향해 밀고 나오려고 돌과 싸움을 벌이고 있는 것 같았다. 순간적으로 그 얼굴에서 입술이 움직인 것 같았다. 마치 뭐라고 말을 하려는 것처럼.

나는 뒷걸음질을 쳤다. "저건 도대체 뭐야?"

"뭐가 뭐야?" 링크는 내 옆에 서서 그 기둥을 뚫어져라 바라보았다. 다시 보니 구불구불한 곡선들과 나선들이 소용돌이처럼 새겨진 기둥에 불과했다. 조금 전의 그 얼굴은 그 무늬들 속에 먹혀 버렸다. 사람의 머리가 파도

속으로 사라질 때처럼. "저거 바다겠지? 아니면 불길에서 올라오는 연기인가? 하긴 그걸 안다고 뭐가 달라져?"

"신경 쓰지 마." 하지만 나는 그걸 무시할 수 없었다. 돌 속의 그 얼굴은 내가 아는 얼굴이었다. 전에 어딘가에서 본 적이 있었다. 이 방은 주술사 세계가 어두운 곳이라고 경고하듯 으스스했다. 빛의 주술사 세계도 어둠의 주술사 세계도 마찬가지였다.

횃불에 또 불이 켜지자 낡은 책들, 원고들, 주술 두루마리들이 쌓인 서가가 모습을 드러냈다. 서가들은 원형 홀에서부터 사방으로 뻗어 나가 저편의 어둠 속으로 사라졌다. 바큇살 같았다. 마지막 횃불에 화르르 불길이 일자 둥근 마호가니 책상이 보였다. 메리언 아줌마의 자리였다.

하지만 책상은 비어 있었다. 메리언 아줌마가 루나에 리브리는 어둠도 아니고 빛도 아니며 오래된 마법의 장소라고 항상 말하기는 해도, 아줌마가 없는 도서관은 상당히 어둡게 느껴졌다.

"여긴 아무도 없어." 링크가 풀 죽은 목소리를 냈다.

나는 벽에서 횃불 하나를 집어 링크에게 넘겨준 뒤, 내 몫으로 횃불을 하나 더 집어 들었다. "걔들이 여기에 있어."

"네가 어떻게 알아?"

"그냥 알아."

나는 길을 잘 아는 사람처럼 앞장서서 서가들 속으로 들어갔다. 휘어지고 갈라진 낡은 책들과 고대의 두루마리, 수백 년의 세월과 수 세기 분량의 단어들 무게에 짓눌린 채 먼지를 뒤집어쓰고 있는 떡갈나무 선반들의 냄새가 공기 중에 진하게 배어 있었다. 나는 가장 가까운 선반을 향해 횃불을 쳐들었다. 《발가락: 처녀의 발가락에 머리카락 주문 걸기》,《속박 주술을 위한 혀》,《태피: 그 안에 숨겨진 주술들》. 여긴 T자로 시작하는 책들이 있나 봐."

"《일반인 목숨의 완전한 파괴》. 이건 D에 있어야 되는데." 링크가 그 책을 향해 손을 뻗었다.

"만지지 마. 손이 탈 거야." 나는 《달의 책》을 다루며 그 사실을 힘들게 터득했다.

"하다 못해 이 책을 숨기기라도 해야 하는 것 아냐? 태피 어쩌고 하는 책 뒤에다가." 링크의 말에 일리가 있었다.

우리가 채 3미터도 나아가지 못했을 때 웃음소리가 들렸다. 틀림없는 여자아이의 웃음소리가 조각이 새겨진 천장에 메아리쳤다. "저 소리 들었어?"

"뭐?" 링크가 횃불을 흔들어 대는 바람에 가까이에 있던 두루마리 더미에 하마터면 불이 붙을 뻔했다.

"조심해. 여긴 비상구 같은 건 없으니까."

조금 있으니 서가들 사이의 교차로가 나왔다. 다시 그 소리가 들렸다. 거의 음악적이라고 해도 될 것 같은 웃음소리였다. 아름답고 친숙한 소리. 그 소리를 들으니 마음이 놓이고, 지금 내가 서 있는 이 세계가 아주 조금 덜 낯설어졌다. "여자애가 웃고 있는 것 같아."

"혹시 메리언 아줌마 소리 아냐? 아줌마도 여자잖아." 나는 미친놈을 보듯이 링크를 바라보았다. 링크는 어깨를 으쓱했다. "말하자면 그렇다고."

"메리언 아줌마는 아냐." 나는 링크에게 잘 들어 보라고 손짓했다. 하지만 그 소리는 더 이상 들리지 않았다. 우리는 웃음소리가 들린 쪽으로 걸어갔다. 통로가 구불구불 이어지더니 처음의 원형 홀과 비슷한 또 다른 원형홀이 나왔다.

"리나랑 리들리가 낸 소리 같아?"

"몰라. 이쪽이야." 소리를 따라가기가 아주 힘들었지만, 누구의 목소리인지 나는 알고 있었다. 나는 리나가 어디 있든 항상 찾아낼 수 있을 것 같다고 옛날부터 내심 생각하고 있었다. 왜 그런 생각이 드는지는 설명할 수 없었다. 그냥 그럴 것 같았다.

터무니없는 생각도 아니었다. 만약 우리가 똑같은 꿈을 꾸고 소리 내어 말하지 않아도 대화할 수 있을 만큼 강하게 연결되어 있다면, 리나가 있는 곳을 내가 느끼지 못하란 법도 없지 않은가. 그건 마치 학교에서 집으로 차를 몰고 갈 때나 아니면 어디든 매일 들르는 곳에 갈 때 주차장을 나오던 순간에서 기억이 끊겼다가 정신을 차리고 보니 벌써 목적지에 도착했는데 거기까지 어떻게 왔는지 전혀 기억이 나지 않는 것과 같았다.

리나는 항상 내가 돌아가야 하는 곳이었다. 내가 의도하지 않아도 나는 항상 리나를 향해 가고 있었다. 리나가 나를 향해 오고 있지 않을 때조차도 그랬다.

"조금 더 가야 돼."

통로를 따라 한 번 더 모퉁이를 돌자 담쟁이덩굴로 뒤덮인 복도가 나타났다. 횃불을 높이 쳐들었더니 이파리들 사이에서 황동 랜턴에 저절로 불이 켜졌다. "봐." 랜턴의 불빛이 덩굴 밑에 숨은 문의 윤곽을 밝혀 주었다. 나는 벽을 손으로 더듬어 차갑고 둥근 철제 걸쇠를 찾아냈다. 걸쇠는 초승달 모양이었다. 주술사의 달.

그 소리가 또 들렸다. 웃음소리. 틀림없이 리나였다. 세상에는 남자가 그냥 아무 이유 없이 알게 되는 일들이 있다. 나는 L을 알고 있었다. 내 심장이 나를 엉뚱한 곳으로 이끌지 않으리라는 것을 알고 있었다.

심장이 두근거렸다. 문을 밀자 문이 무겁게 신음했다. 문 뒤에는 웅장한 서재가 있었다. 그리고 저편 벽 앞에서 어떤 여자애가 기둥이 네 개 달린 거대한 침대 위에 누워 작은 빨간색 수첩에 뭔가를 갈겨쓰고 있었다.

"L!"

여자애가 깜짝 놀라서 고개를 들었다.

그런데 리나가 아니었다.

리브였다.

길을 아는 영혼

❖ 6.15 ❖

그 순간이 그대로 멈춰 버렸다. 침묵 속에서 어색하게. 그러고는 곧바로 소란과 혼란이 이어졌다. 링크가 리브에게 고함을 지르고, 리브는 내게 고함을 지르고, 나는 메리언 아줌마에게 고함을 지르고, 메리언 아줌마는 우리가 진정하기를 기다렸다.

"네가 여기 웬일이야?"

"축제장에서 왜 나만 혼자 내버려 뒀어?"

"얘가 여기 왜 있어요, 메리언 아줌마?"

"들어와라." 메리언 아줌마가 문을 열어 주고 우리가 지나갈 수 있게 뒤로 물러났다. 문이 내 등 뒤에서 쾅 하고 닫혔다. 메리언 아줌마가 문을 잠그는 소리가 들렸다. 갑자기 겁이 났다. 폐소 공포증 같기도 했다. 하지만 이 방이 결코 작은 편이 아니니 그런 기분이 드는 건 말이 되지 않았다. 어쨌든 방이 아주 좁고 갑갑하게 느껴졌다. 공기도 묵직했고, 내가 남의 침실처럼 아주 사적인 공간에 서 있다는 느낌이 들었다. 조금 전의 그 웃음소리처럼 이곳도 친숙하게 느껴졌다. 실제로는 그렇지 않을지라도. 돌기둥에서 본 얼굴과 같았다.

"여긴 어디예요?"

"한 번에 하나씩 물어, EW. 내가 네 질문에 대답할 때마다 너도 내 질문에 대답해라."

"리브가 왜 여기 있어요?" 그때 왜 화가 났는지는 알 수 없지만, 어쨌든 화가 났다. 내 주위에는 평범한 사람이 하나도 없는 건가? 다들 이렇게 비밀을 지니고 있어야 되는 거야?

"좀 앉을래?" 메리언 아줌마가 방 한가운데에 놓인 원형 탁자를 가리켰다.

리브는 짜증스러운 표정으로 말도 안 되게 화려한 불꽃이 타고 있는 벽난로 앞의 침대에서 일어섰다. 불꽃은 오렌지색이 아니라 밝은 흰색으로 타고 있었다.

"올리비아가 여기 있는 건 여름 동안 내 연구 조수로 일하기로 했기 때문이야. 이제 내 질문에 네가 대답할 차례다."

"잠깐만요. 그건 제대로 된 대답이 아니잖아요. 그건 저도 이미 아는 사실이라고요." 나도 메리언 아줌마 못지않게 고집이 셌다. 내 목소리가 방안에 울려 퍼졌다. 높고 둥근 천장에 복잡한 모양의 샹들리에가 걸려 있는 것이 눈에 들어왔다. 매끈하고 하얗고 광택이 나는 뿔 같은 것으로 만들어진 것 같았다. 아냐, 혹시 뼈인가? 철세공 촛대에는 길고 끝이 점점 가늘어지는 초가 놓여 있고, 그 초가 섬세하게 일렁이는 빛으로 방을 비추고 있었다. 하지만 그 빛이 닿지 않는 곳은 여전히 어둡고 비밀스러웠다. 구석의 어둠 속에 높고 까만 침대의 네 기둥이 보였다. 나는 그것과 똑같은 침대를 전에 어디선가 본 적이 있었다. 오늘은 모든 것이 전부 어디선가 이미 본 것 같은 괴상한 느낌이 들어서 미칠 것만 같았다.

메리언 아줌마가 내 말에는 전혀 개의치 않고 의자 등받이에 몸을 기댔다. "이선, 여기는 어떻게 찾아냈니?"

리브가 내 옆에 서 있는데 내가 무슨 말을 할 수 있을까? 리나의 목소리가 들리고, 리나의 존재가 느껴지는 것 같았다고? 그런데 내 본능이 찾아낸 것이 사실은 리브였다고? 나도 뭐가 어떻게 된 건지 알 수 없었다.

나는 시선을 피했다. 검은 나무 책꽂이들이 바닥에서 천장까지 닿아 있고, 거기에는 내가 스톱 앤 스틸을 드나든 것보다 더 많이 이 세계를 왕래한 누군가의 개인적인 소장품임이 분명한 신기한 물건들과 책들이 빽빽이 들어차 있었다. 선반 중 한 곳에는 옛날 약방처럼 골동품 약병들이 줄지어 서 있었다. 또 다른 선반에는 책들이 쌓여 있었다. 그걸 보니 애마 아줌마의 방이 생각났다. 애마 아줌마의 방에는 낡은 신문 더미와 무덤에서 퍼온 흙이 담긴 병들이 있다는 점이 다를 뿐이었다. 그런데 유난히 눈에 띄는 책이 있었다.《어둠과 빛: 마법의 기원》.

내가 아는 책이었다. 침대, 이 서재, 흠 잡을 데 없이 진열된 아름다운 것들도 마찬가지였다. 이 방의 주인은 딱 한 사람뿐이었다. 비록 그 사람은 사람이 아니었지만. "여긴 메이컨 아저씨의 방이죠?"

"그럴지도 모르지."

링크가 의식용 단검처럼 생긴 것을 가지고 장난을 치다가 떨어뜨렸다. 단검이 챙그랑 소리를 내며 바닥으로 떨어지자 링크는 당황해서 그것을 주워 선반에 돌려놓으려고 했다. 죽었든 살았든 메이컨 레이븐우드는 여전히 링크에게 무섭기 짝이 없는 존재였다.

"주술사 터널이 레이븐우드에 있는 메이컨 아저씨의 침실과 곧바로 연결돼 있는 것 같네요." 이 방은 레이븐우드에 있던 메이컨의 침실과 거울처럼 닮아 있었다. 다만 햇빛을 가리는 두꺼운 커튼이 없을 뿐이었다.

"그럴 수도 있겠지."

"제가 서고에서 환영을 본 뒤에 이 책을 못 보게 하려고 이리로 가져오신 거죠?"

메리언 아줌마는 조심스럽게 대답했다. "네 말이 맞다고 치자. 여기가 메이컨의 개인 서재라고 치자고. 메이컨이 생각을 정리하던 곳. 그렇다 해도 네가 오늘 밤에 여길 찾아온 건 어떻게 된 일이니?"

나는 발밑의 두꺼운 인도식 양탄자를 발로 찼다. 복잡한 무늬가 수놓아
진 흑백 양탄자였다. 나는 이곳을 어떻게 찾아냈는지 설명하고 싶지 않았
다. 혼란스러웠다. 내가 여기를 찾아온 경위가 진실일 가능성도 있었다. 하
지만 어떻게 그럴 수 있을까? 어떻게 내 본능이 리나가 아닌 다른 사람을
찾아낸 걸까?

하지만 여기서 메리언 아줌마에게 자초지종을 말하지 않는다면, 이 방
에서 결코 나갈 수 없게 될 수도 있었다. 그래서 나는 진실을 절반만 말하
기로 했다. "저는 리나를 찾고 있었어요. 리들리랑 리들리의 친구 존과 함
께 리나가 여기 내려와 있었거든요. 제 생각에 리나가 곤란한 일에 휘말린
것 같아요. 리나가 오늘 축제장에서 뭔가 저질렀는데…."

"간단히 말하자. 리들리는 리들리답게 굴었지만, 리나까지 리들리처럼
굴었다고 말이야. 막대사탕이 시간외 근무를 한 모양이지." 링크는 슬림짐
과자의 포장을 벗고 있었기 때문에 내가 자기를 빤히 바라보는 걸 알아
차리지 못했다. 나는 메리언 아줌마나 리브에게 자세한 이야기를 할 생각
은 없었다.

"저희는 서가들 사이에 있었는데, 여자애의 웃음소리가 들렸어요. 뭐랄
까, 행복한 웃음소리 같았어요. 그래서 그 여자애를 따라 여기까지 온 거예
요. 그 목소리요. 저도 어떻게 된 건지 잘 모르겠어요." 나는 리브를 몰래 흘
깃 바라보았다. 리브의 하얀 피부가 분홍색으로 달아오른 것이 보였다. 리
브는 아무것도 없는 벽을 빤히 바라보고 있었다.

메리언 아줌마가 손뼉을 치듯 양손을 부딪혔다. 엄청난 것을 알아냈다
는 표시였다. "그 웃음소리가 친숙하게 들린 모양이구나."

"네."

"그래서 아무 생각 없이 그 소리를 따라왔겠지. 거의 본능적으로."

"그렇다고 할 수 있죠." 메리언 아줌마가 무슨 이야기를 할 생각인지 알
수 없었지만, 메리언 아줌마의 눈빛이 미친 과학자 같았다.

"너 리나와 함께 있을 때, 굳이 말하지 않아도 리나랑 이야기를 할 수 있을 때가 있지?"

나는 고개를 끄덕였다. "켈팅 말씀이세요?"

리브가 깜짝 놀란 표정으로 나를 바라보았다. "평범한 일반인이 어떻게 켈팅에 대해 알고 있는 거예요?"

"그거 아주 좋은 질문이다, 올리비아." 두 사람이 서로를 바라보는 시선에 나는 기분이 상했다. "그런 질문에는 마땅히 대답을 해 줘야겠지." 메리언 아줌마는 선반으로 가서 자기 가방 속의 자동차 열쇠를 찾을 때처럼 메이컨의 책들을 뒤졌다. 메이컨은 지금 이 자리에 없는데도, 메리언 아줌마가 메이컨의 책들을 뒤적이는 모습이 신경에 거슬렸다.

"그냥 어쩌다 그렇게 된 거예요. 머릿속에서 서로를 찾아냈다고나 할까?"

"너, 마음을 읽을 수 있는데 나한테 그런 얘길 안 한 거야?" 링크가 나를 뚫어지게 바라보았다. 사실은 내가 실버 서퍼라는 사실을 방금 알아낸 것 같은 시선이었다. 링크는 불안한 표정으로 제 머리를 문질렀다. "야, 내가 리나에 대해서 생각했던 거 말이야. 난 그냥 널 놀린 거야." 링크가 시선을 피했다. "너 지금도 읽는 거냐? 읽는 거지, 그렇지? 야, 인마, 빨랑 내 머릿속에서 나가." 링크는 내게서 뒷걸음질 쳐서 책꽂이 속으로 들어갔다.

"난 네 마음은 못 읽어, 이 멍청아. 리나하고 내가 가끔 서로의 생각을 들을 수 있을 뿐이야." 링크는 마음이 놓인 표정이었지만, 그래도 쉽게 놓아 줄 수는 없었다. "너 리나에 대해서 무슨 생각 했어?"

"아무 생각 안 했어. 그냥 널 놀린 거라니까." 링크는 선반에서 책을 한 권 꺼내 훑어보는 척했다.

메리언 아줌마가 링크의 손에서 책을 빼앗았다. "여기 있구나. 바로 내가 찾던 책이야." 메리언 아줌마는 그 해진 가죽 책을 열어 바삭거리는 책장들을 넘겼다. 그 속도가 아주 빠른 것을 보니 구체적으로 찾는 것이 있는 모양이었다. 아무래도 그 책은 옛날 교과서나 참고 문헌 안내서 같았다.

"여기 있다." 메리언 아줌마가 리브에게 책을 내밀었다. "여기 친숙한 내용이 있니?" 리브는 몸을 가까이 기울여 메리언 아줌마와 함께 책장을 넘기며 가끔 고개를 끄덕였다. 메리언 아줌마가 몸을 똑바로 세우고 리브에게서 책을 가져왔다. "자, 평범한 일반인이 켈팅을 할 수 있는 방법이 뭐지, 올리비아?"

"그런 방법은 없어요. 평범한 일반인이 아니어야만 가능해요, 애시크로프트 교수님." 두 사람은 이제 막 걸음마를 뗀 아이를 바라보듯이 나를 보며 빙긋 웃었다. 어찌 보면 내가 불치병에 걸렸다고 말해 주기 직전의 표정 같기도 했다. 나는 그 자리에서 냅다 도망치고 싶었다.

"무슨 장난인지 모르지만 저도 좀 끼워 주시죠?"

"장난하는 거 아냐. 네가 직접 봐라." 메리언 아줌마가 책을 건네주었다.

나는 책이 펼쳐진 곳을 보았다. 내가 무슨 교과서 같다고 생각한 것이 맞았다. 이 책은 일종의 주술사 백과사전으로 내가 알 수 없는 언어와 그림들이 책장마다 가득 있었다. 하지만 영어로 된 부분도 있었다. "길을 아는 자." 나는 메리언 아줌마를 바라보았다. "제가 이렇다고요?"

"계속 읽어 봐."

"길을 아는 자. 동의어: 대장, 사색가, 지사, 장군, 척후병, 항법사. 길을 표시하는 자." 나는 뭐가 뭔지 알 수 없는 채로 시선을 들었다.

하지만 평소와 달리 링크는 뭔가를 알아차린 눈치였다. "그러니까 이 녀석이 인간 나침반 같은 거라고요? 초능력치고는 참 어설프네요. 넌 주술사 판 아쿠아맨(만화 주인공 – 옮긴이)인가 보다."

"아쿠아맨?" 메리언 아줌마는 만화를 좋아하는 편이 아니었다.

"물고기랑 이야기하는 능력이 있어요." 링크는 고개를 저었다. "투시 능력 같은 건 없지만요."

"나한테 무슨 초능력이 있다고 그래?" 그렇지?

"계속 읽어 봐." 메리언 아줌마가 책을 가리켰다.

"십자군 전쟁 이래로 우리는 계속 봉사해 왔다. 이름이 아주 많았지만, 또한 하나도 없었다. 중국의 시황제가 만리장성을 구상할 때 그의 귓가에 들려오던 속삭임이나 스코틀랜드의 가장 용감한 기사가 조국의 독립을 위해 피땀을 흘릴 때 그의 곁을 충성스럽게 지키던 동료처럼 원대한 목적을 지닌 일반인들에게는 항상 그들을 이끌어 주는 자가 있었다. 콜럼버스와 바스코 다 가마의 배들이 길을 잃고 헤맬 때 그들을 신세계로 이끌어 준 사람들이 있었던 것처럼, 우리는 커다란 의미를 지닌 길을 걸어가야 할 주술사들을 이끌어 주기 위해 존재한다. 우리는……." 나는 하나도 이해할 수 없었다.

그런데 그때 바로 내 옆에서 리브의 목소리가 들렸다. 리브는 책을 완전히 암기하고 있는 것 같았다. "사라진 것을 찾아내는 자이다. 길을 아는 자이다."

"끝까지 읽어 봐." 메리언 아줌마의 표정이 갑자기 진지해졌다. 그 말이 무슨 예언이라도 된다고 생각하는 것 같았다.

"우리는 원대한 것들, 원대한 목적과 원대한 목표를 위해 바쳐진 사람들이다. 우리는 중요한 것들, 중요한 목적과 중요한 목표를 위해 바쳐진 사람들이다." 나는 책을 닫아 메리언 아줌마에게 돌려주었다. 더 이상 알고 싶지 않았다.

메리언 아줌마의 표정을 읽기가 힘들었다. 메리언 아줌마는 손으로 책을 계속 만지작거리다가 리브를 바라보았다. "네 생각은 어떠니?"

"가능해요. 전례도 있었어요."

"레이븐우드에는 없었어. 두케인도 마찬가지고."

"하지만 애시크로프트 교수님이 직접 말씀하셨잖아요. 리나의 결정에는 결과가 따른다고. 만약 리나가 빛을 선택하면 그 가문의 어둠의 주술사들이 모두 죽을 테고, 리나가 어둠을 선택하면……." 리브는 말을 끝맺지 않았다. 그 뒷부분은 우리도 모두 알고 있었다. 리나 가문의 빛의 주술사들이 모두 죽을 거라는 것. "그런데도 리나가 걸어가야 할 길에 커다란 의미가 없다고 하실 거예요?"

나는 이 대화가 나아가는 방향이 마음에 들지 않았다. 이 대화가 정확히 어디를 향하고 있는지 아직 확신할 수 없는데도 그랬다. "저기요, 두 분? 저도 여기 같이 있거든요. 저한테도 힌트 같은 것 좀 주시죠?"

리브가 도서관에서 아이에게 소리 내어 책을 읽어 줄 때처럼 천천히 말했다. "이선, 주술사 세계에서는 원대한 목적을 지닌 사람들만 길을 아는 자를 갖고 있어. 길을 아는 자는 흔하지 않아. 아마 백 년에 한 번 꼴일걸. 어쩌다가 우연히 나타나는 경우는 전혀 없고. 만약 네가 길을 아는 자라면, 틀림없이 뭔가 이유가 있을 거야. 원대한 목적이든 무시무시한 목적이든. 넌 주술사 세계와 일반인 세계를 이어 주는 다리야. 그러니까 뭘 하든지 항상 아주 신중해야 돼."

내가 침대에 앉자 메리언 아줌마도 내 옆에 앉았다. "너한테도 너만의 운명이 있다는 얘기야. 리나처럼. 그러니까 상황이 아주 복잡해질 수도 있어."

"그럼 지난 몇 달 동안의 일은 안 복잡했나요?"

"내가 어떤 것들을 봤는지 넌 짐작도 못해. 네 엄마도 그것들을 보았지." 메리언 아줌마가 시선을 피했다.

"그럼 제가 그 길을 아는 자라는 말씀이세요? 링크 말처럼 인간 나침반이라고요?"

"단순히 그 정도가 아냐. 길을 아는 자는 그냥 길을 아는 게 아냐. 그들이 바로 길이야. 길을 아는 자는 주술사들이 운명적으로 걷게 되어 있는 길을 따라가게 이끌어 줘. 주술사들이 혼자 힘만으로는 그 길을 찾아내지 못할 수도 있으니까. 넌 레이븐우드를 위한 길을 아는 자일 수도 있고, 두케인을 위한 길을 아는 자일 수도 있어. 어느 쪽인지 지금은 잘 모르겠다." 리브는 이런 사실들을 잘 알고 있는 것 같았지만, 도무지 말이 되지 않았다. 두 사람의 말을 들으면서 나는 계속 그런 생각을 하고 있었다.

"메리언 아줌마, 리브한테 말해 주세요. 저는 길을 아는 자가 될 수 없어요. 제 부모님은 평범한 일반인이에요." 아무도 뻔한 사실을 말하지 않았다. 우리 엄마가 메리언 아줌마처럼 주술사 세계의 일부였다는 사실. 하지만 적어도 내게는 아무도 그 이야기를 입 밖에 내어 말하지 않을 것이다.

"길을 아는 자는 일반인이야. 주술사 세계와 우리 세계를 이어 주는 다리라고." 리브가 다른 책을 향해 손을 뻗었다. "게다가 네 어머니는 결코 평범한 일반인이 아니었어. 나나 애시크로프트 교수님이랑 똑같이."

"올리비아!" 메리언 아줌마가 그대로 얼어붙었다.

"설마…."

"이선의 어머니는 이선에게 알리고 싶어 하지 않았어. 그래서 내가 약속했다. 혹시 무슨 일이 일어나면…."

"그만하세요!" 나는 책을 탁자 위에 쾅 하고 내려놓았다. "오늘은 아줌마의 규칙을 지킬 기분이 아니에요."

리브는 과학 실험을 위해 만들었다는 손목시계를 불안하게 만지작거렸다. "제가 정말 바보짓을 했네요."

"너 우리 엄마에 대해 뭘 알고 있는 거야?" 나는 리브에게 시선을 돌렸다. "당장 말해."

메리언 아줌마가 내 옆의 의자에 무너지듯 주저앉았다. 리브의 뺨에 난 분홍색 자국들이 더욱 붉어졌다. "정말 미안해." 리브는 무기력하게 메리언 아줌마와 나를 번갈아 바라보며 고개를 저었다.

메리언 아줌마가 한 손을 들어 올렸다. "올리비아는 네 엄마에 대해 모든 걸 알고 있어, 이선."

나는 리브에게 시선을 돌렸다. 리브가 내게 무슨 말을 할지 나는 이미 알고 있었다. 그동안 진실은 계속 내 머릿속으로 비집고 들어오려 했다. 리브는 주술사들과 길을 아는 자에 대해 너무 많은 것을 알고 있었다. 게다가 지금 터널 속에 있는 메이컨의 서재에 서 있다. 내가 두 사람이 말하는 내 정체 때문에 머리가 뒤죽박죽 헝클어지지만 않았다면, 리브의 정체를 이미 알아차렸을 것이다. 그걸 깨닫는 데 왜 그렇게 오랜 시간이 걸렸는지 지금도 잘 모르겠다.

"이선."

"너도 그거구나. 메리언 아줌마나 우리 엄마랑 같아."

"그거?" 리브가 물었다.

"보관자." 이 말을 내 입으로 하고 나니 현실이 되었다. 나는 갖가지 감정이 들끓는 것 같은데도 동시에 아무것도 느껴지지 않는 이상한 기분이었다. 우리 엄마가 주술사 세계의 열쇠들이 끼워진 커다란 열쇠고리를 들고 이 터널에 내려왔었다니. 우리 엄마가 자기만의 비밀을 갖고 있었다니. 아빠와 나는 이 비밀의 세계에 와 본 적도 없고, 이 세계의 일부가 될 수도 없었다.

"난 보관자가 아냐." 리브는 당황한 표정이었다. "아직은 아냐. 언젠가 그렇게 될지도 모르지. 지금 훈련 중이니까."

"개틀린 카운티 도서관의 사서 이상인 존재가 되려고 훈련을 받으러 여기에 온 거구나. 그렇게 화려한 장학금을 탔으면서 이 오지로 온 이유가 그거야. 혹시 장학금 얘기도 거짓말이었나?"

"난 거짓말은 진짜 못해. 장학금 얘기는 사실이야. 다만 듀크 대학보다 훨씬 먼저 만들어진 학회에서 주는 것뿐이야."

"그럼 해로 학교는?"

리브는 고개를 끄덕였다. "그것도."

"그럼 오벌틴은? 그것도 거짓말이었어?"

리브는 쓸쓸하게 웃었다. "난 킹스 랭글리 출신이고, 정말로 오벌틴을 좋아해. 하지만 진짜 솔직하게 말한다면, 개틀린에 온 뒤로 오벌틴보다 네스퀵을 더 좋아하게 됐어."

링크는 말문이 막힌 채 침대에 앉았다. "난 쟤 말을 하나도 못 알아듣겠어."

리브는 책장을 넘겨 보관자들의 계보를 펼쳤다. 엄마의 이름이 거기서 나를 빤히 바라보고 있었다. "애시크로프트 교수님 말씀이 맞아. 난 라일라 이버스 웨이트를 연구했어. 네 어머니는 뛰어난 보관자이고, 놀라운 저술가였어. 선대 보관자들이 남긴 메모를 읽는 게 내 수업 과정의 일부야."

메모? 엄마가 남긴 메모가 있고, 리브는 그걸 봤는데 나는 못 봤다고? 나는 구멍이 뚫릴 정도로 벽을 후려치고 싶은 충동을 억눌렀다. "왜? 선대 보관자들과 같은 실수를 저지르지 않으려고? 목격자도 없고 경위도 알 수 없는 사고로 죽어 버리지 않으려고? 뒤에 남은 식구들이 이 비밀의 세계에 대해 알아내고서 왜 그런 얘기를 한 번도 해 주지 않았는지 고민하는 걸 막으려고?"

리브의 뺨에 분홍색 얼룩 두 개가 또 나타났다. 이제는 눈에 익숙한 광경이었다. "내가 그분들의 작업을 이어서 그분들의 목소리를 계속 전하기 위해서야. 그 덕분에 언젠가 내가 보관자가 되면 주술사 서고를 지키는 법을 알게 될 거야. 루나에 리브리, 두루마리, 주술사들이 직접 남긴 기록 같은 것들 말이야. 선대 보관자들의 목소리를 듣지 않으면 그걸 지킬 수 없어."

"왜?"

"그분들이 내 스승이시니까. 난 그분들의 경험, 그분들이 보관자로 일하면서 쌓은 지식에서 교훈을 얻고 있어. 모든 게 서로 연결돼 있어. 그분들이 남긴 기록이 없다면, 나는 나 자신이 찾아낸 사실들을 이해할 수 없을 거야."

나는 고개를 저었다. "이해를 못하겠어."

"이해를 못하겠다고? 난 너희가 무슨 얘기를 하는 건지도 모르겠어." 링크가 침대에서 목소리를 높였다.

메리언 아줌마가 내 어깨를 손으로 짚었다. "네가 들은 목소리 말이야.

홀에서 들린 웃음소리. 어쩌면 네 엄마의 목소리였는지도 몰라. 라일라가 널 이리로 이끈 거야. 우리가 이런 대화를 나누기를 바랐던 거겠지. 그래야 네가 너 자신의 목적, 리나나 메이컨의 목적을 이해하게 될 테니까. 넌 그 두 집안 중 한 곳, 그리고 그 두 사람 중 하나의 운명에 속박의 주술로 묶여 있어. 둘 중 어느 쪽인지 아직 모를 뿐이야."

나는 기둥에 나타났던 얼굴, 웃음소리, 그리고 메이컨의 방에서 느끼는 기시감에 대해 생각해 보았다. 정말로 엄마였을까? 나는 벌써 몇 달째 엄마가 보내는 신호를 기다리고 있었다. 리나와 내가 서재에서 책에 담긴 메시지를 발견한 그날부터 줄곧.

엄마가 마침내 나한테 연락을 시도하고 있는 걸까?

만약 그런 게 아니라면?

나는 새로운 사실을 하나 깨달았다. "만약 제가 길을 아는 자라면… 물론 방금 들은 얘기를 믿는다는 소리는 아니지만…. 그렇다면 제가 리나를 찾을 수 있어야 하잖아요, 맞죠? 제가 리나의 나침반인지 뭔지 하는 존재니까 제가 리나를 돌봐줘야 하잖아요."

"그건 아직 확실히 몰라. 네가 누군가에게 속박의 주술로 묶여 있는 건 사실이지만, 그게 누군지는 몰라."

나는 의자를 밀어내고 일어서서 책꽂이로 걸어갔다. 메이컨의 책이 선반 가장자리에 놓여 있었다. "그걸 누가 아는지 제가 알아요." 나는 책을 향해 손을 뻗었다.

"이선, 그만둬!" 메리언 아줌마가 소리쳤다. 내 손가락이 책 표지를 채 스치지도 않았는데 바닥이 사라지면서 끝을 알 수 없는 다른 세계로 변했다.

마지막 순간에 누군가가 내 손을 잡았다. "나도 데려가, 이선."

"리브, 안 돼…."

긴 갈색 머리의 여자가 키 큰 남자에게 필사적으로 매달려 그의 가슴에 얼굴을 묻고 있었다. 거대한 떡갈나무 가지들이 두 사람 주위까지 뻗어 내려와, 두 사람이 담쟁이덩굴로 덮인 듀크 대학의 건물들에서 겨우 몇 미터 떨어진 곳이 아니라 자기들만의 세계에 있는 것 같은 분위기를 만들어 냈다.

남자가 눈물로 얼룩진 여자의 얼굴을 양손으로 부드럽게 감쌌다. "나는 쉬운 줄 알아? 사랑해, 제인. 앞으로 다시는 어느 누구에게도 이런 감정을 느끼지 못할 거야. 하지만 우린 선택의 여지가 없어. 우리가 작별해야 할 때가 반드시 올 거라는 걸 너도 알고 있었잖아."

제인은 단호한 표정으로 턱을 들어 올렸다. "선택의 여지는 항상 있어, 메이컨."

"지금 상황에서는 아니야. 어떤 선택을 해도 네가 위험에 빠질 거야."

"하지만 네 어머니가 어쩌면 길이 있을지도 모른다고 하셨어. 예언도 있잖아."

메이컨은 갑갑한 표정으로 손바닥으로 나무를 쳤다. "젠장, 제인. 그건 그냥 할머니들이 하는 말이야. 어떤 길을 택해도 결국은 네가 죽게 된다고."

"그래, 우리의 몸이 하나가 될 수 없다 치자. 난 그런 거 상관없어. 그래도 우리가 함께 있을 수는 있잖아. 그거면 돼."

메이컨이 여자에게서 멀어졌다. 얼굴이 고통스럽게 일그러져 있었다. "일단 변화하고 나면 나는 위험해져. 흡혈 몽마니까. 피를 갈망하게 될 거야. 우리 아버지는 나도 아버지처럼 될 거라고 하셨어. 아버지도 그랬으니까. 우리 집안의 모든 남자들이 그랬으니까. 5대조 할아버지인 에이브러햄 때부터."

"에이브러햄 할아버지라면, 초자연체가 저지를 수 있는 최고의 죄악은 일반인과 사랑에 빠지는 거라고 믿었던 분이지? 그게 초자연체의 혈통을 오염시킨다고 하셨잖아. 넌 네 아버지를 믿지 않아. 네 아버지도 마찬가지고. 네 아버지가 우리를 떼어놓으려 하는 건 네가 개틀린으로 돌아오기를 바라기 때문이야. 너도 그 끔찍한 마을에서 네 동생처럼 지하를 기어다니기를 바란다고. 괴물처럼."

"이미 너무 늦었어. 벌써 변화의 기운이 느껴져. 밤새 깨어서 일반인들의 생각을 들으며 굶주림을 느낀다고. 머지않아 일반인들의 생각보다 더 많은 걸 갈망하게 될 거야. 벌써 내 몸이 스스로를 감당하지 못하는 것 같아. 속에서 짐승이 내 몸을 찢고 튀어나올 것 같아."

제인은 고개를 돌렸다. 눈에 또 눈물이 차올랐다. 하지만 메이컨은 이제 제인이 그렇게 외면하게 내버려 둘 수가 없었다. 그는 제인을 사랑했다. 사랑하기 때문에 더 이상 만나면 안 되는 이유를 제인에게 이해시켜야 했다. "지금도 빛이 내 살갗을 태울 것처럼 뚫고 들어와. 태양의 열기가 아주 강렬하게 느껴져. 언제나. 난 벌써 변하고 있어. 앞으로는 더 심해지기만 할 거야."

제인은 양손에 얼굴을 묻고 흐느꼈다. "나를 겁주려고 그런 말을 하는 거지? 방법을 찾고 싶지 않으니까."

메이컨은 제인의 어깨를 움켜쥐고 제인이 억지로 자신을 보게 만들었다. "그래, 맞아. 난 지금 너를 겁주고 있어. 내 동생이 변환 뒤에 제 일반인 여자 친구를 어떻게 했는지 알아?" 메이컨은 잠시 가만히 있다가 말을 이었다. "그 여자를 찢어발겼어."

느닷없이 메이컨의 고개가 뒤로 홱 젖혀졌다. 황금빛을 띤 노란 홍채가 묘하게 까만 동공을 둘러싸고 반짝였다. 쌍둥이 태양의 일식 같았다. 메이컨은 제인에게서 고개를 돌렸다. "절대 잊지 마라, 이선. 겉모습을 그대로 믿으면 안 돼."

나는 눈을 떴다. 하지만 안개가 걷힐 때까지 아무것도 보이지 않았다. 눈에 점점 초점이 맺히면서 서재의 둥근 천장이 보였다.

"야, 이거 무섭다. 〈엑소시스트〉처럼 무서워." 링크는 고개를 절레절레 젓고 있었다. 내가 팔을 내밀자 링크가 나를 일으켜 주었다. 심장은 아직도 두방망이질 치고 있었다. 나는 리브를 보지 않으려 했다. 리나나 메리언 아줌마 외에 다른 사람과 함께 환영을 본 건 이번이 처음이라서 불편했다. 리브를 볼 때마다 생각나는 거라고는 내가 이 방으로 들어오던 순간뿐이었다. 내가 리브를 리나로 착각했던 순간.

리브가 비틀거리며 일어나 앉았다. "환영에 대해 말씀하신 적이 있죠, 애시크로프트 교수님. 그런데 환영이 이렇게 실감나는 줄은 정말 몰랐어요."

"왜 그런 짓을 했어?" 마치 내가 리브를 메이컨의 사적인 순간 속으로 끌고 들어가서 메이컨을 배신한 것 같았다.

"안 될 것도 없잖아." 리브는 초점을 맞추려고 눈을 비볐다.

"네가 봐서는 안 되는 환영일 수도 있잖아."

"내가 환영 속에서 보는 건 네가 보는 거랑 완전히 달라. 넌 보관자가 아니니까. 네 화를 돋우려고 하는 말은 아니지만, 넌 훈련을 받지 않았어."

"내 화를 돋울 거면서 왜 화를 돋울 생각이 아니라고 말하는 거야?"

"그만." 메리언 아줌마가 기대에 찬 시선으로 우리를 바라보았다. "뭘 봤니?"

리브의 말이 옳았다. 나는 환영의 의미를 이해하지 못했다. 주술사들과 마찬가지로 몽마들도 일반인과 하나가 될 수 없다는 사실을 알았을 뿐이었다. "메이컨 아저씨가 어떤 여자랑 함께 있었는데, 자기가 흡혈 몽마가 될 거라고 말했어요."

리브가 밉살맞은 표정을 지었다. "메이컨은 변환을 겪고 있었어요. 그래서 아주 약한 상태인 것 같았어요. 환영이 왜 그 순간을 우리한테 보여 줬는지는 모르지만, 틀림없이 뭔가 의미가 있겠죠."

"헌팅이 아니라 메이컨인 게 확실해?" 메리언 아줌마가 물었다.

"네." 우리가 한목소리로 말했다. 나는 리브를 바라보았다. "메이컨 아저씨는 헌팅과 달랐어요."

리브는 잠시 생각을 하더니 침대 위의 공책을 들어 뭔가 적고는 홱 닫아 버렸다.

끝내주는군. 이번에도 공책을 들고 다니는 여자애라니.

"두 분은 전문가잖아요. 두 분이 해석해 보세요. 저는 리들리랑 그 친구가 리나에게 후회할 일을 시키기 전에 리나를 찾으러 갈 테니까요."

"리나가 리들리에게 조종당하고 있다는 얘기니? 그건 불가능해, 이선. 리나는 자연체야. 사이렌이 리나를 조종할 수 없어." 메리언 아줌마는 내 말을 간단히 반박해 버렸다.

하지만 아줌마는 존 브리드에 대해 모르고 있었다. "리들리를 도와주는 사람이 있다면요?"

"도와주는 사람이라니?"

"대낮에도 돌아다닐 수 있는 몽마이거나, 아니면 메이컨 아저씨의 힘과 이동 능력을 지닌 주술사일 거예요. 어느 쪽인지는 잘 모르겠어요." 확실한 설명은 아니었지만, 존 브리드의 정체를 모르니까 어쩔 수 없었다.

"이선, 네가 뭘 착각했겠지. 그런 능력을 지닌 몽마나 주술사가 있다는 기록은 없어." 메리언 아줌마는 벌써 선반에서 책 한 권을 꺼내고 있었다.

"분명히 존재해요. 존 브리드가 바로 그렇다고요." 메리언 아줌마가 존의 정체를 모른다면, 이 서재의 책 속에서도 답을 찾을 수 없을 것이다.

"믿기는 힘들지만 만약 네 말이 맞다 해도 그 남자가 어떤 능력을 지니고 있는지는 나도 잘 모르겠다."

나는 링크를 바라보았다. 링크는 제 지갑에 달린 사슬을 배배 꼬고 있었다. 우리는 지금 같은 생각을 하고 있었다. "전 리나를 찾아야 돼요." 나는 대답을 기다리지 않았다.

링크가 문의 잠금장치를 열었다.

메리언 아줌마가 일어섰다. "리나를 쫓아가면 안 돼. 너무 위험해. 여기 터널 안에는 상상도 할 수 없는 힘을 지닌 생물들과 주술사들이 있어. 넌 여기 와 본 적이 한 번밖에 없잖니. 게다가 네가 본 건 이 커다란 터널 안에서 통로들뿐이야. 여긴 다른 세계나 마찬가지야."

나는 허락을 구할 생각이 없었다. 엄마가 나를 이리로 이끌었는지는 몰라도, 내 곁에 없다는 건 변하지 않았다. "아줌마는 개입할 수 없으니까 절 막을 수도 없어요, 맞죠? 아줌마가 할 수 있는 일이라고는 가만히 앉아서 제가 일을 망치는 걸 지켜본 다음에 리브 같은 사람들이 나중에 공부할 수 있게 글로 남기는 것뿐이에요."

"넌 터널 안에 뭐가 있는지 몰라. 네가 터널 안의 존재들과 맞닥뜨리더라도 난 널 도와줄 수 없어."

그런 건 상관없었다. 메리언 아줌마의 말이 끝났을 때 나는 이미 문 앞에 다다라 있었다. 리브가 내 뒤를 따라왔다. "제가 갈게요, 애시크로프트 교수님. 이 애들이 아무 일도 안 당하게 할게요."

메리언 아줌마가 문으로 다가왔다. "올리비아, 넌 여길 잘 몰라."

"그건 저도 알아요. 하지만 이 애들한테 제가 필요할 거예요."

"정해진 일을 바꿀 수는 없어. 넌 개입하면 안 돼. 그게 아무리 고통스러워도 어쩔 수 없어. 보관자의 역할은 목격과 기록이야. 일어나는 일들을 바꾸는 게 아니라."

"아줌마 꼭 복도 경비 같아요." 링크가 히죽 웃었다.

리브의 눈이 가늘어졌다. 영국에도 학교 복도에서 무단결석하는 애들을 감시하는 경비원들이 있을 텐데. "세상의 이치를 저한테 설명해 주실 필요는 없어요, 애시크로프트 교수님. 저도 K 레벨에 다다른 뒤부터 죽 그걸 공부했으니까요. 하지만 현장을 보는 것이 허락되지 않는다면, 제가 어떻게 목격자가 될 수 있겠어요?"

"주술사 두루마리의 기록을 읽으면 되잖니. 다른 보관자들처럼."

"그래요? 열여섯 번째 달도 기록에 있어요? 두케인 가문의 저주를 깨 버릴 수도 있었던 운명의 결정은요? 그런 것도 두루마리에 적혀 있나요?" 리브는 자신의 달 시계를 흘긋 보았다. "지금 뭔가 일이 벌어지고 있어요. 사상 초유의 힘을 지닌 이 초자연체의 등장, 이선의 환영, 그리고 과학적인 이상 현상까지. 제 셀레노미터에 미세한 변화가 감지됐어요."

미세하다는 건 존재하지 않는다는 뜻이다. 나도 거짓말을 구분하는 능력 정도는 지니고 있다. 올리비아 듀런드도 우리와 마찬가지로 여기에 갇힌 존재였고, 우리는 리브가 여기서 빠져나갈 수 있게 해 주는 방편이었다. 리브는 터널 안에서 나와 링크가 어찌 될까 봐 걱정하는 게 아니었다. 그저 제대로 된 인생을 원할 뿐이었다. 바로 얼마 전까지 내가 잘 알고 있던 어떤 여자아이가 그랬던 것처럼.

"명심해라…."

메리언 아줌마의 말이 끝나기 전에 문이 닫혀 버렸다. 우리는 그 자리를 떠났다.

추방

✦ 6.15 ✦

문이 우리 등 뒤에서 쾅 하고 닫혔다. 리브는 낡은 가죽 배낭을 똑바로 고쳐 멨고, 링크는 터널 벽에서 횃불을 하나 잡았다. 두 사람 모두 엄청난 미지의 영역 속으로 나를 따라올 각오가 되어 있었지만, 우리는 걸음을 떼지 못하고 서로를 빤히 바라보기만 했다.

"왜 그래?" 리브가 기대에 찬 표정으로 나를 바라보았다. "어려운 일도 아니잖아. 네가 길을 알거나, 아니면…."

"쉬. 이선한테 조금만 시간을 줘 봐." 링크가 손으로 리브의 입을 막았다. "포스를 사용해라, 젊은 스카이워커." 길을 아는 자에 관해 이러쿵저러쿵 들었던 말들이 조금은 묵직한 의미를 지니고 있는 것 같았다. 링크와 리브는 정말로 내가 길을 알고 있다고 생각하는 눈치였다. 하지만 내가 길을 모른다는 게 문제였다.

"이쪽이야." 나는 걸으면서 임기응변으로 대처할 작정이었다.

메리언 아줌마는 주술사 터널은 끝이 없으며, 우리가 사는 세계의 지하에 있는 또 다른 세계라고 말했다. 나는 지금에야 비로소 그 말이 무슨 뜻인지 실감했다. 우리가 첫 번째 모퉁이를 돌아서자 통로가 변하면서 좁아져 더 축축하고 더 어두운 원형의 벽이 되었다. 그래서 터널이라기보다는 튜브처럼 느껴졌다. 나는 앞으로 나아가기 위해 벽을 밀어 댔고, 내 횃불은 진흙 속에 떨어졌다.

"젠장." 나는 횃불의 나무 손잡이를 입으로 물고 계속 앞으로 나아갔다.

"이거 장난 아닌데." 내 뒤를 따라오던 링크가 제 횃불이 꺼지자 투덜거렸다.

리브는 그 뒤에 있었다. "내 것도 꺼졌어." 우리는 칠흑 같은 어둠 속에 있었다. 천장이 너무 낮아서 우리는 고개를 숙이고 진흙 범벅인 바위 밑을 지나가야 했다.

"야, 이거 진짜 무서워지려고 그래." 링크는 전부터 어둠을 싫어했다.

리브가 뒤에서 소리쳤다. "어쨌든 계속 가다 보면…"

내 머리가 어둠 속에서 뭔가 단단하고 깔쭉깔쭉한 것에 부딪혔다. "아얏!"

"…출입구가 나올 거야."

링크가 주머니에서 손전등을 꺼낸 모양이었다. 너울거리는 불빛이 우리 앞의 둥근 문을 비췄다. 지금까지 본 문들이 갈라진 나무나 부스러져 가는 돌로 되어 있었던 것에 비해, 이 문은 차가운 금속으로 되어 있었다. 벽에 난 맨홀 뚜껑 같은 모양이었다. 나는 어깨로 그 문을 밀어 보았지만 문은 꼼짝도 하지 않았다.

"이제 어쩌지?" 나는 리브에게 소리쳤다. 리브는 주술사와 관련된 문제들에 관해 설명해 주던 메리언 아줌마의 대역이었다. 리브가 공책을 팔랑팔랑 넘기는 소리가 들렸다.

"나도 몰라. 더 세게 밀어 보면 어떨까?"

"공책을 찾아보고 나온 대답이 고작 그거야?" 나는 화가 났다.

"내가 거기까지 기어가서 네 대신 문을 밀어 주리?" 리브도 즐겁지는 않은 모양이었다.

"야, 왜들 이래? 내가 이선을 밀 테니까, 넌 나를 밀어. 그리고 이선이 문을 미는 거야."

"좋았어." 리브가 말했다.

"어깨를 맞대고 미는 거야, MJ."

"뭐?"

"메리언 주니어. 모험을 원한 건 너야. 나보다 더 좋은 아이디어 있어?"

문에는 손잡이도 밸브도 없었다. 둥근 금속 문과 원형 벽의 이음매도 완벽했다. 틈새로 빛 한 줄기도 새어 나오지 않을 정도였다. "링크 말이 맞아. 선택의 여지가 없어. 여기서 돌아설 생각도 없고." 나는 내 어깨를 문에 쐐기처럼 갖다 댔다. "하나, 둘, 셋, 밀어!"

내가 손가락 끝으로 문을 만지자 내 살갗에 무슨 유전자 인식 열쇠 기능이라도 있는 것처럼 문이 활짝 열렸다. 링크가 나를 향해 엎어졌고, 리브는 우리 둘 위에 구르듯이 쓰러졌다. 나는 바닥에 쓰러지면서 돌처럼 보이는 물체에 머리를 부딪혔다. 너무 어지러워서 앞이 전혀 보이지 않았다. 눈을 떠 보니 가로등이 보였다.

"어떻게 된 거야?" 링크도 나만큼 정신이 없는 것 같았다.

나는 손끝으로 돌멩이들 가장자리를 더듬어 보았다. 자갈이었다. "내가 그냥 문을 만졌더니 문이 열렸어."

"놀라워." 리브가 일어서서 주위를 살폈다.

나는 런던처럼 보이는 도시의 거리에 누워 있었다. 역사책에서 바로 튀어나온 옛날 도시 같았다. 내 뒤의 길 끝에 그 둥근 문이 보였다. 그 옆에 붙어 있는 황동 거리 표지판에는 '웨스턴 출입구, 중앙도서관'이라고 적혀 있었다.

링크가 머리를 문지르며 내 옆에서 일어나 앉았다. "아, 젠장. 여긴 꼭 칼잡이 잭이 사람들을 난도질하던 골목 같아." 맞는 말이었다. 여기가 19세기 런던의 골목 입구라고 해도 될 것 같았다. 어두운 거리를 밝히는 것은 몇 개 되지 않는 가로등의 희미한 불빛뿐이었다. 골목 양편에는 벽돌로 높게 지은 다세대 주택들이 등을 보이고 있었다.

리브가 일어서서 바닥에 자갈이 깔리고 인적이 없는 길을 걸어가 낡은 철제 거리 표지판을 올려다보았다. '보관소.' "이게 이 터널의 이름인가 봐. 세상에. 애시크로프트 교수님한테 말은 들었지만 상상도 못했는데. 책에서 보는 것과 현실은 진짜 비교가 안 된다, 그치?"

"그러게, 엽서에서 보던 거랑은 완전히 다르잖아." 링크가 일어섰다. "내가 알고 싶은 건, 도대체 천장이 어디로 갔느냐는 거야." 둥글게 아치를 그리고 있던 터널의 천장이 보이지 않았다. 대신 어두운 저녁 하늘이 머리 위에 있었다. 지금까지 보아온 평범한 하늘과 마찬가지로 넓고 생생하고 별들이 가득했다.

리브가 공책을 써내 뭐라고 쓰기 시작했다. "모르겠어? 여긴 주술사 터널이야. 초자연적인 지하철 같은 게 아니라고. 그러니까 주술사들이 개를 린 지하를 기어 다니면서 도서관의 책들을 빌릴 수 있는 거야."

"그럼 터널은 도대체 뭐야?" 나는 가장 가까운 건물 측면의 거친 벽돌을 손으로 쓸어 보았다.

"다른 세계로 통하는 길이라고나 할까. 아니면, 어떤 의미에서는 그 자체로서 완전한 세계이기도 해."

뭔가 소리가 들렸다. 심장이 덜컹 내려앉았다. 리나가 켈팅을 통해 내게 다시 연락을 시도하려는 건가 싶었지만, 그건 착각이었다.

내가 들은 소리는 음악이었다.

"저거 들려?" 링크가 물었다. 나는 마음이 놓였다. 이 음악은 내 머릿속에서 들리는 게 아니었다. 골목 끝에서 들려오고 있었다. 지난 핼러윈 때, 그러니까 내가 새라핀의 영적인 공격에서 리나를 구출한 그날 밤에 레이븐우드의 파티에서 들었던 주술사 음악과 비슷했다.

나는 그날 밤을 떠올리며 리나의 소리가 들리지 않는지 귀를 기울이고,

리나를 느껴 보려고 했다. 하지만 아무것도 느껴지지 않았다.

리브가 셀레노미터를 확인하더니 공책에 또 뭐라고 적었다. "〈카르멘〉. 내가 어제 받아 적고 있었는데."

"쉬운 말로 좀 해 줄래?" 링크는 여전히 하늘을 올려다보며 뭐가 어떻게 된 건지 이해하려고 애쓰고 있었다.

"미안. '마법이 걸린 노래'라는 뜻이야. 주술사 음악이야."

나는 음악 소리를 따라 골목 끝으로 향했다. "저 음악이 뭔지는 몰라도 하여튼 저쪽에서 들리고 있어."

메리언 아줌마의 말이 맞았다. 루나에 리브리의 축축한 터널들을 돌아다니는 것과 지금의 상황은 완전히 달랐다. 우리는 지금의 상황을 전혀 이해할 수 없었다. 내가 알 수 있는 것은 거기까지였다.

내가 골목을 걸어가는 동안 음악 소리가 점점 커졌다. 발에 밟히던 자갈들은 점점 매끄러워지다가 아스팔트로 변했고, 거리 모양도 구세계의 런던 거리에서 현대의 슬럼가로 변했다. 어떤 대도시에서나 볼 수 있는, 황폐하고 잊힌 동네의 거리였다. 건물들은 버려진 창고 같았고, 깨진 창문에는 쇠창살이 달려 있었으며, 부서진 표지판 조각들이 어둠을 향해 형광빛으로 깜박였다. 사방이 담배꽁초와 쓰레기 천지였다. 건물 벽에는 주술사 세계의 기묘한 낙서들도 있었다. 내가 도저히 이해할 수 없는 상징들이 낙서로 그려져 있었다. 나는 낙서들을 가리키며 리브에게 물었다. "저게 무슨 의미인지 알아?"

리브는 고개를 저었다. "아니, 이런 건 나도 처음 봐. 하지만 틀림없이 뭔가 의미가 있을 거야. 주술사 세계에서는 모든 상징에 의미가 있거든."

"여긴 루나에 리브리보다 더 무섭다야." 링크는 리브 앞이라 멋진 척하려고 애쓰고 있었지만, 쉽지는 않은 모양이었다.

"돌아갈래?" 나는 링크에게 여기서 벗어날 수 있는 핑계를 주고 싶었다. 하지만 링크도 나처럼 자기 나름의 이유 때문에 여기에 내려와 있다는 것을 나도 알고 있었다. 링크의 이유가 나보다 더 섹시할 뿐이었다.

"날 겁쟁이로 만들 셈이냐?"

"쉬, 조용히…." 그 소리가 들렸다.

주술사 음악의 매혹적인 멜로디가 허공을 떠오다가 뭔가 다른 것으로 바뀌었다. 이번에는 오로지 나만 그 가사를 들을 수 있었다.

　　　　열일곱 개의 달, 열일곱 개의 두려움,

　　　　죽음의 고통과 눈물의 부끄러움,

　　　　표식을 찾고, 길을 걸어라

　　　　열일곱은 그저 추방을 알고 있다…

"그 노래가 들려. 우리가 가까이 온 거야." 나는 내 머릿속에서 자꾸만 반복되는 노랫소리를 따라갔다.

링크가 미친놈을 보듯이 나를 바라보았다. "들린다니 뭐가?"

"아무것도 아냐. 그냥 따라오기나 해."

더러운 거리에 늘어선 거대한 금속 문들은 모두 똑같이 긁힌 자국과 패인 자국 투성이였다. 거대한 동물이나 아니면 그보다 더 무서운 녀석한테 공격을 받은 것 같았다. 하지만 마지막 문은 예외였다. 안에서 〈열일곱 개의 달〉이 들려오고 있는 그 문은 검은색이었으며, 다른 곳보다 더 많은 주술사 낙서로 뒤덮여 있었다. 그런데 색다른 상징 하나가 눈에 띄었다. 그건 스프레이 페인트로 문에 그린 것이 아니라, 조각처럼 새긴 것이었다. 나는 나무에 새겨진 그 조각의 선들을 손가락으로 훑었다. "이건 좀 다른데. 켈트 상징이랑 비슷해."

리브가 속삭이는 소리로 말했다. "켈트 상징이 아니라 니아드야. 주술사 세계의 고대어. 루나에 리브리에도 그 언어로 되어 있는 낡은 두루마리가 아주 많아."

"그럼 이건 무슨 뜻이야?"

리브는 상징을 주의 깊게 살펴보았다. "니아드는 단어로 곧장 번역할 수 없어. 니아드의 단어들은 정확한 의미의 단어라고 볼 수 없다는 뜻이야. 이 상징은 장소 또는 순간을 뜻해. 물리적인 공간이나 시간 속의 장소나 순간." 리브는 나무에 새겨진 사선을 손가락으로 쓸었다. "하지만 이 사선이 가르고 지나간 게 보이지? 그래서 장소가 이제 장소의 결여, 또는 장소가 아닌 곳이 되었어."

"장소가 어떻게 장소가 아닌 곳이 돼? 장소가 있으면 있는 거고, 없으면 없는 거지." 하지만 이 말을 하면서 나는 내 말이 틀렸다는 걸 깨달았다. 나는 이미 몇 달 동안 장소가 아닌 곳에 있었다. 리나도 마찬가지였다.

리브가 나를 바라보았다. "내 생각에 이 상징은 '추방'을 의미하는 것 같아."

'열일곱은 그저 추방을 알고 있다.'

"그래, 바로 그거야."

리브가 이상한 표정으로 나를 바라보았다. "네가 그걸 어떻게 알아? 갑자기 니아드에 정통해지기라도 한 거야?" 리브의 눈이 반짝이고 있었다. 마치 내가 길을 아는 자일지도 모른다는 증거를 또 하나 찾았다는 듯이.

"노래에서 들었어." 나는 문을 향해 손을 뻗었지만, 리브가 내 팔을 잡았다. "이선, 이건 게임이 아냐. 마을 축제에서 열리는 파이 경연 대회 같은 게 아니라고. 여긴 개틀린이 아냐. 여기에는 위험한 것들이 있어. 막대사탕으로 재주를 부리는 리들리보다 훨씬 더 무시무시한 생물들이란 말이야."

리브는 내게 겁을 주려고 애쓰고 있었지만, 효과가 없었다. 리나의 생일날 이후로 나는 주술사 세계의 위험에 대해 보관자든 아니든 웬만한 사서보다는 더 많이 알고 있었다. 겁을 내는 리브를 탓할 생각은 없었다. 나처럼 겁을 내지 않는 것이 멍청한 짓이었다.

"네 말이 맞아. 여긴 도서관이 아냐. 너희가 들어가기 싫다고 해도 난 이해할 수 있어. 하지만 난 들어가야 돼. 리나가 여기 어딘가에 있어."

링크가 문을 밀어 열고 잭슨 고등학교의 라커룸에 들어가듯이 그냥 걸어 들어갔다. "난 상관없어. 위험한 생물을 좋아하거든."

나는 어깨를 으쓱하고 링크의 뒤를 따라 들어갔다. 리브는 언제라도 누군가의 머리를 향해 배낭을 휘두를 수 있게 배낭끈을 단단히 잡았다. 그리고 조심스레 한 발을 내딛자 리브의 등 뒤에서 문이 닫혔다.

문 안쪽은 거리보다 훨씬 더 어두웠다. 머리 위에 파이프가 드러나 있는 황량한 모습과는 전혀 어울리지 않는 거대한 크리스털 샹들리에들의 불빛만이 주위를 밝히고 있었다. 샹들리에를 제외하면 방 안은 엄청난 규모의 난장판 파티 같은 분위기였다. 엄청나게 넓은 공간에 붉다 못해 검게 보이는 벨벳으로 덮인 둥근 부스들이 흩어져 있었다. 개중에는 부스를 완전히 감쌀 수 있게 천장의 트랙에 무거운 장막이 매달려 있는 것도 있었다. 병원에서 환자의 침상을 커튼으로 완전히 감싸서 가릴 수 있는 것과 마찬가지 원리였다. 공간 뒤편에는 바가 하나 있고, 그 뒤에 손잡이가 달린 둥근 크롬 문이 있었다.

링크도 그것을 보았다. "저거 그거 맞지?"

나는 고개를 끄덕였다. "응, 금고실이야."

기묘한 샹들리에, 카운터와 더 흡사한 바, 검은 테이프를 아무렇게나 붙여 놓은 거대한 창문들, 금고실. 여기가 옛날에 은행이었는지도 모른다는 생각이 들었다. 주술사들에게도 은행이 있는지는 잘 모르겠지만. 금고실 문 뒤에 무엇이 보관되어 있을지 궁금했다. 하지만 그와 동시에 그걸 알고 싶지 않다는 생각도 들었다.

그래도 무엇보다 이상한 것은 바로 사람들이었다. 정말로 사람인지 뭔지는 잘 모르겠지만, 하여튼 메이컨의 파티에서 그랬던 것처럼 수많은 사람들이 갑자기 앞으로 불쑥 나왔다가 뒤로 물러났다. 시선을 돌릴 때마다 시간이 스르르 나타났다가 스르르 사라지는 것처럼 보였다. 마크 트웨인과 비슷한 얼굴에 20세기 초의 정장을 입고 빳빳하게 풀을 먹인 칼라를 달고 줄무늬 비단 넥타이를 맨 신사들에서부터 고딕풍의 가죽 옷을 입은 펑크족에 이르기까지 모두들 술을 마시고 춤을 추며 북적거리고 있었다.

"야, 저 뒤쪽까지 훤히 보이고 무섭게 생긴 사람들 설마 유령은 아니지?" 링크는 안개처럼 투명하고 흐릿한 사람을 피하려고 뒷걸음질 치다가 하마터면 또 다른 안개 인간과 부딪힐 뻔했다. 나는 저 사람들이 정말로 유령이라고는 말해 주고 싶지 않았다. 그들은 무덤에서 보았던 제너비브와 같은 모습이었다. 몸의 일부만 물질화된 모습. 그렇게 투명한 사람들이 적어도 열 명은 되어 보였다. 하지만 옛날에 우리가 보았던 제너비브는 움직이지 못했다. 그런데 지금 눈앞에 보이는 유령들은 만화 속의 유령들처럼 둥둥 떠다니는 것도 아니고, 아예 평범한 사람들처럼 걷기도 하고 춤도 추었다. 다만 공중에 살짝 떠서 움직인다는 점이 다를 뿐이었다. 평범한 사람들과 똑같이 양발을 번갈아 떼며 걷고 있는데, 정작 발은 바닥에 닿지 않았다. 유령 하나가 우리를 흘깃 보며 건배를 하자는 듯이 식탁의 빈 잔을 들어 올렸다.

"내가 지금 헛것을 보는 거냐? 저 유령이 지금 잔을 들어 올린 거 맞아?" 링크가 리브를 쿡쿡 찔렀다.

리브가 우리 둘 사이에 자리를 잡았다. 리브의 머리카락이 내 목을 살짝 스쳤다. 리브의 목소리가 워낙 조용해서 우리는 고개를 기울여야 들을 수 있었다. "엄밀히 말하면 유령이 아냐. 망자들이야. 주술사 세계나 일반인 세계에 아직 끝내지 못한 일이 있어서 미련 때문에 저승으로 넘어가지 못한 영혼들. 오늘 밤에 망자들이 왜 이렇게 많이 나와 있는지는 나도 몰라. 대개 잘 안 나오는 편인데. 뭔가 이상해."

"여긴 모든 게 이상해." 링크는 여전히 잔을 들고 있는 망자를 보고 있었다. "그리고 내 질문에는 대답 안 했어."

"아, 망자들은 무슨 물건이든 들어 올릴 수 있어. 그렇지 않고서야 귀신

들린 집에서 망자들이 문을 쾅쾅 닫거나 가구를 옮기는 일을 어떻게 하겠어?"

나는 귀신 들린 집 같은 것에는 관심이 없었다. "끝내지 못한 일이라는 게 뭐야?" 나도 미련이 남은 채 세상을 떠난 사람들을 조금은 알고 있었다. 오늘 밤에 그런 사람들이 더 나오는 건 사양이었다.

"죽을 때까지도 미처 해결하지 못한 일을 말하는 거야. 강력한 저주, 잃어버린 사랑, 산산이 부서진 운명 같은 거. 네 머리로 상상해 봐."

나는 제너비브와 로켓을 떠올리며 개틀린의 묘지에 또 얼마나 많은 비밀과 미련이 묻혀 있을지 생각해 보았다.

링크는 목에 정교한 문양이 새겨진 아름다운 여자를 빤히 바라보았다. 리들리나 존의 몸에 있던 문양과 비슷했다. "저런 여자하고라면 미련이 남아도 좋아."

"저 여자도 좋아할걸. 너를 조종해서 절벽에서 뛰어내리게 만드는 건 일도 아닐 거야." 나는 방 안을 훑어보았다.

리나의 흔적은 전혀 없었다. 방 안을 둘러보면 볼수록 어둠이 고마워졌다. 부스들마다 술을 마시며 진하게 엉켜 있는 커플들이 가득했고, 무도장에는 무슨 거미줄이라도 짤 것처럼 빙글빙글 돌며 춤을 추는 여자들이 빽빽했다. 〈열일곱 개의 달〉은 이제 들려오지 않았다. 애당초 여기서 그 노래가 연주되었는지도 확실치 않았다. 지금 나오는 음악은 더 거칠고 강렬한 노래였다. 여자들은 옷차림이 제각각이었다. 중세 시대의 드레스를 입은 사람이 있는가 하면, 몸에 딱 달라붙는 가죽옷을 입은 사람도 있었다. 리들리처럼 미니스커트와 검은색 탱크탑을 입고 머리카락 일부를 빨간색, 파란색, 보라색으로 염색한 모습으로 서로의 주위를 미끄러지며 또 다른 종류의 거미줄을 짜고 있는 여자들도 있었다. 어쩌면 저들이 모두 사이렌일수도 있었다. 나야 확신할 수는 없었지만. 어쨌든 그들은 모두 아름다웠고, 리들리의 검은 문신과 비슷한 것을 갖고 있었다.

"우리 저 뒤로 가 보자." 나는 링크를 앞장세워서 리브가 우리 둘 사이에 오게 했다. 리브가 이 클럽의 모습을 모조리 기억하고 싶다는 듯이 구석구석 살피고는 있었지만, 그래도 확실히 불안해하고 있었다. 여기는 일반인 여자나 일반인 남자가 있을 곳이 아니었다. 링크와 리브를 이런 곳으로 끌어들인 것이 내 책임인 것 같았다. 우리는 벽과 가까운 거리를 유지하며 방 안을 한 바퀴 돌았다. 하지만 워낙 사람이 많았다. 내 어깨가 누군가와 부딪혔다. 확실히 몸이 그대로 있는 사람이었다.

"죄송합니다." 나는 본능적으로 사과했다.

"괜찮아요." 남자는 리브를 보고 걸음을 멈췄다. "전혀 그럴 필요 없어요." 남자가 리브에게 윙크를 했다. "길을 잃었나요?" 그가 미소를 짓자 반짝이는 검은 눈이 어둠 속에서 반짝였다. 리브는 그대로 얼어붙었다. 남자가 몸을 가까이 기울이자 그의 잔에 든 빨간 액체가 소용돌이쳤다.

리브는 헛기침을 했다. "아뇨, 전 괜찮아요, 감사합니다. 그냥 친구를 찾던 중이었어요."

"제가 친구가 되어 드리죠." 남자가 미소를 지었다. 그의 하얀 치아가 클럽의 흐릿한 불빛 속에서 부자연스러울 정도로 밝게 보였다.

"친구라면… 아무래도 조금 다른 종류의 친구겠네요." 배낭의 끈을 잡은 리브의 손이 부들부들 떨리고 있었다.

"난 여기 있을 테니까 친구를 찾으면 이리로 와요." 남자는 바 쪽으로 다시 몸을 돌렸다. 몽마들이 기묘하게 생긴 유리 꼭지에서 자기들 잔에 빨간 액체를 채우려고 줄을 서 있었다. 나는 그 액체가 뭔지 생각하지 않으려고 애썼다.

링크가 벽의 벨벳 커튼 앞으로 우리를 끌었다. "아무래도 여기 들어오지 말 걸 그랬어."

"언제 그렇게 훌륭한 결론을 내린 거야?" 리브가 비꼬고 있다는 걸 링크는 알아차리지 못했다.

"글쎄, 저 인간의 잔을 봤을 때쯤인가. 아마 저건 평범한 술이 아닐걸."
링크는 방 안을 흘깃 둘러보았다. "걔들이 여기 있는지 어떤지도 우린 모르잖아."

"여기 있어." 틀림없이 리나는 여기 있었다. 나는 그 노래를 듣고 리나가 여기 있음을 느낄 수 있었다고 링크에게 말하려 했다. 그런데 그때 분홍색 줄무늬가 있는 금발 머리가 빙글빙글 돌면서 무도장으로 올라갔다.

리들리였다.

리들리는 우리를 보고 빙글빙글 도는 걸 멈췄다. 리들리 뒤쪽으로 무도장 저편이 보였다. 존 브리드가 어떤 여자와 춤을 추고 있었다. 여자는 양팔로 존의 목을 감쌌고, 존의 손은 여자의 엉덩이에 놓여 있었다. 두 사람은 몸을 밀착시킨 채 자기들만의 세계에 빠져 있는 것 같았다. 적어도 나는 옛날에 그 엉덩이에 양손을 놓았을 때 그런 기분이었다. 내 손이 주먹으로 변하고, 뱃속이 뒤틀렸다. 검은 곱슬머리를 보지 않아도 그 여자가 그녀라는 것을 알 수 있었다.

'리나…'

'이선?'

고통

⤞ 6.15 ⤝

'오해하지 마.'

'내가 무슨 오해를 했는데?'

내가 무도장을 가로질러 걸어가는 동안 리나는 존을 밀어냈다. 존이 몸을 돌렸다. 눈빛이 검고 위협적이었다. 하지만 나 따위는 자신을 위협할 수 없다는 듯이 싱긋 웃었다. 그는 내가 신체적으로 자신의 적수가 못 된다는 것을 알고 있었다. 게다가 리나와 그런 식으로 함께 춤을 추고 있었으니, 이젠 아예 나를 전혀 의식하지도 않을 터였다.

둘의 모습을 보고 내가 무슨 오해를 했냐고?

나는 뭔가 일이 벌어지기 직전임을 알 수 있었다. 사람의 인생을 영원히 바꿔 놓을 만한 일. 마치 시간이 멈춘 것 같았다. 내 주위의 사람들이 모두 계속 움직이고 있는데도 그런 느낌이 들었다. 내가 몇 달 전부터 두려워하던 일이 이제 실제로 벌어지고 있었다. 리나가 내 손가락 사이로 빠져나가고 있었다. 그런데 그건 리나의 생일에 있었던 일 때문도, 리나의 어머니나 헌팅 때문도, 무슨 저주나 주술이나 공격 때문도 아니었다.

다른 남자 때문이었다.

'이선! 얼른 가.'

'난 아무 데도 안 가.'

리들리가 내 앞을 막아섰다. 춤을 추는 사람들이 우리 주위에 점점 늘어 났다. "진정해, 남자 친구. 네가 배짱 있는 녀석이라는 건 알지만 이건 미친 짓이야." 걱정스러운 목소리였다. 내가 무슨 짓을 당하든 신경도 안 쓰는 주제에. 리들리의 말은 거짓이었다. 리들리의 모든 것이 그렇듯이.

"비켜, 리들리."

"네 볼일은 이미 끝났어, 남자 친구."

"미안하지만 그 막대사탕은 나한테 효과 없어. 너나 존이 무슨 방법으로 리나를 조종하고 있는지는 모르지만, 나한테는 그 방법도 소용없어."

리들리가 내 팔을 움켜쥐었다. 얼음처럼 차가운 손가락이 내 살갗을 파 고들었다. 나는 리들리가 얼마나 힘이 센지, 몸이 얼마나 차가운지 잊고 있 었다. 리들리가 목소리를 낮췄다. "멍청하게 굴지 마. 이건 네가 도저히 감 당할 수 있는 수준이 아냐. 게다가 넌 지금 제정신도 아니고."

"그래, 잘 아시겠지."

리들리가 내 팔을 잡은 손에 힘을 주었다. "이러지 마. 넌 여기 오면 안 돼. 얼른 집으로 안 가면…."

"안 가면 뭐? 네가 평소보다 더 심한 문제를 일으킬 거라고?" 링크가 나 를 따라잡았다. 리들리는 링크와 눈빛을 주고받았다. 순간적으로 그 눈빛 이 흔들리면서 아주 미약하게 불꽃이 이는 것 같았다. 링크의 모습이 리들 리에게서 뭔가 거의 인간적이라고 할 만한 것을 불러내기라도 한 것처럼. 순간적으로 리들리 역시 링크와 마찬가지로 약한 인간임을 느끼게 해 주 는 어떤 것이 겉으로 드러나기라도 한 것처럼. 하지만 그것은 나타날 때와 똑같이 순식간에 사라져 버렸다.

리들리는 점점 당황하고 있었다. 나는 리들리가 막대사탕의 포장지를 허둥지둥 벗기는 모습을 보고 그것을 알아차렸다. "네가 여긴 왜 왔어? 얼른 나가. 얘도 데리고." 장난스러운 말투는 사라지고 없었다. "어서!" 리들리가 있는 힘껏 우리 둘을 밀었다.

나는 그 힘에 맞서 버텼다. "리나랑 얘기하기 전에는 안 가."

"리나는 네가 여기 있는 걸 원하지 않아."

"리나더러 직접 말하라고 해."

'내 얼굴을 보면서 직접 말해, L.'

리나는 사람들 사이를 뚫고 내 쪽으로 오고 있었다. 존 브리드는 뒤에 남아 우리 둘에게서 시선을 떼지 않았다. 존이 이리로 오지 못하게 하려고 리나가 그에게 무슨 말을 했을지 나는 상상하고 싶지도 않았다. 리나는 자기가 알아서 하겠다고 했을까? 저 애는 아무것도 아니다, 그냥 상처를 극복하지 못해서 그렇다고 했을까? 저 일반인은 필사적이지만 이제 자신이 갖고 있는 능력과는 상대가 되지 못한다고 했을까?

존의 능력과는 상대가 안 된다고 했을까?

리나에게는 존이 있었다. 존은 내게 유일하게 중요한 것을 빼앗아 갔다. 리나의 세계에 들어간 것이다.

'네가 직접 말하기 전에는 안 갈 거야.'

리들리가 목소리를 더욱 낮췄다. 이렇게 진지한 표정의 리들리는 처음이었다. "지금은 쓸데없는 짓을 할 시간이 없어. 네가 지금 제정신이 아닌 건 알겠는데, 넌 아무것도 몰라. 저 사람이 널 죽일 거야. 운이 좋으면, 다른 녀석들까지 재미 삼아 끼어드는 일만은 일어나지 않겠지."

"누가, 저 뱀파이어가? 우리가 저놈을 잡을 수 있어." 링크는 거짓말을 했다. 하지만 링크가 나를 위해서든 리나를 위해서든 주먹을 휘두르겠다고 나섰다가는 틀림없이 그대로 쓰러질 터였다.

리들리는 고개를 저으며 링크를 또 뒤로 밀쳤다. "넌 못해, 이 멍청아. 여긴 보이스카우트들이 설칠 곳이 아니라고. 얼른 여기서 나가." 리들리가 링크의 뺨을 향해 손을 뻗었지만, 그 손이 닿기 전에 링크가 리들리의 손목

을 잡았다. 리들리는 아름다운 뱀 같았다. 물릴지도 모른다는 위험을 무릅
쓰지 않으면 가까이 다가갈 수 없으니까.

리나와의 거리는 이제 겨우 1미터 남짓이었다.

'내가 여기 있는 게 싫으면 네가 직접 그렇다고 말해.'

나는 만약 우리의 거리가 가까워지면 리들리와 존이 리나에게 행사하
고 있는 힘을 내가 깨뜨릴 수 있을 거라고 내심 믿고 있었다.

리나가 리들리 뒤에서 걸음을 멈췄다. 표정을 읽을 수는 없었지만, 얼굴
에 은빛 줄무늬가 한 줄 나 있는 건 알 수 있었다. 눈물이 흘러내린 자국이
었다.

'말해, L. 말해. 아니면 나랑 같이 가든가.'

리나의 눈빛이 흔들렸다. 리나의 시선이 나를 지나쳐 무도장 가장자리
에 서 있는 리브를 바라보았다.

"리나, 넌 여기 있으면 안 돼. 리들리랑 존이 너한테 무슨 짓을 하고 있는
건지는 모르겠지만…."

"나한테 무슨 짓을 하는 사람은 아무도 없어. 그리고 지금 위험한 건 내
가 아냐. 난 일반인이 아니니까." 리나는 리브를 바라보았다.

'저 애랑은 달라.'

리나의 얼굴이 어두워졌다. 리나의 곱슬머리가 뒤틀리기 시작하는 것
이 보였다.

"너도 애들과 달라, L."

바의 불빛들이 깜박이더니 무도장 위의 전구들이 산산이 부서지며 우
리 둘 위로 작은 유리 조각들과 불꽃이 쏟아졌다. 사람들은, 망자인 주제
에, 우리를 피해 달아나기 시작했다. "네가 잘못 생각한 거야. 난 얘들과 똑
같아. 내가 있을 곳은 여기야."

"리나, 나랑 같이 생각해 보자."

"아니, 그럴 수 없어, 이선. 이건 해결할 수 없어."

"지금까지는 우리 둘이 모든 걸 함께 겪어 냈잖아."

"아니, 함께가 아냐. 넌 이제 나에 대해 아무것도 몰라." 순간적으로 뭔가가 리나의 얼굴을 스치고 지나갔다. 혹시 슬픔인가? 후회?

'지금 상황을 바꿀 수 있으면 좋겠지만, 그건 불가능해.'

리나가 몸을 돌려 멀어지려 했다.

'네가 가는 곳은 내가 갈 수 없는 곳이야, 리나.'

'나도 알아.'

'넌 혼자가 될 거야.'

리나는 돌아서지 않았다.

'지금도 난 혼자야, 이선.'

'그럼 나한테 여기서 나가라고 말해. 그게 정말로 네가 원하는 거라면 그렇게 말해.'

리나는 걸음을 멈추고 천천히 돌아서서 나를 바라보았다.

"난 네가 여기 있는 게 싫어, 이선." 리나는 무도장 저편으로 사라져 버렸다. 내게서 멀리 떨어진 곳으로. 내가 한 걸음을 채 내딛기도 전에 뭔가가 찢어지는 소리가 들렸다….

존 브리드가 홀연히 내 앞에 나타났다. 검은 가죽 재킷을 입은 모습 그대로. "나도 싫어."

우리 둘 사이의 거리는 겨우 1미터 남짓이었다. "난 여기서 나갈 거지만 너 때문에 가는 건 아냐." 그가 싱긋 웃자 초록색 눈이 반짝였다.

나는 돌아서서 사람들을 밀치며 나아갔다. 나한테 떠밀려서 화가 난 망자가 내 피를 마시려고 들든, 나를 조종해서 절벽에서 뛰어내리게 만들든 상관없었다. 나는 계속 움직였다. 여기서 벗어나고 싶다는 생각만이 간절했다. 무거운 나무문이 내 등 뒤에서 쾅 하고 닫히자 음악도, 불빛도, 주술사들도 사라져 버렸다.

하지만 내 마음까지 닫아 버리지는 못했다. 그가 리나의 엉덩이에 손을 없고 음악에 맞춰 흔들흔들 춤을 추던 모습, 리나의 검은 머리가 구불구불 구부러지던 모습. 리나가 다른 남자의 품에 안겨 있는 모습.

골목길이 현대적이고 더러운 아스팔트길로, 다시 자갈이 깔린 길로 변했지만 나는 거의 알아차리지도 못했다. 언제부터였을까? 두 사람 사이에 무슨 일이 있었던 걸까? 주술사와 일반인은 하나가 될 수 없다. 환영이 내게 그렇게 말해 주었다. 주술사 세계는 내가 아직도 그걸 모른다고 생각하는 걸까?

자갈길을 밟는 발소리가 내 등 뒤에서 메아리쳤다. "이선, 너 괜찮아?" 리브가 내 어깨를 손으로 짚었다. 나는 리브가 내 뒤를 따라오고 있다는 것도 몰랐다.

나는 돌아섰지만 무슨 말을 해야 할지 알 수 없었다. 나는 지금 지하에 있는 주술사 터널에서 과거 속의 거리에 서서 나와는 완전히 반대인 남자와 함께 있는 리나에 대해 생각하고 있었다. 그 남자는 내가 가진 것이라면 무엇이든 자기 마음이 내킬 때마다 빼앗아 갈 수 있었다. 오늘 밤의 일들이 그것을 증명해 주었다.

"어떻게 해야 좋을지 모르겠어. 리나는 잘못이 없어. 리들리와 존이 리나를 조종하고 있는 거야."

리브는 불안한 표정으로 아랫입술을 깨물었다. "네가 듣기 싫어하는 소리라는 건 아는데, 리나는 지금 자기 뜻대로 움직이고 있어."

리브가 이런 소리를 하는 건 아무것도 모르기 때문이었다. 리브는 메이컨이 죽고 존 브리드가 나타나기 전에 리나가 어떤 사람이었는지 본 적이 없었다. "그걸 어떻게 확신해? 메리언 아줌마가 그랬잖아. 존이 무슨 능력을 갖고 있는지 모른다고."

"너한테 이게 얼마나 힘든 일인지 나는 제대로 알 수 없겠지." 리브는 절대적인 확신을 갖고 말하고 있었다. 하지만 리나와 내가 지금 겪고 있는 일에 절대적인 건 하나도 없었다.

"넌 리나를 몰라…."

리브의 목소리가 속삭임처럼 작아졌다. "이선, 리나의 눈은 황금색이야."

이 말이 내 머릿속에서 울렸다. 마치 내가 물속에 있는 것 같았다. 논리와 이성이 수면 위로 떠오르려고 몸부림을 치는 동안 내 감정은 돌처럼 가라앉았다.

리나의 눈은 황금색이야.

이건 아주 작은 특징이었지만, 거기에 엄청난 의미가 담겨 있었다. 리나에게 어둠이 되라고 강요할 수 있는 사람, 리나의 눈을 억지로 황금색으로 만들 수 있는 사람은 하나도 없었다.

리나는 조종당하고 있는 게 아니었다. 리나를 조종해서 존의 오토바이 뒷좌석에 올라타게 만든 사람은 하나도 없었다. 존과 함께 있어야 한다고 리나에게 강요하는 사람도 없었다. 리나는 자신의 뜻대로 움직이고 있었다. 리나가 스스로 존을 선택했다. '난 네가 여기 있는 게 싫어, 이선.' 이 말이 내 머릿속에서 자꾸만, 자꾸만 들려왔다. 하지만 가장 나쁜 건 그게 아니었다. 리나가 진심으로 이 말을 했다는 것이 가장 견디기 힘들었다.

모든 것이 안개처럼 흐릿하고 둔하게 느껴졌다. 지금 벌어지고 있는 일들이 현실이 아닌 것 같았다.

파란 눈으로 나를 빤히 올려다보는 리브의 얼굴에 걱정이 가득했다. 그 파란 눈이 왠지 나를 편안하게 달래주는 것 같았다. 빛의 주술사의 초록색 눈이나 몽마의 검은 눈이나 어둠의 주술사의 황금색 눈과는 달랐다. 리브는 가장 중요한 부분에서 리나와 달랐다. 바로 일반인이라는 점. 리브는 빛이나 어둠으로 변하지도 않고, 남의 피를 빨든지 자는 사람의 꿈을 훔치든지 하여튼 초인간적인 힘을 지닌 남자와 함께 달아나지도 않을 터였다. 리브는 보관자가 되려고 훈련을 받는 중이었지만, 보관자가 되더라도 관찰자에 불과했다. 나처럼 리브도 결코 주술사 세계의 일부가 될 수 없었다.

지금은 이 세계에서 최대한 멀어지는 것이 내 최대의 소원이었다.

"이선?"

하지만 나는 리브에게 대답하지 않았다. 나는 리브의 반짝이는 금발을 뒤로 밀어내며 고개를 기울였다. 우리 얼굴 사이의 거리는 겨우 10여 센티미터였다. 리브가 작은 소리로 숨을 들이쉬었다. 리브의 입술이 아주 가까워서 리브의 숨결과 살갗의 냄새가 느껴졌다. 봄날의 인동덩굴 냄새 같았다. 리브에게서는 달콤한 차와 오래된 책 냄새가 났다. 마치 항상 이곳에 있었던 것처럼.

나는 손가락으로 리브의 머리카락을 쓸어내려 목덜미를 잡았다. 리브의 피부는 부드럽고 따뜻했다. 일반인 여자애답게. 전류가 흐르지도 않았고, 전기 충격이 오지도 않았다. 아무리 오랫동안 입을 맞춰도 상관없을 것이다. 우리가 서로 싸운다 해도 홍수가 나거나 허리케인이 불거나 폭풍이 일어나는 일은 없을 것이다. 리브가 침실 천장에 붙어 있는 일도 없을 것이다. 창문도 깨지지 않고, 시험지에 불이 붙지도 않을 것이다.

리브는 키스를 기다리는 얼굴로 나를 바라보았다.

리브는 나를 원하고 있었다. '레몬과 로즈마리가 아냐. 초록색 눈과 검은 머리가 아냐. 파란 눈과 금발…'

나는 내가 켈팅을 하고 있다는 걸 깨닫지 못한 채 이 자리에 있지 않은 누군가에게 손을 내밀고 있었다. 그러다가 내가 아주 빠르게 몸을 빼냈기 때문에 리브는 이렇다 할 반응도 보이지 못했다. "미안해. 내가 이러면 안 되는데."

리브가 조금 전까지 내 손이 닿았던 자신의 목덜미를 손으로 감싸며 떨리는 목소리로 말했다. "괜찮아."

괜찮지 않았다. 나는 리브의 눈을 스치고 지나가는 여러 가지 감정들을 지켜보았다. 실망, 당혹스러움, 후회. "별일 아냐." 이건 거짓말이었다. 리브의 뺨은 발갛게 달아올랐고, 리브의 눈은 바닥만 바라보고 있었다. "너 리나 때문에 화가 나서 그런 거지? 나도 알아."

"리브, 나는…."

링크의 목소리가 나의 어설픈 사과를 가로막았다. "야, 그렇게 나가는 법이 어딨냐? 날 버리고 가다니 그거 참 고맙다." 링크는 농담인 척했지만 목소리에 날이 서 있었다. "하다못해 네 고양이는 날 기다려 줬는데 말이야." 루실이 아무 일도 없다는 듯이 링크 뒤에서 빠르게 걸어오고 있었다.

"저 녀석이 어떻게 여기에 들어온 거야?" 나는 몸을 숙여 녀석의 머리를 살살 긁어 주었다. 루실이 목을 울리며 기분 좋은 소리를 냈다. 리브는 우리를 보지 않았다.

"그걸 누가 알겠냐? 저 고양이도 너희 할머니들만큼이나 제정신이 아니니까. 아마 널 따라왔을걸."

우리는 걷기 시작했다. 아무리 링크라도 무겁게 드리운 침묵이 느껴지는 모양이었다. "아까 거기서 뭐가 어떻게 된 거냐? 리나가 그 뱀파이어 자식이랑 같이 있었어?" 나는 그 일을 생각하고 싶지 않았다. 링크 역시 생각하고 싶지 않은 사람이 있음이 분명했다. 리들리는 단순히 링크의 마음속에 자리를 잡고 있는 게 아니라 마음을 헤집으며 돌아다니고 있었다.

리브는 우리보다 30센티미터쯤 앞에서 걷고 있었지만, 우리 이야기에 귀를 기울이고 있었다.

"나도 몰라. 그런 것 같더라." 사실을 부인해 봤자 아무 소용이 없었다.

"똑바로 걸어가면 출입구가 나올 거야." 리브는 고개를 높게 쳐들고 걷다가 하마터면 자갈에 발이 걸려 넘어질 뻔했다. 앞으로 우리 둘 사이가 얼마나 어색해질지 알 수 있었다. 사람이 하루에 망칠 수 있는 일이 몇 가지나 될까? 잘은 몰라도 내가 그 방면의 기록을 세운 것 같았다.

링크가 손으로 내 어깨를 짚었다. "유감이다. 그건 정말…." 리브가 너무나 갑자기 걸음을 멈추는 바람에 우리 둘 다 알아차리지 못했다. 결국 링크가 리브와 충돌했다. "야, 왜 그래, MJ?" 링크가 팔꿈치로 장난처럼 리브를 쿡쿡 찔렀다.

하지만 리브는 움직이지도 않고, 소리를 내지도 않았다. 루실도 그대로 얼어붙었다. 등의 털이 모두 바짝 곤두서 있고, 눈은 어딘가에 못 박혀 있었다. 그 시선을 따라가 보았지만, 루실이 뭘 보고 있는 건지 도무지 알 수 없었다. 석조 아치 바로 안쪽에 그림자 하나가 거리를 가로지르듯 드리워져 있었다. 그림자는 이렇다 할 형태가 없는 진한 안개처럼 계속 모양을 바꾸고 있었으며, 수의 아니면 외투 같은 것이 그 그림자를 감싸고 있었다. 그림자에는 눈이 없었지만, 틀림없이 우리를 지켜보고 있다는 느낌이 들었다.

링크가 한 걸음 뒤로 물러섰다. "저게 무슨…."

"쉬." 리브가 숨죽인 소리로 말했다. "저것의 주의를 끌면 안 돼." 얼굴에 핏기가 하나도 없었다.

"이미 늦은 것 같은데." 내가 속삭였다. 뭔지 정체를 알 수 없는 그것이 살짝 모습을 바꾸며 우리를 향해 움직였다.

나는 무의식적으로 리브의 손을 잡았다. 그런데 그 손이 붕붕거리고 있었다. 알고 보니 그것은 리브의 손이 아니라 리브가 손목에 차고 있는 신기한 기계였다. 그 기계의 모든 다이얼이 팽팽 돌고 있었다. 리브는 기계의 다이얼을 뚫어져라 바라보며 더 자세히 보려고 검은 플라스틱 끈을 풀고 있었다.

"여기 말도 안 되는 수치가 나오고 있어." 리브가 속삭였다.

"네가 그냥 말을 꾸며 낸 건 줄 알았는데."

"그랬어." 리브가 다시 속삭였다. "처음에는."

"그럼 뭐야? 이게 무슨 뜻이야?"

"나도 몰라." 리브는 기계에서 눈을 떼지 못했다. 검은 그림자가 더욱더 가까이 다가왔다.

"네가 그 기계랑 아주 재미있게 노는 것 같아서 방해하기 미안한데, 저

건 도대체 뭐야? 망자야?"

리브는 팽팽 돌아가는 다이얼에서 시선을 들었다. 내가 쥐고 있는 리브의 손이 덜덜 떨리고 있었다. "그러면 좋게. 저건 벡스야. 나도 글로 읽어 보기만 했어. 직접 본 적은 없다고. 절대 저걸 볼 일이 없기를 바랐는데…."

"끝내주는군. 일단 여기서 도망친 뒤에 이야기를 계속하는 게 어때?" 출입구가 눈에 보이는 곳에 있었다. 하지만 링크는 이미 그쪽보다는 클럽 추방에 있는 어둠의 주술사들과 그 밖의 존재들에게 기꺼이 운을 걸어 보기로 하고 뒤돌아서는 중이었다.

"도망치지 마." 리브가 링크의 팔을 잡았다. "벡스는 이동할 수 있어. 여기서 사라졌다가 눈을 한 번 깜짝하는 것보다 빠르게 다른 곳에 나타날 수 있다고."

"몽마랑 같네."

리브가 고개를 끄덕였다. "아까 저 클럽에 망자들이 그렇게 많았던 이유를 이제 알겠어. 어쩌면 그 망자들은 자연 질서가 교란된 것에 반응한 건지도 몰라. 십중팔구 이 벡스가 바로 그 교란의 원인일 테고."

"알아듣게 말해, 알아듣게." 링크는 겁에 질려서 점점 당황하고 있었다.

"벡스는 마계의 일부야. 지하 세계 말이야. 주술사 세계에서든 일반인 세계에서든 벡스는 순수한 악에 가장 가까운 존재야." 리브의 목소리가 떨리고 있었다.

벡스는 계속 조금씩 움직였다. 마치 바람에 날리는 것 같았다. 하지만 더 이상 가까이 다가오지는 않았다. 뭔가를 기다리는 눈치였다.

"벡스는 망자, 그러니까 사람들이 유령이라고 부르는 존재가 아냐. 벡스는 산 자에게 씌지 않는 한 물리적인 실체가 없어. 아주 강력한 힘을 지닌 사람이 지하 세계에서 저것들을 소환해야 해. 오로지 어둡고 어두운 임무를 위해서만."

"저기, 우린 이미 지하에 있거든." 링크는 벡스에게서 눈을 떼지 않았다.

"내가 말하는 지하 세계는 여기랑 달라."

"저게 우리한테 뭘 원하는 거야?" 링크는 위험을 무릅쓰고 거리 저편을 흘깃 바라보며 클럽 추방까지의 거리를 속으로 계산했다.

벡스가 안개처럼 흩어졌다가 다시 그림자의 모습으로 돌아오는 식으로 움직이기 시작했다.

"이제 곧 알게 될 것 같은데." 나는 내 손안에서 덜덜 떨고 있는 리브의 손을 꼭 쥐었다.

검은 안개처럼 생긴 벡스가 성을 내며 턱을 활짝 벌리듯이 앞으로 쏘아져 나왔다. 그리고 그 안의 깊숙한 곳에서 크고 날카로운 소리가 터져 나왔다. 뭐라고 표현할 수 없는 소리였다. 포효처럼 사납고 위협적이면서, 비명처럼 무시무시한 소리였다. 루실은 헛헛거리며 귀를 머리에 납작하게 붙였다. 소리가 더욱 강렬해지더니 벡스가 뒤로 물러났다가 우리를 공격하려는 것처럼 쑥 일어섰다. 나는 리브를 바닥으로 밀고 내 몸을 방패 삼아 리브를 보호하려고 했다. 그리고 목을 손으로 가렸다. 지금 나를 먹어치우려고 하는 건 회색곰이 아니라 몸을 빼앗아 가는 악마인데.

엄마 생각이 났다. 엄마도 죽음이 다가왔다는 걸 깨달았을 때 이런 기분이었을까?

리나도 생각났다.

비명이 최고조에 달하더니 그 소리 위로 또 다른 소리가 들려왔다. 친숙한 목소리였다. 하지만 그건 엄마의 목소리도, 리나의 목소리도 아니었다.

"어둠의 악마여, 우리의 의지에 굴복해서 이곳을 떠나라!" 고개를 들어 보니 사람들이 가로등 불빛을 받으며 우리 뒤에 서 있었다. 여자는 끈에 꿴 구슬들과 뼈를 십자가처럼 앞에 내밀고 있었고, 다른 사람들은 단호한 눈빛으로 여자 주위에 모여 서서 밝은 광채를 내뿜고 있었다.

애마 아줌마와 조상들이었다.

애마 아줌마로부터 4세대에 걸친 조상들의 영혼이 애마 아줌마 옆에 탑처럼 우뚝 서 있는 모습을 보았을 때의 내 심정은 말로 표현할 수 없다. 그들은 오래된 흑백사진 속의 인물들 같았다. 환영 속에서 보았던 아이비의 얼굴은 나도 알아볼 수 있었다. 아이비는 목이 높이 올라오는 블라우스와 옥양목 치마 차림으로 검은 얼굴에서 빛을 내고 있었다. 하지만 환영 속에서 보았을 때보다 훨씬 더 위협적인 느낌이 났다. 아이비보다 더 사나운 표정을 짓고 있는 사람은 아이비 오른쪽에 서서 아이비의 어깨에 손을 얹은 사람밖에 없었다. 그 여자는 손가락마다 반지를 꼈고, 비단 스카프를 꿰매서 만든 것처럼 보이는 긴 드레스 차림이었다. 드레스의 어깨 부위에는 아주 작은 새가 수놓아져 있었다. 바로 예언자 술라였다. 술라를 보니 애마 아줌마는 주일 학교 교사 못지않게 착해 빠진 사람 같았다.

그 밖에 여자 두 명이 더 있었다. 십중팔구 딜라일라 할머니 자매일 터였다. 그리고 태양에게 벌을 받은 것 같은 얼굴의 노인이 모세를 부끄럽게 만들 만큼 멋진 턱수염을 기른 모습으로 뒤에 서 있었다. 애브너 할아버지였다. 그 할아버지에게 줄 위스키가 좀 있었으면 좋겠다는 생각이 들었다.

조상들은 애마 아줌마를 더욱 단단히 둘러싸고서 똑같은 구절을 계속 읊었다. 그들은 애마 아줌마 집안의 원래 언어인 굴라어를 쓰고 있었다. 애마 아줌마는 구슬과 뼈를 흔들면서 하늘을 향해 같은 구절을 영어로 반복했다.

"복수와 분노로부터, 정지된 자를 속박해, 길을 서두르게 하라."

벡스는 훨씬 높이 몸을 일으켰다. 안개와 그림자가 애마 아줌마와 조상들의 머리 위에서 빙글빙글 소용돌이쳤다. 벡스의 비명은 귀가 멀 정도였지만 애마 아줌마는 꿈쩍하지 않았다. 애마 아줌마는 눈을 감고 악마 같은 벡스의 외침과 맞먹을 정도로 목소리를 높였다.

"복수와 분노로부터, 정지된 자를 속박해, 길을 서두르게 하라."

술라가 팔찌를 잔뜩 채운 팔을 들어 올리더니 수십 개의 부적들이 대롱대롱 매달린 긴 막대를 손가락 사이로 빙글빙글 돌리며 이동시켰다. 그리고 아이비의 어깨를 잡고 있던 손을 애마 아줌마의 어깨로 옮겼다. 투명하게 빛을 내뿜는 살갗이 어둠 속에서 은은한 빛을 냈다. 술라의 손이 애마 아줌마의 어깨에 닿는 순간 벡스가 거친 비명을 지르며 밤하늘 속으로 빨려 들어갔다.

애마 아줌마가 조상들을 돌아보았다. "큰 신세를 졌습니다."

조상들은 사라졌다. 처음부터 그 자리에 존재하지 않았던 것처럼.

나도 조상들과 함께 사라졌다면 더 좋았을 것이다. 애마 아줌마의 얼굴을 흘깃 보기만 해도, 애마 아줌마가 우리를 구한 것은 순전히 자기 손으로 죽이기 위해서였음을 분명히 알 수 있었다. 차라리 벡스와 맞서는 편이 더 승산이 있었을 것이다.

애마 아줌마는 화가 나서 부글부글 끓고 있었다. 가늘게 뜬 눈은 가장 중요한 과녁인 나와 링크에게 고정되어 있었다.

"V.E.X.A.T.I.O.N." 애마 아줌마가 우리 둘의 옷깃을 동시에 움켜쥐었다. 우리 둘을 저 출입구 너머로 단번에 던져 버릴 수도 있을 것 같았다. "골칫거리라는 뜻이지. 걱정. 근심. 속상한 일. 계속할까?"

우리는 고개를 저었다.

"이선 로슨 웨이트. 웨슬리 제퍼슨 링컨. 너희 둘이 도대체 무슨 일로 이터널에 내려왔는지 모르겠구나." 애마 아줌마는 앙상한 손가락을 흔들어 대며 우리를 가리켰다. "도무지 분별이라고는 없는 놈들이 어둠의 세력과 싸울 수 있을 것 같아?"

링크는 사정을 설명하려고 했다. 큰 실수였다. "아줌마, 저희는 어둠의 세력과 싸우려던 게 아니에요. 정말이에요. 저희는 그냥…."

애마 아줌마가 앞으로 다가섰다. 우리를 가리키던 손가락이 링크의 눈에서 겨우 2센티미터 거리에 있었다. "시끄러워. 차라리 네가 아홉 살 때 우리 집 지하실에서 하던 짓을 내가 네 엄마한테 일러바치는 편이 나았다는 생각이 들 정도로 혼내 줄 테다." 링크는 출입구 바로 옆의 벽이 등에 닿을 때까지 계속 뒷걸음질을 쳤다. 애마 아줌마는 한 걸음, 한 걸음씩 똑같은 속도로 따라갔다. "그거 아주 슬픈 사연인데 말이야."

애마 아줌마는 리브에게 시선을 돌렸다. "넌 보관자가 되려고 공부하는 녀석이지? 그런데도 이 녀석들만큼이나 분별이 없어. 사정을 뻔히 알면서도 이 녀석들이 이끄는 대로 이렇게 위험한 일에 휘말리다니. 너도 메리언 못지않은 골칫거리야." 리브는 조금 뒤로 물러났다.

애마 아줌마가 휙 몸을 돌려 나를 똑바로 바라보았다. "그리고 너." 애마 아줌마는 화가 날대로 나서 턱에 힘을 꽉 주고 이를 악문 채 말하고 있었다. "네가 무슨 꿍꿍이인지 내가 모를 것 같아? 나 같은 늙은이는 속일 수 있을 것 같더냐? 네가 날 속여 넘기려면 앞으로 세 번은 더 태어나야 돼. 메리언한테서 네가 여기로 내려갔다는 말을 듣자마자 난 너를 곧장 찾아냈어." 나는 애마 아줌마에게 우리를 어떻게 찾아냈느냐고 묻지 않았다. 닭 뼈든 타로 카드든 조상들이든, 애마 아줌마에게는 나름의 방법이 있었다. 애마 아줌마는 내가 아는 한, 실제로는 초자연체가 아니면서 초자연체와 가장 흡사한 사람이었다.

나는 애마 아줌마의 눈을 똑바로 바라보지 않았다. 개의 공격을 피할 때와 같았다. 눈을 마주치면 안 된다는 점에서. 고개를 숙이고 계속 입을 다물고 있어야 했다. 하지만 나는 계속 걸었다. 링크는 몇 걸음 걸을 때마다 한 번씩 애마 아줌마를 뒤돌아보았다. 리브는 혼란스러운 표정으로 우리 뒤를 정처 없이 따라왔다. 리브에게는 벡스와의 만남도 예상 밖의 일이었지만, 애마 아줌마 또한 감당할 수 없는 상대였다.

애마 아줌마는 혼잣말을 하는 건지 조상들에게 말하는 건지 하여튼 계속 중얼거리면서 우리 뒤를 따라왔다. 애마 아줌마가 지금 누구에게 말을 걸고 있는지 누가 알까? "뭔가를 찾아낼 수 있는 사람이 너뿐인 줄 알아? 너희 멍청이들이 무슨 꿍꿍이인지는 주술사가 아니라도 알 수 있어." 뼈들이 구슬에 부딪혀 덜컹거리는 소리가 났다. "내가 왜 천리안이겠어? 너희가 엉뚱한 일에 빠져들자마자 그게 뭔지 알아차릴 수 있기 때문에 천리안인 거야."

애마 아줌마는 출입구 안으로 사라질 때도 여전히 고개를 절레절레 젓고 있었다. 애마 아줌마의 소매에는 진흙 한 점 묻지 않았고, 옷자락에도 주름 하나 없었다. 내려갈 때는 토끼굴로 들어가는 구멍처럼 느껴졌던 출입구가 올라올 때는 널찍한 계단 같았다. 마치 미스 애마를 존경해서 스스로 넓어진 것 같았다.

"벡스를 상대하다니. 이 녀석을 상대하는 것만으로도 힘들어 죽겠구만…" 애마 아줌마는 한 걸음 내디딜 때마다 코웃음을 쳤다. 돌아가는 동안 내내 그런 식이었다. 우리는 중간에 리브와 헤어졌지만, 링크와 나는 계속 걸었다. 애마 아줌마의 손가락이나 구슬들과 가까워지고 싶지 않았다.

새로운 사실들

✤ 6.16 ✤

    내가 침대로 기어든 건 거의 해 뜰 때가 다 된 시각이었다. 아침에 애마 아줌마의 얼굴을 다시 보면 또 죽도록 혼나겠지만, 오늘은 메리언 아줌마도 내가 제시간에 출근할 거라고는 기대하지 않을 것 같았다. 메리언 아줌마 역시 애마 아줌마를 아주 무서워했다. 나는 신발을 차듯이 벗고 베개에 머리가 닿기도 전에 곯아떨어졌다.

❧

    눈이 멀 것 같은 빛.
    그 빛이 나를 압도했다. 아니, 빛이 아니라 어둠인가?
    눈이 아팠다. 해를 너무 오래 바라보았을 때처럼. 그래서 어두운 점들이 생겨났다. 내가 볼 수 있는 것이라고는 그 빛을 막고 있는 그림자뿐이었다. 무섭지는 않았다. 이 그림자는 내가 잘 아는 것이었다. 가는 허리, 섬세한 손과 손가락. 주술의 산들바람 속에서 구불구불해진 머리카락 하나하나까지 모두 친숙했다.

리나가 나를 향해 팔을 뻗으며 앞으로 걸음을 내딛었다. 나는 얼어붙은 채 지켜보기만 했다. 리나의 양손이 어둠 속에서 나와 내가 있는 빛 속으로 들어왔다. 빛이 리나의 팔을 따라 기어 올라가다가 허리에, 어깨에, 가슴에 닿았다.

'이선.'

리나의 얼굴은 여전히 어둠에 싸여 있었지만, 손가락은 나를 만지며 내 어깨와 목을 따라 움직이다가 마침내 얼굴에 닿았다. 나는 리나의 손을 잡아 뺨에 댔다. 그 손이 나를 태웠다. 열기가 아니라 차가움으로.

'나 여기 있어, L.'

'널 사랑했어, 이선. 하지만 난 가야 돼.'

'알아.'

어둠 속에서 리나의 눈꺼풀이 열리고 황금색 빛이 나타나는 것이 보였다. 저주의 눈동자. 어둠의 주술사의 눈동자.

'나도 널 사랑했어, L.'

나는 손을 뻗어 리나의 눈을 부드럽게 감겨 주었다. 섬뜩하게 차가운 리나의 손이 내 얼굴에서 사라졌다. 나는 시선을 피하며 깨어나야 한다고 나 자신을 몰아붙였다.

아래층으로 내려갈 때 나는 애마 아줌마의 분노를 마주할 각오가 되어 있었다. 아빠는 신문을 사러 스톱 앤 스틸에 갔으므로, 집에는 아줌마와 나 둘뿐이었다. 루실까지 치면 셋이었지만, 루실은 제 그릇에 담긴 건조한 고양이 먹이를 뚫어지게 바라보고 있었다. 아마 루실은 그런 먹이를 처음 보는 것일 터였다. 애마 아줌마가 루실한테도 화가 난 것 같았다.

애마 아줌마는 스토브에서 파이를 꺼내고 있었다. 식탁은 차려져 있었지만, 아침 식사로 먹을 음식은 준비되어 있지 않았다. 달걀도 없고, 심지어 토스트 한 조각도 없었다. 생각보다 심각했다. 애마 아줌마가 아침 식사 준비 대신 빵을 구운 건 리나의 생일 다음 날이 마지막이었다. 그전에는 엄마가 돌아가신 다음 날이었고. 애마 아줌마는 격투기 경기에 출전한 선수처럼 반죽을 치댔다. 애마 아줌마의 분노만 가지고도 침례교도와 감리교도를 모두 먹일 만큼 쿠키를 구울 수 있을 것 같았다. 아줌마가 반죽을 치대며 웬만큼 화가 가라앉았기를 바라는 수밖에 없었다.

"죄송해요, 아줌마. 그놈이 왜 우리 앞에 나타났는지 모르겠어요."

애마 아줌마는 내게 등을 돌린 채 오븐의 문을 쾅 닫았다. "모르는 게 당연하지. 네가 모르는 게 세상에 얼마나 많은 줄 알아? 그런데도 너는 볼 일도 없는 곳을 어슬렁거리지. 안 그래?" 애마 아줌마는 반죽 그릇을 들어 외눈박이 괴물로 안을 휘저었다. 바로 전날 그 숟가락으로 리들리에게 겁을 주어 굴복시킨 일 따위는 없었던 것처럼.

"전 리나를 찾으러 내려간 거예요. 요새 리나가 리들리랑 어울리고 있었거든요. 뭔가 곤란한 상황인 것 같아요."

애마 아줌마가 홱 돌아섰다. "곤란한 상황인 것 같다고? 거기 나타난 그 물건이 뭔지 알기나 해? 널 이승에서 저승으로 데려가려고 했던 그놈 말이야." 애마 아줌마는 미친 듯이 그릇을 휘저었다.

"리브가 그걸 벡스라고 부른다고 말해 줬어요. 누군가 강력한 사람이 소환한 거라고요."

"강력하고 어두운 놈이지. 너랑 네 친구들이 터널 안을 기웃거리며 돌아다니는 걸 싫어하는 놈."

"누가 우리를 터널에서 쫓아내려고 했을까요? 새라핀과 헌팅일까요? 왜죠?"

애마 아줌마는 그릇을 조리대에 쾅 하고 내려놓았다. "왜냐고? 넌 왜 너랑 아무 상관도 없는 일에 대해 노상 이것저것 물어보는 거냐? 그래, 다 내 잘못이지. 네가 이 조리대보다도 작던 시절부터 나한테 아주 지겹게 이것 저것 물어보는 걸 내버려 뒀으니." 애마 아줌마는 고개를 저었다. "그래도 이건 바보들의 게임이야. 아무도 이길 수 없어."

죽겠군. 또 수수께끼 같은 말이잖아. "아줌마, 그게 무슨 말씀이세요?"

애마 아줌마는 손가락으로 또 나를 가리켰다. 어젯밤과 똑같은 표정이 었다. "터널은 너랑 아무 상관도 없는 곳이야. 알아들어? 리나가 힘들어한 다니 나도 안됐다는 생각이 들기는 하지만, 이 문제는 리나가 제힘으로 해 결해야 돼. 네가 할 수 있는 일은 하나도 없어. 그러니까 절대 그 터널에는 가지 마. 그 아래에는 벡스보다 더 끔찍한 것들이 많다고." 애마 아줌마는 금방 구워 낸 파이에 등을 돌리고, 그릇에 담겨 있던 반죽을 파이 틀에 부 었다. 대화가 끝났다는 뜻이었다. "넌 얼른 일이나 하러 가. 땅 밑으로 내려 갈 생각은 하지 말고."

"네, 아줌마."

나는 애마 아줌마에게 거짓말을 하고 싶지 않았다. 사실 엄밀히 말하면, 거짓말을 한 것도 아니었다. 적어도 나는 속으로 그렇게 자신을 타일렀다. 나는 일을 하러 가는 길이었다. 중간에 잠깐 레이븐우드에 들를 뿐이었다. 어젯밤의 일을 생각하면, 이제 할 말이 하나도 남아 있지 않았지만 그와 동 시에 할 말이 산더미처럼 많기도 했다.

나는 내 의문의 답을 알고 싶었다. 리나가 내게 거짓말을 해 대며 나 몰 래 돌아다니기 시작한 건 언제부터였을까? 두 사람이 함께 있는 걸 처음 본 장례식 때부터? 아니면 리나가 묘지에서 존의 오토바이 사진을 찍은 날 부터? 몇 달 전? 몇 주 전? 며칠 전? 남자에게는 이 점을 분명히 해 두는 것 이 중요했다. 사실을 정확히 알기 전에는 의문이 내 마지막 자존심을 계속 갉아먹을 것이다.

어젯밤에 리나는 분명히 말했다. 그리고 나는 리나가 존과 함께 있는 것을 보았다. '난 네가 여기 있는 게 싫어, 이선.' 모든 게 끝났다. 우리가 이렇게 될 줄은 정말 몰랐는데.

~

나는 철을 비틀어 놓은 것 같은 모양인, 레이븐우드의 철세공 문 앞에 차를 세우고 시동을 껐다. 그리고 창문을 내린 채로 차 안에 앉아 있었다. 밖의 날씨는 이미 무더웠다. 조금만 있으면 더위 때문에 숨이 턱턱 막히겠지만 나는 꼼짝도 할 수 없었다. 나는 눈을 감고 매미 소리에 귀를 기울였다. 지금 이 차에서 내리지 않으면, 진실을 알지 않아도 될 것이다. 내가 굳이 차를 몰고 저 문을 통과할 필요도 없었다. 열쇠는 여전히 꽂혀 있는 상태였다. 지금 당장 그 열쇠를 돌려 시동을 걸고 도서관으로 갈 수도 있었다.

그러면 이런 일을 다시는 겪지 않을 터였다.

나는 열쇠를 돌렸다. 그러자 라디오가 켜졌다. 조금 전에 시동을 끌 때는 라디오가 켜져 있지 않았다. 볼보 자동차라고 해서 라디오 수신 상태가 비터와 그리 다르지는 않았지만, 지직거리는 소음 속에 묻힌 가사가 들렸다.

열일곱 개의 달, 열일곱 개의 구슬,
때가 되기 전에 달이 나타나고,
마음이 가는 곳에 별들이 따라가리라,
하나는 깨졌고, 하나는 속이 비었고…

시동이 꺼지면서 음악도 함께 사라졌다. 달이 어쩌고 하는 부분을 이해할 수 없었다. 달이 다가오고 있다는 건 알겠지만, 그건 새로운 사실도 아니었다. 게다가 우리 둘 중 누가 사라진 건지 굳이 노래로 가르쳐 주지 않아도 나는 이미 알고 있었다.

내가 마침내 자동차 문을 열자 숨이 막힐 듯한 캐롤라이나의 더위조차 시원하게 느껴졌다. 나는 삐걱거리는 문을 살짝 열고 안으로 들어갔다. 저택이 가까워질수록, 메이컨이 떠난 뒤의 비참한 모습이 더욱 분명히 드러났다. 지난번에 왔을 때보다 더 심각했다.

나는 베란다의 계단을 올라갔다. 계단을 밟을 때마다 판자가 삐걱거렸다. 집도 정원 못지않게 심각한 모습이겠지만, 내 눈에는 보이지 않았다. 어디를 봐도 보이는 것은 리나뿐이었다. 내가 메이컨을 처음 만난 날 나더러 집으로 돌아가라고 설득하던 리나. 생일 일주일 전에 오렌지색 죄수복을 입고 계단에 앉아 있던 리나. 오솔길을 따라 그린브라이어로, 제너비브의 무덤으로 걸어가고 싶은 생각이 들었다. 낡은 라틴어 사전을 들고 나랑 나란히 웅크리고 앉아《달의 책》을 해석하려고 애쓰던 리나의 모습을 떠올릴 수 있게.

하지만 그런 모습들은 이제 모두 망령에 지나지 않았다.

나는 문 위의 조각에서 친숙한 주술사의 달 모양을 찾아냈다. 나는 그 갈라진 나무를 만지작거리며 망설였다. 사람들이 나를 환영해 줄지 알 수 없었다. 그래도 나는 그 달을 눌렀다. 문이 활짝 열리더니 델 이모가 나를 보고 미소를 지었다. "이선! 우리가 떠나기 전에 네가 왔으면 좋겠다 했는데." 델 이모가 나를 잡아당겨 살짝 안아 주었다.

집 안은 어두웠다. 계단 옆에 여행 가방이 산더미처럼 쌓여 있었다. 대부분의 가구에 덮개가 덮여 있고, 커튼도 닫혀 있었다. 사실이었다. 이 사람들은 정말로 떠날 작정이었다. 리나는 학교에서 마지막으로 만난 날 이후로 여행에 대해 한 마디도 하지 않았다. 게다가 그 이후로 많은 일이 있었기 때문에 나도 거의 잊고 있었다. 아니, 잊고 싶었다. 리나는 심지어 짐을 싸는 중이라는 말도 하지 않았다. 이제는 리나가 내게 말하지 않는 일이 아주 많았다.

"그래서 온 거지?" 델 이모는 어리둥절한 표정으로 눈을 가늘게 떴다. "작별 인사를 하려고 온 것 아냐?" 기록사인 델 이모는 시간의 층을 나눠서 동시에 보고 있기 때문에 항상 조금은 혼란스러운 표정이었다. 델 이모는 어떤 방에 들어서자마자 과거에 일어났던 일과 미래에 일어날 일을 모두 한꺼번에 볼 수 있었다. 가끔 나는 내가 이 방으로 들어설 때 델 이모가 무엇을 보는지 궁금했다. 하지만 어쩌면 그런 건 모르는 편이 나을 것 같기도 했다.

"네, 작별 인사를 하러 왔어요. 언제 떠나세요?"

리스는 식당에서 책들을 정리하고 있었다. 험악한 표정을 짓고 있는 것이 보였다. 나는 습관적으로 시선을 돌렸다. 리스가 내 얼굴에서 어젯밤 일을 모조리 읽어 내는 건 절대 사양이었다. "일요일이나 돼야지. 그런데 리나는 아직 짐도 안 쌌어. 괜히 리나를 정신 사납게 만들지 마." 리스가 소리쳤다.

이틀. 이틀 뒤면 리나는 떠난다. 그런데 나는 그 사실을 모르고 있었다. 리나는 내게 작별 인사를 할 생각이 있기나 한 걸까?

나는 리나의 할머니에게 인사를 하려고 고개를 숙이며 응접실로 들어갔다. 할머니는 차 한 잔과 신문을 앞에 두고 흔들의자에 태산처럼 앉아 있었다. 집 안에서 식구들이 부산을 떨어도 할머니에게는 전혀 영향이 없는 것 같았다. 할머니가 신문을 반으로 접으며 빙긋 웃었다. 나는 할머니가 〈성조〉지를 보고 있을 거라고 생각했지만, 내가 모르는 언어로 된 신문이었다.

"이선. 너도 우리랑 같이 갈 수 있으면 좋을 텐데. 네가 보고 싶을 거다. 리나도 이리로 다시 돌아올 날을 손꼽아 기다릴 거야." 할머니는 의자에서 일어나 나를 끌어안았다.

리나가 손꼽아 날짜를 헤아린다는 말은 사실일지 몰라도, 그 이유는 할머니의 생각과 다를 것이다. 리나의 가족들은 요즘 우리 사이가 어떤지 전혀 모르고 있었다. 아니, 리나에 대해서도 모르고 있었다. 리나가 추방 같은 지하의 주술사 클럽에서 논다는 사실이나 존의 오토바이 뒷좌석에 타고 돌아다닌다는 사실도 모르는 것 같았다. 어쩌면 아예 존 브리드에 대해 까맣게 모르고 있을 수도 있었다.

처음 리나를 만났을 때가 떠올랐다. 리나가 살았던 수많은 장소들, 한번도 친구를 사귀지 못했다는 이야기, 학교에도 제대로 다니지 못했다는 이야기. 리나가 또 그런 생활로 돌아가는 건지 궁금했다.

할머니가 묘한 표정으로 나를 뚫어지게 바라보았다. 그리고 손으로 내 뺨을 만졌다. 부드러웠다. 세 할머니들이 교회에 갈 때 끼는 장갑처럼. "너 변했구나, 이선."

"할머니?"

"뭐가 어떻게 변했는지 콕 집어 말할 수는 없지만, 뭔가가 달라졌어."

나는 시선을 피했다. 아닌 척해 봤자 소용없었다. 할머니는 리나와 내가 더 이상 연결되어 있지 않다는 걸 알아차릴 것이다. 어쩌면 이미 알아차렸을 수도 있었다. 리나의 할머니는 애마 아줌마와 같았다. 할머니는 어디서든 순전히 의지력만으로 그 자리에서 가장 강한 사람이 되었다. "변한 건 제가 아니에요, 할머니."

할머니는 다시 의자에 앉아 신문을 들었다. "터무니없는 소리. 다들 변하는 법이야, 이선. 그게 인생이다. 이제 내 손녀한테 가서 짐을 싸라고 말해 주겠니? 물살이 바뀌기 전에 여길 떠나야 돼. 안 그러면 영원히 여기에 발이 묶일 거다." 할머니는 마치 나도 이 농담의 일부인 것처럼 싱긋 웃었다. 하지만 나는 아니었다.

리나의 문은 아주 조금만 열려 있었다. 벽들, 천장, 가구, 모든 것이 검은색이었다. 이제는 샤피로 쓴 글자들이 벽을 뒤덮고 있지 않았다. 리나의 시는 하얀 분필로 갈겨써져 있었다. 벽장문은 온통 같은 구절로 도배되어 있었다. '똑바로서려고도망친다똑바로서려고도망친다똑바로서려고도망친다.' 나는 이 글자들을 열심히 바라보며 예전에 리나의 글씨를 볼 때처럼 단어들을 분리했다. 일단 단어들을 분리하고 나니 이것이 옛날 U2의 노래임을 알 수 있었다. 정말로 옳은 말이라는 생각이 들었다.

메이컨이 죽은 뒤로 리나가 한시도 쉬지 않고 줄곧 하고 있는 일이 바로 이거였다.

리나의 어린 사촌인 라이언이 침대에 앉아 양손으로 리나의 얼굴을 감싸고 있었다. 라이언은 소머터지로 누군가가 커다란 고통을 겪고 있을 때에만 치유의 능력을 사용했다. 대개는 그 대상이 나였는데, 오늘은 리나였다.

나는 리나를 거의 알아볼 수 없었다. 어젯밤을 꼬박 새운 것 같은 몰골이었다. 몸에 비해 지나치게 크고 색이 바랜 검은 티셔츠를 잠옷 대신 입었고, 머리는 헝클어졌으며, 눈은 빨갛게 부어 있었다.

"이선!" 라이언은 나를 보자마자 평범한 아이가 되었다. 라이언이 내 품으로 뛰어들자 나는 아이를 안아 올려 양쪽으로 흔들어 댔다. "왜 우리랑 같이 안 가? 오빠가 없으면 지루할 텐데. 리스 언니가 여름 내내 나한테 이래라저래라 잔소리를 할 거야. 리나 언니도 별로 재미없고."

"난 여기 남아서 애마 아줌마랑 아빠를 보살펴 드려야 돼, 우리 병아리." 나는 라이언을 부드럽게 내려놓았다.

리나는 짜증스러운 표정이었다. 리나는 헝클어진 침대 위에서 일어나 앉아 책상다리를 하고 손짓을 하며 라이언에게 나가라고 말했다. "좀 나가 줄래?"

라이언이 얼굴을 찌푸렸다. "둘이 이상한 짓을 해서 내가 필요해지거든, 날 불러. 아래층에 있을게." 라이언은 리나와 내가 감정을 억제하지 못해서 전류가 너무 강하게 흐르는 바람에 내 심장이 거의 멈출 뻔했을 때 여러 번 내 생명을 구해 준 적이 있었다.

리나와 존 브리드라면 그런 문제는 결코 없을 것이다. 지금 리나가 입고 있는 것이 혹시 존의 셔츠인지도 모른다는 생각이 들었다.

"여긴 왜 왔어, 이선?" 리나가 천장을 빤히 올려다보았다. 리나의 시선을 따라가니 벽에 적힌 글자들이 보였다. 나는 차마 리나를 바라볼 수 없었다. '시선을 들면 / 어쩌면 가능할 수도 있는 것들의 푸른 하늘이 보이는가 / 아니면 결코 있을 수 없는 것들의 어둠이 보이는가 / 내가 보이는가?'

"어젯밤 일에 대해 이야기를 하고 싶어."

"네가 날 따라온 이유에 대해 말하고 싶다고?" 리나의 목소리는 냉혹했다. 그래서 나는 화가 났다.

"난 널 따라간 게 아냐. 걱정이 돼서 널 찾고 있었어. 하지만 존이랑 그렇게 놀아나느라 바빴으니 내가 나타난 게 아주 불편했겠지."

리나의 턱에 힘이 들어갔다. 리나가 일어서자 티셔츠 자락이 무릎까지 내려왔다. "존이랑 나는 그냥 친구 사이야. 놀아난 게 아냐."

"친구들한테 항상 그렇게 딱 들러붙나 보지?"

리나가 내게 가까이 다가왔다. 성질 급한 곱슬머리가 리나의 어깨에서 부드럽게 떠오르기 시작했다. 천장 중앙에 매달려 있는 샹들리에도 흔들렸다. "그러는 너는 친구들한테 항상 그렇게 키스하려고 해?" 리나가 내 눈을 똑바로 들여다보았다.

그 눈 속으로 빛과 불꽃이 번쩍하고 지나갔다. 그러고는 어둠이었다. 샹들리에의 전구들이 터지면서 자그마한 유리 조각들이 리나의 침대에 비처럼 쏟아졌다. 지붕에 빗방울 떨어지는 소리가 들렸다.

"그게 무슨…?"

"거짓말해 봤자 소용없어, 이선. 너랑 네 도서관 파트너가 클럽 밖에서 뭘 했는지 다 아니까." 리나의 목소리가 내 머릿속에 날카롭고 격하게 울려 퍼졌다.

'다 들었어. 너 켈팅하고 있었잖아. 푸른 눈과 금발? 이제 기억나?'

리나의 말이 맞았다. 나는 쾰팅을 하고 있었다. 그래서 리나가 내 말을 한 마디도 빼지 않고 모두 들어 버렸다.

'아무 일도 없었어.'

샹들리에가 리나의 침대 위로 무너져 내렸다. 나와는 겨우 10여 센티미터 거리에서 샹들리에가 지나갔다. 바닥도 갑자기 쑥 꺼지면서 무너져 내리는 것 같았다. 리나가 내 말을 다 들어 버렸다.

'아무 일도 없었어? 내가 모를 것 같아? 내가 그걸 못 느꼈을 것 같아?'

이건 리스와 눈을 마주치는 것보다 더했다. 리나는 모든 것을 볼 수 있었다. 굳이 능력을 발휘할 필요도 없었다.

"네가 그 존이라는 녀석이랑 같이 있는 걸 보고 내가 정신이 나갔어. 아무 생각이 없었다고."

"그렇게 믿고 싶겠지. 하지만 모든 일에는 이유가 있어. 넌 그 애한테 거의 키스할 뻔했어. 네가 원해서 그렇게 한 거야."

'어쩌면 그냥 네 약을 올리고 싶어서 그랬을 수도 있잖아. 네가 다른 남자랑 같이 있는 걸 봤으니까.'

'소원을 빌 때는 조심해야지.'

나는 리나의 얼굴을 유심히 살폈다. 눈가가 거뭇거뭇하고, 슬퍼 보였다.

내가 그토록 사랑했던 초록색 눈은 이미 사라졌다. 어둠의 주술사의 황금색 눈동자로 변해 버렸기 때문에.

'나를 어떻게 할 거야, 이선?'

'이젠 나도 모르겠어.'

리나는 순간적으로 풀 죽은 표정을 지었지만, 금방 마음을 다잡았다. "전부터 그러고 싶어서 죽을 지경이었지? 이제 아무 죄책감 없이 그 일반인 여자 친구랑 같이 도망쳐도 되겠네." 리나는 '일반인'이라는 말을 입에 담는 것조차 도저히 참을 수 없다는 표정이었다. "개랑 호숫가로 놀러가고 싶어서 몸이 근질거리겠지." 리나는 분노로 이글거리고 있었다. 천장의 여러 부분들이 무너져 내리기 시작했다. 샹들리에가 떨어진 곳이었다.

리나가 요즘 어떤 고통을 느끼고 있었는지는 모르겠지만, 지금은 분노가 그 고통을 완전히 압도했다. "새 학기가 시작되면 넌 농구 팀에 다시 나가겠지. 그 애는 치어리더가 될 수 있을 거야. 에밀리랑 서배너가 그 애를 아주 좋아할걸."

우지끈 하는 소리가 들리더니 벽 한 부분이 또 내 옆의 바닥으로 쓰러졌다.

가슴이 먹먹해졌다. 리나는 잘못 생각하고 있었지만, 나는 평범한 일반인 여자애와 데이트를 하면 정말 편할 거라는 생각을 떨쳐 버릴 수 없었다.

'네가 그런 걸 원한다는 건 처음부터 알고 있었어. 이제 원하는 대로 됐네.'

또 우지끈 하는 소리가 났다. 이제 나는 천장에서 떨어진 고운 횟가루에 뒤덮여 있었고, 주위의 바닥에는 벽과 천장의 부서진 조각들이 흩어져 있었다.

리나는 힘들게 눈물을 참고 있었다.

'내 말은 그런 뜻이 아니었어. 너도 알잖아.'

'내가 안다고? 내가 아는 건 이렇게 힘들 줄 몰랐다는 것뿐이야. 누군가를 사랑하는 게 이렇게 힘들면 안 되는 거잖아.'

'난 그딴 건 신경 쓴 적 없어.'

리나가 점점 사라지는 것이 느껴졌다. 리나는 나를 자신의 머리와 마음에서 밀어내고 있었다. "넌 너랑 비슷한 사람과 있는 게 어울려. 난 나랑 비슷한 사람과 있는 게 어울리고. 내가 겪고 있는 일을 잘 이해해 주는 사람 말이야. 난 몇 달 전과는 완전히 다른 사람이야. 아마 너도 알고 있을걸."

'이제 자신을 괴롭히는 짓은 그만둬, 리나. 그건 네 잘못이 아니었어. 너도 메이컨 아저씨를 구할 수 없었다고.'

'넌 아무것도 몰라.'

'삼촌이 돌아가신 걸 네 탓으로 생각한다는 건 나도 알아. 지금 그렇게

너 자신을 괴롭히는 게 일종의 참회라는 것도 알고.'

'내가 한 짓을 참회할 길은 없어.'

리나가 돌아서려 했다.

'도망치지 마.'

'도망치는 게 아냐. 난 이미 너랑은 다른 세계 사람이야.'

이제 내 머릿속에서 리나의 목소리가 거의 들리지 않았다. 나는 리나에게 가까이 다가갔다. 리나가 무슨 짓을 했든, 우리 사이가 다 끝났든 상관없었다. 리나가 자신을 파괴하는 걸 가만히 두고 볼 수만은 없었다.

나는 리나를 잡아당겨 가슴에 안고 팔로 감쌌다. 물에 빠져 죽어 가는 사람을 밖으로 끌어내는 것 같은 심정이었다. 차갑게 타오르는 리나의 몸이 속속들이 느껴졌다. 리나의 손끝이 내 손끝을 스쳤다. 리나의 얼굴이 닿은 내 가슴은 아무런 감각이 없었다.

'우리가 함께 있든 아니든 상관없어. 넌 저들과 같지 않아, L.'

'그렇다고 너희랑 같지도 않아.'

리나의 마지막 말은 속삭임이었다. 나는 리나의 머리카락 속으로 손을 집어넣었다. 리나를 놓아줄 생각은 조금도 없었다. 리나가 울고 있는 것 같았지만, 확실하지는 않았다.

천장을 바라보니 구멍 주위의 회칠 조각 몇 개가 수천 개의 조각으로 쪼개지기 시작했다. 아직 남아 있는 천장까지도 금방 우리를 덮치며 무너질 것 같았다.

'이렇게 되는 건가?'

나는 리나의 대답을 듣고 싶지 않았다. 지금 이 순간을 조금이라도 더 연장하고 싶었다. 리나에게 매달려 리나가 아직 내 것인 척하고 싶었다.

"우리 식구들은 이틀 뒤에 떠나. 하지만 내일 아침에 식구들이 눈을 뜰 때쯤이면, 난 여기 없을 거야."

"L, 그러면 안…"

리나가 내 입에 손가락을 댔다. "날 사랑한 적이 있다면, 아니 넌 틀림없이 날 사랑했으니까, 그냥 가만히 있어 줘. 내가 사랑하는 사람들이 나 때문에 죽는 건 더 이상 두고 볼 수 없어."

"리나."

"이건 내가 감당해야 하는 저주야. 내 몫이라고. 그러니까 내가 감당하게 해 줘."

"내가 싫다고 하면?"

리나는 나를 바라보았다. 얼굴 전체가 그림자처럼 어두워졌다. "넌 선택의 여지가 없어. 만약 네가 내일 레이븐우드에 와도, 내가 분명히 장담하지만 사실을 털어놓고 싶은 기분이 안 들 거야. 털어놓을 수도 없을 거고."

"나한테 주술을 걸겠다는 거야?" 이건 리나가 한 번도 어긴 적이 없는 우리 사이의 암묵적인 규칙이었다.

리나는 빙긋 웃으며 손가락을 내 입술에 댔다. "실렌티움. 라틴어로 '침묵'이라는 뜻이야. 만약 내가 내일 떠나기 전에 네가 그 사실을 털어놓으려고 하면 네 귀에 이 단어가 들릴 거야."

"설마."

"방금 주술을 걸었어."

결국 우리가 여기까지 와 버렸다. 우리 사이에 남은 거라고는 리나가 상상도 할 수 없는 자신의 능력을 내게는 한 번도 쓴 적이 없다는 사실뿐이었는데. 리나의 눈이 금색으로 밝게 빛났다. 초록색은 흔적도 없었다. 리나의 말은 한 마디도 남김없이 모두 진심이었다.

"내일 다시 오지 않겠다고 맹세해." 리나가 내 품에서 스르르 빠져나가 몸을 돌렸다. 이제 자기 눈을 내게 보여 주기 싫은 모양이었다. 나도 그 눈을 참을 수 없었다.

"맹세할게."

리나는 아무 말도 하지 않았다. 그냥 고개만 끄덕이고는 얼굴에서 반짝이는 눈물을 닦았다. 내가 그 자리를 떠날 때 방에는 횟가루가 비처럼 쏟아지고 있었다.

⪨

나는 레이븐우드의 복도를 마지막으로 걸었다. 걸으면 걸을수록 집이 점점 어두워졌다. 리나가 떠난다. 메이컨은 이미 사라졌다. 다들 떠난다. 집이 죽어 버린 것 같았다. 나는 반짝거리는 마호가니 난간에 손가락을 대고 걸었다. 이곳에 칠해진 니스의 냄새, 낡은 나무의 매끄러운 느낌을 기억해 두고 싶었다. 어쩌면 메이컨이 피우던 수입산 시가의 희미한 냄새, 컨페더리트 재스민, 피처럼 붉은 오렌지, 책의 냄새까지도.

나는 메이컨의 침실 문 앞에서 걸음을 멈췄다. 아무런 무늬도 없는 그 검은색 문은 이 집의 다른 문과 그다지 다를 것이 없었다. 하지만 이 문은 그냥 문이 아니었다. 부가 다시는 돌아올 수 없는 주인을 기다리며 그 앞에서 자고 있었다. 이제는 늑대가 아니라 그냥 평범한 개처럼 보였다. 메이컨이 사라진 뒤로 부도 리나만큼이나 갈피를 못 잡는 것 같았다. 부가 고개를 거의 움직이지 않은 채 눈만 들어서 나를 바라보았다.

나는 문손잡이를 손으로 잡고 문을 밀어 열었다. 메이컨의 방은 내가 기억하는 그대로였다. 아무도 감히 이 방의 물건에 덮개를 씌울 생각을 하지 못한 모양이었다. 기둥이 네 개인 흑단 침대가 방 한가운데에서 반짝이고 있었다. 눈에 보이지 않게 레이븐우드를 관리하고 있는 존재들인 집이나 주방이 수천 번이나 래커칠을 한 것 같았다. 검은 덧창 때문에 방은 완전히 어두웠다. 그래서 지금이 밤인지 낮인지 알 수 없었다. 긴 촛대에는 검은 양초들이 꽂혀 있고, 검은 철세공 샹들리에가 천장에 매달려 있었다. 철세공 속에 주술사 문양이 새겨진 것이 보였다. 처음에는 그것을 어디서 봤는지 알 수 없었지만, 이내 기억이 났다.

리들리와 존 브리드에게서, 그리고 클럽 추방에서 본 문양이었다. 어둠의 주술사의 표식. 그들이 모두 갖고 있던 문신. 각각 모양이 다른 것 같았지만, 틀림없이 비슷비슷했다. 잉크로 새긴 문신이라기보다는 불로 찍은 낙인 같았다.

나는 몸을 부르르 떨면서 검은 서랍장 위에서 작은 물체를 집어 들었다. 메이컨이 어떤 여자와 함께 찍은 사진을 액자에 넣은 것이었다. 메이컨이 여자와 나란히 서 있었는데, 사진이 어두워서 여자의 윤곽밖에는 알아볼 수 없었다. 여자는 필름에 포착된 그림자 같았다. 이 사람이 혹시 제인이 아닐까 하는 생각이 들었다.

메이컨은 얼마나 많은 비밀들을 무덤까지 가져간 걸까? 나는 액자를 내려놓으려 했지만, 방이 너무 어두워서 거리를 제대로 가늠하지 못한 탓에 액자를 떨어뜨리고 말았다. 그런데 액자를 주우려고 허리를 굽힌 내 눈에 양탄자 귀퉁이가 살짝 들려 있는 것이 보였다. 터널 안에 있던 메이컨의 방에서 본 것과 정확하게 똑같은 양탄자였다.

양탄자를 들어 올리자 그 밑의 마룻바닥에 완벽한 직사각형 틈새가 보였다. 사람 하나가 들어갈 수 있는 크기였다. 이것도 터널로 통하는 문이었다. 내가 마룻널을 홱 잡아당기자 널이 빠져나왔다. 그 아래로 메이컨의 서재가 보였지만 그리로 내려가는 계단이 없었다. 돌바닥까지의 거리가 너무 멀어서 이대로 뛰어내렸다가는 머리에 심각한 부상을 입을 것 같았다.

그때 루나에 리브리의 문이 주술로 감춰져 있는 것이 떠올랐다. 여기도 그런 주술이 걸려 있는지 알아보려면 내가 직접 시도해 보는 수밖에 없었다. 나는 침대 가장자리를 꼭 붙들고 조심스레 발을 내밀었다. 잠시 몸이 비틀거렸지만, 금방 단단한 것이 발밑에 닿았다. 계단이었다. 눈에 보이지는 않지만, 갈라진 나무로 된 계단이 발밑에 느껴졌다. 잠시 후 나는 메이컨의 서재 바닥에 서 있었다.

메이컨은 하루 종일 잠만 잔 것이 아니었다. 메이컨은 터널에서 시간을

보냈다. 십중팔구 메리언 아줌마가 같이 있었을 것이다. 두 사람이 너무 오
래돼서 이해하기 힘든 주술사 전설들을 찾아보고, 남북 전쟁 전의 정원 형
태에 대해 토론하고, 차를 마시는 모습이 눈앞에 그려졌다. 메리언 아줌마
는 아마 리나를 제외하면, 메이컨과 가장 많은 시간을 보낸 사람일 것이다.

메리언 아줌마가 사진 속의 여자인지, 아줌마의 본명이 제인인지 궁금
했다. 전에는 생각해 보지 못했지만, 만약 메리언 아줌마가 제인이라면 많
은 것을 이해할 수 있었다. 수없이 많은 갈색 포장지의 도서관 소포들이 메
이컨의 서재에 깔끔하게 쌓여 있었던 이유. 듀크 대학의 교수였던 메리언
아줌마가 아무리 보관자라 해도 개틀린 같은 곳의 사서로 숨어 지내는 이
유. 메리언 아줌마와 메이컨이 서로 떼려야 뗄 수 없는 사이처럼 보일 때가
많았던 이유. 물론 메이컨이 아무 데도 가지 않고 은둔해서 사는 몽마임을
감안할 때 그랬다는 얘기지만.

어쩌면 두 분은 오랜 세월 동안 서로 사랑하는 사이였는지도 모른다.

나는 방 안을 둘러보다가 그것을 발견했다. 메이컨의 생각과 비밀이 담
겨 있는 나무 상자. 메리언 아줌마가 놓아두었던 선반에 그대로 있었다.

나는 눈을 감고 그 상자를 향해 손을 뻗었다….

메이컨이 결코 원하지 않는 동시에 가장 원하는 건… 마지막으로
제인을 보는 것이었다. 제인을 만난 지 몇 주가 흘렀다. 물론 그동안
에도 메이컨은 밤이면 도서관에서 집까지 제인의 뒤를 따라가며 멀
리서 그녀를 지켜보았다. 제인을 만질 수만 있다면 얼마나 좋을까.

하지만 지금은 그럴 수 없었다. 변환이 임박했으므로. 그런데 제인
이 여기 있었다. 가까이 오지 말라고 말해 두었는데도. "제인, 빨리 여
기서 나가. 여긴 안전하지 않아."

제인이 천천히 방을 가로질러 그가 서 있는 곳으로 다가왔다. "모
르겠어? 난 너와 거리를 둘 수 없어."

"나도 알아." 메이컨은 제인을 끌어당겨 키스했다. 마지막으로.

메이컨은 벽장 뒤쪽의 작은 상자에서 뭔가를 꺼내 제인의 손에 놓고, 제인의 손가락을 구부려 그것을 감싸게 했다. 둥글고 매끄러운 물건이었다. 완벽한 구슬 같은 형태. 메이컨은 제인의 손을 쥐고 진지한 목소리로 말했다. "변환 이후에는 내가 당신을 지켜줄 수 없어. 당신의 안전을 가장 위협하는 존재가 바로 나니까." 메이컨은 자신이 그토록 조심스레 숨겨온 물건을 부드럽게 쥐고 있는 자신들의 손을 내려다보았다. "혹시 무슨 일이 일어나서 네가 위험해지면… 이걸 써."

제인은 손을 벌렸다. 구슬은 검은색이었고, 진주처럼 광택이 흘렀다. 하지만 제인이 지켜보는 동안 구슬이 점점 빛을 내기 시작했다. 구슬이 아주 조금씩 붕붕거리며 진동하는 것이 느껴졌다. "이게 뭐야?"

메이컨은 이제 생명을 얻은 그 구슬을 만지고 싶지 않다는 듯이 뒤로 물러났다. "아크라이트야."

"어디에 쓰는 건데?"

"내가 널 위협하는 존재가 되면, 넌 날 막을 길이 없을 거야. 네가 날 죽이거나 상처를 주는 건 절대 불가능해. 그걸 할 수 있는 건 또 다른 몽마뿐이야."

제인의 눈빛이 흐려졌다. 그녀가 속삭이듯이 작은 소리로 말했다. "난 절대 널 해칠 수 없어."

메이컨이 손을 뻗어 제인의 얼굴을 부드럽게 만졌다. "알아. 하지만 네가 그러고 싶어도 불가능할 거야. 일반인은 몽마를 죽일 수 없어. 그래서 아크라이트가 필요한 거야. 내 일족을 제어할 수 있는 유일한 물건이니까. 네가 날 막을 수 있는 유일한 방법은…."

"제어라니, 무슨 소리야?"

메이컨은 시선을 피했다. "그건 새장 같은 거야, 제인. 우리를 붙들어 둘 수 있는 유일한 새장."

제인은 자기 손바닥에서 빛나고 있는 검은 구슬을 내려다보았다. 이 물건의 정체를 알고 나니 이 물건이 자신의 손바닥과 가슴을 태워 구멍을 만들고 있는 것 같았다. 제인은 구슬을 메이컨의 책상에 내려놓았다. 구슬은 책상 위를 굴렀고, 빛이 흐려졌다. "나더러 널 저 물건 안에 가두라고? 짐승처럼?"

"난 짐승보다 더한 존재가 될 거야."

눈물이 제인의 얼굴을 타고 흘러내려 입술을 넘어갔다. 제인은 메이컨의 팔을 부여잡고 그의 얼굴을 억지로 자신에게 돌렸다. "그 안에 얼마나 있게 되는데?"

"십중팔구, 영원히 있게 되겠지."

제인은 고개를 저었다. "난 싫어. 너한테 그런 짓을 할 수는 없어."

메이컨의 눈에도 눈물이 차오르는 것 같았다. 그것이 불가능한 일이라는 건 제인도 잘 알고 있는데도. 메이컨은 눈물을 흘릴 수 없었다. 그래도 눈물이 반짝이는 것 같았다. "너한테 무슨 일이 일어난다면, 만약 내가 널 해친다면, 나는 이 구슬 안에 갇히는 것보다 훨씬 더 힘든 삶을 영원히 겪어 내야 돼." 메이컨은 아크라이트를 들어서 자신과 제인 사이로 들어 올렸다. "이걸 사용할 수밖에 없는 때가 오면, 반드시 사용하겠다고 약속해 줘."

제인은 간신히 눈물을 참으며 떨리는 목소리로 말했다. "내가 그럴 수 있을지 정말⋯."

메이컨은 제인의 이마에 자신의 이마를 댔다. "약속해 줘, 제이니. 날 사랑한다면, 약속해 줘."

제인은 그의 서늘한 목에 얼굴을 묻었다. 그리고 깊이 숨을 들이쉬었다. "약속해."

메이컨은 고개를 들고 제인의 어깨 너머를 바라보았다. "약속은 약속이다, 이선."

깨어 보니 나는 침대에 누워 있었다. 창문을 통해 빛이 쏟아지고 있어서 여기가 메이컨의 서재가 아님을 알 수 있었다. 천장을 바라보았지만, 괴상한 검은색 샹들리에도 보이지 않았다. 그렇다면 여기는 레이븐우드에 있는 메이컨의 방도 아니었다.

나는 일어나 앉았다. 머릿속이 멍하고 혼란스러웠다. 나는 내 방에서 내침대에 누워 있었다. 창문은 열려 있고, 아침 햇살이 내 눈을 비췄다. 나는 분명히 거기서 기절했는데, 어떻게 여기서 깨어난 거지? 게다가 시간도 많이 흘렀잖아. 시간과 공간에 관한 물리적 법칙들은 다 어떻게 된 거야? 이런 짓을 할 만큼 강력한 주술사나 몽마가 있는 건가?

전에는 환영에 이만큼 영향을 받은 적이 없었다. 에이브러햄과 메이컨은 모두 환영 속에서 나를 보았다. 어떻게 그럴 수 있지? 메이컨은 내게 뭘 말하고 싶은 걸까? 왜 나한테 이런 환영들을 보여 주는 걸까? 뭐가 뭔지 알 수 없었다. 한 가지만 빼고. 환영들이 변하고 있든지, 아니면 내가 변하고 있다는 것. 리나가 그 점을 분명하게 가르쳐 주었다.

상속

❧ 6.17 ❧

나는 약속대로 레이븐우드에 가까이 가지 않았다. 아침이 되었을 때 나는 리나가 어디 있는지, 아니면 어디로 향하고 있는지 알 수 없었다. 존과 리들리도 함께 움직이고 있는지 궁금했다.

내가 유일하게 아는 것은 리나가 자신의 운명을 스스로 결정할 수 있게 되기를, 저주를 받았어도 스스로 결정할 수 있는 방법을 찾게 되기를 평생 원했다는 것이었다. 그러니 이제 와서 내가 리나의 길을 방해할 수는 없었다. 리나도, 스스로 지적했던 것처럼, 자신을 방해하는 나를 가만히 내버려둘 생각이 없었다.

그렇다면 내게 남은 것은 하루 종일 침대에 누워 자기 연민에 빠져드는 방법뿐이었다. 나는 만화책을 읽을 것이다. 〈아쿠아맨〉만 빼고 뭐든지.

하지만 개틀린에는 다른 계획이 있었다.

마을 축제에서는 낮에 파이 경연 대회와 행렬이 벌어지고, 밤에는 운이 좋으면 남녀가 어울려 노닥거렸다. 하지만 위령제는 완전히 달랐다. 이것이 개틀린의 전통이었다. 축제장에서는 플립플랍과 반바지 차림으로 하루를 보낸 사람들이, 위령제 때는 가장 좋은 옷을 차려입고 묘지로 가서 세상을 떠난 친척들을 보살폈다. 자기 친척이든 남의 친척이든 상관없었다. 위령의 날이 원래 11월에 있는 가톨릭의 축일이라는 사실은 아무 상관이 없었다. 개틀린에는 우리만의 방식이 따로 있었다. 그래서 우리는 이날을 죽은 사람들을 추모하고, 죄책감을 느끼고, 조상들의 무덤에 누가 가장 많은 조화와 천사 상을 쌓아 두는지 경쟁하는 우리만의 날로 삼았다.

다들 이 위령제에 참가했다. 침례교도와 감리교도는 물론 복음주의 교도와 오순절 교회파도 마찬가지였다. 이날 묘지에 나타나지 않는 사람은 딱 두 명뿐이었다. 애마 아줌마와 메이컨 레이븐우드. 애마 아줌마는 웨이더스 개울에 있는 자기 집안 묘지에서 이 날을 보냈다. 두 사람이 위령제 때 늪지에서 조상들과 함께 시간을 보낸 적이 과연 있을지 궁금했지만, 그런 일은 없었을 것 같았다. 메이컨이나 조상들이 플라스틱 조화를 좋아하는 모습은 상상이 가지 않았다.

주술사들에게도 그들 나름의 위령제가 있는지 궁금했다. 만약 리나가 지금의 나와 같은 기분인지도 궁금했다. 나는 지금 그냥 침대 안으로 기어들어가 하루가 끝날 때까지 숨어 있고 싶었다. 작년에는 나도 위령제에 가지 않았다. 엄마가 돌아가신 지 얼마 안 됐기 때문에. 그 전에는 매년 알지도 못하거나 거의 기억도 안 나는 웨이츠 가문 조상들의 무덤가에 서서 하루를 보냈다.

하지만 오늘은 매일 내 머릿속에 떠오르는 사람, 엄마의 무덤가에 서 있을 것이다.

애마 아줌마는 파란색 긴 치마에 아끼는 하얀 블라우스를 입고 부엌에 있었다. 레이스 칼라가 달린 옷이었다. 애마 아줌마는 할머니들이 쓰는 손바닥만 한 수첩을 꼭 쥐고 있었다. "너 빨리 세 할머니들한테 가 봐라." 애마 아줌마가 내 넥타이의 매듭을 바로잡아 주었다. "네가 늦으면 할머니들이 얼마나 난리를 치는지 알지?"

259

"네, 아줌마." 나는 조리대에서 아빠의 자동차 열쇠를 집어 들었다. 한 시간 전 나는 아빠를 '영원한 안식의 정원' 정문 앞에 내려 주고 왔다. 아빠는 잠시 엄마와 단둘이서만 있고 싶다고 말했다.

"잠깐 기다려라."

나는 그대로 얼어붙었다. 애마 아줌마가 내 눈을 들여다보게 하고 싶지 않았다. 지금은 리나에 대해 이야기할 수 없었다. 애마 아줌마가 내게서 리나에 관한 이야기를 캐내려 하는 것도 싫었다.

애마 아줌마는 자기 가방을 뒤져서 어떤 물건을 꺼냈다. 그것이 무엇인지 내게는 보이지 않았다. 애마 아줌마가 내 손을 펼치고 손바닥에 긴 끈을 내려놓았다. 가느다란 금줄 한가운데에 자그마한 새 한 마리가 매달려 있었다. 메이컨의 장례식 때 보았던 것보다 훨씬 작았지만, 그래도 나는 그것을 금방 알아보았다. "이건 네 엄마를 위한 참새다." 애마 아줌마의 눈이 비온 뒤의 도로처럼 반짝였다. "주술사들에게 참새는 자유를 의미하지만, 천리안에게는 안전한 여행을 의미하지. 참새는 영리한 새다. 녀석들은 아주 먼 길을 여행하면서도 항상 집으로 돌아오는 길을 찾아내."

목이 점점 메어 왔다. "이제 엄마는 여행할 일이 없는 것 같은데요."

애마 아줌마는 눈을 훔치고 자신의 가방을 찰칵 하고 닫았다. "넌 모르는 게 없는 모양이구나, 그렇지, 이선 웨이트?"

⁂

내가 세 할머니들의 집에 도착해서 자갈이 깔린 진입로에 차를 멈추고 차 문을 열었는데도 루실은 밖으로 뛰어내리지 않고 조수석에 가만히 앉아 있었다. 녀석은 여기가 어딘지 알고 있을 뿐만 아니라, 자신이 쫓겨났다는 사실도 알고 있었다. 나는 녀석을 달래서 차에서 내리게 했지만, 녀석은 인도에서 시멘트와 잔디가 만나는 지점에 앉아 버렸다.

내가 노크도 하기 전에 먼저 셀마가 문을 열었다. 셀마는 나를 보는 둥 마는 둥 하고 곧바로 루실을 바라보며 팔짱을 끼었다. "왔냐, 루실?"

루실은 나른하게 제 발을 핥더니 꼬리 냄새를 맡으며 부산을 떨었다. 아무래도 셀마는 발끈한 모양이었다. "너 내 빵보다 애마의 빵이 더 맛있다고 말하려고 왔냐?" 루실은 내가 아는 한 고양이 먹이 대신 빵과 그레이비 소스를 먹는 유일한 고양이였다. 루실은 그 주제에 관해 특별히 할 말이 있다는 듯 야옹거렸다.

셀마가 내게 시선을 돌렸다. "왔냐, 귀염둥이? 차가 서는 소릴 들었다." 셀마는 내 뺨에 입을 맞췄다. 셀마가 뽀뽀를 하면 항상 아무리 문질러도 지워지지 않는 밝은 분홍색 립스틱 자국이 남았다. "너 괜찮냐?"

오늘이 내게는 힘든 날이라는 것을 다들 알고 있었다. "네, 괜찮아요. 할머니들은 준비되셨어요?"

셀마는 한 손을 엉덩이에 얹었다. "그 아가씨들이 평생 무슨 일이든 제대로 준비하는 것 봤냐?" 셀마는 세 할머니들을 항상 아가씨들이라고 불렀다. 할머니들이 자기보다 두 배나 나이가 많은 데도 상관없는 모양이었다.

거실에서 누군가의 목소리가 들렸다. "이선? 너니? 얼른 들어와라. 네가 좀 봐 줘야 할 게 있어."

그게 무슨 뜻인지 알 길이 없었다. 세 할머니들이 지금 너구리 일가를 위해 〈성조〉지로 집을 짓고 있을 수도 있었고, 프루 할머니의 네 번째, 아니 다섯 번째인가, 하여튼 몇 번째인지 알 수 없는 결혼식을 준비하는 중일 수도 있었다. 하지만 세 할머니들은 내가 미처 생각도 못한 일을 벌이고 있었다. 그건 나와도 관련된 일이었다.

"얼른 들어와." 그레이스 할머니가 들어오라고 손짓했다. "머시, 저 애한테 파란 스티커 좀 줘." 그레이스 할머니는 낡은 교회 주보 같은 것으로 부채질을 하고 있었다. 십중팔구 할머니들의 남편들 장례식 때 만든 식순 안내서일 터였다. 세 할머니들은 장례식 때 손님들이 안내서를 절대 가지고 가지 못하게 했기 때문에, 집 안에 수많은 안내서들이 굴러다니고 있었다.

"내가 널 위해서 이걸 직접 챙겼다. 하지만 사고를 당했으니 조심해야지. 합병증이 생겼거든." 카운티 축제 이후로 그레이스 할머니는 항상 이 이야기만 했다. 할머니가 기절했다는 사실은 이미 마을 사람들 중 절반이 알고 있었지만, 그레이스 할머니에게서 그 이야기를 직접 들으면 거의 목숨이 위태로울 만큼 심각한 합병증에 시달리고 있는 것 같았기 때문에 셀마와 프루 할머니와 머시 할머니는 그레이스 할머니의 몸이 나을 때까지 할머니가 해 달라는 대로 시중을 들어주느라 허둥지둥 돌아다니곤 했다.

"아냐, 아냐. 이선의 색은 빨간색이야. 내가 말했잖아. 저 애한테 빨간색을 줘." 프루 할머니는 노란색 종이철에 미친 듯이 뭔가를 갈겨쓰고 있었다.

머시 할머니가 빨간 점들이 찍혀 있는 스티커지를 내게 건네주었다. "자, 이선, 거실을 돌아다니면서 네가 이걸 붙이고 싶은 물건 밑에 붙여라. 얼른 해." 머시 할머니는 기대에 찬 눈으로 나를 빤히 바라보았다. 내가 당장 스티커를 할머니 이마에 찰싹 붙여 주지 않으면 화를 내기라도 할 것 같은 기색이었다.

"그게 무슨 소리예요, 머시 할머니?"

그레이스 할머니가 남군 군복을 입은 노인의 사진을 벽에서 떼어 냈다. "이 사람은 로버트 찰스 타일러 장군이야. 주들 사이의 전쟁에서 마지막으로 목숨을 잃은 저항군 장군이지. 나한테 스티커 하나 다오. 이것도 가치가 있을 거야."

나는 이 할머니들이 도대체 뭘 하는 건지 알 수 없었지만, 물어보기가 무서웠다. "이제 출발해야 돼요. 오늘이 위령제 날이라는 걸 잊으신 거예요?"

프루 할머니가 인상을 찌푸렸다. "그걸 잊을 리가 있나. 그래서 지금 이렇게 정리를 하고 있는 건데."

"그래서 스티커를 붙이는 거야. 다들 자기만의 색깔이 있거든. 셀마는 노란색, 넌 빨간색, 네 아빠는 파란색." 머시 할머니는 갑자기 생각이 끊어진 사람처럼 말을 멈췄다.

프루 할머니가 무서운 눈빛으로 머시 할머니의 입을 막았다. 프루 할머니는 누가 자기 말을 방해하는 걸 싫어했다. "넌 그 스티커를 네가 원하는 물건 밑에 붙여라. 그래야 우리가 죽은 다음에 셀마가 어떤 물건을 누구한테 줄지 알 수 있을 테니까."

"우리가 이걸 생각해 낸 게 다 위령제 때문이야." 그레이스 할머니가 자랑스레 미소 지었다.

"전 가지고 싶은 것 없어요. 할머니들이 곧 돌아가시지도 않을 거고요." 나는 스티커지를 탁자 위에 놓았다.

"이선, 웨이드가 다음 달에 여기 올 거다. 그 녀석은 닭장 속의 여우처럼 욕심이 많아. 그러니까 네가 먼저 물건을 골라 둬야 해." 웨이드는 랜디스 삼촌의 사생아 아들로 우리 집안에서 웨이트 가계도에 포함되지 못한 또 다른 인물이었다.

세 할머니들이 이런 상태일 때는 입씨름을 벌여 봤자 소용이 없었다. 그래서 나는 30분 동안 서로 짝이 안 맞는 식탁 의자들과 남북 전쟁 기념품 밑에 작은 빨간색 스티커를 붙였다. 그러고도 세 할머니들이 위령제를 위해 쓰고 갈 모자를 다 고를 때까지 한참을 기다려야 했다. 모자를 제대로 고르는 건 아주 중요한 일이었다. 마을의 숙녀들은 대부분 몇 주 전에 이미 찰스턴에 가서 쇼핑을 했다. 여자들이 공작 깃털에서부터 방금 꺾은 장미에 이르기까지 다양한 장식들을 머리에 꽂고 오르막길을 올라오는 모습을 누가 보면, 개틀린의 부인들이 무덤이 아니라 가든 파티에라도 가는 줄 알 것이다.

세 할머니들의 집은 난장판이었다. 프루 할머니가 셀마를 시켜서 다락 방의 상자들을 모조리 끌어내렸음이 틀림없었다. 그 상자들에는 낡은 옷가지, 퀼트, 앨범 등이 가득 들어 있었다. 나는 맨 위에 있는 앨범을 뒤적거렸다. 옛날 사진들이 갈색 종이 위에 테이프로 붙여져 있었다. 프루 할머니가 남편들과 찍은 사진, 머시 할머니가 옛날 도브 거리에 있던 자신의 집 앞에 서 있는 사진, 우리 아버지가 아이였을 때 찍은 우리 집, 즉 웨이츠 랜딩의 사진. 마지막 페이지를 넘기자 또 다른 집이 나타났다.

레이븐우드 장원이었다.

하지만 내가 아는 그 레이븐우드가 아니었다. 사진 속의 레이븐우드는 역사학회 등록부에 어울릴 것 같은 모습이었다. 삼나무들이 상쾌한 하얀색 베란다로 이어진 길 양편에 줄지어 서 있고, 기둥과 덧창은 모두 금방 페인트를 칠한 것 같았다. 제멋대로 웃자라서 질식할 것처럼 뒤엉킨 풀들도 없었고, 메이컨이 살던 시절의 레이븐우드처럼 뒤틀린 계단도 없었다. 사진 밑에는 섬세한 필체로 다음과 같이 적혀 있었다.

레이븐우드 장원, 1865년

내가 보고 있는 것은 에이브러햄이 살던 시절의 레이븐우드였다.

"그건 뭐니?" 머시 할머니가 커다란 분홍색 플라밍고 모자를 쓰고 걸어 들어왔다. 저렇게 크고 저렇게 분홍색이 짙은 모자를 과연 지금까지 본 적이 있을까 싶었다. 모자 앞에는 이상한 그물 같은 것이 베일처럼 달려 있고, 꼭대기에는 몹시 비현실적인 새 한 마리가 분홍색 둥지에 앉아 있었다. 할머니가 조금이라도 움직이면 모자 전체가 펄럭거려서 당장 어디론가 날아가 버릴 것만 같았다. 서배너와 치어리더들도 이 모자를 보면 아무 말도 못할 것이다.

나는 펄럭거리는 새를 보지 않으려고 애썼다. "낡은 앨범이에요. 이 상자 위에 있었어요." 나는 앨범을 할머니에게 건네주었다.

"프루던스 제인, 내 안경 좀 가져와!"

복도에서 뭔가가 쿵쾅거리더니 프루 할머니가 머시 할머니 못지않게 크고 괴상한 모자를 쓰고 문간에 나타났다. 프루 할머니의 모자는 검은색이고, 베일이 전체를 감싸게 되어 있어서 프루 할머니가 마치 마피아 보스의 장례식에 나타난 보스의 어머니 같았다. "너 그걸 목에 걸고 다닐 작정이라면, 내가 말했지만….."

머시 할머니가 보청기를 꺼놓은 게 아니라면 프루 할머니의 말을 무시하고 있음이 분명했다. "이선이 찾아낸 것 좀 봐." 앨범은 여전히 아까 그 페이지가 펼쳐진 채였다. 과거의 레이븐우드가 우리 눈앞에 있었다.

"자비의 주님이시여, 이것 좀 봐. 이거야말로 악마의 작업장이야." 세 할머니들을 비롯해서 개틀린의 노인들 대부분은 에이브러햄 레이븐우드가 1865년에 셔먼 장군의 대소각 작전에서 레이븐우드 농장을 구하기 위해 악마와 모종의 거래를 했다고 확신했다. 대소각 작전에서 강가의 모든 농장들이 잿더미로 변했는데 레이븐우드만 살아남았기 때문이다. 그런 믿음이 진실과 아주 가깝다는 걸 세 할머니들이 아신다면….

"에이브러햄 레이븐우드가 저지른 사악한 짓은 그게 전부가 아냐." 프루 할머니는 앨범에서 뒷걸음질을 쳤다.

"무슨 말씀이세요?" 세 할머니들이 하는 말의 90퍼센트는 아무 의미도 없는 헛소리였지만, 나머지 10퍼센트는 들을 만한 가치가 있었다. 수수께끼에 싸인 나의 조상이자 남북 전쟁 때 세상을 떠난 이선 카터 웨이트에 대해 이야기해 준 사람도 바로 세 할머니들이었다. 어쩌면 이 할머니들은 에이브러햄 레이븐우드에 대해서도 아는 게 있을 것 같았다.

프루 할머니가 고개를 저었다. "그 인간 얘기를 하면 좋은 일이 없어."

하지만 머시 할머니는 자신의 언니에게 반항할 수 있는 기회를 그냥 넘겨 버릴 사람이 아니었다. "우리 할아버지는 에이브러햄 레이븐우드가 옳고 그름 중에서 그름을 택했다고 말씀하셨어. 운명을 시험했다고 말이야. 에이브러햄이 악마와 한패가 돼서 마녀 짓을 하고 악령들과 어울린 건 분명해."

"머시! 그런 소리 그만둬!"

"뭘 그만둬? 진실을 말하는 거?"

"이 집 안에 진실을 끌어들이지 마!" 프루 할머니는 당황해서 어쩔 줄 몰랐다.

머시 할머니가 내 눈을 똑바로 들여다보았다. "하지만 악마는 에이브러햄이 자기 명령을 수행한 뒤에 에이브러햄한테 등을 돌렸어. 악마가 볼일을 다 끝낸 뒤에 에이브러햄은 심지어 인간조차 아닌 것이 되었지."

세 할머니들이 아는 한, 모든 사악한 행동이나 속임수나 범죄 행위는 모두 악마의 소행이었다. 나는 그렇지 않다고 할머니들을 설득할 생각이 없었다. 에이브러햄 레이븐우드가 한 짓을 이미 보았기 때문에, 나 역시 그가 사악하다는 말로도 부족한 존재임을 알고 있었다. 나는 또한 그것이 악마와는 전혀 관계없는 일이라는 사실도 알고 있었다.

"아무렇게나 말을 꾸며 내지 마, 머시 린. 선하신 주님께서 하필이면 오늘 위령제 날에 이 집에서 네게 벌을 내리시기 전에 당장 그만두는 게 좋을 거야. 난 괜히 옆에 있다가 너랑 같이 번개에 맞기 싫어." 프루 할머니가 지팡이로 머시 할머니의 의자를 찰싹 때렸다.

"이 애가 개틀린에서 벌어지는 이상한 일들을 모르는 것 같아?" 그레이스 할머니가 역시나 악몽 같은 라벤더 색 모자를 쓰고 문간에 나타났다. 내가 태어나기 전에 누군가가 그레이스 할머니에게 라벤더가 당신의 색깔이라고 말하는 실수를 저지른 모양이었다. 하지만 그 뒤로 그레이스 할머니가 몸에 걸치는 모든 물건들은 그 말이 틀렸음을 줄곧 증명하고 있었다. "이미 쏟아진 우유를 병에 다시 담으려고 해 봤자 소용없어."

프루 할머니가 지팡이로 바닥을 쿵 내리쳤다. 세 할머니들은 애마 아줌마처럼 수수께끼 같은 말을 하고 있었다. 이건 세 할머니들이 뭔가를 알고 있다는 뜻이었다. 이 할머니들이 자기 집 지하의 터널 속에서 주술사들이 돌아다닌다는 사실은 모를지언정, 뭔가를 알고 있음은 분명했다.

"어떤 경우에는 헝클어진 것들을 좀 더 쉽게 치울 수 있기도 해. 난 이런 얘기에 끼어들기 싫어." 프루 할머니가 그레이스 할머니를 밀치며 방을 나갔다. "오늘은 죽은 사람들을 나쁘게 말하면 안 되는 날이야."

그레이스 할머니가 우리에게 다가왔다. 나는 할머니의 팔꿈치를 잡고 소파까지 부축해 드렸다. 머시 할머니는 프루 할머니의 지팡이 소리가 복도 저편으로 멀어질 때까지 기다렸다. "프루는 갔지? 내가 지금 보청기를 꺼 놨거든."

그레이스 할머니가 고개를 끄덕였다. "간 것 같아."

두 할머니는 마치 핵무기 발사 암호를 알려 주려는 것처럼 긴밀하게 머리를 모았다. "지금부터 내가 하는 얘기를 네 아빠한테는 안 하겠다고 약속할래? 만약 네 아빠한테 이야기하면, 우리는 틀림없이 양로원에 처박히는 신세가 될 거야." 할머니가 말하는 곳은 서머빌 노인 요양원이었다. 세 할머니들에게 그곳은 제7 지옥이나 마찬가지였다.

그레이스 할머니가 고개를 끄덕였다.

"무슨 얘기인데요? 아빠한테는 아무 말도 안 할게요. 약속해요."

"프루던스 제인은 잘못 알고 있어." 머시 할머니가 목소리를 낮춰 속삭이듯이 말했다. "에이브러햄 레이븐우드는 아직 살아 있어. 지금 여기 앉아 있는 나처럼 말짱하게."

나는 무슨 황당한 소리냐고 말하고 싶었다. 나이가 너무 많아서 노망기가 있는 두 할머니가 백여 년 동안 아무도 본 적이 없는 인간을 보았다고 주장하다니. 그가 사실은 인간이 아니었다고 해도 그렇지. "그게 무슨 말씀이세요? 아직 살아 있다니요?"

"내가 내 눈으로 직접 봤어. 작년에. 다른 곳도 아니고 바로 교회 뒤에서!" 머시 할머니는 손수건으로 부채질을 했다. 생각만 해도 기절할 것 같다는 표정이었다. "화요일에 교회 일이 끝난 뒤에 나는 교회 앞에서 셀마를 기다리고 있었어. 셀마가 제일 감리교회에서 성경 공부를 가르쳐야 한다고 해서 말이야. 어쨌든 할런 제임스가 다리 운동을 좀 해야 할 것 같아서 핸드백에서 꺼내 주었지. 프루던스 제인 때문에 내가 개를 데리고 다녀야 되잖아. 그런데 내가 녀석을 내려놓자마자 애가 교회 뒤로 뛰어가는 거야."

"개는 제 목숨 같은 걸 신경 쓸 줄 모르지." 그레이스 할머니가 고개를 절레절레 저었다.

머시 할머니는 문을 흘깃 바라본 뒤 이야기를 계속했다. "어쨌든 나도 할런 제임스를 따라갈밖에. 프루던스 제인이 그 개를 어떻게 생각하는지 알잖아. 그래서 교회 뒤로 돌아갔는데, 모퉁이를 막 돌아가서 할런 제임스를 부르려던 참에 그걸 본 거야. 에이브러햄 레이븐우드의 유령. 교회 뒤의 묘지에 있더라고. 찰스턴의 라운드 교회의 진보주의자들이 제대로 한 게 하나는 있어." 찰스턴 사람들은 라운드 교회가 구석에 악마가 숨을 수 없게 지어졌다고들 했다. 나는 우리 동네 신도들 중에는 악마가 예배당 중앙 통로를 당당히 걸을 수 있다고 믿는 사람들도 있다는 뻔한 사실을 굳이 지적하지 않았다.

"나도 봤어." 그레이스 할머니가 속삭였다. "내가 그 인간을 알아본 건, 역사학회 벽에 걸려 있는 그림 때문이야. 내가 역사학회에서 여자애들이랑 카드 놀이를 하잖아. 거기 창시자 구역에 사진이 있어. 레이븐우드가 개틀린에 처음으로 들어선 농장 중 하나라는 이유로. 에이브러햄 레이븐우드의 그림이 아주 당당하게 걸려 있지."

머시 할머니가 쉿 하고 조용히 하라는 시늉을 했다. 프루 할머니가 없으므로, 이제 머시 할머니가 주도권을 쥐고 있었다. "틀림없이 그 사람이었어. 사일러스 레이븐우드의 아들이랑 같이 있더라고. 메이컨 말고… 다른 애, 피니허스." 나는 레이븐우드의 가계도에서 그 이름을 본 것이 기억났다. 헌팅 피니허스 레이븐우드.

"헌팅 말씀이세요?"

"아무도 그 애를 그 이름으로 안 불렀어. 전부 피니허스라고 불렀지. 그건 성경에 나오는 이름이야(성경에는 '비느하스'로 표기되어 있음-옮긴이). 그 이름의 뜻을 아니?" 머시 할머니는 극적인 효과를 위해 잠시 말을 멈췄다. "뱀의 혀라는 뜻이야."

순간적으로 나는 숨을 죽였다.

"그 인간의 유령을 잘못 볼 리는 없어. 선하신 주님은 아시겠지만, 우리는 꽁지에 불이 붙은 고양이보다 더 빨리 거기서 도망쳤어. 요즘은 그렇게 못 움직여. 이 합병증 때문에…."

세 할머니들은 제정신이 아니었지만, 이분들의 헛소리는 대개 말도 안 되는 역사를 바탕으로 한 것이었다. 이분들이 진실을 어떻게 각색해서 말하고 있는 건지는 알 길이 없었지만, 어쨌든 바탕에 진실이 있을 때가 많았다. 그런데 이 이야기는 어떻게 각색해도 위험했다. 나는 아직 진실을 알아내지 못했지만, 올해 하나라도 배운 것이 있다면 조만간 내가 진실을 알아내야 한다는 것이었다.

루실이 망사문을 긁어 대며 야옹거렸다. 이제 지루하다는 뜻인 모양이었다. 소파 밑에서 할런 제임스가 으르렁거렸다. 저 두 녀석이 이 집에 이렇게 오래 살면서 과연 무엇을 보았을지 궁금하다는 생각이 처음으로 들었다.

하지만 모든 개가 부 래들리는 아니었다. 개는 그냥 개일 때도 있었다. 고양이 역시 그냥 고양이일 때가 있었다. 그래도 나는 망사문을 열고 루실의 머리에 빨간 스티커를 붙였다.

보관

❧ 6.17 ❧

이 동네에 믿을 만한 정보원이 있다면, 개틀린 사람들이 바로 그들이었다. 오늘 같은 날에는 반경 8백 미터 안에서 온 마을 사람들 대부분을 힘들이지 않고 만나볼 수 있었다. 우리가 묘지에 도착했을 때는 이미 사람들이 빽빽하게 들어차 있었다. 여느 때처럼 세 할머니들 덕분에 우리가 늦게 도착한 탓이었다. 처음에는 루실이 캐딜락에 타지 않겠다고 애를 먹였고, 묘지로 오는 도중에는 에덴동산에 들러야 했다. 프루 할머니가 죽은 남편들에게 바칠 꽃을 사고 싶다고 했기 때문이었다. 그런데 에덴동산에는 마음에 드는 꽃이 전혀 없었다. 어찌어찌 모두들 다시 차에 오른 뒤에는 머시 할머니가 내게 시속 32킬로미터를 넘으면 절대 안 된다고 엄포를 놓았다. 이래서 나는 몇 달 전부터 이날을 두려워하고 있었다.

나는 '영원한 안식의 정원'의 자갈이 깔린 오르막길을 머시 할머니의 휠체어를 밀면서 터벅터벅 올라갔다. 셀마는 프루 할머니와 그레이스 할머니 중간에서 두 분과 팔짱을 끼고 내 뒤를 따라왔다. 루실은 그 뒤를 따르면서 자갈길을 조심스레 밟으며 일정한 거리를 유지했다. 머시 할머니의 에나멜 가죽 가방이 휠체어 손잡이에서 이리저리 흔들리며 두 걸음마다 한 번씩 내 배를 찔러 댔다. 나는 휠체어가 무성한 여름 풀밭에 걸려 옴짝 달싹 못하게 될 것을 걱정하며 벌써 땀을 뻘뻘 흘리고 있었다. 자칫하다가 는 링크와 내가 할머니를 어깨에 둘러메고 나르게 될 가능성이 높았다.

우리가 언덕을 다 올라가자 마침 새로 산 하얀 홀터넥 드레스를 입고 우 쭐거리는 에밀리가 보였다. 여자애들은 모두 위령제 때 새 드레스를 장만 했다. 플립플롭이나 탱크탑을 걸친 사람은 없었다. 일요일에 교회에 갈 때 입는, 가장 좋은 외출복을 깨끗이 빨아서 입고 나온 사람들뿐이었다. 마치 대가족이 한자리에 모이는 날 같았다. 다만 웬만한 대가족에 비해 규모가 열 배쯤 크다는 점이 다를 뿐이었다. 사실 마을 사람들 거의 전부, 그리고 카운티 주민들 대부분은 어떤 식으로든 서로 인척 관계로 연결되어 있었 다. 게다가 직접 연결된 경우가 아니라 해도, 하다못해 이웃이나 이웃의 이 웃하고라도 연결되어 있었다.

에밀리는 키득거리며 에머리에게 꼭 매달려 있었다. "맥주 가져왔어?"

에머리가 재킷 자락을 열자 은색 술병이 보였다. "맥주보다 좋은 걸 가 져왔지."

이든, 샬럿, 서배너는 스노 집안의 가족 묘지 근처에 모여 있었다. 스노 집안의 가족 묘지는 줄줄이 늘어선 묘지들 한가운데의 가장 좋은 자리를 차지하고 있었다. 밝은 플라스틱 조화와 천사 상들이 그곳에 가득했다. 가 장 높은 묘비 옆에는 심지어 풀을 뜯어먹는 모양으로 배치된 작은 플라스 틱 새끼 사슴도 있었다. 개틀린 사람들은 무덤을 장식하는 데서도 서로 경 쟁을 벌였다. 무덤 장식은 자신과 자신의 가문이 이웃들보다 더 낫다는 것 을 증명하는 방법 중 하나였다. 사람들은 있는 힘을 다해서 무덤을 장식했 다. 초록색 플라스틱 덩굴에 둘러싸인 플라스틱 화환, 반짝이는 토끼와 다 람쥐 조각상들은 물론 심지어 새들이 미역을 감을 수 있게 물을 담아 놓은 쟁반도 있었다. 하지만 햇볕 때문에 쟁반이 뜨겁게 달궈져서 손가락을 대 기만 해도 화상 때문에 살갗이 벗겨질 것 같았다. 그래도 무덤 장식은 아무리 해도 지나치지 않았다. 괴상하게 꾸미면 꾸밀수록 더 좋았다.

옛날에 엄마는 웃으면서 마음에 드는 장식들에 대해 이야기하곤 했다. "정물화 같아. 네덜란드와 플랑드르의 뛰어난 화가들이 그린 예술 작품처럼 말이지. 플라스틱으로 만들어지긴 했어도, 정서는 똑같아." 엄마는 개틀린의 전통 중에서 나쁜 것들은 비웃고 좋은 것들은 존중할 줄 아는 사람이었다. 어쩌면 그래서 이 동네에서 살아남을 수 있었던 건지도 모른다.

엄마는 특히 밤에 어둠 속에서 환하게 빛을 발하는 십자가들을 좋아했다. 여름날 우리는 가끔 묘지의 언덕 위에 누워 어스름이 깔리면서 십자가에 불이 들어오는 모습을 지켜보곤 했다. 십자가들이 마치 별 같았다. 한번은 내가 엄마에게 왜 이 언덕 위에 누워 있는 걸 좋아하느냐고 물어보았다. "여기에는 역사가 있어, 이선. 가문들의 역사 말이야. 사람들이 사랑했던 사람들, 이미 세상을 떠난 사람들. 저 십자가들이며 웃기지도 않는 플라스틱 조화나 동물 조각상 같은 것들은 모두 우리가 이곳에 누워 있는 사람들을 그리워하면서 그들을 기리기 위해 세워 둔 거야. 그러니까 이렇게 아름다운 광경이 된 거고, 이걸 봐 주는 게 우리의 의무야." 우리는 묘지에서 그렇게 저녁 시간을 보낸다는 이야기를 아빠에게는 절대 하지 않았다. 묘지에서 저녁 시간을 보내는 것은 엄마와 나, 우리 둘만의 일이었다.

잔디밭 가장자리에 있는 웨이트 가족 묘지까지 가려면 잭슨 고등학교 학생들 옆을 지나쳐서 플라스틱 토끼 조각상 한두 개를 넘어가야 했다. 이 것도 위령제 날의 특징 중 하나였다. 위령제 때 실제로 죽은 사람을 기억하는 사람은 별로 없었다. 한 시간만 지나면 스물한 살이 넘은 사람들은 모두 살아 있는 사람들에 관해 쑥덕쑥덕 소문을 주고받을 것이다. 물론 지금은 죽은 사람들에 대해 쑥덕거리는 중이었다. 이렇게 죽은 사람들에 관한 뒷공론이 끝나고 산 사람들에 관한 뒷공론이 시작될 때쯤이면, 서른 살이 안된 사람들은 모두 납골당 뒤에서 기운을 뺄 것이다. 나만 빼고 모두. 나는 추억을 더듬느라 바쁠 테니까.

"야." 링크가 내 옆으로 뛰어와서 세 할머니들에게 씩 웃어 보였다. "안녕하세요?"

"잘 지내니, 웨슬리? 넌 잡초처럼 쑥쑥 크는구나." 프루 할머니는 헉헉거리며 땀을 뻘뻘 흘리고 있었다.

"네, 할머니." 로절리 윗킨스가 링크 뒤에 서서 프루 할머니에게 손을 흔들었다.

"이선, 넌 웨슬리랑 같이 가지 그러니? 로절리를 만났으니 나는 허밍버드 케이크에 무슨 밀가루를 쓰는지 물어봐야겠다." 프루 할머니는 지팡이를 잔디밭에 단단히 짚었고, 셀마는 머시 할머니를 부축해서 휠체어에서 일으켜 세웠다.

"정말 괜찮으시겠어요?"

프루 할머니가 인상을 찌푸렸다. "당연히 괜찮지. 네가 태어나기도 전부터 우린 자기 몸 정도는 알아서 할 수 있었어."

"네 아빠가 태어나기 전부터 그랬다." 그레이스 할머니가 말을 바로잡았다.

"아 참, 이걸 깜박했네." 프루 할머니는 지갑을 열어 뭔가를 꺼냈다. "저 망할 고양이의 이름표를 찾았어." 프루 할머니는 마뜩잖은 시선으로 루실을 내려다보았다. "그렇다고 뭐가 달라지는 건 아니지만. 몇 년 동안 키워 줬어도 빨랫줄이나 밟고 돌아다니는 녀석인데, 뭐. 이런 걸 찾아줘도 고맙다는 생각 같은 건 전혀 안 할걸." 루실은 뒤도 한 번 돌아보지 않고 어디론가 가 버렸다.

나는 루실의 이름이 새겨진 금속 이름표를 주머니에 넣었다. "방울이 없어졌네요."

"그거 지갑에 넣어 두는 게 좋을 거다. 저 녀석이 공수병에 안 걸렸다고 증명해야 할지도 모르니까. 저 녀석은 잘 물어. 그래서 셀마가 다른 녀석을 찾아보기로 했다."

"고마워요."

할머니들은 서로 팔짱을 끼었다. 할머니들이 친구들을 향해 씩씩하게 걸어가는 동안 할머니들의 거대한 모자가 서로 부딪혔다. 이 할머니들에게도 친구가 있는데… 내 인생은 형편없었다.

"숀과 얼이 맥주랑 위스키를 가져왔어. 다들 허니컷 납골당 뒤에서 만날 거라더라." 그래도 내 옆에는 링크가 있었다.

내가 어디서든 취하도록 술을 마실 생각이 없다는 건 우리 둘 다 잘 알고 있었다. 조금 있으면 나는 돌아가신 엄마의 무덤에 도착할 것이다. 그리고 내가 미국 역사에 대한 리 선생님의 왜곡된 생각에 대해 이야기할 때마다 웃음을 터뜨리던 엄마를 생각할 것이다. 엄마는 리 선생님의 역사관을 미국 히스테리아라고 불렀다. 엄마와 아빠가 부엌에서 제임스 테일러의 노래에 맞춰 맨발로 춤을 추던 것도 떠오를 것이다. 그리고 모든 일이 꼬였을 때, 그러니까 예전 여자 친구가 나보다 돌연변이 초자연체와 있는 걸 더 좋아하는 일이 벌어졌을 때 엄마는 항상 상황에 딱 맞는 말을 해 주던 것도 떠오를 것이다.

링크가 손으로 내 어깨를 짚었다. "너 괜찮냐?"

"그래, 괜찮아. 좀 걷자." 오늘 안으로 엄마의 무덤에 가기는 하겠지만, 아직은 마음의 준비가 되지 않았다. 아직은.

'L, 어디에….'

나는 생각을 끊으려고 했다. 내가 왜 아직도 리나에게 말을 걸려고 하는지 알 수 없었다. 아마 습관 때문일 것이다. 어쨌든 내 귀에 들려온 것은 리나의 목소리가 아니라 서배너의 목소리였다. 서배너가 내 앞에 서 있었다. 화장이 너무 진한데도 어쨌든 예뻐 보이기는 했다. 머리카락은 온통 윤기가 흘렀고, 속눈썹은 질척거리고, 원피스 끈은 남자로 하여금 그 끈을 풀고 싶다는 생각을 하게 만들려고 존재하는 것 같았다. 물론, 서배너가 얼마나 못된 여자애인지 모르거나 개의치 않는 남자들이나 그런 생각을 하겠지만.

"네 엄마 일은 정말 유감이야, 이선." 서배너는 어색하게 헛기침을 했다. 아마 제 엄마의 강요에 못 이겨 이런 말을 하는 것일 터였다. 스노 부인은 이 마을의 기둥이었으니까. 엄마가 돌아가신 지 1년쯤 되었지만, 오늘 밤 우리 집 문 앞에는 캐서롤 냄비가 여러 개 놓여 있을 것이다. 엄마의 장례식 다음 날에도 그랬던 것처럼. 개틀린에서는 시간이 천천히 흘렀다. 애마 아줌마 역시 엄마의 장례식 다음 날에 그랬던 것처럼, 캐서롤 냄비들을 모두 밖에 그대로 내버려 둘 것이다. 쥐들이나 와서 먹으라고.

쥐들은 햄과 사과가 들어간 캐서롤에 질리는 법이 없는 것 같았다.

어쨌든 방금 서배너가 한 말은 9월 이후로 서배너가 내게 한 말 중에 가장 친절한 것이었다. 서배너가 나를 어떻게 생각하든 상관없지만, 오늘만은 기분이 더러워지는 일이 하나 줄어든 것 같아서 기분이 좋았다. "고마워."

서배너는 가짜 미소를 지어 보이고 가버렸다. 하이힐이 풀에 걸려 휘청거렸다. 링크는 비틀어져 있던 넥타이를 느슨하게 풀었다. 애당초 넥타이가 너무 짧았다. 초등학교 졸업식 때 매고 왔던 넥타이였다. 와이셔츠 밑에는 화살표가 사방으로 그려져 있고 '난 멍청한 놈들과 같이 있다'는 말이 새겨진 티셔츠를 입고 있었다. 제 엄마 몰래 입고 온 모양이었다. 티셔츠에 새겨진 문장이 오늘 내 기분과 잘 맞아떨어진다는 생각이 들었다. 나도 멍청한 인간들에게 둘러싸여 있는 것 같았다.

사람들은 계속 나를 찾아왔다. 엄마는 돌아가시고 아빠는 정신이 나가버렸다는 사실 때문에 사람들이 내게 죄책감을 느끼는 모양이었다. 그보다는 애마 아줌마가 무서워서 내게 인사를 하러 왔을 가능성이 더 높지만. 어쨌든 세 번이나 과부가 된 로레타 웨스트보다 나를 찾아온 사람이 더 많을 것 같았다. 로레타 웨스트의 세 번째 남편은 악어에게 배를 물려 구멍이 뚫리는 바람에 세상을 떠났는데도 내가 더 불쌍해 보이는 모양이었다. 만약 오늘 가장 인사를 많이 받은 사람에게 상을 준다면, 내가 바로 그 상을 받을 것이다. 사람들이 나를 보고 고개를 젓는 모습을 보니 그런 확신이 들었다. '가엾은 것, 저 애는 이제 엄마가 없어.' 다들 이런 생각을 하고 있을 것이다.

링컨 부인도 나를 향해 걸어오며 역시 고개를 젓고 있었다. '엄마를 잃고 길을 잘못 든 가엾은 녀석'이라고 말하는 것 같은 표정이었다. 링크는 제 엄마 눈에 띄기 전에 도망쳐 버렸다. "이선, 우리 모두 네 엄마를 얼마나 그리워하는지 모른다." '우리'라는 게 누굴 말하는 건지 알 수 없었다. DAR의 회원들은 엄마의 존재를 견디기 힘들어 했고, 미장원에 모이는 여자들은 엄마가 책을 너무 많이 읽은 게 모든 문제의 근원이라는 얘기를 했는데. 링컨 부인은 있지도 않은 눈물을 찍어 내는 시늉을 했다. "네 엄마는 훌륭한 분이었어. 네 엄마가 정원 가꾸기를 그렇게 좋아하던 게 기억나는구나. 항상 다정한 마음으로 장미를 돌봤는데…."

"네, 아줌마."

엄마가 식물 근처에 갔던 건, 밭에서 토마토를 계속 먹어 치우던 토끼를 아빠가 죽이지 못하게 하려고 토마토에 고춧가루를 뿌렸을 때뿐이었다. 링컨 부인이 말한 장미는 애마 아줌마의 것이었다. 그건 누구나 아는 사실이었다. 링컨 부인이 애마 아줌마 면전에서 그 '다정한 마음으로…' 어쩌고 하는 얘기를 한번 해 보면 좋겠다는 생각이 들었다. "네 엄마는 천국에서 천사들과 함께 에덴동산을 가꾸고 있을 거다. 선악과의 가지를 다듬어 주고 있겠지. 천사들과…."

뱀도 함께?

"저는 이만 아빠를 찾으러 가 봐야겠어요." 링크의 엄마가 번개에 맞기 전에 빨리 자리를 피해야 할 것 같았다. 이대로 있다가는 링크의 엄마가 번개를 맞았으면 좋겠다고 바란 죄로 내가 번개를 맞을 수도 있을 것 같았다.

링컨 부인의 목소리가 내 뒤를 따라왔다. "내가 햄과 사과를 넣은, 나의 유명한 캐서롤을 가져다 드리겠다고 아버지께 전해라!" 이 말이 결정적이었다. 오늘 가장 인사를 많이 받은 사람은 확실히 나였다. 좀 더 빨리 도망쳤어야 하는 건데. 하지만 위령제 날에는 도망칠 길이 없었다. 기분 나쁜 친척이나 이웃에게서 벗어났다 싶으면, 또 다른 친척이나 이웃이 금방 나타났다. 링크의 경우에는 무서운 부모까지 거기에 합세했다.

링크의 아빠가 톰 윗킨스의 목에 한 팔을 걸쳤다. "얼이 우리들 중 최고였지. 군복도 최고였고, 전투 대형도 최고였고⋯." 링크의 아빠는 술에 취해서 흐느낌이 터져 나오는 걸 간신히 참았다. "게다가 탄약도 제일 잘 만들었어." 공교롭게도 빅 얼은 바로 그 탄약을 만들다가 죽었다. 그리고 링컨 씨는 허니힐 전투 재연 행사에서 빅 얼의 뒤를 이어 기병대 대장 역할을 맡았다. 그런 죄책감 때문에 오늘 링컨 씨가 위스키를 먹고 취해 버린 것이다.

"난 내 총을 가져와서 얼한테 제대로 인사를 해 주고 싶었어. 그런데 망할 도린이 총을 감춰 버린 거야." 로니 웍스의 아내는 보통 망할 도린으로 불렸다. 가끔 DD라고 줄여서 부르는 사람도 있었다. 로니 웍스가 아내를 항상 망할 도린이라고 부르기 때문이었다. 그는 위스키를 또 한 모금 마셨다.

"얼을 위하여!" 그들은 서로 목덜미를 부여잡고 얼의 무덤 위로 맥주 캔과 술병을 들어 올렸다. 맥주와 위스키가 출렁거리며 묘비 위로 쏟아졌다. 전사자들에게 개틀린 사람들이 바치는 공물이었다.

"야, 나중에 우린 저런 꼴이 되지 말아야 하는데." 링크가 살금살금 도망쳤다. 나도 그 뒤를 따랐다. 링크의 부모는 링크를 창피하게 만드는 일에 실패하는 법이 없었다. "우리 부모님도 네 부모님 같으면 좀 좋냐?"

"미쳤으면 좋겠다고? 아니면 돌아가시는 쪽? 나쁜 뜻으로 하는 말은 아니다만, 미치는 쪽은 이미 해결된 것 같은데."

"네 아버지는 이제 제정신으로 돌아오셨잖아. 적어도 이 동네 사람들보다 더 미치지는 않았으니까. 아내를 잃은 사람이 잠옷 바람으로 돌아다니는 게 무슨 대수냐? 근데 우리 부모는 그런 핑계 거리도 없어. 나사가 몇 개 빠진 사람들 같다고."

"우린 저런 꼴이 안 될 거니까 걱정 마라. 넌 뉴욕에서 유명한 드러머가 될 거라며. 나는… 글쎄, 남군 군복이나 와일드 터키 위스키랑은 상관없는 사람이 되겠지." 나는 자신 있는 목소리를 내려고 했지만, 링크가 유명한 음악가가 되는 것과 내가 개틀린을 벗어나는 것 중 어느 편의 가능성이 더 높은지 알 수 없었다.

내 방 벽에는 아직 지도가 걸려 있었다. 내가 책에서 읽은 곳들, 가 보고 싶은 곳들을 모두 초록색 선으로 연결해 놓은 지도. 나는 개틀린이 아닌 다른 곳으로 이어진 길들을 상상하며 평생을 보냈다. 그러다가 리나를 만난 뒤로는 그 지도가 아예 존재하지도 않는 것처럼 머리에서 사라져 버렸다. 리나와 함께라면 어디에 발목이 묶이든 헤쳐나갈 수 있었을 것이다. 심지어 개틀린에 발목이 묶이더라도 상관없었다. 내게 그 지도가 가장 필요할 때 지도의 매력이 사라져 버리다니, 생각하면 웃기는 일이었다.

"난 이제 우리 엄마한테 가 봐야겠다." 나는 마치 도서관 서고로 엄마를 만나러 가는 것처럼 말했다. "내 말이 무슨 뜻인지 알지?"

링크가 내 손마디에 제 손마디를 부딪혔다. "내가 나중에 가마. 좀 돌아다니다가 갈게." 좀 돌아다녀? 링크는 돌아다니는 법이 없었다. 링크가 원하는 것은 술을 마시는 것, 그리고 자기와 어울리려고 하지 않는 여자애들에게 수작을 거는 것이었다.

"뭐야? 미래의 웨슬리 제퍼슨 링컨 부인을 찾으러 가는 거 아냐?"

링크는 뾰족뾰족하게 세운 금발을 손으로 쓸었다. "그러고야 싶지. 내가 바보라는 건 나도 알지만, 지금 내 머릿속에 있는 여자애는 하나뿐이다." 하지만 그 여자애는 마음에 품으면 안 되는 사람이었다. 내가 무슨 말을 할 수 있을까? 나를 전혀 상대해 주지 않는 여자애를 사랑하는 마음이 어떤지는 나도 잘 알고 있었다.

"미안하다. 리들리를 잊기가 그리 쉽지는 않겠지."

"그래. 어젯밤에 봤으니 더 그렇지, 뭐." 링크는 갑갑한 표정으로 고개를 흔들었다. "리들리가 어둠 쪽이라는 건 아는데, 그래도 전에 나랑 만났던 게 그냥 연극만은 아니었을 거라는 생각이 떠나지 않는다."

"무슨 뜻인지 나도 알아."

우리는 한심한 실패자들이었다. 리들리가 진심을 품는 게 가능할 것 같지는 않았지만, 링크를 지금보다 더 비참하게 만들고 싶지는 않았다. 어차피 링크가 지금 내게 답을 구하고 있는 것도 아니었다.

"주술사랑 일반인이 하나가 되면 일반인이 죽는다고 네가 말해 준 거 말이다."

나는 고개를 끄덕였다. 그 문제는 내 머릿속에서도 대략 80퍼센트를 차지하고 있었다. "그게 뭐?"

"우리가 그럴 뻔한 적이 한두 번이 아냐." 링크가 풀밭을 발로 차자 완벽하게 손질된 잔디밭에 갈색 흙이 드러났다.

"그런 말까지 할 필요 없어."

"중요한 얘기야. 그럴 때 브레이크를 건 사람은 내가 아냐. 리드가 걸었지. 그래서 그때는 리드가 나를 그냥 대충 데리고 놀아도 되는 상대로만 생각하는 줄 알았어. 그게 전부라고." 링크는 풀밭을 서성거렸다. "그런데 지금 생각해 보니까, 내 생각이 틀린 것 같기도 해. 혹시 리드는 내가 다칠까 봐 그랬던 게 아닐까?" 링크는 이 문제를 아주 많이 생각해 보았음이 분명했다.

"글쎄. 그래도 리들리는 어둠의 주술사야."

링크는 어깨를 으쓱했다. "그래, 그건 나도 아는데, 그래도 남자한테는 꿈이라는 게 있잖냐."

나는 링크에게 지금 무슨 일이 벌어지고 있는지 말해 주고 싶었다. 리들리와 리나가 이미 저쪽으로 완전히 떠나 버렸는지도 모른다고. 나는 입을 열었지만 아무 말 없이 그냥 닫아 버렸다. 리나가 정말로 나한테 주술을 걸었는지 확인하고 싶지 않았다.

✤

장례식 이후로 내가 엄마의 무덤을 찾은 건 딱 한 번뿐이었다. 그리고 그날은 위령제 날이 아니었다. 그렇게 빨리 현실을 인정할 수 없었으니까. 엄마가 제너비브나 조상들처럼 실제로 묘지를 돌아다니고 있다는 생각은 들지 않았다. 내가 엄마를 느낄 수 있는 곳은 도서관의 서고나 우리 집 서재뿐이었다. 그 두 곳은 엄마가 사랑했던 곳이고, 지금 엄마가 어디에 있든 내가 엄마의 모습을 상상해 볼 수 있는 곳이었다.

하지만 이곳 묘지의 땅속에 엄마가 있다는 생각은 들지 않았다. 아빠는 무덤 앞에 무릎을 꿇고 앉아서 양손에 얼굴을 묻고 있었다. 몇 시간 동안이나 여기 앉아 있었다는 걸 금방 알 수 있었다.

나는 내가 온 걸 알리려고 헛기침을 했다. 마치 아빠와 엄마의 사적인 순간을 내가 엿보고 있는 것 같은 기분이었다. 아빠가 얼굴을 훔치고 일어섰다. "버틸 만하니?"

"뭐, 괜찮아요." 지금 내 기분이 어떤지는 잘 모르겠지만, 괜찮지 않은 건 확실했다.

아빠는 주머니에 양손을 찔러 넣고 묘비를 뚫어져라 내려다보았다. 섬세한 흰 꽃 한 송이가 묘비 옆의 풀밭에 놓여 있었다. 컨페더리트 재스민. 나는 둥글게 휘어진 글씨로 묘비에 새겨진 글을 읽어 보았다.

라일라 이버스 웨이트

사랑받는 아내이자 어머니

스키엔티아에 쿠스토스

나는 마지막 줄을 다시 읽었다. 지난번 7월 중순에, 그러니까 내 생일 몇 주 전에 여기 왔을 때도 그 글을 보았다. 하지만 그때 나는 혼자였고, 엄마의 무덤을 한참 바라보다 집에 도착했을 때는 머릿속이 멍해서 그 문장을 까맣게 잊어버렸다. "스키엔티아에 쿠스토스."

"라틴어야. '지식의 보관자'라는 뜻이지. 메리언이 제안한 글귀다. 네 엄마한테 잘 맞는 것 같지 않니?" 아빠가 진실을 안다면 과연 어떨지….

나는 억지로 미소를 지었다. "네. 엄마한테 딱 맞네요."

아빠가 내 어깨를 꼭 끌어안았다. 옛날에 리틀리그에서 내가 뛰던 팀이 경기에 졌을 때 해 주던 것처럼. "네 엄마가 정말 보고 싶구나. 네 엄마가 이 세상에 없다는 걸 지금도 믿을 수가 없어."

나는 아무 말도 할 수 없었다. 목이 메고, 가슴이 조여 와서 금방이라도 기절할 것 같았다. 엄마는 죽었다. 엄마가 내게 아무리 많은 메시지를 보내 준다 해도, 다시는 엄마를 볼 수 없을 것이다.

"너도 그동안 정말 힘들었다는 거 안다, 이선. 지난 1년 동안 내가 네 옆에 있어 주어야 했는데 그러지 못해서 정말 미안하다고 말하고 싶었다. 난 그저…."

"아빠." 눈에 눈물이 차오르는 것이 느껴졌지만, 나는 울고 싶지 않았다. 오늘 밤 열심히 캐서롤을 만들 사람들에게 그런 기쁨을 안겨 주고 싶지는 않았다. 그래서 나는 아빠의 말을 잘랐다. "괜찮아요."

아빠는 내 어깨에 두른 팔에 다시 힘을 주었다. "너도 엄마랑 단둘이 있고 싶겠지. 난 산책을 좀 해야겠다."

나는 묘비만 뚫어지게 바라보았다. 아웬을 나타내는 켈트식 상징이 묘비에 자그맣게 새겨져 있었다. 나도 아는 상징이었다. 엄마가 항상 좋아하던 것이었으니까. 빛을 뜻하는 세 개의 선이 꼭대기에서 하나로 합쳐진 모양을 하고 있었다.

등 뒤에서 메리언 아줌마의 목소리가 들렸다. "아웬. '시적인 영감' 또는

'영적인 깨달음'을 뜻하는 게일어야. 두 가지 모두 네 엄마가 존중하던 것들이지." 나는 레이븐우드의 상인방에 있는 상징, 《달의 책》의 상징, 클럽 추방의 상징을 떠올렸다. 상징에는 항상 의미가 있었다. 말보다 더 많은 의미가 담겨 있는 경우도 있었다. 엄마는 그 점을 알고 있었다. 엄마가 그래서 보관자가 된 건지, 아니면 선대 보관자들에게서 그것을 배운 건지 궁금했다. 엄마에게는 내가 모르던 것들이 아주 많았다. 이제는 결코 알아낼 수 없을 것이다.

"이선, 미안하구나. 혼자 있고 싶니?"

나는 메리언 아줌마의 포옹에 몸을 맡겼다. "아뇨, 사실 엄마가 여기 계신다는 느낌이 들지 않아요. 무슨 뜻인지 아시겠어요?"

"그래." 메리언 아줌마는 내 이마에 입을 맞추고 빙긋 웃으며 주머니에서 초록색 토마토를 꺼냈다. 그리고 그것을 묘비 위에 균형을 맞춰서 놓았다.

나는 뒤로 몸을 기울이며 미소를 지었다. "진짜 친구라면 저걸 튀겨서 가져오셨어야죠."(미국 남부 지방에서는 늦여름에 덜 익은 토마토를 튀겨서 먹음—옮긴이)

메리언 아줌마는 한 팔로 나를 감쌌다. 다른 사람들과 마찬가지로 가장 좋은 옷을 차려입고 나온 것 같았다. 다만, 메리언 아줌마의 가장 좋은 옷이 다른 사람들의 가장 좋은 옷보다 더 좋아 보인다는 게 다를 뿐이었다. 메리언 아줌마의 옷은 버터 같은 노란색이고 느낌이 부드러웠으며, 목 근처에 느슨한 리본이 달려 있었다. 치마는 헤아릴 수 없을 만큼 자글자글 주름이 잡혀서 옛날 영화에 나오는 옷 같았다. 리나가 입었을 것 같은 옷이었다.

"내가 그런 짓을 안 할 사람이라는 건 라일라도 알아." 메리언 아줌마가 나를 감싼 팔에 힘을 주었다. "내가 온 건 순전히 너를 만나기 위해서야."

"고마워요, 메리언 아줌마. 요즘 좀 힘들었어요."

"올리비아한테서 들었다. 주술사 술집, 몽마, 벡스를 하룻밤에 모조리 경험하다니. 네가 날 만나러 오는 걸 애마 아줌마가 다시는 허락하지 않을까 봐 무서워." 메리언 아줌마는 오늘 리브가 어떤 상태인지는 말하지 않았다. 리브도 곤란해졌을 것 같은데.

"문제가 또 있어요." 리나. 나는 차마 이 이름을 입에 담을 수 없었다. 메리언 아줌마가 내 눈을 가린 머리카락을 밀어 올렸다. "들었다. 유감이야. 하지만 내가 가져온 게 있어." 메리언 아줌마가 가방을 열고 작은 나무 상자를 꺼냈다. 표면에 새겨진 무늬가 낡아 있었다. "아까도 말했지만, 내가 여기 온 건 너를 만나서 이걸 주기 위해서야." 메리언 아줌마가 상자를 내밀었다. "네 엄마 거다. 네 엄마의 물건 중에서도 아주 귀한 거지. 가장 오래된 것이기도 하고. 네 엄마도 이걸 네가 갖기를 바랄 것 같다."

나는 상자를 받았다. 상자는 보기보다 무거웠다.

"조심해. 아주 섬세한 물건이니까."

나는 부드럽게 뚜껑을 열었다. 여기에도 엄마가 소중히 간직하던 남북전쟁 유물이 들어 있을 줄 알았다. 깃발 조각, 탄환, 레이스 조각처럼 역사와 세월의 흔적이 남은 물건. 하지만 상자 안에는 다른 종류의 역사와 세월이 흔적을 남겨 놓은 다른 물건이 있었다. 나는 그것을 보자마자 정체를 알아차렸다.

환영에서 보았던 아크라이트.

메이컨 레이븐우드가 사랑하는 여자에게 주었던 아크라이트.

라일라 제인 이버스.

엄마가 어렸을 때 쓰던 낡은 베개에 이 이름이 수놓아져 있는 것을 본 적이 있었다. 제인. 캐롤라인 이모는 엄마를 제인이라고 부른 건 우리 할머니뿐이었다고 말했다. 하지만 할머니는 내가 태어나기 전에 돌아가셨기 때문에, 내가 직접 제인이라는 이름을 들은 적은 없었다. 게다가 캐롤라인 이모의 말도 옳은 게 아니었다. 엄마를 제인으로 부른 사람은 할머니뿐이 아니었다.

그렇다면….

환영 속의 여자가 바로 엄마였다.

그리고 메이컨 레이븐우드는 엄마가 목숨을 걸고 사랑한 사람이었다.

아크라이트

※ 6.17 ※

엄마와 메이컨 레이븐우드라니. 나는 무엇에 찔리기라도 한 것처럼 아크라이트를 떨어뜨렸다. 상자가 떨어지고, 둥근 아크라이트는 잔디밭을 굴렀다. 초자연적인 감옥이 아니라 아무런 힘도 없는 장난감 같았다.

"이선? 왜 그래?" 메리언 아줌마는 내가 아크라이트에 대해 안다는 것을 전혀 모르고 있음이 분명했다. 환영에 대해 메리언 아줌마에게 이야기할 때 나는 한 번도 아크라이트를 언급하지 않았다. 이 물건에 대해 생각해 본 적도 별로 없었다. 아크라이트는 주술사 세계에서 내가 이해할 수 없는 또 다른 물건일 뿐이었다.

그런데 사실은 아주 중요한 물건이었다.

만약 이것이 환영에 나왔던 바로 그 아크라이트라면, 엄마는 내가 리나를 사랑하듯이, 아빠가 엄마를 사랑하듯이 메이컨을 사랑했다는 뜻이었다.

엄마가 이것을 어떻게 손에 넣었는지, 누가 이것을 엄마에게 주었는지 메리언 아줌마가 알고 있는지 반드시 확인해야 할 것 같았다. "아줌마도 아세요?"

메리언 아줌마는 허리를 숙여 아크라이트를 주웠다. 검은 표면이 햇빛을 받아 반짝였다. 메리언 아줌마는 그 둥근 물체를 상자에 다시 넣었다. "알다니 뭘? 이선, 무슨 말인지 모르겠구나."

내가 미처 감당할 수도 없을 만큼 빠르게 수많은 의문들이 떠올랐다. 엄마와 메이컨 레이븐우드는 어떻게 만났을까? 얼마나 사귀었을까? 두 사람의 관계를 또 누가 알고 있었을까? 하지만 무엇보다도 큰 의문은….

아빠는?

"엄마가 메이컨 레이븐우드 아저씨랑 사랑하는 사이였다는 걸 알고 계셨어요?"

메리언 아줌마의 표정이 무너졌다. 그것이 모든 것을 말해 주었다. 원래 메리언 아줌마는 엄마의 선물만 전해 줄 생각이었을 것이다. 엄마가 깊이 간직한 비밀까지 말해 줄 생각은 없었을 것이다. "누구한테 들었니?"

"아줌마한테서요. 메이컨 아저씨가 사랑하는 여자한테 준 아크라이트를 아줌마가 저한테 주셨잖아요. 그러니까 그 여자가 우리 엄마인 거죠."

메리언 아줌마의 눈에 눈물이 차올랐지만, 흘러내리지는 않았다. "환영에서 봤구나. 그게 메이컨과 네 엄마의 이야기였어." 메리언 아줌마는 흩어진 조각들을 맞춰서 뭐가 어떻게 된 건지 차츰 알아내고 있었다.

처음 메이컨을 만났을 때가 떠올랐다. 메이컨은 '라일라 이버스'라고 말했고, 나는 '라일라 이버스 웨이트'라고 이름을 바로잡아 주었다.

메이컨은 엄마의 연구를 언급했지만, 엄마와 직접 아는 사이는 아니라고 주장했다. 그것도 거짓말이었다. 머리가 빙빙 돌았다.

"그럼 아줌마도 아셨군요." 이건 질문이 아니었다. 나는 고개를 흔들었다. 내가 방금 알게 된 사실을 그렇게 털어 버리고 싶었다. "아빠도 아세요?"

"아니. 아버지한테는 절대 말하면 안 돼, 이선. 네 아버지는 이해하지 못할 거다." 필사적인 목소리였다.

"이해하지 못할 거라고요? 저도 이해 못하겠어요!" 적지 않은 사람들이 잡담을 멈추고 우리를 바라보았다.

"정말 미안하다. 내가 이런 이야기를 하게 될 줄은 정말 몰랐어. 이건 네 엄마의 이야기지 내 이야기가 아니니까."

"아줌마는 아직 모르시는 모양인데요, 엄마는 돌아가셨어요. 그러니까 이제 제 질문을 받아 줄 수 없다고요." 내 목소리는 냉정하고 무자비했다. 지금 내 기분이 바로 그랬다.

메리언 아줌마는 엄마의 묘비를 내려다보았다. "네 말이 맞아. 너도 알 필요가 있지."

"전 진실을 알고 싶어요."

"그래, 알려 줄게." 떨리는 목소리였다. "네가 아크라이트에 대해 알고 있다면, 메이컨이 이걸 네 엄마한테 준 이유도 알고 있는 거겠지."

"엄마가 메이컨 아저씨한테서 스스로를 보호하라고 준 거잖아요." 전에는 메이컨이 안쓰럽다고 생각했지만, 지금은 속이 뒤집혔다. 엄마는 뒤틀리고 왜곡된 연극 속의 줄리엣이었다. 몽마가 로미오인 연극. 아무리 메이컨이라 해도 몽마는 몽마였다.

"맞아. 메이컨과 라일라는 지금 너랑 리나가 겪고 있는 것과 똑같은 문제로 고민했어. 지난 몇 달 동안 너를 지켜보면서 아무래도… 비교를 하게 됐지. 메이컨이 얼마나 힘들었을지 난 짐작도 할 수 없다."

"제발, 그런 소리는 그만하세요."

"이선, 네가 힘들다는 건 알지만 그렇다고 이미 일어난 일이 바뀌지는 않아. 난 보관자이고, 지금 내가 말한 건 모두 사실이다. 네 엄마는 일반인이고, 메이컨은 몽마였어. 그러니 하나가 될 수 없었지. 메이컨이 운명에 따라 어둠의 생물로 변한 뒤에는. 메이컨은 자신을 믿지 않았어. 자기가 네 엄마를 해칠지도 모른다는 걱정에 아크라이트를 준 거야."

"언제는 사실이라고 하고, 언제는 거짓말만 하고…." 이제 모든 것이 지긋지긋했다.

"사실이야. 메이컨은 네 엄마를 자기 목숨보다 더 사랑했어." 메리언 아줌마가 왜 메이컨을 변호하고 있는 거지?

"사실을 말씀드릴까요? 목숨을 건 사랑을 죽이지 않는다고 해서 영웅이 되는 건 아니에요." 나는 화가 나서 견딜 수가 없었다.

"메이컨은 그 때문에 하마터면 죽을 뻔했어, 이선."

"그래요? 주위를 둘러보세요. 엄마는 돌아가셨어요. 둘 다 죽었다고요. 그럼 메이컨 아저씨의 계획이라는 게 별로 소용이 없었던 거 아니에요?"

메리언 아줌마는 깊이 숨을 들이쉬었다. 나는 그 표정을 알고 있었다. 메리언 아줌마가 설교를 시작할 때의 표정이었다. 메리언 아줌마가 내 팔을 잡아당겨 무덤가를 떠났다. 우리는 사방에 모여 있는 사람들에게서 떨어진 곳으로 향했다. "네 엄마와 메이컨은 듀크 대학에서 만났어. 둘 다 미국사를 공부했지. 그리고 평범한 사람들처럼 사랑에 빠졌어."

"평범하다니요? 아무것도 모르는 학부생과 곧 악마로 변할 녀석이었겠죠. 사실만 말씀하세요."

"빛 속에 어둠이 있고, 어둠 속에 빛이 있다. 네 엄마가 자주 하던 말이야."

나는 주술사 세계의 본질에 관한 철학적 주장에는 관심이 없었다. "메이컨 아저씨가 언제 엄마한테 아크라이트를 준 거예요?"

"메이컨은 결국 라일라한테 자기 정체를 밝히고, 앞으로 어떤 존재가 될 건지 말해 줬어. 두 사람이 미래를 약속하는 건 불가능하다는 얘기도 해 줬고." 메리언 아줌마가 천천히 조심스레 말했다. 듣는 나만큼 메리언 아줌마도 힘든 건가 하는 생각이 들었다. 우리 둘 다 안쓰러웠다.

"라일라는 상심했지. 메이컨도 그랬고. 메이컨이 라일라한테 아크라이트를 줬지만, 라일라는 다행히 그걸 한 번도 쓰지 않았어. 메이컨은 대학을 떠나서 고향인 개틀린으로 돌아왔고."

메리언 아줌마는 내가 또 잔인한 말을 하기를 기다리는 눈치였다. 나는 할 말을 생각해 내려고 했지만, 무엇보다도 호기심이 앞섰다. "메이컨 아저씨가 돌아온 다음에는 어떻게 됐어요? 서로 다시 만난 거예요?"

"슬프지만, 아니야."

나는 믿을 수 없다는 표정으로 메리언 아줌마를 바라보았다. "슬프다고요?"

메리언 아줌마는 나를 바라보며 고개를 저었다. "슬픈 일이야, 이선. 네 엄마가 그렇게 슬퍼하는 건 본 적이 없어. 걱정스러워 죽겠는데, 나는 뭘 어떻게 해야 할지 알 수가 없었어. 네 엄마가 마음이 너무 아파서 죽어 버리는 게 아닌가 싶더라. 온몸이 다 부서질 것 같았으니까."

우리는 '영원한 안식의 정원'을 둥글게 둘러싼 길을 걷고 있었다. 이제 우리는 나무에 둘러싸여서 대부분의 사람들이 볼 수 없는 곳에 와 있었다.

"그런데요?" 나는 아무리 마음이 아파도 결말을 알고 싶었다.

"그런데 네 엄마가 메이컨을 따라 개틀린으로 온 거야. 터널을 통해서. 메이컨과 떨어져 있는 걸 참을 수가 없어서, 메이컨과 하나가 될 수 있는 방법을 찾아내겠다고 다짐했지. 주술사와 일반인이 평생을 함께 할 수 있는 방법을 찾아내겠다고. 네 엄마는 거기에 집착하고 있었어."

나도 알 것 같았다. 마음에 들지는 않았지만, 엄마를 이해할 수 있었다.

"네 엄마가 원하는 답이 있는 곳은 일반인 세상이 아니라 주술사 세계였지. 그래서 네 엄마는 주술사 세계의 일원이 될 수 있는 방법을 찾아낸 거야. 비록 메이컨과 함께 있을 수는 없었지만."

우리는 다시 걷기 시작했다. "엄마가 보관자가 된 이유가 그거라는 거죠?"

메리언 아줌마는 고개를 끄덕였다. "라일라는 주술사 세계와 그 세계의 법칙들, 빛과 어둠을 연구할 수 있는 직업을 찾아냈어. 자신이 원하는 답을 찾아내기 위해서."

"어떻게 그 일을 하게 된 거예요?" 설마 주술사 세계에 직업별 전화번호부 같은 게 있을 것 같지는 않았지만, 칼튼 이튼이 일반인 세계의 전화번호부와 주술사 세계의 우편물을 함께 배달하는 판이니 그것도 알 수 없는 노릇이었다.

"그때 개틀린에는 보관자가 없었어." 메리언 아줌마는 불편한 표정으로 잠시 말을 멈췄다. "하지만 강력한 주술사가 보관자를 요구했지. 루나에 리브리가 여기 있고, 한때는《달의 책》도 여기 있었으니까."

이제 어떻게 된 건지 알 것 같았다.

"메이컨 아저씨가 엄마를 요청한 거죠? 메이컨 아저씨도 역시 엄마랑 떨어져 있을 수 없었던 거예요."

메리언 아줌마는 손수건으로 얼굴을 닦았다. "아니. 보관자를 요구한 건 어렐리아 밸런틴이었어. 메이컨의 어머니."

"메이컨 아저씨의 어머니가 왜 우리 엄마를 보관자로 두고 싶어 해요? 아들이 안쓰러워 보였다 해도, 두 사람이 함께할 수 없다는 걸 뻔히 알고 있었잖아요."

"어렐리아는 강력한 예언자야. 미래의 조각들을 볼 수 있지."

"그럼 주술사 세계의 애마 아줌마예요?"

메리언 아줌마는 또 얼굴을 닦았다. "그렇게 봐도 될 거다. 어렐리아는 네 엄마에게서 재능을 발견했어. 진실을 찾아내는 능력, 숨겨진 것을 보는 능력. 어렐리아는 네 엄마가 원하는 답을 찾아내기를 바라고 있었던 것 같아. 주술사와 일반인이 하나가 될 수 있는 방법 말이야. 빛의 주술사들은 항상 그런 방법이 생기기를 바라고 있었거든. 일반인과 사랑에 빠진 주술사가 제너비브뿐이었던 건 아니니까." 메리언 아줌마는 먼 곳을 바라보았다. 사람들이 비탈진 잔디밭에 소풍을 온 사람들처럼 음식을 꺼내 놓고 있었다. "아니면 어렐리아가 아들을 위해서 그랬던 건지도 모르지."

메리언 아줌마는 걸음을 멈췄다. 우리는 둥근 길을 한 바퀴 돌아 메이컨의 무덤가에 서 있었다. 저 멀리서 울고 있는 천사가 보였다. 그런데 무덤의 모양이 장례식 때와는 완전히 달랐다. 전에는 흙이 드러나 있던 곳에, 말도 안 되게 높이 자란 레몬나무 두 그루가 그늘을 드리운 야생의 정원이 생겨나 묘비를 양편에서 감싸고 있었다. 그리고 나무 그늘 속의 무덤 위쪽에는 점점 넓게 뻗어나가는 재스민과 한데 뒤엉킨 로즈마리가 자라는 꽃밭이 있었다. 오늘 같은 날 우리 말고도 다른 누가 이 무덤을 찾아와서 저걸 보았을지 궁금해졌다.

나는 양손으로 관자놀이를 눌렀다. 그렇게라도 하지 않으면 머리가 폭발해 버릴 것 같았다. 메리언 아줌마가 손으로 내 등을 부드럽게 짚었다. "갑자기 너무 많은 이야기를 들어서 힘들 거다. 하지만 변하는 건 하나도 없어. 네 엄마는 널 사랑했어."

나는 어깨를 으쓱하며 메리언 아줌마의 손을 떨쳐 냈다. "네, 그저 아빠를 사랑하시지 않았을 뿐이죠."

메리언 아줌마가 내 팔을 획 잡아당겨 억지로 내 얼굴이 자신을 향하게 했다. 엄마는 내 엄마였지만, 메리언 아줌마의 절친한 친구이기도 했다. 그러니 메리언 아줌마 앞에서 엄마의 인간성을 의심하는 말을 해 놓고 그냥 넘어갈 수는 없을 터였다. 오늘이든, 다른 날이든. "그런 말 하지 마, EW. 네 엄마는 네 아버지를 사랑했어."

"하지만 아빠를 위해 개틀린으로 온 건 아니잖아요. 엄마가 이리로 온 건 메이컨 아저씨 때문이었어요."

"네 부모님은 우리가 듀크 대학에서 논문을 쓰고 있을 때 만났어. 보관자로서 네 엄마는 개틀린 지하의 터널에 살면서 루나에 리브리와 대학을 오가며 나랑 공동 작업을 했지. 네 엄마는 이 마을에 살지 않았어. DAR나 링컨 부인의 세상에는 살지 않았다고. 그러니까 네 엄마가 개틀린으로 이사를 온 건 실제로 네 아버지를 위해서야. 어둠을 떠나 빛 속으로 나온 거라고. 분명히 말하지만, 네 엄마한테 그건 대단한 일이었다. 네 아버지가 네 엄마를 네 엄마 자신에게서 구한 거야. 아무도 할 수 없었던 일을 해낸 거라고. 나도, 메이컨도 못한 일이었어."

나는 메이컨의 무덤에 그늘을 드리운 레몬나무를 빤히 바라보았다. 그 뒤로 엄마의 무덤이 보였다. 나는 거기에 무릎을 꿇고 있던 아빠를 생각했다. 일부러 '영원한 안식의 정원'에 묻힌 메이컨도 생각했다. 엄마와 겨우 나무 하나를 사이에 두고 안식을 취하고 싶어서 이곳에 누워 있는 메이컨.

"네 엄마가 자기를 받아 줄 사람이 하나도 없는 마을로 이사한 건, 네 아버지가 이곳을 떠나려 하지 않았기 때문이야. 네 엄마는 아버지를 사랑했어." 메리언 아줌마는 손으로 내 턱을 잡았다. "다만 네 아버지를 먼저 사랑하지 않았을 뿐이야."

나는 깊이 숨을 들이쉬었다. 적어도 내 삶 전체가 완전한 거짓은 아니라는 뜻이었다. 엄마는 아빠를 사랑했다. 비록 메이컨 레이븐우드 또한 사랑했다 해도. 나는 메리언 아줌마의 손에서 아크라이트를 집어 들었다. 그것을 들고 두 사람의 일부를 느끼고 싶었다. "엄마는 일반인과 주술사가 함께할 수 있는 방법을 결코 찾아내지 못했군요."

"그런 방법이 과연 있을까?" 메리언 아줌마가 한 팔로 나를 감쌌다. 나는 메리언 아줌마의 어깨에 머리를 기댔다. "어쩌면 길을 아는 자가 될지도 모르는 사람은 바로 너야, EW. 그러니 네가 나한테 답을 알려 줘야지."

거의 1년 전 빗속에 서 있던 리나를 본 그날 이후 처음으로 나는 아무것도 알 수 없다는 생각이 들었다. 엄마처럼 나도 답을 알아내지 못했다. 내가 찾아낸 것이라고는 고민거리뿐이었다. 엄마도 그랬을까?

나는 메리언 아줌마가 들고 있는 상자를 바라보았다. "그래서 엄마가 돌아가신 거예요? 그 답을 찾으려다가 그렇게 되신 거예요?"

메리언 아줌마는 내 손을 잡고 거기에 상자를 쥐어 주었다. 그리고 자기 손가락으로 내 손가락을 감쌌다. "내가 아는 건 다 말해 줬어. 결론은 네가 내리는 거다. 난 끼어들 수 없어. 그게 규칙이니까. 위대한 세상의 이치 속에서 나는 중요하지 않아. 보관자들은 결코 중요한 존재가 아냐."

"그렇지 않아요." 메리언 아줌마는 내게 중요한 존재였다. 하지만 차마 그 말을 할 수는 없었다. 엄마도 내게 중요한 존재였다. 이건 내가 굳이 말할 필요도 없는 사실이었다.

메리언 아줌마가 미소를 지으며 손을 뗐다. 상자는 내 손에 남았다. "불평하는 게 아냐. 이 길을 선택한 건 나다, 이선. 세상의 이치 속에서 누구나 다 자신이 있을 자리를 선택할 수 있는 건 아냐."

"리나는 아니라는 뜻이에요? 저도요?"

"너는 중요한 존재야. 네가 그걸 좋아하든 싫어하든. 리나도 마찬가지고. 그건 선택하고 말고 할 일이 아냐." 메리언 아줌마가 내 눈을 가린 머리카락을 밀어 올렸다. 옛날에 엄마도 그렇게 해 주곤 했다. "진실은 진실이야. '순수한 때는 드물고 간단한 때는 결코 없다.' 오스카 와일드라면 이렇게 말했겠지."

"무슨 말인지 모르겠어요."

"모든 진실은 일단 밝혀지고 난 뒤에는 이해하기가 쉽다. 중요한 건, 진실을 밝혀내는 것이다."

"그것도 오스카 와일드예요?"

"갈릴레오야. 현대 천문학의 아버지. 갈릴레오도 세상의 이치 속에서 자신의 자리를 거부한 사람이었지. 태양이 지구 주위를 도는 게 아니라고 주장한 것 말이야. 진실은 우리가 선택하는 게 아니라는 걸 갈릴레오는 알고 있었어. 아마 어느 누구보다 잘 알고 있었을걸. 우리가 선택할 수 있는 건, 진실에 대처하는 우리의 행동뿐이야."

나는 상자를 받아 들었다. 메리언 아줌마의 말이 무슨 뜻인지 속으로는 알고 있었기 때문에. 비록 내가 갈릴레오에 대해서는 아무것도 모르고, 오스카 와일드에 대해서는 그보다 더 몰랐지만 그건 상관없었다. 원하든 원치 않든, 나 또한 이 모든 일의 일부였다. 나는 도망칠 수 없었다. 환영을 멈추게 할 수도 없었다.

이제는 무엇을 어떻게 해야 할지 결단을 내려야 했다.

점프

❧ 6.17 ❧

그날 밤 침대로 기어 들어가면서 나는 꿈이 두려웠다. 대개는 잠들기 전에 마지막으로 생각한 것을 꿈에서 보게 된다고들 한다. 그래서 나는 메이컨과 엄마에 대해 생각하지 않으려고 했지만, 애쓰면 애쓸수록 자꾸만 더생각이 날 뿐이었다. 그렇게 생각하지 않으려고·애쓰다가 기진맥진했기때문에 침대에 눕자마자 어둠 속으로 빨려 들어가는 건 시간문제였다. 내침대는 배로 변해서….

버드나무 가지들이 머리 위에서 흔들렸다.

내 몸이 앞뒤로 흔들리는 것이 느껴졌다. 구름 한 점 없이 파란 하늘은현실 같지 않았다. 나는 고개를 돌려 옆을 보았다. 군데군데가 갈라지고 파란 페인트가 벗겨지고 있는 나무가 보였다. 내 방 천장과 아주 비슷했다.나는 작은 배를 타고 강물에 떠내려 가고 있었다.

내가 일어나 앉자 배가 흔들렸다. 작고 하얀 손이 옆으로 내려가서 가느다란 손가락으로 물을 훑었다. 나는 물에 잔물결이 일면서 물에 비친 완벽한 하늘의 모습이 흐트러지는 것을 빤히 바라보았다. 잔물결만 빼면 수면은 유리처럼 서늘하고 잔잔했다.

리나는 나와는 반대편 끝에 누워 있었다. 하얀 드레스 차림이었다. 모든 것이 흑백으로 찍힌 옛날 영화에서 볼 수 있는 옷. 레이스와 리본과 자그마한 진주 단추들이 달려 있었다. 리나는 검은 양산을 쥐고 있었고, 머리카락과 손톱은 물론 심지어 입술도 검은색이었다. 리나는 몸을 둥글게 만 채 옆으로 늘어져 있었다. 물에 잠긴 리나의 손이 물 위를 떠가는 배를 따라왔다.

"리나?"

리나는 눈을 뜨지 않았지만, 미소를 지었다. "추워, 이선."

나는 리나의 손을 보았다. 이제 손은 손목까지 물에 잠겨 있었다. "지금은 여름이야. 물도 따뜻할 거야." 나는 리나에게 기어가려고 했지만 배가 흔들렸다. 그 바람에 리나가 가장자리 쪽으로 더 밀려나면서 옷 아래로 검은 운동화가 드러났다.

나는 움직일 수 없었다.

이제 물은 리나의 팔까지 올라와 있었다. 리나의 머리카락도 수면에 닿기 시작했다.

"일어나, L! 그러다 빠지겠어!"

리나는 웃음을 터뜨리며 양산을 놓았다. 양산은 빙글빙글 돌면서 우리 뒤의 잔물결 위에 둥둥 떴다. 내가 리나를 향해 휙 움직이자 배가 심하게 흔들렸다.

"말 못 들었어? 난 이미 빠졌어."

나는 리나에게 달려들었다. 이럴 리가 없는데…. 이런 생각을 하면서도 나는 첨벙 하는 소리를 기다리고 있었다.

배의 끝에 닿았을 때 나는 눈을 떴다. 세상이 모두 흔들리고, 리나는 보이지 않았다. 나는 아래를 내려다보았다. 보이는 것이라고는 샌티 강의 초록빛이 섞인 갈색의 탁한 물과 리나의 검은 머리카락뿐이었다. 나는 물속으로 손을 뻗었다. 아무 생각도 나지 않았다.

'뛰어내리든지 아니면 그냥 배에 있든지 둘 중 하나야.'

머리카락이 아래쪽으로 떠갔다. 제멋대로 헝클어지고, 조용하고, 숨이 멎을 만큼 아름다웠다. 신비로운 바다 생물 같았다. 하얀 얼굴이 있었다. 깊은 물 때문에 흐릿하게 보였다. 유리 밑에 갇힌 얼굴.

"엄마?"

~

나는 온몸이 흠뻑 젖은 채 기침을 하며 침대에서 일어나 앉았다. 달빛이 창문을 통해 쏟아져 들어왔다. 또 창문이 열려 있었다. 나는 욕실로 가서 기침이 가라앉을 때까지 손으로 물을 받아 마셨다. 그리고 거울을 뚫어지게 바라보았다. 어두워서 내 얼굴이 간신히 보일 정도였다. 나는 어둠 속에서 내 눈을 찾으려고 애썼다. 하지만 눈 대신 다른 것이 보였다…. 저 멀리서 빛나는 불빛.

이제는 거울을 볼 수 없었다. 어둠 속에 잠긴 내 얼굴도 보이지 않았다. 그 불빛과 번개처럼 스치고 지나가는 영상들뿐이었다.

나는 눈에 초점을 맞춰서 내 눈에 보이는 것이 무엇인지 알아보려고 했다. 하지만 모든 것이 너무 빨리 획획 지나갔다. 위아래로 획획 흔들리기도 했다. 마치 내가 놀이 기구를 타고 있는 것 같았다. 길이 보였다. 물에 젖어 반짝이는 어두운 길이었다. 길바닥이 나한테서 겨우 몇 센티미터 떨어진 곳에 있었기 때문에, 마치 내가 땅 위를 기고 있는 것 같았다. 하지만 모든 것이 이렇게나 빠르게 움직이고 있는데 그건 불가능한 일이었다. 높고 곧은 모퉁이들이 내 시야에 불쑥 나타나고, 길이 나를 향해 벌떡 일어섰다.

보이는 것이라고는 그 불빛과 말도 안 되게 가까운 길바닥뿐이었다. 나는 떨어지지 않으려고 세면대 양옆을 붙잡았다. 차가운 사기의 감촉이 느껴졌다. 어지러웠다. 영상들은 계속 내 앞을 획획 지나가고, 불빛이 점점 가까워졌다. 내 시야가 갑자기 바뀌었다. 마치 내가 미로 속에서 모퉁이를 돈 것 같았다. 모든 것이 점차 느려지기 시작했다.

두 사람이 가로등 불빛 아래에서 더러운 벽돌 건물에 몸을 기대고 있었다. 계속 확확 움직이던 불빛이 바로 그거였다. 나는 아래에서 두 사람을 올려다보고 있었다. 마치 바닥에 누워 있는 사람처럼. 나는 내 앞의 두 실루엣을 빤히 바라보았다.

"메모를 해 두고 올걸. 할머니가 걱정하실 거야." 리나의 목소리였다. 리나가 바로 내 앞에 있었다. 이건 환영이 아니었다. 로켓이나 메이컨의 일기가 보여 준 환영들과는 달랐다.

"리나!" 내가 리나의 이름을 외쳤지만, 리나는 꼼짝도 하지 않았다.

리나의 상대방이 가까이 다가섰다. 나는 그 사람의 얼굴을 보지 않고도 그가 존임을 알 수 있었다. "네가 메모를 남겼다면, 간단한 탐지 주문만으로 우리를 찾아냈을걸. 특히 네 할머니라면 얼마든지 그럴 수 있지. 터무니없는 힘을 갖고 있으니까." 존이 리나의 어깨를 만졌다. "아마 집안 내력인가 봐."

"난 아무런 힘도 느껴지지 않아. 내가 뭘 느끼고 있는지도 모르겠어."

"설마 마음이 바뀐 건 아니겠지?" 존이 손을 뻗어 리나의 손을 잡더니, 손바닥이 보이게 손을 펼쳤다. 그리고 주머니에서 마커를 꺼내 멍한 표정으로 리나의 손에 뭔가를 쓰기 시작했다.

리나는 그것을 지켜보며 고개를 저었다. "그래. 난 이제 그곳에 어울리지 않아. 이대로 가다가는 모두를 해치게 됐을 거야. 난 나를 사랑하는 사람들을 항상 해치기만 해."

"리나…" 아무 소용이 없었다. 리나는 내 목소리를 듣지 못했다.

"우리가 '장벽'에 도달하면 달라질 거야. 거긴 빛도 어둠도 없고, 자연체도 변이체도 없어. 오로지 가장 순수한 형태의 마법이 있을 뿐이야. 그건 꼬리표도 심판도 없다는 뜻이지."

두 사람은 리나의 손을 빤히 바라보았다. 존의 마커가 리나의 손목 언저리로 옮겨갔다. 숙이고 있는 두 사람의 머리가 거의 닿을 듯했다. 리나는 존에게 잡힌 자신의 손목을 천천히 돌렸다. "난 무서워."

"내가 너한테 아무 일도 생기지 않게 할 거야." 존이 리나의 머리카락을 귀 뒤로 넘겨 주었다. 내가 옛날에 그랬던 것처럼. 리나도 그것을 기억하고 있는지 궁금했다.

"그런 곳이 정말로 존재한다니, 상상하기가 힘들어. 나는 평생 사람들의 비난을 받으며 살았는데." 리나가 웃음을 터뜨렸다. 나는 그 목소리에 날이 서 있는 것을 느낄 수 있었다.

"그래서 우리가 그리로 가는 거야. 그래야 네가 마침내 너 자신으로 살아갈 수 있으니까." 존의 어깨가 이상하게 움찔거렸다. 존은 자신의 어깨를 움켜쥐고, 리나가 눈치채기 전에 진정시켰다. 하지만 나는 존의 움직임을 보았다.

"나 자신? 나 자신이 어떤 사람인지 나도 모르는데?" 리나는 벽에서 떨어져 밤의 어둠 속을 바라보았다. 가로등 불빛에 리나의 옆얼굴이 드러났다. 리나의 목걸이가 반짝이는 것이 보였다.

"나도 알고 싶어." 존이 리나에게 몸을 기울였다. 그의 목소리가 워낙 낮고 부드러워서 내게는 잘 들리지 않았다.

리나는 지친 표정이었지만, 나는 리나가 웃는 듯 마는 듯 심술궂은 표정을 짓는 걸 알아볼 수 있었다. "혹시 그 여자를 만나면 당신을 소개해 줄게."

"다들 갈 준비 됐어?" 리들리가 버찌처럼 새빨간 막대사탕을 빨면서 건물에서 걸어 나왔다.

리나가 돌아섰다. 그 순간 빛이 리나의 손에 닿았다. 존이 뭐라고 글을 쓰던 손이었다. 하지만 그곳에 써 있는 것은 글자가 아니었다. 검은 무늬였다. 내가 마을 축제 때 리나의 손에서 보았던 바로 그 무늬, 리나의 공책 가장자리에 그려져 있던 바로 그 무늬였다. 하지만 그 밖의 다른 것을 미처 눈에 담기도 전에 내 시야가 세 사람에게서 멀어졌다. 보이는 것이라고는 널찍한 거리와 물에 젖은 자갈 포장뿐이었다. 그러고는 아무것도 보이지 않았다.

내가 세면대에 매달린 채 거기에 서 있었던 시간이 얼마나 되는지는 모른다. 세면대를 놓으면 그대로 정신을 잃을 것 같았다. 손이 벌벌 떨리고, 다리가 후들거렸다. 방금 무슨 일이 있었던 거지? 그건 환영이 아니었다. 모든 게 너무나 가까이 보여서 손을 뻗으면 리나를 만질 수도 있을 것 같았다. 왜 리나는 내 목소리를 듣지 못한 걸까?

그런 건 중요하지 않았다. 리나가 결국 일을 저질렀다. 미리 말한 대로 마침내 도망친 것이다. 지금 리나가 있는 곳이 어딘지는 알 수 없었지만, 그래도 그곳이 터널 안이라는 사실 정도는 알 수 있었다.

리나는 가 버렸다. 장벽을 향해서. 그게 어디 있는 건지는 모르겠지만. 이제 나는 아무런 상관이 없었다. 나는 꿈에서든 현실에서든 그것을 보고 싶지 않았다. 그것에 관한 이야기를 듣고 싶지도 않았다.

다 잊어버리고 다시 자. 지금 나한테 필요한 건 바로 그거야.

'뛰어내리든지 아니면 그냥 배에 있든지 둘 중 하나야.'

무슨 말도 안 되는 꿈인지. 모든 게 나한테 달린 것 같잖아. 내가 있든 없든 어차피 배는 가라앉을 텐데.

나는 세면대를 놓고 휘청거리며 내 방으로 돌아갔다. 그리고 벽에 신발 상자를 쌓아 둔 곳으로 갔다. 그 상자들 안에는 내게 중요한 것이나 내가 숨기고 싶은 것들이 모두 들어 있었다. 잠시 동안 나는 가만히 서 있었다. 내가 찾으려는 것이 무엇인지는 알고 있었지만, 그것이 어느 상자에 들어 있는지는 알 수 없었다.

유리 같은 물. 꿈을 떠올렸을 때 이 말이 생각났다.

나는 그것을 어디에서 찾을 수 있는지 기억해 내려고 애썼다. 하지만 웃기는 일이었다. 저 상자들 안에 무엇이 들어 있는지 일일이 기억하고 있었으니까. 적어도 어제까지는 그랬다. 나는 생각을 해 보려고 애썼지만, 내앞에 쌓여 있는 7, 80개의 상자만 눈에 들어올 뿐이었다. 검은색 아디다스상자, 초록색 뉴밸런스 상자…. 기억이 나지 않았다.

나는 상자를 대략 열두 개나 열어 본 뒤에야 비로소 검은색 컨버스 상자를 찾아냈다. 조각이 새겨진 나무 상자가 아직 그 안에 있었다. 나는 벨벳안감 위에 놓여 있는, 매끈하고 섬세한 공을 들어 올렸다. 공이 남긴 흔적이 벨벳에 그대로 남아 있었다. 천 년쯤 그 자리에 있었던 것처럼.

아크라이트.

이것은 엄마가 가장 귀하게 여기던 물건인데 메리언 아줌마가 내게 주었다. 왜 하필 지금일까?

내 손안에 있는 그 창백한 공에 방 안의 모습이 비치기 시작하더니, 둥근 표면이 살아나 갖가지 색으로 소용돌이쳤다. 아크라이트가 빛나고 있었다. 연한 초록색으로. 내 머릿속에 다시 리나의 모습이 떠올랐다. 리나의목소리도 들렸다. '난 나를 사랑하는 사람들을 항상 해치기만 해.'

빛이 점점 스러지더니 아크라이트는 다시 불투명한 검은색으로 변했다. 이제는 생명이 없는 차가운 물체였다. 그래도 나는 여전히 리나를 느낄수 있었다. 리나가 어디 있는지 느껴졌다. 마치 아크라이트가 나를 리나에게 이끌어 주는 나침반 같았다. 혹시 길을 아는 자라는 말에 정말로 무슨의미가 있는 건 아닐까?

하지만 그건 말이 되지 않았다. 리나와 존이 지금 어디 있든, 나는 결코그곳에 가고 싶지 않았으니까. 그런데 왜 두 사람이 내 눈에 보이는 거지?

머리가 정신없이 회전하고 있었다. 장벽? 빛도 어둠도 없는 곳? 그런 게가능해?

이젠 자려고 애써 봤자 소용없었다.

나는 구깃구깃한 아타리 티셔츠를 입었다. 내가 무엇을 해야 하는지 알고 있었다.

함께할 수 있든 없든, 이건 리나와 내가 감당할 수 있는 문제가 아니었다. 어쩌면 세상의 이치만큼 규모가 큰 일일 수도 있었다. 갈릴레오가 지구가 태양의 주위를 돈다는 사실을 깨달은 것만큼 엄청난 일. 내가 그것을 보고 싶어 하는지 여부는 중요하지 않았다. 세상에 우연의 일치는 존재하지 않는다. 내가 리나와 존과 리들리를 볼 수 있는 데에는 분명히 이유가 있었다.

하지만 그 이유가 뭔지 도무지 알 수 없었다.

그러니까 갈릴레오를 직접 찾아가서 이야기를 나눠 봐야 했다.

어둠 속에 발을 내딛는 순간 매키 부인의 멋진 수탉들이 울어 대기 시작했다. 4시 45분이었다. 태양은 아직 떠오를 기미가 없었지만, 나는 한낮처럼 자유로이 돌아다닐 수 있었다. 나는 금이 가서 갈라진 인도와 끈적끈적한 아스팔트를 가로지르며 내 발소리에 귀를 기울였다.

그 세 사람은 어디로 가는 걸까? 내가 왜 그 셋을 보는 걸까? 그게 왜 중요한 걸까?

무슨 소리가 들렸다. 고개를 돌려 보니 루실이 고개를 살짝 한쪽으로 기울인 채 내 뒤의 길 위에 앉아 있었다. 나는 고개를 젓고 계속 걸었다. 저 정신 나간 고양이는 나를 따라오겠지만, 나는 개의치 않았다. 지금 온 마을에서 깨어 있는 건 아마 나와 저 고양이뿐일 것이다.

아니, 그렇지 않았다. 개틀린의 갈릴레오도 깨어 있었다. 메리언 아줌마가 사는 거리의 모퉁이를 돌자 불빛이 보였다. 내가 점점 가까이 다가가자 집 앞쪽 현관 베란다에서 불빛 하나가 더 깜박거렸다.

"리브." 나는 계단을 뛰어 올라갔다. 어둠 속에서 우당탕 소리가 났다.

"아, 젠장!" 거대한 망원경 렌즈가 내 머리를 향해 휙 날아와서 나는 고개를 숙여 피했다. 리브가 렌즈 끝을 움켜쥐었다. 헝클어진 땋은 머리채가 리브의 등 뒤에서 흔들렸다. "그렇게 몰래 다가오면 어떻게 해!" 리브가 손잡이를 돌리자 망원경이 높은 알루미늄 삼각대 위에 단단히 고정되었다.

"현관 베란다를 올라오는 건 몰래 다가오는 게 아닌데." 나는 리브의 잠옷을 너무 빤히 바라보지 않으려고 애썼다. 리브는 플루토의 그림이 그려진 티셔츠와 소녀다운 반바지를 입고 있었다. 플루토의 그림 밑에는 '난쟁이 행성이 말하다: 너랑 같은 크기의 사람을 골라'라고 적혀 있었다.

"난 널 못 봤단 말이야." 리브는 망원경에서 눈이 닿는 부분을 조절한 뒤 망원경을 들여다보았다. "그건 그렇고, 이 시간에 웬일이야? 갑자기 미치기라도 한 거야?"

"나도 그게 궁금해서 알아보려는 참이야."

"내가 시간을 절약해 줄게. 넌 확실히 미쳤어."

"나 농담하는 거 아냐."

리브는 나를 유심히 살피더니 빨간 공책을 집어 들고 뭐라고 갈겨쓰기 시작했다. "듣고 있으니까 말해. 그냥 메모할 게 있어서 이러는 거니까."

나는 리브의 어깨 너머를 바라보았다. "뭘 보고 있는 거야?"

"하늘." 리브는 다시 망원경을 들여다보더니 자신의 셀레노미터를 바라보았다. 그리고 또 공책에 숫자를 적었다.

"그건 나도 알아."

"자." 리브는 옆으로 물러나서 나더러 가까이 오라고 손짓했다. 나는 렌즈를 들여다보았다. 하늘이 빛으로 폭발했다. 먼지처럼 보이는 은하와 별들은 아무리 봐도 개틀린의 하늘 같지 않았다. "뭐가 보여?"

"하늘. 별. 달. 진짜 굉장하다."

"이제 잘 봐." 리브는 나를 렌즈에서 떼어 냈다. 나는 하늘을 올려다보았다. 여전히 어두웠지만, 망원경으로 보았던 별들을 절반도 찾아낼 수 없었다.

"빛이 아까처럼 밝지 않아." 나는 다시 망원경을 들여다보았다. 또 반짝이는 별들이 하늘을 가득 채웠다. 나는 렌즈에서 떨어져 어두운 하늘을 바라보았다. 진짜 하늘은 어둡고 칙칙해서 고독해 보였다. "이상하네. 망원경으로 보면 별들이 아주 다르게 보여."

"그건 그 별들이 다 거기 있는 게 아니라서 그래."

"그게 무슨 소리야? 하늘은 그냥 하늘이지."

리브는 달을 올려다보았다. "하늘이 아닐 때는 아냐."

"그게 무슨 뜻이야?"

"제대로 아는 사람이 하나도 없어. 주술사 별자리랑 일반인 별자리가 따로 있어. 그 둘은 서로 달라. 적어도 일반인의 눈에는 똑같이 보이지 않아. 그리고 불행히도 너와 나한테는 일반인의 눈밖에 없고." 리브는 빙긋 웃으며 망원경의 스위치를 만졌다. "내가 듣기로는 주술사들도 일반인 별자리를 못 본대."

"어떻게 그런 일이 있을 수 있어?"

"그건 다른 일들도 마찬가지야."

"우리 하늘이 진짜이긴 해? 아니면 그냥 진짜처럼 보이기만 하는 것 아냐?" 천장에 칠해진 파란 페인트를 하늘로 착각했다는 걸 알아차린 어리호박벌이 된 기분이었다.

"그런다고 뭐가 달라져?" 리브는 어두운 하늘을 가리켰다. "저거 보여? 북두칠성이야. 국자 모양의 별자리. 너도 그건 알지?" 나는 고개를 끄덕였다.

"거기서 똑바로 아래쪽을 보면, 국자 손잡이에서부터 두 번째 별, 그 밝은 별 보여?"

"그건 북극성이잖아." 개틀린에서 보이스카우트를 했던 사람이라면 누구나 아는 사실이었다.

"맞아. 북극성이야. 이제 오목한 국자 끝부분을 봐. 제일 아래쪽. 거기 뭔가 보여?" 나는 고개를 저었다.

리브는 망원경을 들여다보며 다이얼 두 개를 차례로 돌렸다. "이제 봐." 리브가 뒤로 물러났다.

렌즈를 통해 북두칠성이 보였다. 평범한 하늘에서 볼 때와 똑같은 모습이었다. 조금 더 밝게 빛난다는 점이 다를 뿐이었다. "거의 똑같은데."

"그럼 국자 끝부분을 봐. 아까랑 같은 곳. 뭐가 보여?"

"아무것도."

리브가 짜증스러운 목소리로 말했다. "다시 봐."

"왜? 거긴 아무것도 없어."

"아무것도 없다니?" 리브가 허리를 숙여 렌즈를 들여다보았다. "그럴 리가 없어. 거기 칠각별이 있어야 한단 말이야. 일반인들이 칠망성이라고 부르는 거."

칠각별이라. 리나의 목걸이에도 그런 별이 하나 있었다.

"그건 주술사 세계의 북극성이야. 하지만 북쪽이 아니라 남쪽을 가리키지. 주술사 세계에서는 남쪽이 신비적인 의미를 지니고 있거든. 주술사들은 그 별을 남극성이라고 불러. 잠깐 기다려 봐. 내가 그 별을 찾아줄게." 리브는 다시 망원경을 향해 몸을 기울였다. "그래도 하고 싶은 말이 있으면 해봐. 네가 칠망성에 대한 강의나 들으려고 온 건 아닐 테니까. 무슨 일이야?"

더 이상 이야기를 미루는 건 무의미했다. "리나가 존이랑 리들리랑 같이 도망쳤어. 지금 터널 안 어딘가에 있어."

리브도 이 말에는 관심을 보였다. "뭐? 그걸 네가 어떻게 알아?"

"설명하기가 좀 힘들어. 환영이 아닌 환영이라고나 할까, 하여튼 이상한 환영으로 봤어."

"메이컨의 서재에서 그 일기에 손을 댔을 때처럼?"

나는 고개를 저었다. "난 아무것도 안 만졌어. 분명히 거울에 비친 내 얼굴을 보고 있었는데, 순식간에 내가 달리기라도 하는 것처럼 이런저런 것들이 내 옆을 획획 스쳐 지나가는 거야. 그러다가 달리기가 멈췄는데, 그 셋이 골목길에서 겨우 1미터쯤 앞에 서 있었어. 하지만 개들은 날 보지도, 내 목소리를 듣지도 못했어." 나는 두서없이 이야기를 늘어놓았다.

"거기서 개들이 뭘 하고 있었어?" 리브가 물었다.

"장벽이라는 곳에 대해 이야기하던데. 거기서는 모든 게 완벽해서 영원히 행복하게 살 수 있대. 존의 말에 따르면." 나는 속상한 마음을 드러내지 않으려고 애썼다.

"개들이 정말로 장벽에 간다고 했단 말이야? 확실해?"

"응. 왜?" 주머니 속의 아크라이트가 갑자기 따뜻해지는 것이 느껴졌다.

"장벽은 주술사 세계에서 가장 오래된 신화 중 하나야. 고대의 강력한 마법이 있는 곳이지. 빛이나 어둠이 생기기 오래전의 세상. 일종의 니르바나라고나 할까. 논리적인 머리가 있는 사람이라면, 그런 곳이 진짜로 존재한다고는 믿지 않아."

"존 브리드는 믿고 있어."

리브는 하늘을 올려다보았다. "말만 그런 건지도 모르지. 그게 헛소리이긴 한데, 아주 강력한 헛소리야. 지구가 평평하다는 믿음과 같아. 아니면 태양이 지구 주위를 돈다는 믿음이나." 그래, 갈릴레오처럼. 그렇겠지.

내가 이곳에 온 것은 다시 잠들 이유를 찾기 위해서, 예전의 평범한 생활로 돌아갈 이유를 찾기 위해서였다. 내가 욕실 거울에서 리나를 봤지만, 내가 미쳐서 그런 게 아니라는 설명을 찾기 위해서. 리나와는 연결되지 않은 해답을 찾기 위해서. 하지만 내가 찾아낸 것은 정반대의 사실이었다.

리브는 내 심장이 계속 깊이 가라앉고 내 주머니 속에서 아크라이트가 타오르는 걸 알아차리지 못한 채 이야기를 이어 갔다. "전설에 따르면, 남극성을 죽 따라가면 장벽이 나온대."

"만약 그 별이 없으면?" 이 생각을 떠올리자 또 다른 생각들이 차례로 풀려 나오기 시작했다.

리브는 대답하지 않았다. 망원경을 조정하느라고 정신이 없었기 때문에. "틀림없이 있을 거야. 내 망원경에 문제가 있는 게 틀림없어."

"그 별이 사라졌다면? 우주는 항상 변하잖아, 안 그래?"

"당연하지. 서기 3000년이면 북극성은 더 이상 북극성이 아닐 거야. 알라이(케페우스자리의 감마별 – 옮긴이)가 북극성이 되겠지. 알라이는 아랍어로 '목동'이라는 뜻이야. 네가 물어봤으니까 말해 주는 거야."

"서기 3000년?"

"그래. 앞으로 천 년 뒤. 별이 갑자기 사라질 수는 없어. 아주 중대한 우주적 사건이 없는 한. 그렇게 미묘하게 일어나는 변화가 아니라고."

"세상은 이렇게 끝나는 거야 엄청난 충격이 아니라 흐느낌과 함께." 나는 T. S. 엘리엇의 시 구절을 떠올렸다. 리나는 생일 전에 이 구절을 항상 생각하곤 했다.

"그래, 뭐, 나도 그 시를 좋아해. 하지만 과학은 조금 달라."

'엄청난 충격이 아니라 흐느낌과 함께.' 아니, 흐느낌이 아니라 엄청난 충격과 함께인 걸까? 시 구절이 정확히 기억나지 않았지만, 어쨌든 리나는 메이컨이 죽었을 때 자기 방벽에 이 구절이 들어간 시를 써 두었다.

결국 일이 이렇게 되리라는 걸 리나는 처음부터 알고 있었던 걸까? 속이 메스꺼워졌다. 아크라이트가 어쩌나 뜨겁게 달아올랐는지 내 살갗을 태우고 있었다.

"네 망원경이 잘못된 게 아냐."

리브는 셀레노미터를 들여다보았다. "뭔가가 이상해. 망원경만 이러는 게 아니야. 여기 숫자들도 안 맞아."

"마음이 가는 곳에 별들이 따라가리라." 이 말이 저절로 내 입에서 흘러나왔다. 내 머릿속에 박힌 옛날 노래의 가사처럼.

"뭐?"

"〈열일곱 개의 달〉이야. 아무것도 아냐. 그냥 계속 내 귀에 들리는 노래일 뿐이야. 리나의 운명과 관계가 있어."

"그림자 노래?" 리브가 믿을 수 없다는 표정으로 나를 바라보았다.

"이게 그런 거야?" 이런 노래에 이름이 있을 거라는 사실을 왜 몰랐을까.

"앞으로 다가올 일들을 미리 알려 주는 노래야. 그동안 내내 그림자 노래를 듣고 있었던 거야? 왜 나한테 말 안 했어?"

나는 어깨를 으쓱했다. 나야 바보니까. 리브에게 리나 이야기를 하고 싶지 않으니까. 이 노래에서 끔찍한 일들이 튀어나왔으니까. 셋 중에 아무거나 고르면 된다.

"가사를 전부 말해 봐."

"구슬이 어쩌고 하는 내용이 있고, 때가 되기 전에 달이 나왔다는 말이 있어. 그러고는 마음이 가는 곳에 별들이 따라간다는 말이 나와…. 나머지는 기억 안 나."

리브는 현관 베란다의 맨 위 계단에 털썩 주저앉았다. "때가 되기 전에 달이 나온다고. 그게 정확한 가사야?"

나는 고개를 끄덕였다. "처음엔 달, 그다음에는 별들이 따라간다고 했어. 확실해."

이제 하늘에 빛의 줄무늬가 생겨났다. "시기가 아닐 때 운명의 달을 불러낸다. 그걸 거야."

"뭐? 별이 없어진 거?"

리브는 눈을 감았다. "단순히 별의 문제만은 아냐. 시기가 아닐 때 달을 불러내면 세상의 이치 전체가 변할 수 있어. 모든 자기장에서부터 모든 마법장에 이르기까지. 그렇다면 주술사 세계의 하늘이 변한 것도 이해할 수 있지. 주술사 세계의 자연 질서도 우리 세계와 마찬가지로 섬세한 균형을 유지하고 있으니까."

"어떻게 하면 그런 일이 일어나는데?"

"누가 일으키느냐고 해야겠지." 리브는 자신의 무릎을 끌어안았다.

리브가 말한 사람이라면 딱 한 명밖에 있을 수 없었다. "새라핀?"

"달을 불러낼 만큼 강력한 주술사가 있었다는 기록은 없어. 하지만 만약 누군가가 시기가 아닐 때 달을 끌어내고 있다면, 운명을 결정하는 순간이 언제 올지 알아낼 길이 없어. 어디서 그 순간이 나타날지도 마찬가지고."

운명을 결정하는 순간이라. 리나의 순간을 뜻하는 말이었다.

메리언 아줌마가 서고에서 한 말이 떠올랐다. "진실은 우리가 선택하는 게 아니야. 우리가 선택할 수 있는 건, 진실에 대처하는 우리의 행동뿐이야."

"지금 운명을 결정하는 달을 얘기하는 거라면, 주인공은 리나야. 가서 메리언 아줌마를 깨워야 돼. 아줌마가 우리를 도와줄 수 있을 거야." 하지만 이 말을 하면서도 나는 진실을 알고 있었다. 메리언 아줌마가 우리를 도와줄 수 있을지는 몰라도, 반드시 도와줄 거라고 장담할 수는 없었다. 메리언 아줌마는 보관자로서 어떤 일에도 개입할 수 없었다.

리브도 같은 생각을 한 모양이었다. "우리가 리나의 뒤를 쫓아 터널에 들어가는 걸 애시크로프트 교수님이 정말로 허락할 것 같아? 지난번 터널에 내려갔을 때 그런 일이 있었는데도? 교수님은 우리를 희귀본 보관실에 올여름 내내 가둬 두실걸."

그보다도 더 무서운 건, 메리언 아줌마가 애마 아줌마에게 연락하는 거였다. 만약 그렇게 된다면, 나는 매일 그레이스 할머니의 고물 캐딜락을 몰고 세 할머니들을 교회까지 모셔다 드려야 할 것이다.

'뛰어내리든지 아니면 그냥 배에 있든지 둘 중 하나야.'

이건 이제 내가 결정할 수 있는 일이 아니었다. 결정은 이미 오래전에 내려져 있었다. 비가 내리던 그날 밤 내가 9번 도로에서 차에서 내리던 그 순간에. 그날 이미 나는 배에서 뛰어내렸다. 그냥 배에 있을 수는 없었다. 리나와 내가 사귀는 사이든 아니든 나는 그럴 수 없었다. 존 브리드나 새라핀이나 사라진 별이나 이상한 달이나 미쳐 버린 주술사 하늘 때문에 주저

하고 싶지도 않았다. 9번 도로에서 만난 여자애를 위해 나는 적어도 그 정도는 해 줘야 할 의무가 있었다.

"리브, 내가 리나를 찾을 수 있어. 왜 그런지는 모르겠지만, 하여튼 찾을 수 있어. 너 그 셀레노미터로 달을 추적할 수 있지?"

"달의 자력에 일어나는 변화를 측정할 수는 있어. 그걸 묻는 거야?"

"그럼 운명을 결정하는 달을 찾아낼 수 있는 거지?"

"내 계산이 정확하고, 날씨도 맞고, 주술사 세계와 일반인 세계의 별자리에 관한 일반적인 추론이 사실이라면….."

"그냥 된다, 안 된다만 대답해."

리브는 땋은 머리 한 가닥을 잡아당기며 생각에 잠겼다. "돼."

"우리가 이 일을 해내려면 아마 애마 아줌마랑 메리언 아줌마가 깨어나기 전에 들어가야 돼."

리브는 머뭇거렸다. 훈련 중인 보관자로서 리브 역시 어떤 일에도 개입할 수 없었다. 하지만 나와 리브가 함께 있으면, 항상 골치 아픈 일들이 일어났다. "리나가 아주 위험한 상황인지도 몰라."

"리브, 같이 가고 싶지 않으면….."

"당연히 가고 싶지. 다섯 살 때부터 별들과 주술사 세계를 공부했는데. 언제나 나는 그 세계의 일부가 되고 싶었어. 겨우 몇 주 전까지만 해도 내가 할 수 있는 일은 그 세계에 대한 글을 읽고 망원경을 들여다보는 것밖에 없었다고. 그냥 보기만 하는 건 이제 지겨워. 하지만 애시크로프트 교수님이….."

내가 리브를 잘못 보고 있었던 모양이었다. 리브는 메리언 아줌마와 달랐다. 리브는 주술사들의 두루마리를 책꽂이에 꽂아 넣으며 만족할 사람이 아니었다. 리브는 지구가 평평하지 않다는 사실을 증명하고 싶어 했다.

"뛰어내리든지 아니면 그냥 배에 있든지 둘 중 하나야, 보관자. 같이 갈 거야?" 해가 떠오르고 있었다. 우리에겐 시간이 얼마 없었다.

"정말 내가 같이 가는 걸 바라는 거야?" 리브는 나를 바라보지 않았다. 나도 리브를 바라보지 않았다. 하마터면 키스할 뻔했던 기억이 우리 둘 사이에 걸려 있었다.

"혹시 주술사 세계에서 사라진 별들의 지도를 외우고 있고 셀레노미터까지 가진 사람이 너 말고 또 있어?"

리브가 말한 달의 변화라든가 추론이라든가 계산 같은 것들이 정말로 내게 도움이 될지 확신할 수는 없었다. 하지만 그 노래가 틀린 적이 없는 건 확실했다. 오늘 밤에 내가 본 일들이 그 사실을 증명해 주었다. 내게는 도움이 필요했다. 리나도 마찬가지였다. 비록 우리 관계는 끝나 버렸다 해도. 내게는 보관자가 필요했다. 이상한 시계를 차고 책이 아닌 다른 곳에서 활극을 찾아다니는 말썽꾸러기 보관자라도 필요했다.

"뛰어내릴게." 리브가 부드럽게 말했다. "난 이제 배 안에 남아 있고 싶지 않아." 리브는 망사문의 손잡이를 조용히 돌렸다. 찰칵하는 소리조차 나지 않게. 자기 물건을 가지러 안으로 들어간다는 뜻이었다. 나랑 같이 가기로 마음을 정했다는 뜻이기도 했다.

"확실해?" 리브가 나 때문에 함께 가겠다는 거라면 반갑지 않았다. 적어도 내가 유일한 이유가 되고 싶지는 않았다. 내가 속으로 자신을 타이른 말은 이런 거였지만, 이건 모두 웃기는 소리였다.

"문제아 초자연체가 운명을 결정하는 달을 불러오려고 시도하고 있는 신화적인 장소를 찾겠다고 나설 만큼 멍청한 인간이 나 말고 또 있어?" 리브는 문을 열면서 빙긋 웃었다.

"또 있기는 해."

외문

✦ 6.18 ✦

'여름강좌: 돈을 벌고 싶으면 절대 공부를 멈추지 마라(NEVER STOP LEARNIN' IF YOU WANT TO START EARNIN').'

평소에는 '힘내라 와일드캐츠' 같은 말이 써 있던 게시판에 이런 구절이 적혀 있었다. 리브와 나는 잭슨 고등학교의 정문 계단 양편을 감싼 덤불 속에서 이 말을 올려다보았다.

"아무리 생각해도 learning과 earning에는 G가 들어가는 게 맞는 것 같은데."

"'G' 글자판이 다 떨어졌나 보지." 쉽지 않을 것 같았다. 여름이든 아니든 헤스터 선생님은 항상 교문을 감시할 수 있는 출석 체크 사무실에 앉아서 드나드는 학생들을 감시하고 있을 터였다. 낙제를 한 학생은 반드시 여름 강좌를 들어야 했다. 그렇다고 해서 수업을 빼먹고 도망치는 게 불가능한 것은 아니었다. 헤스터 선생님한테 들키지만 않으면 되었다. 리 선생님은 허니 힐 전투 재연에 참가하지 않은 우리에게 낙제점을 주겠다던 협박을 실천하지 않았지만, 링크는 생물 과목에서 낙제점을 받았다. 다시 말해서, 내가 학교 안으로 들어가 링크를 만날 방법을 찾아내야 한다는 뜻이었다.

"오전 내내 이 덤불 속에 있을 거야?" 리브가 점점 성질을 부리고 있었다.

"조금만 기다려 봐. 난 평생 잭슨 고등학교에서 빠져나올 방법만 궁리했다고. 안으로 들어가는 방법은 생각한 적이 없단 말이야. 그래도 링크를 두고 갈 수는 없으니까."

리브가 내게 미소를 지었다. "영국식 발음의 힘을 절대 과소평가하지 마. 잘 보고 배워."

헤스터 선생님은 안경 너머로 리브를 바라보았다. 리브는 금발을 꼬아서 둥글게 올린 모습이었다. 여름이었으므로 헤스터 선생님은 민소매 블라우스와 무릎 길이의 폴리에스터 반바지를 입고, 하얀 케즈 운동화를 신고 있었다. 리브 옆의 카운터 밑에 숨어 있는 내 눈에는 헤스터 선생님의 초록색 반바지 엉덩이 부분과 엄지발가락에 염증이 생긴 발이 잘 보였다.

"미안한데, 어디서 왔다고?"

"BEC요." 리브가 나를 발로 찼다. 나는 복도를 향해 살금살금 움직였다.

"그래. 그게 뭐지?"

리브는 갑갑하다는 듯이 한숨을 내쉬었다. "영국 교육 영사요. 이미 말씀드렸듯이, 저희는 교육 개혁의 모델로 삼을 만큼 실적이 뛰어난 미국 학교를 찾고 있어요."

"실적이 뛰어난 학교?" 헤스터 선생님은 뭐가 뭔지 모르겠다는 목소리였다. 나는 네 발로 기어서 모퉁이를 돌아갔다.

"제가 온다는 연락을 못 받으셨어요? 혹시 교장 선생님을 좀 뵐 수 있을까요?"

"교장 선생님?"

헤스터 선생님이 '교장 선생님'이라는 말의 뜻을 기억해 냈을 때쯤, 나는 이미 계단을 반쯤 올라가고 있었다. 금발 머리 안에 숨어 있는 놀라운 두뇌 외에도, 리브는 숨은 재능을 많이 갖고 있었다.

"그만, 유치한 농담은 그만해라. 한 손으로 표본을 단단히 잡고 배를 절개해. 위에서 아래로. 가위를 쓰는 거야." 문 안쪽에서 윌슨 선생님의 목소리가 들렸다. 오늘 생물학 수업에서 학생들이 뭘 하고 있는지는 냄새만으로도 알 것 같았다. 물론 안에서 나는 소란스러운 소리는 말할 것도 없었다.

"기절할 것 같아….."

"윌버, 안 돼!"

"윽!"

나는 문에 달린 창문으로 안을 들여다보았다. 분홍색 돼지 태아가 실험대 위에 줄지어 놓여 있었다. 녀석들은 몸집이 작았고, 금속 쟁반 안의 검은 판 위에 고정되어 있었다. 링크의 것만 예외였다.

링크의 돼지는 거대했다. 링크가 손을 들었다. "저, 윌슨 선생님? 가위로 흉골을 깰 수 없는데요. 그러기에는 탱크가 너무 커요."

"탱크?"

"네, 탱크요. 제 돼지."

"저 뒤에 있는 정원 가위를 써라."

나는 창문을 두드렸다. 링크는 창문 바로 앞을 지나갔지만 두드리는 소리를 듣지 못했다. 이든은 링크 옆의 길고 검은 실험대에 앉아 한 손으로 코를 쥔 채 핀셋으로 돼지 내장을 찔러대고 있었다. 이든이 낙제생들과 함께 그 안에 있는 것은 뜻밖이었다. 이든이 머리가 엄청 좋은 아이라서가 아니었다. 이든의 엄마를 비롯한 DAR 마피아라면 이든을 여기서 빼낼 방법을 찾아낼 수 있었을 텐데.

이든이 돼지 안에서 긴 노란색 노끈 같은 것을 꺼냈다. "이 노란 게 다 뭐야?" 이든은 그 물건을 금방이라도 던져 버릴 기세였다.

윌슨 선생님이 빙긋 웃었다. 윌슨 선생님은 1년 중에 이 순간을 가장 좋아했다. "웨스털리 양, 이번 주에 데-리키에 몇 번이나 갔죠? 튀김이랑 버거를 먹으면서 셰이크도 같이 마셨나요? 양파링도? 파이도?"

"네?"

"그건 지방이에요. 이제 다들 방광을 찾아봅시다."

나는 다시 창문을 두드렸다. 링크가 거대한 가위를 들고 문 앞을 지나는 참이었다. 링크는 나를 보고 문을 열었다. "윌슨 선생님, 저 화장실 좀 갔다 올게요."

우리는 가위를 든 채로 복도를 걸었다. 우리가 출석 체크 사무실 앞에서 허겁지겁 모퉁이를 돌자 리브는 헤스터 선생님에게 빙긋 웃어 보이며 공책을 닫았다. "정말 감사합니다. 또 연락드릴게요."

리브는 우리 뒤를 따라서 학교 정문을 나섰다. 둥글게 틀어 올렸던 금발 머리가 흘러내리고 있었다. 찢어진 청바지를 입은 리브가 10대라는 걸 몰라보는 사람이 있다면 틀림없이 뇌를 다친 환자일 것이다.

헤스터 선생님은 황당한 표정으로 고개를 절레절레 젓고 있었다. "영국 인들이란."

링크는 결코 자세한 설명을 요구하는 법이 없었다. 그냥 나를 따라 뛰어들 뿐이었다. 우리가 타이어로 그네를 만들고 싶어서 진짜 타이어를 자르려고 했을 때도 링크는 무작정 뛰어들었다. 내가 뒷마당에 악어 덫을 만들겠다면서 링크에게 억지로 도와달라고 했을 때도, 내가 온 학교 학생들이 괴짜로 취급하는 여자애를 쫓아가려고 비터를 훔쳐 가곤 했을 때도 링크는 나와 장단을 맞춰 주었다. 그건 친구로서 아주 좋은 점이었다. 가끔 나는 만약 입장이 반대라면 나도 링크를 위해 똑같이 해 줄 수 있을지 생각해 보곤 했다. 나는 언제나 부탁하는 쪽이었고, 링크는 언제나 기꺼이 내 부탁을 들어주었다.

5분도 안 돼서 우리는 잭슨 거리를 차로 달리고 있었다. 우리는 도브 거리까지 쭉 가서 데-리키에 차를 세웠다. 나는 손목시계를 확인했다. 지금쯤이면 내가 사라진 것을 애마 아줌마도 알아차렸을 것이다. 그리고 메리언 아줌마는 도서관에서 리브를 기다리고 있을 것이다. 어쩌면 이미 아침 식사 때 리브가 나타나지 않은 걸 이상하게 생각했을 수도 있었다. 윌슨 선생님은 화장실에 가서 링크를 끌고 오라고 누굴 보냈을 것이다. 우리에게 시간이 얼마 없다는 뜻이었다.

우리는 기름때가 덕지덕지 묻은 노란색 쟁반에 기름진 음식을 담아 역시 기름때가 덕지덕지 묻은 빨간 식탁에 앉은 뒤에야 비로소 제대로 계획을 짤 수 있었다.

"리나가 그 흡혈귀 자식이랑 같이 도망치다니."

"도대체 몇 번이나 말해야 알아들어? 그 사람은 몽마라니까." 리브가 링크의 말을 바로잡았다.

"어쨌든. 그놈이 흡혈 몽마라면 피를 빨 수 있는 거잖아. 별로 다를 것도 없구만." 링크는 빵 하나를 입에 던져 넣으면서 또 다른 빵 하나를 집어 제 접시의 그레이비소스에 굴렸다.

"흡혈 몽마는 악마야. 흡혈귀는 영화에나 나오는 거고."

나는 그러고 싶지 않았지만, 여기서 반드시 밝혀야 하는 사실이 하나 있었다. "리들리도 개들이랑 같이 있어."

링크는 한숨을 내쉬며 빵 포장지를 구겼다. 링크의 표정은 변하지 않았지만, 나처럼 뱃속이 뭉친 것 같은 기분임을 알 수 있었다. "와, 그거 아프네." 링크는 빵 포장지를 쓰레기통으로 던졌다. 포장지는 쓰레기통 가장자리에 맞고 바닥으로 떨어졌다. "개들이 터널 안에 있는 게 확실해?"

"보기에는 그런 것 같았어." 데-리키로 오는 동안 나는 링크에게 환영에 대해 이야기해 주었다. 하지만 내가 우리 집 화장실 거울로 그것을 보았다는 이야기는 하지 않았다. "장벽이라는 곳으로 간다고 했어."

"거긴 존재하지 않는 장소야." 리브는 자기 손목의 다이얼을 확인하며 고개를 절레절레 저었다.

링크는 아직도 음식이 수북한 제 접시를 밀어 버렸다. "정리를 좀 해 보자. 우리가 터널로 내려가서 리브의 저 신기한 시계로 시기에 맞지 않는 달을 찾아낸다는 거지?"

"셀레노미터야." 리브는 다이얼에 나타난 숫자들을 빨간 공책에 베껴 적느라 고개도 들지 않았다.

"어쨌든. 리나의 친척들한테 지금 상황을 알리면 안 돼? 그럼 그 사람들이 우리를 투명인간으로 만들어 주거나 끝내주는 주술사 무기를 빌려 줄지도 모르잖아."

무기라. 지금 내가 갖고 있는 무기 같은 것 말이지.

나는 주머니 속에 들어 있는 둥근 아크라이트의 존재를 느낄 수 있었다. 아크라이트가 어떻게 작동하는지 나는 알 수 없었지만, 리브라면 알지도 몰랐다. 리브는 주술사들의 하늘을 읽는 법도 알고 있었으니까.

"우리를 투명인간으로 만들어 주지는 않겠지만, 나한테 이런 게 있어." 나는 반짝거리는 플라스틱 탁자 위로 둥근 아크라이트를 들어 올렸다.

"야, 그거 무슨 공이냐? 그게 뭐야?" 링크는 시큰둥한 표정이었다.

리브는 말문이 막힌 듯했다. 조심스럽게 손을 뻗었지만 직접 손을 대지는 못했다. "이거 내가 생각하는 그거 맞아?"

"아크라이트야. 메리언 아줌마가 위령제 날 나한테 줬어. 원래 우리 엄마 거였어."

리브는 기분 나쁜 표정을 숨기려고 했다. "애시크로프트 교수님이 아크라이트를 갖고 있으면서 나한테 한 번도 안 보여 줬단 말이야?"

"자, 마음대로 만져 봐." 나는 리브의 손에 아크라이트를 놓았다. 리브는 아크라이트를 달걀처럼 조심스레 다뤘다.

"조심해! 이게 얼마나 귀한 물건인지 몰라?" 리브는 은은한 광택이 나는 아크라이트의 표면에서 눈을 떼지 못했다.

링크는 얼음만 남을 때까지 콜라를 쭉 빨아 먹었다. "누가 나한테 힌트 좀 주지? 그게 뭔데?"

리브는 홀린 듯한 표정이었다. "이건 주술사 세계에서 가장 강력한 무기 중 하나야. 몽마를 가두는 초자연적인 감옥이 될 수 있어. 사용법만 제대로 알고 있다면." 나는 희망에 차서 리브를 바라보았다. "그런데 불행히도 난 사용법을 몰라."

링크는 아크라이트를 쿡쿡 찔러 보았다. "슈퍼맨이 무서워하는 크립토 나이트 같은 건가?"

리브는 고개를 끄덕였다. "비슷해."

아크라이트가 강력한 힘을 지니고 있음은 틀림없었지만, 지금 우리가 해결해야 하는 문제에는 도움이 될 것 같지 않았다. 나는 더 이상 아무 생각도 떠오르지 않았다. "만약 이 물건도 아무 소용이 없다면, 우리가 어떻게 터널에 들어가지?"

"오늘은 휴일이 아냐." 리브는 내키지 않는 표정으로 내게 아크라이트를 돌려주었다. "주술사 터널에 들어가려면, 외문을 통과하는 수밖에 없어. 루나에 리브리를 통해 들어갈 수는 없으니까."

"다른 길이 있단 말이야? 그 외문이라는 거?" 링크가 물었다.

리브는 고개를 끄덕였다. "응. 하지만 주술사들이랑 애시크로프트 교수님 같은 소수의 일반인들만이 그게 어디 있는지 알고 있어. 하지만 애시크로프트 교수님이 우리한테 가르쳐 주지는 않을 거야. 지금쯤 내 짐을 싸고 계실걸."

나는 리브가 해답을 알고 있을 줄 알았다. 하지만 답을 들고 나온 것은 링크였다. "그럼 어떻게 해야 하는지 알아?" 링크는 히죽 웃으며 팔을 리브의 어깨에 둘렀다. "드디어 기회가 왔어. 사랑의 터널로 가자고."

축제가 끝난 뒤의 축제장은 그냥 공터였다. 나는 흙과 잡초가 뒤엉킨 덩어리를 발로 찼다.

"봐, 놀이 기구들이 있던 자리에 아직도 흔적이 남아 있어." 리브가 손으로 자국을 가리켰다. 루실이 리브의 뒤를 따르고 있었다.

"그러게. 하지만 흔적만 보고 어떤 놀이 기구인지 어떻게 알지?" 데리키에서는 사랑의 터널을 이용하는 것이 좋은 생각 같았지만, 지금 우리가 서 있는 곳은 아무것도 없는 벌판이었다.

링크가 몇 미터 떨어진 곳에서 소리를 지르며 손짓했다. "여기가 관람차가 있던 자리 같아. 여기 담배꽁초가 많잖아. 그 늙은 관리인이 하루 종일 줄담배를 피워 댔거든."

우리는 링크에게 다가갔다. 리브가 조금 떨어진 곳의 검은 자국을 가리켰다. "리나가 우리를 본 데가 저기 아냐?"

"뭐?" 나는 '우리'라는 말에 깜짝 놀랐다.

"아니, 나를 봤다고." 리브가 얼굴을 붉혔다. "리나가 지나갈 때 팝콘 기계가 터진 자리가 저기 같아. 그다음에는 광대의 풍선이 터져서 아이들이 울음을 터뜨렸잖아." 내가 그걸 어떻게 잊을 수 있을까?

풀들이 높게 자라 있어서 땅에 남은 자국을 찾기가 힘들었다. 나는 몸을 숙이고 잡초들을 옆으로 밀쳤지만 아무것도 보이지 않았다. 종이로 만든 아이스크림 콘 포장지와 입장권 몇 개뿐이었다. 나는 몸을 일으켰다. 주머니 속에서 또 아크라이트가 달궈지며 둔탁하게 윙윙거리는 소리가 들렸다. 주머니에서 아크라이트를 꺼내 보았더니, 아크라이트가 선명한 파란색으로 빛나고 있었다.

나는 손짓으로 리브를 불렀다. "이게 무슨 뜻인 것 같아?"

리브는 아크라이트를 유심히 바라보았다. 색이 점점 강렬해졌다. "나도 모르겠어. 이게 색깔을 바꾼다는 얘기는 어디에도 없었는데."

"왜 그래?" 링크는 낡은 블랙새버스 티셔츠로 이마의 땀을 닦았다. "와.

이게 언제부터 색이 변한 거야?"

"조금 전이야." 내가 왜 그랬는지는 모르겠지만, 어쨌든 나는 천천히 한 번에 몇 발짝씩 걷기 시작했다. 아크라이트의 빛이 점점 더 강해졌다.

"이선, 뭐 하는 거야?" 리브가 바로 내 뒤에 있었다.

"나도 몰라." 내가 방향을 바꾸자 색이 흐릿해졌다. 왜 색이 변하는 거지?

나는 몸을 돌려 원래 가던 방향으로 움직였다. 확실히 걸음을 뗄 때마다 손에 쥔 아크라이트가 점점 따뜻해지고 진동도 강해졌다. "봐." 나는 리브가 짙은 파란색으로 변한 아크라이트를 볼 수 있게 손을 펼쳤다.

"어떻게 된 거야?"

나는 어깨를 으쓱했다. "우리가 가까이 갈수록 얘가 더 날뛰는 것 같아."

"설마 너…." 리브는 먼지 묻은 은색 하이탑 운동화를 빤히 내려다보며 생각에 잠겼다. 나와 같은 생각을 하고 있는 모양이었다.

나는 손바닥 위에서 아크라이트를 돌렸다. "이게 나침반 같은 역할도 할 수 있는 건가?"

리브는 아크라이트를 바라보았다. 아크라이트의 빛이 어찌나 밝은지 루실이 개똥벌레를 잡으려는 것처럼 우리 옆에서 펄쩍 뛰어 올랐다.

하얗게 색이 바랜 풀들이 있는 곳이 나오자 리브가 걸음을 멈췄다.

아크라이트는 짙다 못해 검은 빛이 도는 파란색으로 소용돌이치고 있었다. 나는 땅바닥을 세심하게 살펴보았다. "여긴 아무것도 없어."

리브는 몸을 숙여 풀들을 옆으로 밀쳤다. "그렇지만도 않은 것 같은데." 리브가 흙을 살살 밀어내자 뭔가가 나타났다.

"이 선을 좀 봐. 이건 문이야." 링크의 말이 옳았다. 메이컨의 방에 깔린 양탄자 밑의 뚜껑문과 비슷했다.

나는 그 선 옆에 무릎을 꿇고 앉아서 손으로 선을 더듬으며 흙을 치웠다. 그리고 리브를 바라보았다. "너 어떻게 알았어?"

"그러니까, 아크라이트가 미쳐 날뛰는 것 말고 달리 알아볼 방법이 있었느냐고?" 리브는 일부러 시침을 떼듯이 말했다. "어떻게 찾아야 하는지 알기만 하면 외문을 찾기는 그다지 어렵지 않아."

"열기도 그다지 어렵지 않으면 좋겠다." 링크가 문 한가운데를 가리켰다. 열쇠 구멍이 있었다.

리브는 한숨을 내쉬었다. "문이 잠겼어. 주술사 열쇠가 있어야 돼. 그게 없으면 못 들어가."

링크가 생물 실험실에서 훔쳐온 커다란 정원 가위를 허리띠에서 꺼냈다. 링크는 무슨 물건이든 제자리에 돌려놓는 법이 없었다. "주술사 열쇠 따위 엿이나 먹으라고 해."

"소용없어." 리브는 링크 옆의 풀 위에 쪼그리고 앉았다. "이건 주술사 자물쇠야. 너희 사물함과는 다르다고."

링크는 세게 숨을 내쉬며 정원 가위를 문틈으로 밀어 넣었다. "네가 이 동네를 잘 몰라서 그래. 펜치나 날카롭게 간 칫솔로 열 수 없는 문은 카운티 전체를 뒤져 봐도 없어."

나는 리브를 바라보았다. "얘가 아무렇게나 꾸며 낸 얘기라는 건 너도 알지?"

"그래?" 문이 화를 내듯이 삐걱거리며 열리자 링크가 환한 얼굴로 우리를 올려다보았다. 그리고 내게 주먹을 들어 올렸다. "쳐 봐."

리브는 충격을 받은 모양이었다. "이런 얘긴 책에 없었어."

링크는 허리를 숙여 문 안쪽을 들여다보았다. "어두워. 계단도 없고. 되게 깊은 것 같은데."

"한 발 내디뎌 봐." 나는 어떻게 된 건지 알 것 같았다.

"너 미쳤냐?"

"날 믿어."

링크는 발로 주위를 더듬어 보았다. 그러고는 이내 허공에 서 있는 모습이 되었다. "이야, 주술사들은 이런 걸 어디서 구한다냐? 주술사 세계에도 목수 같은 게 있는 건가? 아니면 초자연적인 건설 조합 같은 거?" 링크가 시아에서 사라졌다. 구멍 안에서 링크의 목소리가 메아리처럼 올라왔다. "그렇게 안 깊어. 너희들 안 올 거야?"

루실이 어둠 속을 빤히 바라보다가 구멍 속으로 뛰어들었다. 세 할머니들과 너무 오랫동안 함께 살아서 꽤나 엉뚱해진 모양이었다. 나는 문 안쪽을 바라보았다. 깜박거리는 횃불 빛이 보였다. 링크가 우리 아래에 서 있고, 루실은 링크의 발치에 앉아 있었다. "숙녀 먼저."

"남자들은 왜 무서운 일이나 위험한 일이 있을 때만 그런 소리를 하는 거야?" 리브는 불안한 표정으로 구멍 안에 한 발을 들여놓았다. "너 기분 나쁘라고 한 소리는 아냐."

나는 빙긋 웃었다. "알아."

리브의 은색 운동화가 한동안 허공에 대롱대롱 매달려 있다가 리브가 균형을 잃고 휘청거렸다. 나는 리브의 손을 잡았다. "만약 우리가 리나를 찾아낸다 해도, 어쩌면 리나는 완전히…."

"나도 알아." 나는 리브의 차분한 파란색 눈을 들여다보았다. 그 눈이 금색이나 초록색으로 변할 일은 결코 없을 것이다. 햇빛이 리브의 머리카락에 닿아 꿀 같은 금빛으로 반짝였다. 리브가 내게 미소를 지었다. 나는 리브의 손을 놓았다.

사실은 내가 넘어지지 않게 리브가 지탱해 주고 있었던 모양이었다.

리브의 뒤를 따라 내가 어둠 속으로 사라지는 동안 문이 쾅 하고 닫히며 하늘을 가려 버렸다.

⁓

터널 입구는 축축하고 이끼가 끼어 있었다. 루나에 리브리에서 레이븐우드로 통하는 터널과 같았다. 계단 위의 천장은 낮았고, 돌벽은 낡아서 무슨 던전처럼 보였다. 물이 한 방울씩 떨어질 때마다, 무슨 소리가 날 때마다 벽에 소리가 부딪혀 메아리가 되었다.

계단 밑에서 우리는 갈림길과 맞부딪혔다. 비유적인 의미의 갈림길이 아니라 진짜 갈림길이었다.

"어느 쪽으로 가야 되지?" 링크는 서로 아주 다르게 생긴 양방향의 터널을 바라보았다. 이번 길은 클럽 추방으로 갈 때보다 더 복잡했다. 추방으로 갈 때는 똑바로 뻗은 길을 따라갔지만, 이번에는 어느 쪽 길로 갈 건지 우리가 선택해야 했다.

내가 선택해야 했다.

왼쪽 터널은 터널이라기보다 초원처럼 보였다. 터널이 넓어지면서 흙길 위로 수양버들이 가지를 드리웠고, 뒤엉킨 채 자라는 야생화와 높은 풀이 그 풍경을 액자처럼 감싸고 있었다. 구름 한 점 없는 하늘 아래에는 구불구불한 언덕들이 펼쳐져 있었다. 새가 지저귀고 토끼가 풀을 갉아먹는 모습이 보일 것만 같았다. 여기가 주술사 터널만 아니라면. 이곳에서는 그 어느 것도 눈에 보이는 모습이 진짜가 아니었다.

오른쪽 터널은 아예 터널이 아니라 주술사 세계의 하늘 밑에 둥글게 휘어져 있는 도시의 거리였다. 어두운 거리는 왼쪽 터널의 햇빛 밝은 시골 풍경과 날카로운 대조를 이뤘다. 리브는 공책에 메모를 적고 있었다. 나는 리브의 어깨 너머로 공책을 바라보았다. '인접한 터널의 시간대가 일치하지 않는다.'

빛이라고는 거리 끝에서 깜박이는 모텔 간판의 불빛뿐이었다. 좁은 철제 발코니와 비상 대피용 사다리가 있는 높은 아파트 건물들이 거리 양편에 늘어서 있었다. 건물과 건물 사이로 얼기설기 이어진 긴 전선들은 복잡한 거미줄 같았고, 거기에 옷가지 몇 개가 붙들려 있었다. 아스팔트 속에는 버려진 궤도가 묻혀 있었다.

"어느 쪽으로 가야 돼?" 링크는 불안한 표정이었다. 으스스한 주술사 터널 안을 정처 없이 헤매는 것은 링크에게 반갑지 않은 일이었다. "난 저《오즈의 마법사》길로 할래." 링크는 햇빛을 향해 몸을 돌렸다.

"우리가 정할 필요는 없을 것 같은데." 나는 주머니에서 아크라이트를 꺼냈다. 빛보다 아크라이트의 온기가 먼저 내 손에 느껴졌다. 흑단 같은 표면이 연한 초록색으로 빛나기 시작했다.

리브의 눈이 휘둥그레졌다. "놀라워."

내가 어두운 거리를 향해 몇 걸음 걸어가자 빛이 강렬해졌다.

링크가 우리 뒤로 다가왔다. "야, 난 저쪽으로 가고 있었어. 날 안 막을 거야?"

"이걸 잘 봐." 나는 링크가 볼 수 있게 아크라이트를 높이 들고 계속 걸었다.

"죽여주는 손전등이다."

리브는 셀레노미터를 확인했다. "네가 옳았어. 이게 나침반처럼 우리를 인도하고 있어. 셀레노미터로도 확인이 돼. 달의 자기력이 이 방향에서 더 강해. 이 시기에는 절대 그러면 안 되는데."

링크는 고개를 저었다. "저 으스스한 거리를 걸어야 한다는 걸 내가 왜 몰랐을까. 아마 그 벡스라는 놈한테 죽을 거야."

거리를 향해 한 발씩 내디딜 때마다 아크라이트의 빛은 더 밝아지고 초록색은 더 짙어졌다. "이쪽으로 가야 돼."

"물론 그러시겠지."

링크는 우리가 틀림없이 죽을 거라고 확신했지만, 어두운 거리는 그냥 어두운 거리일 뿐이었다. 모텔 간판이 아직도 깜박이고 있는 곳까지 짧은 거리를 걷는 동안 우리에게는 아무 일도 일어나지 않았다. 거리는 막다른 길이었고, 간판 바로 밑에 문간이 있었다. 그리고 이 거리와 직각으로 뻗은 또 다른 길의 양편에는 불 꺼진 문들이 늘어서 있었다. 모텔 간판과 그 옆의 건물 사이에 돌로 만든 가파른 계단이 있었다. 이것도 출입구였다.

"왼쪽이야 오른쪽이야?" 리브가 물었다.

나는 아크라이트의 눈부신 빛을 바라보았다. 이제는 에메랄드 같은 초록색이었다. "어느 쪽도 아냐. 위로 올라가야 돼."

나는 계단 꼭대기에서 무거운 문을 밀어 열었다. 거대한 돌 아치를 지나자 엄청나게 큰 떡갈나무 가지들 사이로 햇볕이 내리쪼이는 풍경이 나타났다. 하얀 반바지를 입은 백발의 여자가 하얀 자전거 바구니에 하얀 푸들을 태우고 하얀 자전거의 페달을 밟고 있었다. 거대한 골든리트리버가 자전거 뒤를 쫓아왔다. 그리고 그 개의 목줄을 쥔 남자가 개에게 끌려오고 있었다. 루실은 골든리트리버를 한 번 보더니 덤불 속으로 들어가 버렸다.

"루실!" 나는 덤불들 사이로 허리를 숙여 살펴보았지만 루실은 보이지 않았다. "미치겠네. 할머니네 고양이를 또 잃어버렸어."

"엄밀히 말하면, 루실은 네 고양이야. 너희 집에 살잖아." 링크는 진달래 밭에서 뒹굴었다. "걱정 마. 루실은 돌아올 거야. 고양이들은 방향 감각이 끝내주거든."

"네가 그걸 어떻게 알아?" 리브는 재미있다는 표정이었다.

"고양이 주간. 상어 주간(디스커버리 채널이 매년 한 번씩 일주일 동안 상어 관련 다큐멘터리를 방송하는 것 – 옮긴이)이랑 같아. 고양이가 나올 뿐이지." 나는 링크를 쏘아보았다.

링크는 얼굴이 붉어졌다. "뭐? 우리 엄마가 텔레비전으로 워낙 이상한 걸 많이 봐서 그래."

"웃기지 마."

우리가 나무 앞으로 나섰을 때, 자주색 머리카락의 여자아이가 링크와 부딪히며 하마터면 거대한 스케치북을 떨어뜨릴 뻔했다. 개들, 사람들, 자전거들, 스케이트를 타는 사람들이 사방에 있었다. 이곳은 진달래 덤불이 가장자리에 늘어서 있고 거대한 떡갈나무들이 그늘을 드리운 공원이었다. 중앙에는 장식이 화려한 석조 분수가 있었는데, 벌거벗은 남자 인어 조각상들이 서로에게 물을 내뿜고 있었다. 그리고 사방으로 산책로가 뻗어 있었다.

"터널은 어떻게 된 거야? 여긴 어디야?" 링크는 여느 때보다 더 혼란스러운 표정이었다.

"무슨 공원 같은데." 리브가 말했다.

여기가 어딘지 나는 정확히 알고 있었다. 나는 빙긋 웃으며 말했다. "무슨 공원이 아니야. 포사이스 공원이야. 여긴 서배너라고."

"뭐?" 리브는 자기 가방을 뒤지고 있었다.

"조지아 주 서배너. 어렸을 때부터 엄마랑 이 공원에 자주 왔어."

리브는 주술사 세계의 하늘 지도처럼 보이는 것을 펼쳤다. 나는 진짜 주술사 하늘에서는 보이지 않는 칠망성, 즉 남극성을 알아볼 수 있었다. "말도 안 돼. 장벽이 존재한다면, 그렇다고 내가 그 존재를 믿는다는 얘기는 아니지만, 어쨌든 그게 일반인 도시의 한가운데에 있을 리가 없어."

나는 어깨를 으쓱했다. "어쨌든 우리가 이끌려온 곳이 여긴걸. 내가 어쩌겠어?"

"우리가 걸은 게, 보자, 8킬로미터쯤 돼. 그런데 어떻게 서배너까지 와?" 링크는 터널 안에서는 모든 게 달라진다는 사실을 아직도 이해하지 못한 모양이었다.

리브가 혼자 뭐라고 중얼거리며 찰칵하고 펜을 켰다. "공간과 시간은 일반인 세계의 물리학을 따르지 않아."

몸집이 자그마한 노부인 두 명이 유모차에 자그마한 개를 태워 밀고 있었다. 여기는 틀림없는 서배너였다. 리브가 빨간색 공책을 덮었다. "시간, 공간, 거리…. 여기서는 이 모든 게 달라. 터널은 일반인 세계가 아니라 주술사 세계의 일부야."

이 말이 무슨 신호라도 되는 것처럼 아크라이트의 빛이 은은한 광택이 흐르는 검은색으로 흐려졌다. 나는 그것을 다시 주머니에 넣었다.

"도대체 무슨…? 그게 없으면 방향을 모르잖아." 링크는 당황했지만, 나는 아니었다.

"이젠 이거 필요 없어. 우리가 가야 할 곳이 어딘지 알 것 같아."

리브는 이마에 주름을 잡았다. "어떻게?"

"서배너에 내가 아는 사람은 딱 한 명밖에 없어."

거울 속 세계로

❖ 6.18 ❖

캐롤라인 이모는 세례요한 침례 성당 근처의 이스트 리버티 거리에 살았다. 내가 이모네 집에 가 본 지는 몇 년 되었지만, 불 거리를 따라 쭉 걸어가면 된다는 건 알고 있었다. 이모네 집이 '전차를 타고 가는 서배너 역사 투어'의 노선 상에 있었는데, 그 투어의 코스가 바로 불 거리를 따라 오르락내리락하는 것이었기 때문이다. 게다가 거리들은 공원에서 강까지 이어져 있었고, 두 블록마다 광장이 하나 있어서 길을 찾기가 쉬웠다. 서배너에서는 길을 아는 자가 아니더라도 길을 잃기가 쉽지 않았다.

서배너와 찰스턴 사이에서는 온갖 종류의 역사 투어가 실시되고 있었다. 농장 투어, 남부 요리 투어, 남부연방의 딸들 투어, 유령 투어(내가 개인적으로 가장 좋아하는 것), 고전적이고 역사적인 주택 투어 등등. 캐롤라인 이모의 집은 내가 기억하는 한 처음부터 역사적인 주택 투어의 코스에 포함되어 있었다. 사소한 것 하나라도 소홀히 하지 않는 캐롤라인 이모의 성격은 전설적이어서 우리 집안 사람들뿐만 아니라 서배너 사람들이 모두 알고 있을 정도였다. 이모는 서배너 역사 박물관의 큐레이터라서, 엄마가 남북 전쟁에 대해 잘 알고 있었던 것처럼 이 떡갈나무 도시의 모든 건물,

유적, 스캔들에 대해 잘 알고 있었다. 이 일대에서는 스캔들이 투어만큼이나 흔하다는 점을 감안하면, 이모의 지식은 결코 하찮은 것이 아니었다.

"정말 어디로 가야 하는지 아는 거야? 여기서 좀 쉬면서 뭘 좀 먹어야 할 것 같은데. 난 햄버거가 먹고 싶어 죽겠다." 링크는 나보다 아크라이트를 더 믿었다. 어느새 다시 나타난 루실은 링크의 발치에 앉아 고개를 한쪽으로 갸우뚱하게 기울이고 있었다. 루실 역시 그다지 나를 믿지 않는 모양이었다.

"그냥 강을 향해서 쭉 가면 이스트 리버티 거리가 나올 거야. 봐." 나는 몇 블록 앞에 있는 성당 첨탑을 가리켰다. "저게 세례요한 성당이야. 거의 다 왔어."

20분 뒤 우리는 여전히 성당 근처를 빙빙 돌며 헤매고 있었다. 링크와 리브는 점점 짜증이 나는 모양이었다. 무리도 아니었다. 나는 뭔가 친숙한 것을 찾으려고 이스트 리버티 거리를 살펴보았다. "노란 집인데."

"노란색이 무지 인기가 있나 보지. 이 거리에는 한 집 건너 하나씩 노란 집이 있잖아." 리브조차 내게 짜증을 냈다. 내가 링크와 리브를 끌고 벌써 세 번째 똑같은 블록을 돌고 있기 때문이었다.

"라파예트 광장 근처였던 것 같아."

"그러지 말고 전화번호부를 찾아서 너희 이모 번호를 찾아보자." 리브는 이마의 땀을 닦았다.

나는 눈을 가늘게 뜨고 멀리 보이는 건물을 바라보았다. "전화번호부는 필요 없어. 이 블록 끝의 저 집이야."

리브가 눈을 흘겼다. "네가 그걸 어떻게 알아?"

"델 이모가 앞에 서 계시거든."

주술사 터널에서 겨우 몇 시간 걸었을 뿐인데 서배너에 도착한 것보다 더 이상한 일은 있을 수 없었다. 게다가 시간대마저 조금 달라져 있다니. 하지만 캐롤라인 이모의 집 앞에 리나의 델 이모가 서서 손을 흔들고 있는 건 정말 이상한 일이었다. 델 이모는 우리가 올 줄 알고 있었다.

"이선! 이제라도 널 찾았으니 정말 다행이다. 내가 사방을 돌아다녔어. 아테네, 더블린, 카이로까지."

"우리를 찾으러 이집트와 아일랜드에 가셨다고요?" 리브도 나 못지않게 어리둥절한 표정이었지만, 이번에는 내가 리브에게 설명을 해 줄 수 있었다.

"조지아 주야. 아테네, 더블린, 카이로는 조지아 주에 있는 도시들이야." 리브는 얼굴을 붉혔다. 가끔 나는 리브가 조금 방식이 다르기는 해도 어쨌든 리나만큼이나 개틀린과 동떨어진 존재라는 것을 잊어버린다.

델 이모가 내 손을 잡고 다정하게 토닥거렸다. "어렐리아 아주머니가 너희 위치를 예언의 힘으로 알아내려고 했지만, 아무리 애써도 조지아 주만 나오는 거야. 애석하지만, 예언은 과학이라기보다 기술에 더 가깝거든. 내가 널 찾아냈으니 별들에게 감사할 일이지."

"여긴 어쩐 일이세요, 이모님?"

"리나가 없어졌어. 우린 리나가 너랑 있는 게 아닌가 했지." 델 이모는 짐작이 틀렸음을 깨닫고 한숨을 내쉬었다.

"저랑 같이 있지는 않지만, 리나를 찾을 수 있을 것 같아요."

델 이모는 구겨진 치맛자락을 매끈하게 폈다. "그렇다면 내가 널 도와줄 수 있지."

링크는 머리를 긁었다. 전에 델 이모를 만난 적은 있지만, 기록사인 델 이모의 능력을 본 적은 없었다. 그래서 정신이 산만해 보이는 노부인이 어떻게 우리를 돕겠다는 건지 이해가 안 가는 모양이었다. 하지만 나는 어두운 밤에 델 이모와 함께 제너비브 두케인의 무덤에 간 적이 있기 때문에, 델 이모의 능력을 알고 있었다.

나는 문에 달린 무거운 철제 노커로 문을 두드렸다. 캐롤라인 이모가 G.R.I.T.S. 앞치마에 손을 닦으며 문을 열었다. G.R.I.T.S.는 '남부에서 자란 여자들*Girls Raised in the South*'이라는 뜻이었다. 이모가 미소를 짓자 눈가에 주름이 졌다.

"이선, 도대체 네가 어쩐 일이니? 네가 서배너에 올 거라는 얘기는 못 들었는데."

나는 그럴듯한 거짓말을 미처 생각해 내지 못해서 그냥 형편없는 거짓말을 했다. "제가 여기 온 건… 친구네 집에 놀러온 거예요."

"리나는 어디 있어?"

"못 왔어요." 나는 빨리 사람들을 소개해서 이모의 생각을 다른 곳으로 돌려놓으려고 뒤로 물러났다. "링크는 아시죠? 이쪽은 리브고, 이분은 리나의 이모님인 델핀 아주머니예요."

캐롤라인 이모는 내가 이곳을 떠나자마자 아빠한테 전화를 걸어 나를 만나서 반가웠다고 말할 것이다. 그러니 애마 아줌마에게 내 위치를 감추거나, 열일곱 번째 생일날까지 목숨을 부지하는 건 이제 기대할 수 없는 일이었다.

"다시 봬서 반가워요." 링크는 필요할 때는 언제나 착하고 예의바른 아이가 될 수 있었다. 나는 서배너에 사는 사람들 중에 이모가 모를 것 같은 사람을 생각해 내려고 했지만, 그건 불가능했다. 서배너가 개틀린보다 크기는 해도 남부 도시들은 모두 똑같았다. 모든 주민들이 서로를 잘 안다는 점에서.

캐롤라인 이모가 우리 모두를 안으로 안내했다. 그러고는 금방 사라졌다가 달콤한 차와 베네 베이비즈 접시를 들고 나타났다. 단풍나무 쿠키인 베네 베이비즈는 차보다도 더 달았다. "오늘은 정말 이상한 날이구나."

"무슨 말씀이세요?" 나는 쿠키를 향해 손을 뻗었다.

"오늘 아침에 내가 박물관에 있을 때, 누가 이 집에 침입했어. 하지만 진짜 이상한 건 그게 아니야. 침입자들이 아무것도 안 가져갔거든. 다락을 온통 뒤집어 놓았으면서, 다른 곳에는 손 하나 대지 않았어."

나는 리브를 흘깃 바라보았다. 이건 우연의 일치가 아니었다. 델 이모도 같은 생각을 하는지 몰라도, 겉으로는 알 수 없었다. 델 이모는 조금 멍한 표정이었다. 이 집이 처음 세워진 1820년부터 이 방에서 일어났던 온갖 일들을 정리하기가 힘든 모양이었다. 우리가 여기 앉아서 쿠키를 먹고 있는 지금 델 이모는 아마 2백 년의 세월이 한꺼번에 획획 지나가는 것을 보고 있을 터였다. 제너비브의 무덤에 갔던 날 델 이모가 자신의 재능에 대해 한 말이 생각났다. 델 이모는 기록사의 재능이 커다란 영광이자 그보다 더 커다란 짐이라고 했다.

캐롤라인 이모의 집에 훔쳐 갈 만한 물건이 뭐가 있었는지 궁금했다. "다락에 뭐가 있었어요?"

"별로, 아무것도. 크리스마스 장식이랑 이 집의 건축도면, 네 엄마의 옛날 논문 몇 편이지, 뭐." 리브가 탁자 밑에서 내 발을 쿡쿡 찔렀다. 나도 같은 생각이었다. 그 논문들을 왜 서고에 두지 않았을까?

"무슨 논문인데요?"

캐롤라인 이모는 쿠키를 몇 개 더 꺼내 놓았다. 링크가 과자를 먹어 치우는 속도가 워낙 빨라서 이모가 따라가기 힘들 정도였다. "나도 잘 몰라. 네 엄마가 돌아가시기 한 달쯤 전에 나더러 여기에 짐을 몇 상자 놔둬도 되냐고 하더라. 네 엄마의 자료에 대해서는 너도 잘 알잖니."

"제가 한번 봐도 돼요? 올여름에 메리언 아줌마랑 도서관에서 일하고 있는데, 어쩌면 메리언 아줌마가 그 논문에 흥미가 있을지 몰라요." 나는 태평한 척하려고 애썼다.

"얼마든지 봐. 다락이 엉망으로 어질러지긴 했지만." 이모는 빈 접시를 들었다. "난 가 봐야겠다. 몇 군데 전화도 걸어야 되고, 경찰서 진술서도 아직 다 안 썼거든. 그래도 여기 1층에 있을 테니까 필요하면 불러."

캐롤라인 이모 말이 맞았다. 다락은 엉망이었다. 옷가지와 종이들이 사방에 흩어져 있었다. 누군가가 이곳에 있는 상자란 상자는 모두 뒤엎어서 거대한 산을 하나 만들어 놓은 것 같았다. 리브가 흩어진 종이 몇 장을 집어 들었다.

"어떻게…." 링크는 곤혹스러운 표정으로 델 이모를 바라보았다. "저, 여기서 어떻게 필요한 걸 찾아내죠? 사실 뭘 찾아야 하는지도 모르잖아요." 링크는 빈 상자를 차서 저편으로 보냈다.

"우리 엄마의 것처럼 보이는 거라면 뭐든지 좋아. 누군가가 여기서 뭔가를 찾고 있었던 게 분명해."

다들 산더미의 여기저기에 달라붙었다.

델 이모는 남북 전쟁 때의 포탄 탄피와 둥근 포탄이 가득 든 모자 상자를 찾아냈다. "옛날에는 이 안에 예쁜 모자가 들어 있었구나."

나는 엄마의 고등학교 졸업 앨범과 게티스버그 전장 안내서를 찾아냈다. 졸업 앨범에 비해 안내서가 심하게 낡은 것이 눈에 들어왔다. 엄마다웠다.

리브는 종이 더미 옆에 앉아 있었다. "내가 뭔가 찾아낸 것 같아. 이거 네 어머니 것 같기는 한데, 별 내용은 아냐…. 레이븐우드 장원을 그린 스케치랑 개틀린 역사에 관한 메모 같은 거니까."

레이븐우드와 관련된 것이라면 무엇이든 중요했다. 나는 리브에게서 메모를 건네받아 살펴보았다. 남북 전쟁 때 개틀린의 주민 기록부, 누렇게 변한 레이븐우드 장원 스케치, 그리고 마을에서 가장 오래된 건물들인 역사학회와 옛날 소방서의 스케치. 심지어 우리 집인 웨이츠 랜딩의 스케치도 있었지만 어느 것도 의미가 있어 보이지 않았다.

"이야, 나비야, 나비야. 여기 이 녀석 좀…." 링크가 남부의 박제술로 보존된 고양이를 들어 올렸다가, 그것이 더러운 검은 털을 한 죽은 고양이라는 것을 깨닫고 그냥 손을 놓아 버렸다. "루실의 친구인 줄 알았는데."

"뭔가 다른 게 있을 거야. 침입자가 누군지는 몰라도 남북 전쟁 때의 주민 기록부를 찾으러 온 건 아닐 테니까.”

“어쩌면 그 사람들이 원하던 걸 찾았는지도 모르지.” 리브가 어깨를 으쓱했다.

나는 델 이모를 바라보았다. “그걸 확인할 방법은 하나뿐이에요.”

몇 분 뒤 우리는 모두 바닥에 책상다리를 하고 둥글게 앉았다. 마치 캠프파이어를 하고 있는 것 같았다. 아니면 강령술을 하고 있거나. “정말 이래도 되는 건지 모르겠다.”

“침입자가 누군지, 왜 침입했는지 알아낼 유일한 방법이에요.”

델 이모는 그다지 확신이 없는 표정으로 고개를 끄덕였다. “그래. 명심해라. 속이 메스꺼워지면 고개를 무릎 사이에 넣어. 자, 모두 손을 잡자.”

링크가 나를 바라보았다. “지금 무슨 말씀을 하시는 거야? 속이 왜 메스꺼워져?”

나는 리브의 손을 잡아 원을 완성시켰다. 리브의 손은 부드럽고 따뜻했다. 하지만 우리가 손을 잡고 있다는 사실을 깊이 생각해 보기도 전에 영상들이 내 눈앞을 휙휙 지나가기 시작했다….

문이 열리고 닫히듯이 영상들이 차례로 나타났다 사라졌다. 각각의 영상들은 모두 다음 영상의 힌트를 담고 있었다. 마치 도미노처럼. 내가 어렸을 때 읽었던, 페이지를 죽 넘기면 그림이 마치 살아 움직이는 것처럼 보이는 책 같기도 했다.

리나, 리들리, 존이 다락에서 상자들을 던진다….

“틀림없이 여기 있을 거야. 계속 찾아 봐.” 존이 낡은 책들을 바닥에 던진다.

“정말로 확실해?” 리나가 다른 상자 안에 손을 집어넣는다. 리나의 손은 검은 무늬로 뒤덮여 있다.

“그 여자는 그걸 찾는 법을 알고 있었어. 별이 없어도.”

또 다른 문이 열렸다. 캐롤라인 이모가 다락에서 상자들을 끌고 있다. 이모는 어떤 상자 앞에 앉아 엄마의 옛날 사진을 들고 손으로 어루만지며 흐느끼고 있다.

또 문이 열렸다. 엄마가 머리를 어깨까지 늘어뜨리고, 빨간 안경을 머리 띠처럼 머리에 쓰고 있다. 마치 엄마가 바로 내 앞에 서 있는 것처럼 또렷이 보였다. 엄마는 낡은 가죽 일기장에 뭔가를 미친 듯이 갈겨쓰더니 종이를 찢어 접어서 봉투에 밀어 넣는다. 그리고 봉투에 뭔가를 써서 일기장 뒷표지에 끼워 넣는다. 그러고는 벽 앞에 있던 낡은 트렁크를 민다. 엄마는 트렁크 뒤의 징두리널에서 헐거운 판자 하나를 떼어 낸다. 그리고 누가 지켜보고 있는 걸 느끼기라도 한 것처럼 사방을 두리번거리더니 판자를 떼어 낸 좁은 틈으로 일기장을 밀어 넣는다.

델 이모가 내 손을 놓았다.

"이런 젠장!" 링크는 델 이모 앞에서 예의를 지켜야 한다는 사실을 기억할 수 있는 상태가 아니었다. 안색이 누렇게 떠서, 마치 불시착하는 비행기의 승객처럼 곧장 고개를 무릎 사이에 넣었다. 서배너 스노가 링크를 부추겨 술을 마시게 한 그날 이후로 처음 보는 모습이었다.

"정말 미안하구나. 여행을 한 뒤에 익숙해지는 건 쉽지 않지." 델 이모가 링크의 등을 두드려 주었다. "처음 하는 사람치고는 잘하고 있어."

나는 방금 본 장면들을 하나하나 생각하고 있을 시간이 없었다. 그래서 한 가지에만 정신을 집중했다. '그 여자는 그걸 찾는 법을 알고 있었어. 별이 없어도.' 존이 말한 '그것'은 장벽이었다. 존은 엄마가 장벽에 대해 뭔가 알고 있었다고 생각하는 모양이었다. 어쩌면 엄마가 일기에 쓴 것이 그것일 수도 있었다. 리브도 나와 같은 생각이었는지 나와 동시에 낡은 트렁크로 손을 뻗었다.

"무거워. 조심해." 나는 트렁크를 밀어내기 시작했다. 누가 그 안에 벽돌을 가득 채워 놓은 것 같았다.

리브는 벽으로 손을 뻗어 판자를 떼어 내려 했다. 하지만 틈새로 손을 넣지는 않았다. 내가 손을 집어넣자 낡은 가죽이 금방 손에 닿았다. 나는 일기장을 꺼냈다. 손에 무게가 느껴졌다. 이건 엄마의 일부였다. 나는 뒷표지를 펼쳤다. 엄마의 섬세한 필체가 봉투 위에서 나를 마주 보았다.

'메이컨.'

나는 봉투를 찢어서 열고, 그 안에 들어 있던 종이를 펼쳤다.

당신이 이 편지를 읽고 있다면, 내가 제때에 당신한테 가서 직접 말해 주지 못했다는 뜻이겠지. 우리가 상상했던 것보다 상황이 훨씬 안 좋아. 어쩌면 이미 늦었는지도 모르겠어. 하지만 아직 기회가 있다면, 우리가 가장 두려워하던 이이 현실로 나타나지 않게 막는 법을 알아낼 수 있는 사람은 당신뿐이야.

에이브러햄은 살아 있어. 그동안 죽 숨어 있었어. 그리고 혼자가 아니야. 새라핀이 함께 있어. 당신 아버지만큼이나 헌신적인 제자 역할을 하면서. 시간이 다하기 전에 당신이 그들을 막아야해.

—LJ

내 시선이 종이를 가로질러 맨 아래로 향했다. LJ. 라일라 제인. 그 밖에도 눈에 들어오는 것이 있었다. 날짜. 누가 내 배를 발로 찬 것 같았다. 3월 21일. 엄마가 사고를 당하기 한 달 전. 엄마가 살해당하기 한 달 전.

리브가 지금 뭔가 대단히 사적이고 고통스러운 일을 목격하고 있음을 깨닫고 뒤로 물러섰다. 나는 일기를 뒤적이며 해답을 찾으려 했다. 레이븐우드 가계도가 여기에도 있었다. 전에 서고에서 본 적이 있지만, 이 가계도는 조금 다른 것 같았다. 이름 몇 개가 지워져 있었다.

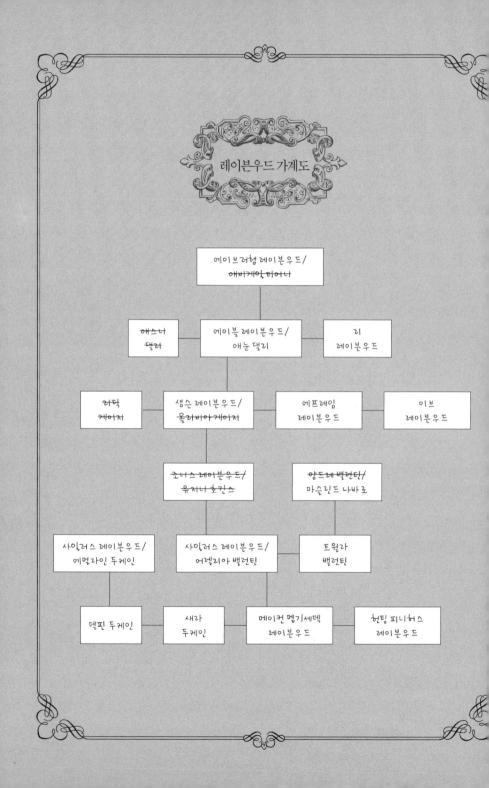

레이븐우드 가계도

에이브러햄 레이븐우드 /
~~애비게일 티어니~~

~~애슨나~~
~~댈러~~

에이블 레이븐우드 /
애눈 댈리

리
레이븐우드

~~허딕~~
~~케어차~~

샘슨 레이븐우드 /
~~올라비아 케어차~~

에프레임
레이븐우드

이브
레이븐우드

~~조나스 레이븐우드~~ /
~~유저나 호킨스~~

~~앙드레 백런틴~~ /
마슬린드 나바로

사일러스 레이븐우드 /
에멀라인 두케인

사일러스 레이븐우드 /
어젠리아 백런틴

트월라
백런틴

뎀핀 두케인

새라
두케인

메이컨 멜기세덱
레이븐우드

헌팅 피니허스
레이븐우드

일기장의 책장을 넘기다 보니 종이 한 장이 떨어져 나와 바닥으로 둥실 둥실 떨어졌다. 나는 금방이라도 찢어질 것 같은 그 종이를 들어 펼쳤다. 트레이싱 페이퍼처럼 얇고 반투명한 양피지였다. 한 면에 펜으로 이상한 문양들이 그려져 있었다. 아이가 그린 구름처럼 여기저기가 쑥 들어가거나 튀어나와서 일그러진 타원들. 나는 리브가 볼 수 있게 종이를 들어 올렸다. 리브는 한 마디 말도 없이 고개만 저었다. 우리 둘 다 그 문양의 의미를 알지 못했다.

나는 그 섬세한 종이를 접어 일기장에 다시 끼워 넣고 일기장 맨 뒤로 훌쩍 건너뛰었다. 마지막 책장을 넘기자 뭔가가 있었다. 적어도 나는 전혀 알아볼 수 없는 내용이었다.

인 쿠케 카에카에 칼리기네스 순트,
에트 인 칼리기니부스, 룩스.
인 아르쿠 임페리움 에스트,
에트 인 임페리오, 녹스.

나는 본능적으로 그 페이지를 찢어 주머니에 쑤셔 넣었다. 엄마는 그 편지 때문에 죽었다. 어쩌면 이 종이에 적힌 내용도 관련이 있는지 몰랐다. 그 편지와 이 종이는 이제 내 것이었다.

"이선, 너 괜찮니?" 델 이모의 목소리에 걱정이 가득했다.

나는 전혀 괜찮지 않았다. 괜찮은 게 어떤 건지 기억조차 안 날 정도였다. 이 방에서 빨리 나가야 했다. 엄마의 과거로부터, 내 생각으로부터 도망쳐야 했다.

"금방 돌아올게요." 나는 도망치듯 계단을 내려가 손님방으로 가서 더러운 옷을 입은 채로 침대에 누웠다. 그리고 천장을 빤히 바라보았다. 내 방 천장처럼 하늘색이었다. 멍청한 벌들 같으니. 녀석들은 사람들한테 웃음거리가 되는 줄도 모르고 있었다.

아니, 어쩌면 내가 웃음거리인 것 같기도 했다.

아무런 감각이 없었다. 한꺼번에 모든 것을 느끼려고 할 때처럼. 이 낡은 집에 들어설 때의 델 이모와 똑같아진 것 같았다.

에이브러햄 레이븐우드는 과거의 존재가 아니었다. 그는 살아서 새라핀과 함께 어둠 속에 숨어 있었다. 엄마가 그것을 알아내자 새라핀은 엄마를 죽였다.

눈이 흐릿했다. 나는 눈을 손으로 훔쳤다. 눈물이 묻어날 줄 알았는데, 손에는 아무것도 없었다. 눈을 꼭 감았다. 하지만 다시 눈을 떴을 때 보이는 것이라고는 내 앞을 획획 스쳐 지나가는 갖가지 색깔들과 불빛들뿐이었다. 마치 내가 달리고 있는 것 같았다. 단편적인 영상들이 보였다. 벽, 우그러진 은색 쓰레기통, 담배꽁초. 내가 욕실에서 거울을 보다가 경험한 일이 지금 다시 벌어지고 있었다. 나는 일어나려고 했지만 너무 어지러웠다. 단편적인 영상들이 계속 번개처럼 획획 지나가다가 겨우 속도가 좀 느려지자 내 머리가 비로소 그 속도를 따라잡을 수 있었다.

나는 어떤 방 안에 있었다. 침실인 것 같기도 했다. 내가 서 있는 자리에서는 확실히 알 수 없었다. 바닥은 회색 콘크리트였고, 하얀 벽들은 리나의 손에 그려져 있던 검은 무늬들로 뒤덮여 있었다. 그런데 그 무늬들을 바라보자 그것들이 움직이는 것 같았다.

나는 방을 훑어보았다. 틀림없이 여기 어딘가에 리나가 있을 것 같았다.

"난 다른 사람들이랑 아주 다른 존재 같아. 심지어 주술사들하고도 달라." 리나의 목소리였다. 나는 그 소리를 따라 시선을 들었다.

그들이 내 머리 위에 있었다. 검은 천장에 누운 모습으로. 리나와 존은 머리를 맞대고 서로를 보지 않은 채 주거니 받거니 이야기를 하고 있었다. 내가 밤에 잠이 안 올 때 천장을 빤히 바라보듯이, 두 사람은 바닥을 빤히 바라보고 있었다. 리나의 머리카락이 어깨 주위에서 천장에 달라붙어 있었다. 마치 바닥에 누워 있기라도 한 것처럼.

이미 그런 모습을 본 적이 없었다면, 있을 수 없는 일이라고 생각했을 것이다. 하지만 이번에는 천장에 리나 혼자만 있는 게 아니었다. 게다가 나는 리나를 아래로 끌어내릴 수 없었다.

"내 능력을 아무도 설명해 주지 못해. 우리 집안 사람들도 마찬가지야. 내 능력이 뭔지 그 사람들도 모르니까." 리나는 비참한 기분에 빠져 있는 것 같았다. 나와는 아주 먼 곳에 있는 것 같기도 했다. "매일 눈을 뜰 때마다 나는 전날까지는 할 수 없었던 일들을 새로 할 수 있게 돼."

"그건 나도 마찬가지야. 어느 날 아침에 눈을 뜨고 내가 가고 싶은 곳을 생각했더니 순식간에 내가 거기 가 있었어." 존은 허공으로 뭔가를 던져 올렸다가 받기를 반복하고 있었다. 천장이 아니라 바닥을 향해 던지는 거였지만.

"자신이 '이동'할 수 있다는 걸 몰랐단 말이야?"

"실제로 할 때까지는 몰랐어." 존은 눈을 감았지만, 공을 던지는 건 멈추지 않았다.

"부모님은? 그분들은 아셨어?"

"난 내 부모를 몰라. 어렸을 때 떠나 버렸거든. 아무리 초자연체들이라도 괴물은 싫어하는 법이니까." 존의 말이 거짓인지 아닌지 나는 알 수 없었다. 깊이 상처 입은 목소리가 내 귀에는 진짜처럼 들렸다.

리나는 몸을 굴려 옆으로 누워서 팔꿈치로 몸을 지탱하며 존을 바라보았다. "정말 끔찍한 경험이었겠다. 그래도 나는 할머니가 돌봐주셨는데." 리나가 공을 바라보자 공이 허공에서 멈춰 섰다. "지금은 아무도 없지만."

공이 바닥으로 떨어졌다. 그리고 몇 번 통통 튀다가 침대 밑으로 굴러 들어갔다. 존이 고개를 돌려 리나를 바라보았다. "리들리가 있잖아. 나도 있고."

"날 진짜로 알게 되면, 한시라도 빨리 벗어나고 싶어서 안달할걸."

이제 두 사람 사이의 거리는 겨우 몇 센티미터였다. "틀렸어. 다른 사람들이랑 같이 있으면서도 외로움을 느끼는 게 어떤 기분인지 난 잘 알거든."

리나는 아무 말도 하지 않았다. 리나가 나와 함께 있을 때 그런 기분을 느꼈던 걸까? 우리가 함께였을 때도 리나는 외로웠을까? 내 품 안에 있을 때도?

"L?" 존의 입에서 이 이름을 들으니 속이 메스꺼워졌다. "장벽에 도착하면 달라질 거야, 약속해."

"그게 존재하지 않는다는 사람들이 많잖아."

"그건 그걸 찾아내는 법을 모르기 때문이야. 그곳에 가는 길은 터널밖에 없어. 내가 널 그리로 데려다 줄게." 존은 리나의 턱을 들어 올려 리나가 자신의 눈을 똑바로 바라보게 했다. "네가 무서워하는 거 알아. 하지만 내가 옆에 있어. 네가 나를 원한다면."

리나는 손등으로 한쪽 눈을 훔치며 시선을 피했다. 검은 무늬가 더 짙어진 것 같았다. 이젠 샤피로 그린 것 같다기보다는 리들리와 존의 문신과 더 비슷했다. 리나는 나를 똑바로 바라보고 있었지만, 내 존재를 알아차리지 못했다. "내가 절대로 다른 사람을 해칠 수 없게 해야 돼. 내가 무엇을 원하는지는 중요하지 않아."

"나한테는 중요해." 존이 엄지로 리나의 눈을 어루만지며 눈물을 닦아 주고, 리나에게 몸을 가까이 기울였다. "난 믿어도 돼. 난 절대 널 해치지 않아." 존이 리나를 가슴으로 당겨 안자, 리나는 그의 어깨에 머리를 기댔다.

'그래도 돼?'

다른 소리는 들리지 않았다. 리나를 보는 것도 점점 어려워졌다. 마치 카메라가 뒤로 쭉 빠져나오는 것 같았다. 나는 초점을 맞추려고 열심히 눈을 깜박거렸지만, 보이는 것이라고는 소용돌이치는 파란 천장뿐이었다. 나는 벽을 향해 옆으로 돌아누웠다.

나는 다시 캐롤라인 이모 집의 방으로 돌아와 있었고, 리나와 존은 보이지 않았다. 어디로 가 버렸는지는 몰라도, 그 둘은 함께 있었다.

리나는 움직이고 있었다. 존에게 마음을 열고 있었다. 그리고 존은 사라져 버린 줄 알았던 리나의 마음 한구석에 손을 뻗고 있었다. 어쩌면 그곳은 내가 처음부터 닿을 수 없는 곳이었던 건지도 모른다.

메이컨은 어둠 속에서 살았고, 엄마는 빛 속에서 살았다.

어쩌면 우리는 일반인과 주술사가 하나가 될 수 있는 방법을 찾아낼 운명이 아닌지도 몰랐다. 우리가 그들의 운명의 상대가 아니니까.

누군가가 문을 두드렸다. 문은 이미 열려 있는데도. "이선? 괜찮아?" 리브였다. 리브의 발소리는 조용했지만, 내 귀에 들리지 않을 정도는 아니었다. 나는 꼼짝도 하지 않았다.

리브가 침대 가장자리에 앉자, 그 부분이 조금 가라앉았다. 내 뒤통수를 쓰다듬는 리브의 손길이 느껴졌다. 마음을 달래 주는 친숙한 손길이었다. 마치 리브가 날 쓰다듬어 준 적이 천 번이나 되는 것처럼. 리브는 그런 아이였다. 아주 오랫동안 나와 아는 사이였던 것 같은 느낌이 드는 아이. 리브는 언제나 내게 필요한 것을 알아차리는 것 같았다. 나조차도 모르는 것들을 리브는 알고 있는 것 같았다.

"이선, 괜찮을 거야. 우리가 그 의미를 알아내면 돼. 약속해." 리브의 말은 진심이었다.

나는 돌아누웠다. 해가 져서 방이 어두웠다. 나는 귀찮아서 아직 불을 켜지 않았다. 하지만 나를 내려다보는 리브의 실루엣이 보였다.

"넌 개입하면 안 되는 거잖아."

"맞아. 애시크로프트 교수님이 나한테 제일 먼저 가르친 게 그거야." 리브는 잠시 가만히 있었다. "그래도 어쩔 수가 없어."

"알아."

우리는 어둠 속에서 서로를 물끄러미 바라보았다. 리브의 손은 내가 돌아누울 때 자연스럽게 내 턱에 떨어진 뒤 계속 그 자리에 머물러 있었다.

이제야 처음으로 나는 리브를 제대로 보고 있었다. 리브의 가능성을. 뭔가가 느껴졌다. 틀림없었다. 리브도 그것을 느낀 모양이었다. 리브가 나를 볼 때마다 확실히 알 수 있었다.

리브가 살며시 누워서 내 옆에서 몸을 둥글게 말았다. 그리고 내 어깨에 머리를 기댔다.

엄마도 메이컨과 헤어진 뒤 앞으로 나아갈 길을 찾아냈다. 아빠와 사랑에 빠진 것이다. 그건 평생의 사랑을 잃은 뒤에도 다시 사랑에 빠질 수 있다는 증거인 것 같았다.

정말 그런 걸까?

조용히 속삭이는 소리가 들렸다. 내 마음속에서 들리는 소리가 아니라 내 귓가에서 들리는 숨소리 같았다. 리브가 더 가까이 다가왔다. "네가 알아낼 거야. 다른 때도 그랬던 것처럼. 게다가 넌 길을 아는 자들이 대개는 갖지 못한 걸 갖고 있어."

"그래? 그게 뭔데?"

"뛰어난 보관자."

나는 리브의 목덜미를 살며시 손으로 감쌌다. 인동덩굴과 비누 냄새. 그것이 리브의 냄새였다.

"그래서 네가 온 거야? 나한테 보관자가 필요하기 때문에?"

리브는 금방 대답하지 않았다. 리브가 머릿속으로 말을 정리하려고 애쓰는 것이 느껴졌다. 어디까지 말해야 할지, 어떤 위험을 무릅써야 할지. 리브가 왜 망설이는지 알 것 같았다. 나도 그러고 있었으니까.

"그것만이 이유는 아니지만, 오로지 그 이유뿐이어야 해."

"넌 개입하면 안 되니까?"

리브의 심장 박동이 내 가슴에 느껴졌다. 리브의 몸은 내 어깨 밑으로 들어오기에 딱 맞았다.

"상처받기 싫으니까." 리브는 겁을 내고 있었다. 어둠의 주술사나 돌연

변이 몽마나 황금색 눈을 두려워하는 게 아니었다. 리브가 두려워하는 것은 그보다 단순하지만 위험하기는 마찬가지였다. 그보다 작지만 무한히 강력한 것.

나는 리브를 끌어당겼다. "나도 그래." 나도 그것이 두려웠다.

우리는 더 이상 아무 말도 하지 않았다. 나는 리브를 꼭 끌어안고 사람이 상처받을 수 있는 온갖 경우들을 생각해 보았다. 내가 리브에게 상처를 주고, 나 자신에게 상처를 줄 수 있는 경우들. 이 두 가지가 왠지 하나로 뒤섞여 있었다. 설명하기는 힘들지만, 지난 몇 달 동안 내가 그랬던 것처럼 마음을 닫은 상태에서는 다시 마음을 여는 것이 교회에서 스트립쇼를 하는 것만큼이나 잘못된 일처럼 느껴졌다.

'마음이 가는 곳에 별들이 따라가리라, 하나는 깨졌고, 하나는 속이 비었고⋯.'

이건 우리 노래였다. 리나와 나의 노래. 그런데 내가 깨졌다. 그렇다면 이제부터 나는 빈 상태로 지내야 한다는 뜻인가? 아니면 나를 위해 뭔가 다른 것이 기다리고 있다는 건가? 혹시 새로운 노래라도?

이번에는 색다르게 핑크 플로이드 노래 같은 거라면? '대리석 강당에 울리는 공허한 웃음소리.'

나는 어둠 속에서 리브의 규칙적인 숨소리를 들으며 혼자 빙긋 웃었다. 리브는 숨소리가 점점 잦아들더니 잠에 빠졌다. 나는 지쳐서 꼼짝도 할 수 없었다. 다시 일반인 세계에 돌아와 있지만, 아직도 주술사 세계의 일부인 것처럼 느껴졌다. 개틀린이 믿을 수 없을 만큼 멀리 있는 것 같았다. 지금까지 내가 온 거리나 앞으로 가야 할 거리를 잴 수 없는 것처럼, 내가 어쩌다 여기까지 왔는지도 이해할 수 없었다.

나는 목적지에 도착한 뒤 무엇을 하게 될지 모른 채 망각 속으로 잠겨들었다.

보나벤트라

✦ 6.19 ✦

나는 누군가에게 쫓겨서 도망치고 있었다. 허둥지둥 산울타리를 넘고 텅 빈 거리와 뒷마당을 정신없이 가로질렀다. 절대 멈출 수 없었다.

그때 나를 향해 똑바로 달려오는 할리데이비슨이 보였다. 불빛이 점점 가까워졌다. 노란색이 아니라 초록색 불빛이었다. 그 빛이 어찌나 밝은지 나는 양손으로 얼굴을 가려야 했다….

나는 깨어났다. 보이는 것이라고는 번쩍번쩍 꺼졌다 켜지는 초록색뿐이었다.

여기가 어딘지 알 수 없었다. 얼마 뒤에야 초록색 빛이 아크라이트에서 나온다는 것을 깨달았다. 아크라이트가 밝게 빛나고 있었다. 주머니에서 굴러 나왔는지 매트리스 위에 놓여 있었다. 그런데 매트리스가 좀 달라 보였다. 아크라이트는 정신없이 깜박거리고 있었다.

천천히 기억이 돌아왔다. 별들, 터널, 다락, 손님방. 그제야 매트리스가 왜 달라 보이는지 알 수 있었다.

리브가 없었다.

리브가 어디 있는지 알아내는 데는 그리 오래 걸리지 않았다. "너 잠은 자니?"

"너처럼 많이는 안 자." 여느 때처럼 리브는 망원경에서 눈을 떼지 않았다. 이번 망원경은 메리언 아줌마의 현관 베란다에 있던 것보다 훨씬 작고, 알루미늄으로 되어 있었다.

나는 집 뒤 계단에 리브와 나란히 앉았다. 마당은 이모 자신만큼이나 차분했다. 굵은 목련나무 밑에 초록색 풀밭이 조용히 펼쳐져 있었다. "왜 일어났어?"

"정신이 번쩍 들었어." 나는 아무렇지도 않은 척했다. 실제로는 어색했지만. 나는 2층의 손님방 창문을 가리켰다. 이 아래에서 봐도 초록색 불빛이 맥박처럼 깜박이는 것이 유리를 통해 보였다.

"이상하네. 나도 정신이 번쩍 들 일이 있었는데. 이 셀레스트론 망원경으로 한번 봐." 리브가 내게 그 작은 망원경을 건네주었다. 한쪽 끝에 커다란 렌즈가 있는 것을 제외하면, 생김새가 손전등 같았다.

망원경을 받는 순간 내 손과 리브의 손이 맞닿았다. 전기가 흐르지 않았다.

"이것도 네가 만든 거야?"

리브는 빙긋 웃었다. "애시크로프트 교수님이 주신 거야. 이제 이야기는 그만하고 봐. 저쪽." 리브는 목련나무 바로 위를 가리켰다. 일반인인 내 눈에는 별 하나 없는 어두운 하늘밖에 보이지 않는 곳이었다.

나는 망원경을 눈에 댔다. 그러자 나무 위의 하늘에 빛이 줄무늬를 그리고 있었다. 그 유령 같은 빛이 우리에게서 그리 멀지 않은 땅바닥까지 이어져 있었다. "저건 뭐야? 유성인가? 유성이 저렇게 꼬리가 길어?"

"그럴 수도 있겠지. 저게 유성이라면."

"저게 유성이 아니라는 건 어떻게 아는데?"

리브는 망원경을 톡톡 두드렸다. "저게 유성처럼 아래로 떨어지고 있는 건 사실인지 몰라도, 주술사 세계의 하늘에서 떨어지고 있는 주술사 세계의 별이라는 걸 잊으면 안 되지. 그렇지 않다면, 우리가 이 망원경 없이도 저 별을 볼 수 있어야 하잖아."

"너의 그 이상한 시계가 가르쳐 준 거야?"

리브는 자기 옆에 놓아두었던 시계를 집어 들었다. "여기 나온 결과를 어떻게 읽어야 할지 잘 모르겠어. 하늘을 보기 전에는 이게 망가진 줄 알았어."

아크라이트는 창문 안에서 여전히 번쩍거리고 있었다. 초록색 섬광전구 같았다.

꿈에서 본 것이 기억났다. 할리데이비슨이 나를 향해 똑바로 달려오는 것 같았다. "여기 있으면 안 돼. 뭔가 일이 벌어지고 있어." 여기 서배너에서 뭔가 일이 벌어지고 있었다.

리브는 셀레노미터를 다시 손목에 찼다. "그게 뭔지는 몰라도 저쪽인 것 같아." 리브는 망원경을 배낭에 넣고 먼 곳을 가리켰다. 이제 움직일 때였다.

내가 손을 내밀었지만, 리브는 혼자 일어섰다. "넌 가서 링크를 깨워. 난 내 물건을 챙길게."

"아침까지 기다리면 왜 안 되는지 난 도무지 모르겠다." 링크는 부루퉁한 얼굴이었다. 머리카락은 사방으로 삐죽삐죽 솟아 있었다.

"이게 아침까지 기다려도 될 일처럼 보이냐?" 이제는 아크라이트의 불빛이 어찌나 밝아졌는지, 우리 앞에 뻗어 있는 거리 전체가 다 환해질 정도였다.

"그거 빛을 좀 줄이는 스위치 같은 건 없냐?" 링크는 눈을 가렸다.

"이거 고장 난 건지도 몰라." 나는 아크라이트를 흔들어 보았지만, 초록색으로 번쩍거리는 불빛은 꺼지지 않았다.

"너 그걸 고장 낸 거야?"

"내가 고장 낸 게 아냐. 나는⋯." 나는 포기하고 아크라이트를 주머니에 쑤셔 넣었다. "그래, 아무래도 고장 난 것 같다." 빛이 내 청바지를 뚫고 새어 나왔다.

"주술사 세계의 힘 같은 게 갑자기 불끈 방출돼서 아크라이트를 건드리는 바람에, 아크라이트의 정상적인 균형이 깨진 건지도 몰라." 리브는 흥미로운 표정이었다.

하지만 링크는 아니었다. "경보기처럼? 그거 안 좋은 거잖아."

"아직은 모르는 일이야."

"너 장난 하냐? 배트맨에서 고든 국장이 배트 시그널을 켜는 건 항상 안좋은 일이 생겼을 때잖아. 판타스틱 4가 하늘에서 숫자 4를 볼 때도 마찬가지고."

"그래, 무슨 말인지 알아들었어."

"그래? 그럼 우리가 가려던 곳까지 가는 길도 네 힘으로 알아낼 수 있어? 이선이 저 공을 망가뜨렸으니 그렇게라도 해야지."

리브는 셀레노미터를 살피더니 걷기 시작했다. "아까 그 별이 떨어진 지점 근처까지는 갈 수 있어." 리브가 나를 바라보았다. "그게 정말로 별이었다면 그렇다는 거야. 하지만 링크의 말이 옳을지도 몰라. 우리가 지금 어디로 가는지, 거기서 뭘 보게 될지 나도 잘 모르니까."

"그 말을 들으니 정원 가위라도 하나 가져올걸 그랬다는 생각이 든다." 나는 리브를 따라가며 말했다.

"비정상적인 얘기를 하는 김에, 저기 누가 있는지 좀 봐." 링크는 빨간 덧창이 있는 집 앞의 길가를 가리켰다. 루실이 인도 가장자리에 앉아 우리를 빤히 바라보고 있었다. "저 녀석이 돌아올 거라고 했지?"

루실은 뚱한 표정으로 갈색 앞발을 핥더니 우리를 기다렸다.

"나 없이는 못 살겠지, 그렇지? 여자들은 나만 보면 항상 그런다니까."
링크는 루실의 머리를 가볍게 긁어 주며 히죽 웃었다. 루실은 링크의 손가락을 찰싹 쳐서 쫓아 버렸다.

"야, 왜 그래? 같이 안 갈 거야?" 루실은 꼼짝도 하지 않았다.

"맞아. 여자들은 링크만 보면 항상 저래." 내가 리브에게 말했다. 루실은 집 앞에서 몸을 길게 늘이며 기지개를 켰다.

"따라올 거야." 링크가 말했다. "여자들은 항상 그래."

그때 루실이 우리가 가려던 방향과는 반대쪽으로 냅다 달려갔다.

칠흑 같이 어두운 한밤중에 우리는 마을을 벗어나는 쪽으로 가고 있었다. 벌써 몇 시간째 걷고 있는 것 같은 기분이었다. 낮에 중앙로는 항상 분주했다. 하지만 지금은 인적이 없었다. 이 길이 어디로 이어져 있는지 생각해 보면, 그럴 만도 했다.

"너 확실한 거야?"

"전혀. 현재 사용할 수 있는 데이터를 기초로 근사치를 냈을 뿐이야." 리브는 다섯 블록마다 한 번씩 소형 망원경으로 하늘을 살폈다. 그러니 데이터를 의심할 필요는 없었다.

"난 리브가 저렇게 공부벌레 같은 말을 하는 게 좋더라." 링크가 리브의 땋은 머리를 잡아당기자 리브가 링크의 손을 찰싹 쳤다.

나는 서배너의 유명한 보나벤트라 공동묘지 입구 양옆에 서 있는 높은 돌기둥을 빤히 바라보았다. 도시 외곽에 있는 이곳은 남부에서 가장 유명하고, 가장 경비 시스템이 좋은 묘지 중 하나였다. 그게 문제였다. 어스름 녘에 묘지 문이 이미 닫힌 뒤였으니까.

"야, 이거 장난이지? 우리 목적지가 진짜 여기 맞아?" 링크는 밤중에 묘지를 돌아다니는 걸 그다지 좋아하지 않는 기색이었다. 특히나 입구에는 경비원이 지키고 있고, 순찰차도 정문 앞을 자주 지나가고 있으니 더 불안했다.

리브는 십자가에 매달린 여자의 조각상을 올려다보았다. "얼른 해치우자."

링크는 정원 가위를 꺼냈다. "얘가 생각대로 해 줄 수 없을 것 같은데."

"정문으로 가는 게 아냐." 나는 나무 반대편의 벽을 가리켰다. "저쪽이야."

리브가 내 얼굴을 조금도 남김없이 샅샅이 발로 짓밟고, 내 목을 차고, 운동화를 내 어깨뼈에 깊이 박아 넣어 비튼 다음에야 나는 리브를 정문 너머로 던질 수 있었다. 리브는 문 위에서 균형을 잃어 쿵 하는 소리를 내며 바닥에 떨어졌다.

"난 괜찮아. 걱정 마." 리브가 담장 뒤편에서 소리쳤다.

링크와 나는 서로를 바라보았다. 결국 링크가 허리를 숙였다. "네가 먼저 가. 난 힘들게 기어올라가지, 뭐."

나는 링크의 등에 올라서서 담을 단단히 붙들고 매달렸다. 링크가 몸을 일으켰다. "그래? 어떻게 기어오를 건데?"

"담에 가까운 나무를 찾아봐야지. 근처에 하나쯤 있을 거야. 걱정 마라. 내가 널 찾을게."

나는 담장 꼭대기에서 양손으로 담에 매달렸다.

"내가 그동안 학교를 빼먹은 게 얼만데, 그 정도도 못하겠냐."

나는 슬쩍 웃고는 아래로 몸을 날렸다.

우리는 아크라이트의 불빛을 따라 5분 동안 일곱 그루의 나무를 지나쳐서 묘지 안으로 깊숙이 들어갔다. 곧 부서질 것 같은 남군 병사들의 묘비와 기억 속에서 사라진 사람들의 안식처를 지키는 조각상들이 우리 옆을 지나갔다. 이끼로 뒤덮인 떡갈나무들이 빽빽하게 모여 있는 곳이 있었다. 가지들이 뒤엉켜 아치를 이루고 있었고, 그 밑에 난 오솔길은 사람이 간신히 지나갈 수 있을 만큼 좁았다. 아크라이트는 여전히 번쩍번쩍 박동하고 있었다.

"다 왔다. 여기 맞지?" 나는 리브의 어깨 너머로 셀레노미터를 바라보았다.

리브는 주위를 둘러보았다. "뭐가? 난 아무것도 안 보이는데." 나는 나무들 사이의 공간을 가리켰다. "진짜야?"

리브는 불안한 표정이었다. 어두운 묘지에서 소나무겨우살이 덤불을 기어오르는 게 내키지 않는 모양이었다. "기계로 아무것도 안 읽히지 않아. 숫자들이 난리가 났어."

"그건 상관없어. 바로 여기야. 확실해."

"리나랑 리들리랑 존이 저 뒤에 있을 것 같아?" 링크는 그냥 정문으로 돌아가서 우리를 기다리고 싶다는 표정이었다.

"글쎄." 나는 덤불을 옆으로 밀면서 발을 내디뎠다.

덤불 뒤편에는 머리 위로 솟은 나무들이 더욱 흉흉한 분위기를 자아내며 하늘을 대신하고 있었다. 앞쪽의 공터에 있는 무덤들 한가운데에 탄원하는 천사를 묘사한 거대한 조각상이 있었다. 그리고 무덤들마다 경계선을 표시하는 돌로 둘러싸여 있었다. 땅속에 묻힌 관들이 금방이라도 눈에 보일 것만 같았다.

"이선, 봐." 리브가 조각상 뒤쪽을 가리켰다. 희미한 달빛에 둘러싸인 두 개의 실루엣이 보였다. 그들은 움직이고 있었다.

우리 말고도 사람이 있다는 얘기였다.

링크는 고개를 절레절레 저었다. "이거 아무래도 안 좋아."

순간적으로 나는 꼼짝도 할 수 없었다. 저 사람들이 리나와 존이라면 어쩌지? 단둘이서 밤중에 묘지에는 왜 나온 걸까? 나는 양편에 조각상들이 잔뜩 늘어서 있는 오솔길을 따라갔다. 무릎을 꿇고 하늘을 바라보는 천사들도 있었고, 울면서 우리를 내려다보는 천사들도 있었다.

저 앞에 무엇이 있을지 짐작도 할 수 없었지만, 내 시야에 들어온 두 사람은 전혀 예상치 못한 사람들이었다.

애마 아줌마와 어렐리아 할머니. 내가 메이컨의 어머니인 어렐리아 할머니를 마지막으로 만난 건 메이컨의 장례식에서였다. 애마 아줌마와 어렐리아 할머니는 무덤들 사이에 앉아 있었다. 나는 이제 죽은 목숨이었다. 애마 아줌마가 나를 찾아낼 거라는 걸 예상했어야 하는 건데.

그 두 사람과 함께 흙바닥에 앉아 있는 여자가 또 있었다. 누군지 알 수 없는 사람이었다. 어렐리아 할머니보다 나이는 약간 많았지만, 피부는 똑같은 황금빛이었다. 머리카락은 수백 가닥으로 가늘게 땋았고, 2, 30줄은 되어 보이는 구슬 목걸이를 걸고 있었다. 보석과 색유리, 작은 새와 동물의 조각 등이 걸려 있는 목걸이였다. 양쪽 귀에는 구멍이 각각 최소한 열 개씩이나 뚫려 있는 것 같았는데, 구멍마다 긴 귀걸이가 매달려 있었다.

세 사람은 책상다리를 하고 둥글게 둘러앉아 있었다. 묘비들이 주위에 점점이 흩어진 그곳에서 세 사람은 한가운데로 손을 내밀어 맞잡고 있었다. 애마 아줌마는 우리를 등진 자세였지만, 내가 여기 있다는 걸 틀림없이 알고 있을 터였다.

"오래 걸렸구나. 계속 기다렸는데. 내가 기다리는 걸 얼마나 싫어하는지 알잖아." 애마 아줌마의 목소리는 화난 기색 없이 평소와 똑같았다. 내가 메모 한 장 없이 사라져 버렸는데 이상한 일이었다.

"애마 아줌마, 정말로 죄송…."

애마 아줌마는 파리를 쫓듯이 손을 흔들었다. "지금은 그럴 시간 없다." 애마 아줌마가 손에 든 뼈를 흔들었다. 틀림없이 묘지의 뼈일 것이다.

나는 애마 아줌마를 바라보았다. "아줌마가 저희를 이리로 부른 거예요?"

"내가 그랬다고 할 수는 없지. 너희를 부른 건 다른 힘이다. 나보다 더 강한 힘. 난 그저 네가 이리로 올 거라는 걸 알았을 뿐이야."

"어떻게요?"

애마 아줌마는 몹시 불쾌하다는 표정으로 나를 흘겨보았다. "새들은 남쪽으로 날아가는 법을 어떻게 알아내는 것 같냐? 메기는 헤엄치는 법을 어떻게 알 것 같아? 도대체 몇 번을 말해 줘야 하는 거냐, 이선 웨이트. 내가 괜히 천리안이라고 불리는 줄 알아?"

"나도 너희가 올 줄 미리 알고 있었다." 어렐리아 할머니는 그저 사실을 말했을 뿐이지만, 그래도 애마 아줌마는 기분이 나쁜 모양이었다. 표정이 틀림없었다.

애마 아줌마가 턱을 치켜들었다. "내가 말해 줬으니까 안 거지." 얼마 전까지만 해도 애마 아줌마는 개틀린의 유일한 천리안이었기 때문에, 상대가 초자연적인 능력을 지닌 예언자라 해도 지는 걸 좋아하지 않았다.

나머지 할머니 한 명, 그러니까 내가 모르는 할머니가 애마 아줌마를 바라보았다. "이제 시작해야지, 아마리. 기다리고 있잖아."

"이리 와서 앉아라." 애마 아줌마가 우리에게 손짓했다. "트월라의 준비가 끝났으니까." 트월라. 내가 아는 이름이었다.

어렐리아 할머니는 내가 묻기도 전에 내 질문에 대답했다. "이쪽은 내 언니 트월라다. 오늘 밤 우리를 만나려고 먼 길을 왔어." 이제 기억이 났다. 리나가 이모할머니 트월라의 이야기를 한 적이 있었다. 뉴올리언즈를 한 번도 떠난 적이 없는 사람이라고. 이제는 달라졌지만.

"맞아. 이제 이리 와서 앉겠니? 무서워할 것 없다. 이건 그저 예시의 원일 뿐이야." 트월라가 자기 옆의 바닥을 툭툭 쳤다. 애마 아줌마는 반대편에 앉아서 특유의 표정으로 나를 바라보았다. 리브는 질린 표정으로 뒷걸음질을 쳤다. 보관자가 되는 훈련을 받고 있는데도 소용이 없는 모양이었다. 링크는 리브의 바로 뒤에서 움직이지 않았다. 애마 아줌마를 보면 이런 반응을 보이는 사람들이 많았다. 보아 하니, 트월라와 어렐리아 할머니도 사람들에게 같은 영향을 미치는 것 같았다.

"언니는 강력한 네크로맨서야." 어렐리아 할머니의 목소리에 자부심이 깃들어 있었다.

링크는 얼굴을 찌푸리며 리브에게 속삭였다. "죽은 사람들이랑 어울리는 거? 그런 건 비밀로 해야 하는 것 아니냐?"

리브는 눈을 흘겼다. "시체를 좋아하는 사람들이랑 혼동하지 마, 바보야. 네크로맨서는 죽은 자를 불러내서 이야기를 나눌 수 있는 주술사야."

어렐리아 할머니가 고개를 끄덕였다. "맞다. 지금 우리는 이미 이 세상을 떠난 사람한테 도움을 청해야 하거든."

어렐리아 할머니가 누구를 말하는 건지 나는 금방 알아차렸다. 아니, 최소한 내 짐작이 맞기를 바랐다. "애마 아줌마, 메이컨 아저씨를 부르는 거예요?"

애마 아줌마의 얼굴에 슬픔이 나타났다 사라졌다. "그런 거라면 좋겠지만, 멜기세덱이 간 곳은 우리가 갈 수 없는 곳이야."

"때가 됐어." 트윌라가 주머니에서 뭔가를 꺼내 애마 아줌마와 어렐리아 할머니를 바라보았다. 세 사람의 태도가 확연히 변한 것이 느껴졌다. 죽은 사람을 깨우는 일에 모두 진지하게 집중하고 있었다.

어렐리아 할머니가 입술 앞에서 양손을 펼치며 손바닥을 향해 부드럽게 말했다. "내 힘은 그대들의 힘이오, 자매님들." 어렐리아 할머니는 원 한가운데로 작은 돌멩이들을 던져 넣었다.

"월석이야." 리브가 속삭였다.

애마 아줌마는 닭뼈 자루를 꺼냈다. 그 냄새는 어디서든 알 수 있었다. 우리 집 부엌에서 나는 냄새였으니까. "내 힘은 그대들의 힘이오, 자매님들."

애마 아줌마도 닭뼈를 원 안으로 던졌다. 트윌라가 손을 펼치자 새 모양의 작은 조각상이 나타났다. 트윌라는 말로 그 조각상에 힘을 부여했다.

"하나는 이 세상에, 하나는 다음 세상에.

연결된 세상의 문을 열어라."

트윌라가 큰 소리로 열에 들뜬 사람처럼 주문을 외기 시작했다. 낯선 단어들이 잔물결처럼 허공으로 퍼져 나갔다. 트윌라의 눈동자가 뒤로 돌아가 사라졌지만, 눈이 감기지는 않았다. 어렐리아 할머니도 구슬을 꿰고 술을 매단 긴 끈들을 흔들며 주문을 외기 시작했다.

애마 아줌마가 내 턱을 움켜쥐고 내 눈을 똑바로 들여다보았다. "네가 받아들이기 힘들 거라는 건 알지만, 네가 반드시 알아야 하는 게 있어."

예시의 원 한가운데에서 공기가 소용돌이치기 시작하면서 하얀 안개가 엷게 만들어졌다. 트윌라, 어렐리아 할머니, 애마 아줌마는 계속 주문을 외웠다. 세 사람의 목소리가 점점 크레센도로 치달았다. 안개는 세 사람의 명령을 따르듯이 점점 짙어지고 빨라지면서 토네이도처럼 위를 향해 소용돌이쳤다.

느닷없이 트윌라가 헉 하고 숨을 들이쉬었다. 마치 마지막 숨을 들이쉬는 사람 같았다. 안개도 그 뒤를 따르듯이 트윌라의 입속으로 사라졌다. 잠시 동안이지만 트윌라가 바로 쓰러져 죽을 것만 같았다. 트윌라는 기둥에 묶여 있는 건가 싶을 만큼 허리를 똑바로 펴고 앉아 있었다. 눈동자는 다시 뒤로 돌아가 보이지 않았고, 입도 열려 있었다.

링크는 안전한 곳으로 물러났지만, 리브는 허겁지겁 달려와서 트윌라를 도우려고 손을 뻗었다. 하지만 애마 아줌마가 리브의 팔을 움켜쥐었다. "기다려."

트윌라가 숨을 내쉬었다. 하얀 안개가 트윌라의 입술에서 튀어나와 허공으로 솟아올랐다. 그러면서 형태를 갖췄다. 안개가 위로 솟구치면서 사람의 몸이 나타났다. 맨발이 하얀 드레스 밑으로 삐져나오고, 풍선에 바람을 넣을 때처럼 몸통이 드레스를 채웠다. 안개 속에서 솟아난 망자였다. 나는 안개가 뱀처럼 구불구불 솟아오르면서 몸통과 섬세한 목이 만들어지더니 마침내 얼굴이 드러나는 모습을 지켜보았다.

그 사람은….

우리 엄마였다.

망자들 특유의 은은한 빛과 덧없는 분위기로 나를 바라보는 엄마. 반투명한 몸을 제외하면, 정말로 엄마와 똑같은 모습이었다. 엄마의 눈꺼풀이 퍼덕거리더니, 엄마가 나를 바라보았다. 이 망자는 그냥 엄마를 닮은 게 아니라, 진짜 엄마였다.

엄마가 입을 열었다. 내 기억 속의 목소리와 똑같이 부드럽게 노래하는 듯한 소리였다. "이선, 내 아기, 널 기다리고 있었어."

나는 말문이 막힌 채 엄마를 뚫어지게 바라보았다. 엄마가 돌아가신 뒤로 꿈에 엄마를 볼 때도, 사진을 보거나 기억을 되새길 때도, 엄마가 이렇게 진짜처럼 느껴진 적은 없었다.

"너한테 할 말도 많고, 할 수 없는 말도 많아. 그동안 너한테 길을 보여 주려고 애썼는데, 노래도 보내 주고…."

엄마가 나한테 노래를 보냈다. 리나와 나만 들을 수 있던 그 노래들. 나는 입을 열었다. 하지만 내 목소리가 내 것이 아닌 것처럼 아주 멀게 들렸다. 〈열일곱 개의 달〉. 그림자 노래. "처음부터 엄마였군요."

엄마가 미소를 지었다. "그래. 너한테 내가 필요했으니까. 하지만 지금은 그 사람한테 네가 필요해. 너한테도 그 사람이 필요하고."

"그 사람이라니요? 아빠를 말씀하시는 거예요?" 하지만 나는 아빠 얘기가 아니라는 걸 알고 있었다. 엄마는 우리 둘에게 아주 많은 의미를 지닌 다른 남자를 이야기하고 있었다.

메이컨.

엄마는 메이컨이 세상에 없다는 걸 모르고 있었다.

"메이컨 아저씨 얘기예요?" 엄마의 눈에 긍정의 표정이 나타났다. 엄마한테 사실을 말하는 수밖에 없었다. 만약 리나한테 무슨 일이 생긴다면, 나도 그 소식을 알고 싶을 테니까. 이미 모든 것이 변해 버렸다 해도. "메이컨 아저씨는 돌아가셨어요, 엄마. 몇 달 전에. 아저씨는 날 도와줄 수 없어요."

나는 엄마가 달빛 속에서 어렴풋이 반짝이는 것을 지켜보았다. 살아 있을 때와 마찬가지로 엄마는 여전히 아름다웠다. 내가 엄마를 마지막으로 본 것은, 학교에 가려던 나를 비 내리는 현관 베란다에서 안아 주던 모습이었다. "내 말 잘 들어, 이선. 메이컨은 항상 네 곁에 있을 거야. 메이컨을 구원해 줄 수 있는 사람은 너뿐이야." 엄마의 모습이 흐릿해지기 시작했다.

나는 어떻게든 엄마에게 닿고 싶어서 손을 뻗었지만, 내 손은 허공을 가를 뿐이었다. "엄마?"

"결정의 달이 소환되었어." 엄마는 밤의 어둠 속으로 사라지고 있었다. "어둠이 이긴다면, 열일곱 번째 달이 마지막 달이 될 거야." 이젠 엄마의 모습이 거의 보이지 않았다. 안개가 원 위에서 다시 서서히 소용돌이치고 있었다. "서둘러, 이선. 시간이 별로 없어. 하지만 넌 해낼 수 있을 거야. 난 그럴 거라고 믿는다." 엄마는 미소를 지었다. 나는 이제 곧 엄마가 사라진다는 걸 알고 있었기 때문에 그 표정을 기억 속에 새겨 두려고 애썼다.

"내가 너무 늦으면요?"

엄마의 목소리가 아주 멀리서 들려오는 것 같았다. "난 널 안전하게 지키려고 했어. 내가 그럴 수 없다는 걸 알았어야 하는 건데. 넌 항상 특별한 아이였다."

나는 내 뱃속과 마찬가지로 소용돌이치고 있는 하얀 안개를 뚫어지게 바라보았다.

"사랑스러운 우리 아들, 여름 소년. 난 항상 널 생각하고 있을 거야. 사랑…."

말소리가 점점 줄어들더니 이내 아무 소리도 들리지 않았다. 조금 전까지 엄마가 여기 있었다. 몇 분 동안이지만 나는 엄마의 미소를 보고 엄마의 목소리를 들었다. 하지만 이제 엄마는 다시 가 버렸다.

또 엄마를 잃어버린 것이다.

"나도 사랑해요, 엄마."

흉터

✦ 6.19 ✦

"너한테 할 말이 있다." 애마 아줌마가 불안한 표정으로 양손을 비틀었다. "열여섯 번째 달의 밤에 있었던 일이야. 리나의 생일 말이다." 나는 애마 아줌마가 내게 이 말을 하고 있다는 사실을 금방 알아차리지 못했다. 나는 조금 전까지만 해도 엄마가 있던 자리를 아직도 뚫어지게 바라보고 있었다.

오늘 엄마는 책이나 노래로 내게 메시지를 전달하지 않았다. 대신 직접 내 앞에 나타났다.

"애한테 말해 줘."

"쉿, 트월라." 어렐리아 할머니가 언니의 팔을 손으로 잡았다.

"거짓말. 거짓말은 어둠의 온상이야. 그 아이한테 말해 줘. 당장 말해 줘."

"그게 무슨 소리예요?" 나는 트월라와 어렐리아 할머니를 차례로 바라보았다. 애마 아줌마가 두 사람을 쏘아보자, 트월라는 머리카락을 가늘게 땋아 늘인 머리를 흔드는 것으로 답을 대신했다.

"내 말 잘 들어, 이선 웨이트." 애마 아줌마의 목소리가 불안하게 떨리고 있었다. "넌 그날 납골당 꼭대기에서 떨어지지 않았어. 적어도 우리가 너한테 말해 준 것처럼 떨어진 건 아냐."

"네?" 무슨 말인지 이해할 수 없었다. 방금 돌아가신 엄마의 영혼을 만났는데, 애마 아줌마는 왜 리나의 생일날 이야기를 꺼내는 걸까?

"넌 납골당에서 떨어진 게 아니라고." 애마 아줌마가 다시 말했다.

"그게 무슨 소리예요? 내가 떨어진 게 아니면 어떻게 된 건데요? 깨어났을 때 난 땅바닥에 똑바로 쓰러져 있었다고요."

"떨어진 게 아냐." 애마 아줌마가 머뭇거렸다. "리나의 엄마가 그렇게 만든 거다. 새라핀이 칼로 너를 찔렀어." 애마 아줌마는 내 눈을 똑바로 들여다보았다. "새라핀이 널 죽였단 말이다. 죽은 너를 우리가 되살린 거야."

'새라핀이 널 죽였단 말이다.'

나는 이 말을 속으로 되풀이했다. 퍼즐의 모든 조각들이 순식간에 찰칵찰칵 제자리를 찾아 들어가는 통에 나는 뭐가 어떻게 된 건지 미처 이해할 틈이 없었다. 오히려 그 조각들이 나를 재구성해서….

그 꿈은 꿈이 아니었다. 숨이 끊어져서 아무 느낌도 없고, 생각도 없고, 앞을 볼 수도 없었던 기억이었다….

내 생명의 기운이 흘러 나갈 때 내 몸은 흙과 불꽃에 실려….

"이선! 너 괜찮니?" 애마 아줌마의 목소리가 들렸지만, 아줌마가 아주 멀리 있는 것 같았다. 내가 바닥에 쓰러져 있던 그날처럼.

어쩌면 지금 난 땅속에 묻혀 있는 건지도 모른다. 엄마나 메이컨처럼.

틀림없이 그럴 것이다.

"이선?" 링크가 나를 흔들고 있었다.

내 몸은 내가 통제할 수도 없고 기억하기도 싫은 느낌들로 가득 차 있었다. 입에 고여 있는 피, 포효처럼 커다란 소리를 내며 귓속으로 콸콸 쏟아져 들어오던 피….

"기절하려나 봐요." 리브가 내 머리를 받치고 있었다.

통증과 소음, 그리고 또 뭔가가 있었다. 목소리들, 형체들, 사람들.

난 죽었었다.

나는 셔츠 밑으로 손을 넣어 배에 난 흉터를 쓸어 보았다. 새라핀이 진짜 칼로 나를 찔렀던 자리에 생긴 흉터. 지금은 잘 알아보기도 힘들지만, 이제부터 이 흉터는 내가 죽었던 그날 밤을 끊임없이 일깨워 줄 것이다. 리나가 이 흉터를 보았을 때의 반응이 기억났다.

"넌 지금도 예전과 똑같은 사람이야. 그리고 리나는 여전히 널 사랑하고 있다. 리나의 사랑 덕분에 네가 지금 이곳에 있는 거야." 어렐리아 할머니의 목소리는 부드럽고 현명했다. 나는 눈을 뜨고 다시 정신을 차렸다. 흐릿하던 형체들이 점점 사람의 모습으로 변했다.

머릿속이 뒤죽박죽이었다. 지금도 뭐가 어떻게 된 건지 전혀 이해할 수 없었다. "그게 무슨 말씀이세요? 리나의 사랑 덕분에 제가 지금 이곳에 있다니요?"

애마 아줌마가 아주 조용한 목소리로 말했다. 열심히 귀를 기울여야 간신히 들릴 만큼 작은 목소리였다. "널 되살린 사람이 리나다. 난 리나를 도왔고. 네 엄마랑 같이."

말의 앞뒤가 맞지 않았다. 그래서 나는 그 말들을 직접 끼워 맞춰 보려고 했다. 리나와 애마 아줌마가 죽은 나를 되살렸다. 함께. 그리고 지금까지 둘이 함께 그걸 내게 비밀로 했다. 나는 흉터를 문질렀다. 진실의 느낌이 났다.

"리나는 죽은 사람을 살리는 법을 언제 알게 된 건데요? 그걸 알고 있다면, 메이컨 아저씨도 되살렸을 거 아니에요?"

애마 아줌마가 나를 바라보았다. 애마 아줌마가 이렇게 겁에 질린 모습은 생전 처음이었다. "리나 혼자 힘으로 한 게 아냐. 《달의 책》에 있는 속박의 주문을 쓴 거다. 죽음을 삶에 속박하는 주문."

리나가 《달의 책》을 썼다고?

제너비브와 리나의 가문에 몇 세대 동안 저주를 내려, 가문의 모든 아이들이 열여섯 번째 생일에 빛과 어둠으로 운명이 갈리게 만든 책. 제너비브가 이선 카터 웨이트를 죽음의 세계에서 되살리려고 사용했던 책. 이선 카터 웨이트는 겨우 몇 초밖에 살아 있지 못했지만, 제너비브는 평생 그 대가를 치러야 했다.

나는 아무것도 생각할 수 없었다. 내 마음이 스스로 무너져 내리기 시작했다. 나는 내 생각을 따라갈 수 없었다. 제너비브. 리나, 대가.

"어떻게 그럴 수가 있어요?" 나는 그들에게서 멀어져, 그들이 만든 예시의 원을 벗어났다. 더 이상 예시의 힘을 빌릴 필요가 없었다.

"내겐 선택의 여지가 없었다. 리나는 널 그대로 보내려 하지 않았어." 애마 아줌마가 곤혹스러운 표정으로 나를 바라보았다. "나도 마찬가지였고."

나는 고개를 저으며 벌떡 일어섰다. "거짓말이에요. 리나는 그런 짓을 할 애가 아니에요." 하지만 그렇지 않다는 걸 나는 알고 있었다. 애마 아줌마도 리나와 마찬가지였다. 두 사람은 얼마든지 그런 짓을 할 수 있는 사람들이었다. 틀림없었다. 처지가 바뀌었다면 나도 똑같은 짓을 했을 테니까.

그런 건 지금 중요하지 않았다.

내 평생 지금만큼 애마 아줌마에게 화가 난 적은 없었다. 지금만큼 애마 아줌마에게 실망한 적도 없었다. "그 책이 아무 대가도 없이 뭔가를 이루어 주지 않는다는 건 아줌마도 아시잖아요. 아줌마가 나한테 직접 말해 줬잖아요."

"그래."

"리나가 대가를 치러야 할 거예요. 나 때문에. 아줌마도 대가를 치러야 할 거예요." 내 머리가 둘로 쪼개질 것만 같았다. 아니, 폭발하려는 것 같기도 했다.

제멋대로 흘러내린 눈물이 애마 아줌마의 뺨에 나타났다. 애마 아줌마는 손가락 두 개를 이마에 대고 눈을 감았다. 애마 아줌마에게는 이것이 성호를 그으며 소리 없이 기도를 드리는 것과 똑같은 동작이었다. "리나는 지금 이미 대가를 치르고 있어."

나는 숨을 쉴 수 없었다.

리나의 눈. 축제에서 벌인 소동. 존 브리드와 도망친 것. 내가 참으려고 애를 쓰는데도 말이 저절로 튀어나왔다.

"나 때문에 어둠이 되고 있는 거죠?"

"리나가 어둠이 되고 있다면, 그건 그 책 때문이 아니야. 책은 다른 종류의 거래를 했다." 애마 아줌마가 말을 멈췄다. 그 이상은 차마 말할 수 없다는 듯이.

"어떤 거래인데요?"

"책은 한 생명을 주고 다른 생명을 데려갔어. 우린 대가를 치러야 한다는 걸 알고 있었다." 애마 아줌마의 목이 메었다. "하지만 그게 멜기세덱이 될 줄은 몰랐어."

메이컨.

그럴 리가 없었다.

'책은 한 생명을 주고 다른 생명을 데려갔다. 다른 종류의 거래.'

내 생명 대신 메이컨의 생명.

모든 게 맞아떨어졌다. 지난 몇 달 동안 리나의 행동. 리나가 나뿐만 아니라 모든 사람에게서 멀어지려고 애쓰던 것. 메이컨의 죽음이 자기 탓이라고 자책하던 것.

그건 모두 사실이었다. 리나가 메이컨을 죽인 것이다.

나를 구하려고.

나는 리나의 공책에서 보았던, 마법의 페이지를 떠올렸다. 거기 뭐라고 적혀 있었지? 애마? 새라핀? 메이컨? 책? 그건 그날 밤 정말로 있었던 일이었다. 나는 리나의 방 벽에 적혀 있던 시들을 떠올렸다. 망자 노바디와 산 자 노바디. 그 둘은 동전의 양면이었다. 메이컨과 나.

'초록색은 결코 지속될 수 없다.' 몇 달 전만 해도 나는 리나가 프로스트의 시를 잘못 외웠다고 생각했다. 하지만 그런 게 아니었다. 리나는 자기 자신의 이야기를 하고 있었다.

리나가 나를 볼 때마다 고통스러워하던 것이 떠올랐다. 리나가 죄책감을 느끼는 것도 무리가 아니었다. 리나가 도망친 것도 무리가 아니었다. 앞으로도 리나는 나를 보는 걸 견뎌 낼 수 없을 것이다. 리나가 그런 행동을 한 것은 순전히 나 때문이었다. 리나의 잘못이 아니었다.

내 탓이었다.

아무도 아무 말도 하지 않았다. 이제는 아무것도 돌이킬 수 없었다. 우리 모두 마찬가지였다. 리나와 애마 아줌마가 그날 밤에 한 일을 되돌릴 수는 없었다. 나는 이 자리에 있으면 안 되는 사람인데도, 지금 이 자리에 있었다.

"그게 세상의 이치야. 세상의 이치를 막을 수는 없지." 트윌라는 눈을 감았다. 내게는 들리지 않는 소리를 들을 수 있는 사람처럼.

애마 아줌마가 주머니에서 손수건을 꺼내 얼굴을 닦았다. "너한테 비밀로 해서 미안하다. 하지만 우리가 그런 짓을 한 건 후회하지 않아. 그 방법밖에 없었다."

"그게 문제가 아니에요. 리나는 자기가 어둠이 될 거라고 생각하고 있어요. 그래서 어둠의 주술사인지 몽마인지 알 수 없는 녀석과 도망쳤다고요. 나 때문에 리나가 위험해졌어요."

"터무니없는 소리. 그 아이는 널 사랑하기 때문에 그렇게 할 수밖에 없었어."

어렐리아 할머니가 바닥에 놓여 있던 공물들을 챙겼다. 뼈, 참새, 월석.

"그 무엇도 리나를 억지로 어둠으로 만들 수는 없다, 이선. 리나가 직접 선택하는 거야."

"하지만 리나는 자기가 메이컨을 죽였기 때문에 어둠이 됐다고 생각해요. 이미 선택되었다고 생각한다고요."

"그 생각이 틀린 거야." 리브가 말했다. 리브는 우리에게 우리만의 공간을 주기 위해 조금 떨어진 곳에 서 있었다.

링크는 리브 뒤로 몇 걸음 떨어진 곳에 있는, 낡은 돌 벤치에 앉아 있었다. "그럼 우리가 리나를 찾아서 말해 줘야지." 링크는 내가 죽었다가 살아났다는 말을 방금 듣고서도 아무런 반응을 보이지 않았다. 마치 달라진 건전혀 없다는 듯이 행동하고 있었다. 나는 링크에게 다가가 벤치에 나란히 앉았다.

리브가 나를 바라보았다. "너 괜찮아?"

리브. 나는 리브를 바라볼 수 없었다. 질투와 마음의 상처 때문에 내가 리브를 이 수라장 속으로 끌어들였다. 리나가 이제 날 사랑하지 않는다고 생각했기 때문에. 그건 바보짓이었다. 틀린 생각이었다. 리나는 나를 너무나 사랑한 나머지, 나를 구하기 위해 기꺼이 모든 것을 걸었다.

리나는 나를 포기하지 않는데, 나는 리나를 포기해 버렸다. 나는 리나에게 생명의 빚을 지고 있었다. 이렇게 간단한 것을.

내 손가락이 벤치 가장자리에 새겨진 뭔가에 닿았다. 글자였다.

서늘하고, 서늘하고, 서늘한
저녁에

내가 메이컨을 처음 만난 날 레이븐우드에서 들려오던 노래였다. 우연의 일치라고 하기에는 너무 잘 맞아떨어졌다. 하물며 이 세상에 우연의 일치란 존재하지 않는다는 점까지 생각하면… 이건 틀림없이 모종의 징조였다.

하지만 무슨 징조? 내가 메이컨에게 저지른 짓과 관련된 건가? 리나가 나를 구하는 대신 메이컨을 잃었다는 걸 깨달았을 때 과연 어떤 기분이었올지 나는 짐작조차 할 수 없었다. 만약 내가 엄마를 그런 식으로 잃었다면 어땠을까? 살아 있는 리나를 볼 때마다 죽은 엄마의 모습이 겹쳐 보이지 않았을까?

"잠깐만." 나는 벤치에서 일어나 나무들 사이의 오솔길로 달려갔다. 아까 우리가 왔던 그 길이었다. 나는 밤공기를 허파 깊숙이 들이쉬었다. 아직 살아 있으니 이렇게 숨도 쉴 수 있는 것이다. 마침내 달리기를 멈춘 나는 하늘의 별들을 올려다보았다.

리나도 이 하늘을 보고 있을까? 아니면 나는 결코 볼 수 없는 또 하나의 하늘을 보고 있을까? 그 두 하늘에 뜬 달들이 정말로 그렇게 다른 걸까?

나는 주머니에서 아크라이트를 꺼냈다. 리나를 찾을 방법을 알려 달라고. 하지만 아크라이트는 길을 보여 주지 않았다. 그 대신 다른 것을 보여 주었다….

메이컨은 아버지 사일러스를 전혀 닮지 않았다. 두 사람 모두 그것을 알고 있었다. 메이컨은 언제나 어머니인 어렐리아를 더 많이 닮은 편이었다. 강력한 빛의 주술사인 어렐리아. 사일러스는 뉴올리언스에서 대학에 다닐 때 어렐리아를 깊이 사랑하게 되었다. 메이컨이 듀크 대학에서 공부할 때 제인을 만나 사랑에 빠진 것과 비슷했다. 그리고 사일러스가 변환 이전에 어렐리아와 사랑에 빠진 것도 메이컨과 비슷한 점이었다. 그건 메이컨의 할아버지가 빛의 주술사와 관계를 맺는 것이 일족에게는 혐오스러운 일이라고 사일러스를 설득하기 전의 일이었다.

메이컨의 할아버지가 메이컨의 부모를 떼어 놓는 데는 몇 년이 걸렸다. 메이컨의 부모가 헤어진 것은 메이컨과 헌팅과 리가 이미 태어난 뒤였다. 메이컨의 어머니는 사일러스의 분노와 통제 불능의 식욕에서 도망치기 위해 예언자인 자신의 능력을 사용해야 했다. 어렐리

아는 리와 함께 뉴올리언스로 도망쳤다. 메이컨의 아버지는 어렐리아가 아들들을 데려가는 것을 용납할 사람이 아니었다.

이제 메이컨이 의지할 수 있는 사람은 어머니뿐이었다. 일반인과 사랑에 빠진 메이컨을 이해해 줄 수 있는 사람은 어머니뿐이었다. 그의 사랑은 흡혈 몽마인 일족에게 최악의 모독이었다.

흡혈 몽마는 악마의 병사였으니까.

메이컨은 자신이 찾아갈 거라는 사실을 어머니에게 미리 알리지 않았지만, 그래도 어머니는 메이컨을 기다리고 있을 터였다. 메이컨은 터널에서 뉴올리언스 여름밤의 달콤한 더위 속으로 올라왔다. 어둠 속에서 개똥벌레들이 깜박이고, 목련 향기는 숨이 막힐 듯 강렬했다. 어렐리아는 현관 베란다에서 낡은 나무 흔들의자에 앉아 레이스를 짜며 메이컨을 기다리고 있었다. 오랜만이었다.

"어머니, 도와주세요."

어렐리아는 뜨개바늘을 내려놓고 의자에서 일어섰다. "안다. 다 준비해 뒀어."

같은 몽마 일족을 제외하면, 몽마를 막을 수 있을 만큼 강력한 존재는 하나뿐이었다.

아크라이트.

아크라이트는 악한 것들 중에서도 가장 강력한 몽마를 통제하고 가둬 두기 위해 만들어진 중세의 무기로 알려져 있었다. 메이컨은 한 번도 아크라이트를 직접 본 적이 없었다. 남아 있는 아크라이트의 수가 워낙 적어서 찾아내기가 거의 불가능한 탓이었다.

하지만 어머니가 아크라이트를 하나 갖고 있었다. 그리고 지금 메이컨에게는 그것이 필요했다.

메이컨은 어머니를 따라 부엌으로 들어갔다. 어머니가 영들을 위한 제단 역할을 하는 작은 캐비닛을 열었다. 그리고 고대 주술사 언어인 니아드 문자가 새겨진 작은 나무 상자를 감싼 천을 벗겼다.

구하는 자는 찾을 것이다
부정한 자들의 집
진실의 열쇠

"네 아버지가 변환 전에 이걸 나한테 줬다. 레이븐우드 가문에 대
를 이어 전해지는 물건이야. 네 할아버지 말씀으로는 에이브러햄 할
아버지가 갖고 있던 물건이라더구나. 난 그 말이 맞다고 믿는다. 에이
브러햄의 증오와 독선이 여기 새겨져 있으니까."

어머니가 상자를 열자 새까만 구가 나타났다. 메이컨은 그걸 만져
보지 않아도 그것이 갖고 있는 에너지를 느낄 수 있었다. 그 매끈하게
빛나는 공 속에 영원히 갇혀 있게 될지도 모른다는 섬뜩한 가능성.

"메이컨, 명심해야 한다. 일단 한 번 이 아크라이트에 갇힌 몽마는
결코 혼자 힘으로는 밖으로 나오지 못해. 밖에서 해방시켜 주지 않는
한. 이걸 누군가한테 줄 때는, 반드시 그 사람을 믿는다는 확신이 있
어야 한다. 그 사람의 손에 네 목숨보다 더한 것을 맡기는 셈이니까.
수천의 생을 맡기는 것과 마찬가지야. 그 안에서 영원을 보내다 보면
수천 번이나 세상을 사는 것 같은 느낌이 들겠지."

어머니는 메이컨이 볼 수 있게 상자를 더 높이 들어 올렸다. 마치
그것을 보기만 해도 그 안에 갇혀 지내는 삶을 상상할 수 있기라도 한
것처럼.

"알아요, 어머니. 제인은 믿어도 되는 사람이에요. 제인만큼 정직
하고 원칙에 충실한 사람은 만난 적이 없어요. 게다가 제인은 저를 사
랑해요. 제가 어떤 존재인지 아는데요."

어렐리아는 메이컨의 뺨을 어루만졌다. "네 존재는 결코 잘못이 아

냐. 잘못이 있다면, 모든 게 내 잘못이지. 너를 이런 운명에 빠뜨린 건 바로 나니까."

메이컨은 허리를 굽혀 어머니의 이마에 입을 맞췄다. "사랑해요, 어머니. 어머니 잘못은 하나도 없어요. 그 사람의 잘못이에요."

그 사람이란 아버지였다.

어쩌면 사일러스야말로 제인에게 메이컨보다 더 위협적인 존재일 수 있었다. 사일러스는 레이븐우드 최초의 흡혈 몽마인 에이브러햄의 주장에 노예처럼 매여 있었다.

"그 사람 잘못이 아냐, 메이컨. 네 할아버지가 어떤 사람이었는지 네가 몰라서 그런 소리를 하는 거다. 네 아버지에게 자신의 뒤틀린 우월감을 심어 주려고 네 할아버지가 네 아버지를 얼마나 괴롭혔는지 몰라. 네 할아버지는 일반인들이 주술사와 몽마의 발아래에 있는 존재들이고, 몽마들의 욕망을 충족시켜 주는 피의 원천에 불과하다고 믿었어. 네 아버지는 그런 주장에 세뇌당한 거다. 예전에 네 할아버지가 그랬던 것처럼."

메이컨은 그런 이야기에는 관심이 없었다. 아버지에게 연민을 느끼지 않게 된 건 이미 오래전의 일이었다. 어머니가 사일러스의 어떤 점을 보고 사랑에 빠졌는지도 더 이상 궁금하지 않았다.

"이걸 어떻게 사용하는지 가르쳐 주세요." 메이컨은 조심스레 손을 뻗었다. "만져 봐도 돼요?"

"그래. 여기에 너를 가두려는 사람은 반드시 분명한 의도를 갖고 이걸로 너를 건드려야 한다. 하지만 분명한 의도가 있더라도 카르멘 데픽시오니스가 없으면 아무 소용이 없어."

어머니는 부적이 들어 있는 작은 주머니를 지하실 문에서 꺼내 들고 어두운 계단 아래로 사라져 버렸다. 그 주머니는 부두 주술사가 만들 수 있는, 가장 강한 보호 부적이었다. 어머니는 먼지 투성이 삼베로 싼 물건을 들고 돌아와 탁자 위에 놓고 삼베를 벗겼다.

레스폰숨이었다.

문자 그대로 번역하면, '답'이라는 뜻.

메이컨 일족을 다스리는 모든 법률들이 니아드 문자로 적혀 있었다.

모든 책들 중에서 가장 오래된 책인 레스폰숨은 온 세상에 겨우 몇 권밖에 없었다. 어머니는 금방이라도 바스라질 것 같은 책장들을 조심스레 넘겨 자신이 원하는 부분을 찾아냈다.

"카르케르."

감옥.

아크라이트를 그린 스케치는 지금 어머니의 부엌 식탁에 손도 대지 않은 에투페(밥 위에 조개나 닭고기 스튜를 끼얹은 요리 – 옮긴이)와 나란히 놓여 있는, 벨벳 안감 상자 속의 물건과 정확히 똑같은 모습이었다.

"어떻게 작동하는 거예요?"

"비교적 간단해. 가두고 싶은 몽마와 아크라이트를 함께 건드리면서 동시에 카르멘을 말하기만 하면 된다. 그럼 나머지는 아크라이트가 알아서 할 거야."

"카르멘도 그 책 속에 있어요?"

"아니, 그건 문자로 적어 두기에는 너무 강력한 힘을 지니고 있어. 그러니까 카르멘을 아는 사람에게서 배워서 머릿속에 담아 두는 수밖에 없다."

어머니는 누가 이야기를 들을까 무섭다는 듯이 목소리를 낮췄다. 그러고는 메이컨을 영원한 나락으로 떨어뜨릴 수 있는 주문을 속삭였다.

"콤프레헨데, 리가, 크루키 피게.

포획하라, 감금하라, 그리고 처형하라."

어렐리아는 상자 뚜껑을 닫아 메이컨에게 상자를 건네주었다. "조심해라. 아크에는 힘이 있어. 그리고 힘 안에는 밤이 있다."

메이컨은 어머니의 이마에 입을 맞췄다. "조심할게요."

메이컨은 떠나려고 돌아섰지만, 어머니의 목소리가 그를 불러 세웠다. "이게 필요할 거다." 어머니는 양피지에 글자를 몇 줄 적었다.

"이게 뭐예요?"

"그 문의 유일한 열쇠." 어머니는 메이컨이 겨드랑이에 낀 상자를 가리켰다. "널 다시 꺼내 줄 유일한 방법이다."

∽

나는 눈을 떴다. 나는 흙 위에 반듯이 누워서 별들을 올려다보고 있었다. 메리언 아줌마에게 들었던 것처럼, 이 아크라이트는 메이컨의 것이었다. 지금 메이컨이 어디 있는지는 알 수 없었다. 다른 세계에 있는지, 아니면 주술사들의 천국 같은 곳에 있는지. 메이컨이 내게 왜 이런 것들을 보여 주는지는 알 수 없었지만, 오늘 밤에 배운 것이 하나 있다면 무슨 일이든 반드시 이유가 있다는 점이었다.

그러니 너무 늦기 전에 메이컨이 이런 환영들을 보여 주는 이유를 알아내야 했다.

우리는 여전히 보나벤트라 공동묘지에 있었다. 비록 지금은 입구 근처까지 나와 있었지만. 나는 애마 아줌마에게 함께 돌아가지 않을 거라는 말을 굳이 하지 않았다. 말하지 않아도 애마 아줌마는 이미 알고 있는 것 같았다.

"이제 그만 가야겠어요." 나는 애마 아줌마를 끌어안았다.

애마 아줌마는 내 양손을 꼭 쥐어 주었다. 아주 세게. "한 번에 한 발짝씩 나아가야 한다, 이선 웨이트. 네 엄마는 이것이 네가 꼭 해야 하는 일이라고 생각하는 것 같지만, 나는 네가 한 발씩 내디딜 때마다 항상 지켜보고 있을 거야." 나를 곧장 집으로 돌려보내 평생 방에 가둬 두고 싶은 마음을 억누르고 이렇게 그냥 보내는 것이 애마 아줌마에게 얼마나 힘든 일인지 나는 잘 알고 있었다.

그만큼 지금 상황이 나쁘다는 뜻이었다. 애마 아줌마가 나를 그냥 보내 주는 것이 그 증거였다.

어렐리아 할머니가 앞으로 나서서 내 손에 뭔가를 쥐어 주었다. 애마 아줌마가 만드는 것들과 비슷한 작은 인형, 즉 부두 부적이었다. "난 네 어머니를 믿었다. 그리고 지금은 너를 믿고 있어. 이건 내가 너에게 행운을 빌어 준다는 뜻이다. 이번 일은 쉽지 않을 거야."

"옳은 일이 쉬운 적은 결코 없는 법이에요." 나는 엄마가 내게 수백 번이나 해 주던 말을 그대로 되풀이했다. 지금 나는 내 나름대로 엄마를 보내 주는 중이었다.

트윌라가 앙상한 손가락으로 내 뺨을 만졌다. "두 세계 모두에서 통하는 진리. 얻으려면 잃어야 한다. 우린 여기 오래 있지 않을 거다." 이건 경고였다. 마치 내가 모르는 뭔가를 트윌라는 알고 있는 것 같았다. 조금 전에 겪은 일들을 생각하면, 틀림없이 그럴 것 같았다.

애마 아줌마가 뼈만 앙상한 팔로 나를 감싸고 뼈가 으스러질 만큼 세게 나를 안아 주었다. "내가 너한테 행운을 만들어 주마. 내 방식으로." 애마 아줌마는 이렇게 속삭이고 나서 링크를 바라보았다. "웨슬리 제퍼슨 링컨, 너 반드시 무사히 돌아와야 한다. 안 그러면 네가 아홉 살 때 우리 집 지하실에서 뭘 했는지 네 엄마한테 이를 거야. 알았어?"

링크는 이 친숙한 협박에 싱긋 웃었다. "네, 아줌마."

애마 아줌마는 리브에게는 아무 말 하지 않았다. 리브가 있는 쪽을 향해 짧게 고개만 끄덕했을 뿐이다. 애마 아줌마 나름의 방식으로 자신이 귀하게 생각하는 사람이 누구인지를 보여 준 셈이었다. 리나가 나를 위해 어떤 일을 해 주었는지 나도 분명히 알게 되었으므로, 애마 아줌마가 리나를 어떻게 생각하는지에 대해서는 추호도 의심의 여지가 없었다.

애마 아줌마가 헛기침을 했다. "경비원들은 가 버렸다. 하지만 트윌라가 경비원들을 영원히 붙들고 있을 수는 없으니 얼른 가."

나는 철세공 문을 밀어 열었다. 링크와 리브가 내 뒤를 따랐다.

'내가 곧 갈게, L. 네가 나를 원하지 않아도 상관없어.'

지하로

➤ 6.19 ➤

우리는 한 마디 말도 없이 서배너 출입구가 있는 공원 쪽을 향해 걸었
다. 캐롤라인 이모의 집에는 들르지 않기로 했다. 캐롤라인 이모 집에 있는
델 이모가 반드시 우리를 따라오려고 할 것 같아서였다. 그렇게 결정을 내
리고 나자, 굳이 이야기해야 할 것이 전혀 없는 것 같았다. 링크는 강렬한
헤어젤의 도움 없이 머리카락을 뾰족하게 세워 보려 했고, 리브는 한두 번
셀레노미터를 확인한 뒤 작은 빨간색 공책에 뭐라고 적어 넣었다.

지금까지 늘 하던 일들.

하지만 늘 하던 일들이 지금은 조금 달라져 있었다. 동이 트기 전이라
주위는 아직 어두웠다. 머릿속이 요동치고 있었기 때문에 나는 자꾸만 비
틀거렸다. 오늘 밤은 악몽보다 더 혹독했다. 꿈이 아니니 깨어날 수도 없었
다. 눈을 감지 않아도 꿈이 보였다. 새라핀과 칼. 나 때문에 울고 있는 리나.

나는 한 번 죽었다.

얼마나 죽어 있었는지는 모르겠다.

몇 분?

몇 시간?

리나가 아니었다면, 나는 지금 '영원한 안식의 정원'에 묻혀 있을 것이다. 우리 가족묘 구역에 삼나무 관이 또 하나 묻혔을 것이다.

그때 내가 뭘 느꼈던가? 뭔가 보았던가? 그 일로 내가 달라졌나? 나는 셔츠 밑의 단단한 흉터를 만져 보았다. 이게 정말로 내 흉터일까? 아니면 또 다른 이선 웨이트, 끝내 죽음에서 깨어나지 못한 이선 웨이트가 겪었던 일의 기억이 이렇게 나타난 걸까?

모든 것이 혼란스럽고 흐릿했다. 리나와 내가 함께 꾸었던 그 꿈들처럼. 남극성이 사라진 날 리브가 내게 보여 준 두 하늘처럼. 무엇이 현실인가? 나는 리나가 한 일을 무의식적으로 알고 있었을까? 우리 사이에 있었던 모든 일의 바탕에 그것이 깔려 있음을 내가 감지한 걸까?

만약 자신의 선택이 어떤 결과를 가져올지 알았다면, 리나는 다른 선택을 했을까?

나는 리나 덕분에 살아났지만, 행복하지 않았다. 그저 모든 것이 부서져 버렸다는 느낌뿐이었다. 흙과 무(無)와 고독에 대한 두려움. 엄마와 메이컨을, 그리고 어떤 의미로는 리나마저 잃어버렸다는 상실감. 그리고….

살아남은 자의 주체할 수 없는 슬픔과 죄책감.

새벽의 포사이스 공원은 으스스했다. 이 공원에 사람들이 북적이지 않는 모습을 본 건 오늘이 처음이었다. 사람들이 없기 때문에 나는 하마터면 터널의 문을 알아보지 못할 뻔했다. 전차의 종소리도 들리지 않고, 관광객들도 없었다. 작은 개들도, 진달래를 다듬는 정원사도 없었다. 나는 오늘 이 공원을 거닐게 될 사람들, 살아 숨 쉬는 사람들을 생각해 보았다.

"너 지나쳤어." 리브가 내 팔을 잡아당겼다.

"뭐?"

"문 말이야. 그 앞을 그냥 지나쳤다고."

리브의 말이 옳았다. 나는 아치형 출입문을 미처 알아보지 못하고 지나쳐 버렸다. 주술사 세계가 항상 뻔히 보이는 곳에 미묘하게 감춰져 있다는 사실을 거의 잊어버리고 있었다. 일부러 찾지 않으면 터널의 외문을 알아볼 수 없었다. 아치 때문에 출입문에는 항상 그늘이 드리워져 있었다. 그것도 십중팔구 모종의 주술일 터였다. 링크가 문과 문틀 사이의 틈새로 가위를 집어넣어 최대한 빨리 작업을 시작했다. 그리고 끙 하는 소리와 함께 억지로 문을 열었다. 터널 안은 동 트기 전의 여름날보다도 훨씬 더 어두웠다.

"그런 방법이 통한다는 게 신기하다." 나는 고개를 절레절레 저었다.

"개틀린을 떠난 뒤로 내가 줄곧 생각해 봤는데⋯." 리브가 말했다. "확실히 이치에 맞아떨어지는 것 같아."

"시시껄렁한 정원 가위로 주술사 세계의 문을 여는 게 이치에 맞아떨어진다고?"

"그게 바로 세상의 이치의 묘미야. 말했지? 세상에는 마법의 우주와 물질적인 우주가 있다고." 리브가 하늘을 올려다보았다.

나도 리브의 시선을 따라갔다. "하늘이 두 개인 것처럼 말이지."

"그래. 둘 다 똑같이 현실이야. 서로 공존하는 거라고."

"그래서 녹슨 가위가 마법의 문을 열 수 있다고?" 내가 왜 놀랐는지 잘 모르겠다.

"항상 그런 건 아니야. 하지만 두 우주가 만나는 지점에는 항상 일종의 이음매 같은 게 있을 거 아냐. 안 그래?" 리브에게는 확실히 말이 되는 소리일 것 같았다.

나는 고개를 끄덕였다.

"한 우주의 장점이 다른 우주의 약점과 대응하는 건 아닌지 궁금해." 이건 리브가 내게 하는 말인 동시에 자신에게 하는 혼잣말이기도 했다.

"그러니까, 링크가 저 문을 쉽게 여는 건 그게 주술사에게는 불가능한 일이기 때문이라는 거야?" 링크는 지금까지 수상쩍을 정도로 쉽사리 문들을 열어 젖혔다. 하지만 리브는 링크의 엄마가 링크에게 처음으로 통금 조치를 내렸던 6학년 무렵부터 링크가 종종 자물쇠를 따곤 했다는 사실을 모르고 있었다.

"그럴지도 몰라. 아크라이트의 변화도 그렇게 설명할 수 있을지 모르고."

"아니면 이런 설명은 어때? 주술사 세계의 문이 쑥쑥 잘 열리는 건 내가 기운 세고 멋진 남자이기 때문이라고." 링크가 근육을 움찔거렸다.

"아니면 수백 년 전에 이 터널을 만든 주술사들이 정원 가위는 미처 생각하지 못했던 건지도 모르지." 내가 말했다.

"그래, 두 우주에서 모두 주술사들이 내가 지극히 기운 세고 멋진 남자라는 걸 미처 생각하지 못했기 때문이야." 링크는 가위를 다시 허리띠에 꽂았다. "숙녀께서 먼저."

리브가 터널 안으로 내려갔다. "쟤가 저러는 게 이젠 놀랍지도 않다."

우리는 계단을 통해 적막한 터널 안으로 다시 내려갔다. 터널 안은 완벽하게 고요했다. 심지어 우리의 발소리조차 들리지 않았다. 우리의 머리 위로 침묵이 두껍고 무겁게 내려앉았다. 일반인 세계의 지하에 있는 공기에는 지상의 공기 같은 가벼움이 전혀 없었다.

출입문의 맨 밑바닥에서 우리는 서배너로 올 때 걸었던 바로 그 어두운 길과 맞닥뜨렸다. 두 방향으로 갈라진 길. 우리가 있는 곳은 쉽게 발을 들여놓기 어려운 어두운 길이었고, 다른 한편에는 빛이 흘러넘치는 초원의 오솔길이 있었다. 우리 바로 앞에서 모텔의 낡은 네온 간판이 깜박였다. 그것만이 유일하게 달라진 점이었다.

루실이 그 밑에 동그랗게 누워 있는 것도. 네온 불빛이 루실의 털 위에서 깜박거렸다. 루실은 우리를 보고 하품을 하더니 한 번에 한 발씩 천천히 몸을 일으켰다.

"너 우리를 놀리는 것 같아, 루실." 링크가 쪼그리고 앉아서 루실의 귀를 긁어 주었다. 루실이 야옹거렸다. 아니, 듣기에 따라서는 으르렁거리는 것 같기도 했다. "아, 그래, 용서해 줄게." 링크에게는 모든 게 칭찬으로 들리는 모양이었다.

"이제 어쩌지?" 나는 갈라진 길을 바라보았다.

"지옥으로 가는 계단이냐 아니면 낙원으로 가는 길이냐, 이건가? 네 주머니의 그 마법 공한테 한번 물어보지 그러냐?" 링크가 일어섰다.

나는 주머니에서 아크라이트를 꺼냈다. 아크라이트는 아직도 빛을 내며 깜박거리고 있었지만, 우리를 서배너로 이끌어 주었던 에메랄드 색은 사라지고 없었다. 지금은 아주 짙은 파란색이었다. 위성 사진 속의 지구와 같은 색.

리브가 아크라이트를 만지자 손가락이 닿은 부분의 색깔이 더 짙어졌다. "파란색은 초록색보다 훨씬 더 강렬해. 그러니까 아크라이트의 색깔이 점점 강렬해지고 있는 것 같아."

"아니면 네 초능력이 점점 강해지고 있는 건지도 모르지." 링크가 나를 툭 밀치는 바람에 나는 하마터면 아크라이트를 떨어뜨릴 뻔했다.

"이게 왜 더 이상 길을 가르쳐 주지 않는 건지 궁금한 거냐?" 나는 기분이 상해서 아크라이트를 링크에게서 먼 쪽으로 떼어 놓았다.

링크가 어깨로 나를 툭 쳤다. "내 마음을 한번 읽어 봐. 아냐, 잠깐, 그래, 한번 날아 봐라."

"장난은 그만해." 리브가 쏘아붙였다. "이선의 어머니가 하신 말씀을 너도 들었잖아. 시간이 별로 없어. 아크라이트가 작동하든 안 하든, 우리는 답을 찾아내야 돼."

링크가 몸을 똑바로 폈다. 무덤가에서 목격한 모든 것의 무게가 지금 우리의 어깨를 짓누르고 있었다. 그 스트레스가 조금씩 겉으로 드러나기 시작했다.

"쉬. 잘 들어 봐…." 나는 높게 자란 풀들이 카펫처럼 깔려 있는 길 쪽으로 몇 걸음 나아갔다. 새들이 지저귀는 소리가 들려왔다.

나는 아크라이트를 들어 올리고 숨을 죽였다. 아크라이트가 검은색으로 변해서 어두운 길로 가라는 신호를 보냈어도 나는 놀라지 않았을 것이다. 어두운 건물들의 벽에 녹슨 비상 계단들이 구불구불 걸쳐 있고, 늘어선 문들에는 아무 표시도 없는 길. 그런 길이라도 우리에게 답을 알려 주기만 한다면 상관없었다.

하지만 이번에는 아니었다.

"저쪽 길은 어떤지 봐 봐." 리브가 아크라이트에서 눈을 떼지 않은 채 말했다. 나는 뒤로 물러났다.

역시 아무런 변화가 없었다.

아크라이트가 없으면, 길을 아는 자도 없었다. 특히 이 터널 안에서는 아크라이트가 없이 나 혼자서 길을 찾는 건 절대 불가능하다는 걸 나는 이미 알고 있었다.

"이게 답인 것 같다. 우린 망했어." 나는 아크라이트를 주머니에 넣었다.

"미치겠군." 링크는 주저 없이 햇빛이 가득한 길을 걷기 시작했다.

"너 어디 가?"

"기분 나쁘게 듣지는 마라. 네가 길을 아는 자답게 어디로 가야 할지에 대한 비밀스러운 열쇠를 쥐고 있는 게 아니라면, 난 저쪽 길로는 안 갈 거야." 링크는 어두운 길을 뒤돌아보았다. "내가 보기에 우린 어차피 길을 잃은 것 같은데, 안 그러냐?"

"그런 것 같지?"

"아니면 우리가 하는 일 중에 절반은 제대로 해낼 가능성이 50 대 50이라고 볼 수도 있겠지." 나는 링크에게 굳이 계산이 이상하다는 말을 하지 않았다. "그러니까 그냥 이《오즈의 마법사》길을 가면서 이제 좀 형편이

나아지려나 보다 하고 생각해 버려도 될 것 같아. 어차피 밑져야 본전이잖
냐." 링크가 이렇게 엉터리 논리를 내세울 때는 뭐라고 맞서기가 힘들었다.

"더 좋은 생각이라도 있냐?"

리브는 고개를 저었다. "정말 충격적인 일이지만, 없어."

우리는《오즈의 마법사》길로 갔다.

이쪽 터널은 정말이지 엄마가 갖고 있던 L. 프랭크 바움의 낡은 책《오
즈의 마법사》에서 곧장 튀어나온 것 같았다. 수양버들이 흙길 위에 늘어
져 있고, 지하인데도 하늘은 한없이 파랗게 펼쳐져 있었다.

고요한 풍경이었지만, 내게는 정반대의 효과를 냈다. 나는 어두운 그림
자에 익숙해져 있었다. 이 길은 지나치게 목가적이었다. 금방이라도 저 멀
리 야산들 위에서 벡스가 날아 내려올 것 같았다.

아니면 전혀 예상치 못한 순간에 집이 내 머리 위로 뚝 떨어지든지.

내 삶이 이렇게 이상해질 거라고는 미처 상상도 하지 못했다. 지금 이
길에서 나는 뭘 하고 있는 걸까? 어디로 가고 있는 걸까? 내가 이해할 수도
없는 세력들 사이의 싸움에 내가 뭐라고 끼어든 걸까? 내게 있는 것이라고
는 가출한 고양이, 둘도 없을 정도로 실력이 형편없는 드러머, 정원 가위,
그리고 오벌틴을 마시는 10대 갈릴레오뿐인데.

게다가 누가 구해 주는 걸 원치도 않는 여자애를 구하러 가는 길이라니.

"야, 기다려, 이 멍청한 고양이야!" 링크가 서둘러 루실의 뒤를 따라갔
다. 루실은 어느새 맨 앞에 서서 길을 아주 잘 안다는 듯이 지그재그 모양
으로 걷고 있었다. 아이러니했다. 나는 어디로 가야 할지 감도 잡히지 않
는데.

⌇

두 시간 뒤 태양은 여전히 빛나고, 나의 불안감은 계속 커지고 있었다.

리브와 링크는 내 앞에서 걷고 있었다. 리브 나름대로 나를 피하고 있는 중이었다. 내가 아니라면, 하다못해 이 상황만이라도 피하려는 거겠지. 당연한 일이었다. 리브는 우리 엄마도 보았고, 애마 아줌마의 말도 모두 들었다. 리나가 나를 위해 무슨 일을 했는지 리브도 다 알고 있었다. 리나의 어둡고 변덕스러운 행동을 충분히 이해할 수 있다는 것도. 아무것도 변하지 않았지만, 모든 행동의 바탕에 깔려 있는 이유들은 변했다. 올여름에만 벌써 두 번째로, 내가 마음을 쓰고 내게 마음을 써 주던 여자애가 차마 내 눈을 똑바로 들여다보지 못하고 있었다.

리브는 링크와 함께 길을 걸으며 영국식 욕설을 가르쳐 주고, 링크의 농담에 웃는 척하는 것으로 시간을 때우고 있었다.

"네 방은 그로티(grotty, 지저분하고 더럽다－옮긴이)하지? 네 차는 스캥키(skanky, 몹시 불쾌하고 혐오스럽다－옮긴이)하고. 아니, 맹키(manky, 지저분하다－옮긴이)하다고 할까?" 리브가 링크를 놀렸지만, 말투는 건성이었다.

"네가 그걸 어떻게 알아?"

"널 보면 알지." 마음이 다른 곳에 가 있는 것 같은 목소리였다. 링크를 놀려도 머릿속에 가득 찬 생각에서 벗어날 수 없는 모양이었다.

"내가 뭐 어때서?" 링크는 뾰족뾰족하게 세운 머리를 손으로 쓸면서 머리가 제대로 서 있는지 확인했다.

"어디 보자. 넌 말이야 기트(git, 쓸모없는 놈－옮긴이)야. 프랫(prat, 얼간이－옮긴이)이라고." 리브는 억지로 웃음을 지으려고 했다.

"그거 다 좋은 뜻이지?"

"물론이지. 최고의 칭찬이야."

정말 링크다웠다. 링크 특유의 아무 매력이 없는 매력은 아주 절망적인 인간관계마저 구해낼 수 있었다.

"저 소리 들려?" 리브가 걸음을 멈췄다. 대개 노랫소리를 듣는 건 나뿐이었는데 이번에는 달랐다. 게다가 이건 리나의 노래도 아니었다. 이 노래는 듣는 사람에게 최면을 거는 듯한 〈열일곱 개의 달〉의 목소리와는 거리가 멀어도 한참 멀었다. 노래 실력이 형편없었다. 죽어 가는 짐승의 노래 같았다. 루실이 털을 잔뜩 곤두세우고 야옹거렸다.

링크는 사방을 두리번거렸다. "저거 뭐야?"

"몰라. 아무래도…." 나는 말을 멈췄다.

"누가 곤경에 처한 것 같지?" 리브가 손을 귀에 갖다 댔다.

"나는 〈주의 친절한 팔에 안기세〉 같다고 하려고 했는데." 〈주의 친절한 팔에 안기세〉는 세 할머니들이 다니는 교회에서 사람들이 부르는 옛날 찬송가였다. 내 생각은 절반만 맞았다.

모퉁이를 돌자 프루 할머니가 셀마의 팔에 매달려 우리를 향해 걸어오면서 일요일 예배에서 찬송가를 부를 때처럼 노래를 부르고 있었다. 할머니는 꽃무늬가 있는 하얀 원피스에 하얀 장갑을 끼고, 아픈 다리를 위해 편안하게 만들어진 베이지색 신발을 신은 발을 질질 끌면서 걸었다. 할런 제임스가 그 뒤에서 달려오고 있었다. 크기가 프루 할머니의 가죽 핸드백만 했다. 셋 다 날씨 좋은 오후에 산책이라도 나온 것 같은 모습이었다.

루실이 야옹거리며 우리 앞의 길 위에 앉았다.

링크는 그 뒤에서 자기 머리를 긁적였다. "야, 내가 헛것을 보는 거냐? 정신이 조금 이상하신 너희 할머니랑 그 벼룩 투성이 개하고 아주 꼭 닮았는데." 처음에 나는 링크에게 아무 말도 하지 않았다. 이것이 마음을 조종하는 주술사들의 수작일 확률이 얼마나 되는지 계산하느라고 정신이 없었기 때문이다. 프루 할머니와의 거리가 웬만큼 가까워지면, 새라핀이 할머니의 거죽을 벗고 나타나 우리 셋을 죽여 버릴 것 같았다.

"혹시 새라핀인지도 몰라." 나는 머릿속의 생각을 소리 내어 말하며, 철저히 비논리적인 눈앞의 모습에서 어떻게든 논리를 찾으려고 애썼다.

리브는 고개를 저었다. "아닐걸. 변이체들이 다른 사람의 몸에 자기 모습을 투사할 수는 있지만, 동시에 두 사람 몸속에 들어갈 수는 없어. 아니지, 개까지 합하면 셋인가."

"누가 개까지 거기에 넣냐?" 링크가 얼굴을 찡그렸다.

내 마음 한켠에는 상황을 파악하는 건 나중에 하고 일단 여기서 도망치고 보자는 생각이 간절했다. 사실 그 생각이 내 마음을 거의 다 차지하고 있었다. 하지만 저들이 우리를 보았다. 상대가 진짜 프루 할머니인지 아니면 프루 할머니 흉내를 내는 이상한 생명체인지는 알 수 없지만, 어쨌든 상대방이 허공에서 손수건을 흔들었다. "이선!"

링크가 다시 나를 바라보았다. "도망칠까?"

"널 찾는 게 고양이 떼를 모는 것보다 더 힘들구나!" 프루 할머니가 외쳤다. 할머니는 발을 질질 끌며 최대한 빠른 걸음으로 풀밭을 건너오고 있었다. 루실은 고개를 움직이며 야옹거렸다. "셀마, 속도 좀 내 봐." 아직 거리가 있는데도 그 불편한 걸음걸이와 명령조의 말투는 틀림없었다.

"아냐, 진짜 할머니야." 어차피 도망치기에는 너무 늦었다.

"여긴 어떻게 내려오신 거야?" 링크도 나 못지않게 경악하고 있었다. 칼튼 이튼이 루나에 리브리에 우편물을 배달한다는 사실을 알았을 때도 놀랐지만, 백 살이 넘은 우리 할머니가 교회에 갈 때나 입는 옷을 차려입고 터널 안을 돌아다니는 모습을 보는 건 또 다른 문제였다.

프루 할머니는 지팡이를 풀밭에 박으며 오솔길을 걸어오고 있었다. "웨슬리 링컨! 너 거기 가만히 서서 이 할머니가 쓰러지는 걸 그냥 보기만 할 셈이냐? 빨리 와서 언덕 위까지 날 부축하지 못해?"

"네, 할머니. 그러니까, 지금 가요." 링크는 하마터면 발이 걸려 넘어질 뻔하면서도 얼른 달려가서 할머니의 팔짱을 꼈다. 나는 반대편 팔을 잡았다.

할머니를 만난 충격이 조금씩 가라앉기 시작했다. "프루 할머니, 여긴 어떻게 내려오셨어요?"

"너랑 같은 방법으로 내려왔겠지. 그 문을 통과해서 말이야. 미셔너리 침례교회 바로 뒤에 문이 하나 있거든. 내가 너보다 더 어렸을 때 성경 학교에서 몰래 도망치려고 그 문을 이용했었다."

"그럼 터널에 대해서는 어떻게 아셨는데요?" 나는 도무지 알 수가 없었다. 할머니가 우리 뒤를 따라온 걸까?

"죄인들이 술을 끊겠다고 한 약속보다 내가 여기 터널에 내려온 횟수가 더 많을걸. 이 마을의 일을 너만 안다고 생각하는 거냐?" 할머니도 알고 있었다. 할머니도 엄마나 메리언 아줌마나 칼튼 이튼 같은 사람이었다. 이런 저런 이유로 주술사 세계의 일부가 된 일반인.

"그레이스 할머니랑 머시 할머니도 아세요?"

"당연히 모르지. 그 둘은 자기 목숨이 걸려 있다 해도 비밀을 지킬 줄 몰라. 그래서 아버지가 나한테만 말해 주신 거다. 난 아무한테도 말 안 했어. 셀마만 빼고."

셀마가 다정한 표정으로 프루 할머니의 팔을 꼭 쥐었다. "할머니가 나한테 말해 주신 건 순전히 이제 혼자 힘으로는 계단을 내려올 수 없기 때문이야."

프루 할머니는 손수건으로 셀마를 찰싹 쳤다. "이런, 셀마, 왜 엉뚱한 소리를 하는 거야? 말도 안 되는 소리 꾸며 내지 마."

"애시크로프트 교수님이 우리를 찾아보라고 할머니를 보내신 거예요?" 리브가 불안한 표정으로 공책에서 눈을 들었다.

프루 할머니는 코웃음을 쳤다. "누가 나를 어디로 보내? 그럴 리가 있나. 이 나이에 누구 명령을 받을 수는 없지. 그냥 나 혼자 온 거다." 프루 할머니는 나를 가리켰다. "어쨌든 넌 애마가 널 찾으러 여기 내려와 있지 않기를 바라는 게 좋을 거다. 네가 떠난 뒤로 줄곧 뼈를 삶고 있었으니까."

프루 할머니가 진상을 알면 어떻게 될까?

"그럼 여긴 왜 내려오신 거예요, 프루 할머니?" 비록 프루 할머니가 주술사 세계에 대해 안다고 해도, 터널은 나이 많은 할머니에게 그다지 안전한 곳 같지 않았다.

"너한테 이걸 갖다 주려고 왔지." 프루 할머니가 가방을 열어서 우리가 그 안을 볼 수 있게 내밀었다. 바느질 가위와 쿠폰들과 킹 제임스판 휴대용 성경책 밑에 누렇게 변한 종이들이 깔끔하게 다발로 접혀 있었다. "어서, 가져가." 이건 나더러 바느질 가위로 내 몸을 찌르라고 말하는 거나 마찬가지였다. 난 절대로 할머니의 가방 안에 손을 집어넣을 생각이 없었다. 그건 남부의 예절을 지독하게 위반하는 짓이었다.

리브는 내가 망설이는 이유를 알아차린 모양이었다. "제가 해도 돼요?" 어쩌면 영국에서도 남자가 여자의 가방을 헤집는 게 예의에 어긋나는 일인지 모른다.

"그러라고 가져왔잖아."

리브는 프루 할머니의 가방에서 종이 다발을 부드럽게 꺼냈다. "정말 오래된 거네요." 리브는 부드러운 풀 위에서 종이 다발을 조심스레 펼쳤다. "설마 제가 생각하는 그 문서는 아니겠죠?"

나는 허리를 숙여 종이를 자세히 살펴보았다. 무슨 도면 같았다. 여기저기에 여러 색으로 표시가 되어 있고, 여러 사람의 다른 필체들이 보였다. 모눈종이 위에 선 하나하나를 완벽하게 측정해서 공들여 그린 그림이었다. 리브가 종이를 매끈하게 펴자 긴 선들이 서로 교차하는 것이 보였다.

"그거야 네가 무슨 문서를 생각하느냐에 따라 다르겠지."

리브의 손이 떨리고 있었다. "터널 지도군요." 리브는 프루 할머니를 올려다보았다. "죄송하지만 이걸 어디서 얻으셨는지 여쭤봐도 돼요? 이런 건 처음 봐요. 루나에 리브리에서도 본 적이 없어요."

프루 할머니는 빨간색과 하얀색 줄무늬가 있는 박하사탕을 가방에서 꺼내 포장지를 벗겼다. "우리 아버지가 주신 거다. 그전에는 할아버지가 아버지에게 주셨고. 땅바닥의 흙보다도 오래된 거야."

나는 말문이 막혔다. 리나는 자기가 없어지면 내 삶이 정상으로 돌아갈 거라고 생각했는지 모르지만, 그건 틀린 생각이었다. 저주인지 뭔지 우리 집안 사람들은 온통 주술사들과 얽혀 있었다.

게다가 주술사들의 지도까지 있다니, 우리에게는 다행한 일이었다.

"이건 아직 완성되려면 멀었어. 나도 한창 때는 지도를 잘 그렸지만, 관절염 때문에 망가졌지."

"내가 도우려고 했지만, 난 네 할머니처럼 소질이 없어서 말이야." 셀마는 미안한 표정이었다. 프루 할머니가 손수건을 흔들었다.

"할머니가 이걸 그리셨다고요?"

"내가 맡은 부분은." 할머니는 지팡이를 짚은 손에 힘을 주며 자랑스레 허리를 꼿꼿이 폈다.

리브가 감탄한 표정으로 지도를 뚫어지게 바라보았다. "어떻게요? 터널들은 한없이 뻗어 있는데요."

"한 번에 조금씩 그렸지. 이 지도에 터널이 전부 나와 있지는 않아. 남북 캐롤라이나의 터널이 대부분이고, 조지아의 터널도 조금 있다. 우리가 할 수 있었던 건 대충 거기까지야." 믿을 수가 없었다. 정신이 오락가락하시는 할머니가 주술사 터널의 지도를 그렸다고?

"그레이스 할머니랑 머시 할머니한테 정말로 안 들키셨어요?" 내가 기억하는 한 세 할머니는 항상 가까운 사이였기 때문에, 무슨 일을 하든 서로 여기저기서 부딪히곤 했다.

"우리가 옛날부터 줄곧 같이 산 건 아니야, 이선." 프루 할머니는 목소리를 낮췄다. 마치 머시 할머니와 그레이스 할머니가 이 이야기를 듣고 있을지도 모른다는 듯이. "게다가 나는 사실 목요일에 브리지 게임을 안 하거든." 나는 DAR의 다른 할머니들이 교회 사교실에서 카드 놀이를 하는 동안 프루 할머니가 주술사 터널의 지도를 그리는 모습을 상상해 보려고 했다.

"가져가라. 이 아래에서 계속 돌아다니려면 이게 필요할 거야. 한참 있다 보면 진짜 헷갈리거든. 어떤 때는 나도 어디가 어딘지 헷갈려서 사우스

캐롤라이나를 간신히 찾아갈 정도야."

"고맙습니다, 프루 할머니. 하지만…." 나는 말을 멈췄다. 어떻게 설명해야 할지 알 수 없었다. 아크라이트와 내가 본 환영들. 리나와 존 브리드와 장벽. 시기도 아닌데 불려 나온 달과 사라진 별. 게다가 리브의 손목에서 미친 듯이 돌아가고 있는 바늘들까지. 새라핀과 에이브러햄의 이야기도 있었다. 이건 개틀린에서도 가장 나이가 많은 할머니에게 들려줄 수 있는 이야기가 아니었다.

프루 할머니가 내 면전에서 손수건을 흔들며 내 말을 잘랐다. "다들 돼지 선발 대회에 나온 돼지처럼 어리둥절한 얼굴이구나. 엉덩이를 한 대 맞고 싶지 않으면 정신을 바짝 차리고 잘 들어."

"네, 할머니." 나는 할머니가 무슨 설교를 늘어놓을지 알 것 같았다. 하지만 내 짐작은 터무니없게 빗나갔다.

"잘 들어, 알았지?" 할머니가 앙상한 손가락으로 날 가리켰다. "칼튼이 박람회장에서 주술사의 문으로 침입한 녀석이 있다면서 내가 혹시 아는 게 있는지 살피러 왔다. 그다음에 듣자 하니, 그 두케인 집안의 여자아이가 사라졌다더구나. 너랑 웨슬리도 가출했고, 메리언이랑 같이 있던 여자애도… 그 왜, 차에 우유를 타서 먹는 애 말이야… 행방이 묘연하다고 했어. 아무리 개틀린이라지만, 우연의 일치라고 보기에는 너무하다 싶었지."

정말 놀라운 일이었다. 칼튼이 소문을 퍼뜨리고 있다니.

"무슨 일인지는 모르겠지만, 이게 필요할 거다. 그러니까 가져가. 난 이렇게 헛소리나 하고 있을 시간이 없다." 내 짐작이 옳았다. 할머니는 내색은 안 하지만 우리가 뭘 하려는 건지 알고 있었다.

"걱정해 주셔서 고맙습니다, 프루 할머니."

"걱정은 무슨. 네가 지도를 가져가기만 하면 걱정 없어." 할머니는 내 손을 토닥거렸다. "그 황금색 눈의 리나 두케인을 꼭 찾게 될 거다. 눈 먼 다람쥐도 가끔은 제가 먹을 열매를 찾아내는 법이니까."

"저도 그랬으면 좋겠어요, 할머니."

프루 할머니는 내 손을 토닥거리고는 지팡이를 잡았다. "그럼 이제 할머니랑 이야기하는 건 그만두고 얼른 골칫거리를 해결하러 가 봐. 빨리 가야 골칫거리도 줄어들지. 제발 아무 일도 없게 주님이 보살펴 주시기를." 할머니는 셀마를 데리고 멀어져 갔다.

루실은 한동안 그 둘의 뒤를 따라 뛰었다. 목에 걸린 방울이 딸랑거렸다. 프루 할머니가 걸음을 멈추고 미소를 지었다. "이 고양이가 아직 네 옆에 있구나. 때가 되면 이 녀석을 빨랫줄에서 내려 주려고 했는데. 이 녀석이 재주가 좀 있어. 두고 보면 알 거다. 이 녀석의 이름표도 아직 갖고 있지?"

"네, 할머니. 주머니에 있어요."

"그걸 목줄에 달려면 고리가 필요한데. 그거 잘 갖고 있어라. 내가 고리를 구해 줄 테니." 프루 할머니는 박하사탕을 또 하나 벗겨서 루실을 위해 바닥에 떨어뜨렸다. "네가 날 버리고 도망쳤다고 말해서 미안하구나. 하지만 그렇게라도 하지 않았으면, 머시는 내가 널 포기하는 걸 가만히 두고 보지 않았을 거야."

루실은 킁킁거리며 사탕 냄새를 맡았다.

셀마가 손을 흔들며 돌리 파튼처럼 활짝 웃었다. "행운을 빈다, 아가야."

나는 두 사람이 우리 뒤의 언덕을 내려가는 것을 지켜보며, 우리 집안 사람들에 대해 내가 모르는 게 또 있는지 궁금하다는 생각을 했다. 노망이 나서 제정신이 아닌 것처럼 보이지만 사실은 내 움직임을 하나도 놓치지 않고 지켜보는 사람이 또 있을까? 한가한 시간에 주술사들의 두루마리와 비밀을 지켜 주거나 개틀린 사람들 대부분이 존재하는 줄도 모르는 세계의 지도를 그리는 사람이 또 있을까?

루실이 사탕을 핥았다. 루실은 모든 걸 알고 있는지도 모르지만, 말을 할 수 없는 게 문제였다.

"좋아, 지도가 생겼으니 잘 된 거지?" 프루 할머니와 셀마가 사라진 뒤 링크는 한결 기분이 나아진 모양이었다.

"리브?" 리브는 내 말을 듣지 못하고, 한 손으로 자신의 공책을 뒤적이며 다른 손으로는 지도 위의 길을 더듬고 있었다.

"여기가 찰스턴이니까, 여기가 틀림없이 서배너일 거야. 그러니까 아크라이트가 남쪽 길을 찾을 수 있게 우리를 도와주고 있다고 가정하면, 해안을 향해서…."

"해안은 왜?" 내가 끼어들었다.

"정남쪽이니까. 이건 남극성을 따라가는 것과 같아. 기억하지?" 리브는 갑갑한 표정으로 허리를 펴고 앉았다. "길이 갈라지는 데가 너무 많아. 서배너 출입구에서 여기까지는 겨우 몇 시간 거리지만, 터널 안에서는 무슨 일이 생길지 알 수 없어." 리브의 말이 옳았다. 지상의 시간과 물리적 법칙이 이 지하 세계와는 일치하지 않으니, 누가 우리더러 여기가 중국이라고 해도 부정할 길이 없었다.

"여기가 어딘지 우리가 안다 해도, 이 지도에서 그 지점을 찾아내는 데 며칠이 걸릴 수도 있어. 하지만 우리한테는 지금 시간이 없잖아."

"그럼 지금부터라도 당장 지도를 살펴보자. 우리가 가진 거라고는 이 지도밖에 없잖아."

그래도 지도는 큰 힘이 되었다. 지도 덕분에 우리가 정말로 리나를 찾을 수 있을 것 같은 기분이 들었다. 지도가 우리를 목적지에 데려다 줄 거라는 믿음 때문인지, 아니면 내가 해낼 수 있다는 자신감 때문인지는 알 수 없었다.

어느 쪽이든 중요하지 않았다. 내가 너무 늦어 버리기 전에 리나를 찾아내기만 한다면.

제발 아무 일도 없게 주님이 보살펴 주시기를.

못된 여자아이

✦ 6.19 ✦

　나의 낙관적인 기분은 오래가지 않았다. 리나를 찾는 문제에 대해 생각하면 할수록, 덩달아 존도 생각하게 되었다. 만약 리브의 말이 옳다면? 그래서 리나가 내 기억 속의 그 여자아이로 돌아갈 생각이 전혀 없다면? 우리가 이미 너무 늦어 버린 거라면? 나는 리나의 손에 새겨진 검은 소용돌이무늬를 생각했다.

　그때 내 머릿속으로 뭔가가 살랑살랑 들어왔다. 처음에는 아주 흐릿했다. 순간적으로 리나의 목소리인 것 같다는 생각도 들었다. 하지만 친숙한 멜로디가 들려오는 바람에 내 생각이 틀렸음을 알 수 있었다.

> 열일곱 개의 달, 열일곱 해
>
> 상실을 알고, 두려움을 막는다
>
> 그를 기다리면 그가 나타난다
>
> 열일곱 개의 달, 열일곱 방울의 눈물…

나의 그림자 노래. 나는 엄마가 내게 무슨 말을 하려는 건지 열심히 생각해 보았다. '시간이 별로 없어.' 엄마의 이 말이 내 머릿속에서 덜걱거렸다. '그를 기다리면 그가 나타난다….' 엄마는 에이브러햄 이야기를 하고 있는 걸까?

정말로 그런 거라면, 난 어떻게 해야 하지?

나는 이 노래에 완전히 몰두한 나머지 링크가 내게 말하고 있다는 사실을 깨닫지 못했다. "너도 들었냐?"

"노래 말이야?"

"노래?" 링크는 우리에게 조용히 하라는 시늉을 했다. 링크는 노래가 아닌 다른 이야기를 하고 있었다. 우리 뒤쪽에서 마른 낙엽들이 바스락거리는 것 같은 소리, 낮은 바람 소리가 들렸다. 하지만 바람은 전혀 없었다.

"나는…." 리브가 입을 열었지만, 링크가 리브의 말을 막았다.

"쉬!"

리브는 눈을 흘겼다. "미국 남자들은 전부 너희처럼 용감한 거야?"

"나도 그 소리 들었어." 나는 주위를 두리번거렸지만 아무것도 보이지 않았다. 살아 있는 것은 하나도 없었다. 루실이 귀를 쫑긋 세웠다.

모든 것이 순식간에 벌어져서 뭐가 뭔지 따라갈 수가 없었다. 내가 들은 것은 살아 있는 것이 낸 소리가 아니었다.

소리를 낸 것은 헌팅 레이븐우드였다. 메이컨의 동생이자… 메이컨을 죽인 살인자.

내가 가장 먼저 본 것은 헌팅의 위협적이고 비인간적인 미소였다. 헌팅은 우리에게서 1미터 남짓 떨어진 곳에 나타났다. 어찌나 움직임이 빨랐는지 우리 눈에는 그저 흐릿한 것이 스치고 지나가는 것처럼 보였다. 그 뒤를 이어 몽마 둘이 차례로 나타났다. 느닷없이 허공을 찢으며 하나로 연결된 사슬들처럼 연달아 나타났다. 그리고 사슬이 조여들면서 그들이 우리를 둥글게 둘러쌌다.

모두 흡혈 몽마였다. 눈은 하나 같이 까만색이었고, 송곳니는 상아색이었다. 한 명만 예외였다. 리나의 사촌이자 헌팅의 추종자인 라킨. 그는 목에 긴 갈색 뱀을 둘둘 감고 있었다. 뱀의 눈도 라킨과 똑같이 노란색이었다.

그가 팔을 타고 미끄러져 내려오는 뱀을 고갯짓으로 가리켰다. "독사야. 아주 고약한 년이지. 이 녀석한테 물리면 큰일 나. 하기야 이 녀석한테 물리는 방법이 워낙 다양하니 어쩔 수 없겠지만."

"그래, 맞는 말이지." 헌팅이 송곳니를 드러내며 웃음을 터뜨렸다. 광기에 사로잡힌 것처럼 보이는 짐승 한 마리가 그 뒤에 웅크리고 있었다. 세인트버나드처럼 주둥이가 엄청나게 컸지만, 세인트버나드의 눈이 크고 아래로 처져 있는 데 비해 이 녀석의 눈은 예리하고 노란색이었다. 등의 털이 늑대처럼 빳빳하게 곤두서 있었다. 헌팅이 개인지 뭔지 모를 짐승을 데려온 것이다.

리브가 내 팔에 매달렸다. 리브의 손톱이 내 살갗을 파고들었다. 리브는 헌팅과 그 뒤의 짐승에게서 눈을 떼지 못했다. 아무래도 리브는 주술사들의 책 속에서만 흡혈 몽마를 본 모양이었다. "저건 팩하운드야. 피를 뒤쫓게 훈련된 녀석들. 가까이 가지 마."

헌팅이 담배에 불을 붙였다. "아, 이선, 일반인 여자 친구를 사귄 모양이지? 이제야 정신을 차렸군. 이번 여자 친구는 만만치 않겠는데." 헌팅은 자신의 형편없는 농담에 웃음을 터뜨리며, 완벽한 파란색 하늘을 향해 커다란 고리 모양의 담배 연기를 내뿜었다. "이래서야 원, 놓아주고 싶어지잖아." 팩하운드가 낮게 으르렁거리는 소리를 냈다. "꼭 그러겠다는 건 아니지만."

"우, 우릴 그냥 보내 줘요." 링크가 더듬더듬 말했다. "아무한테도 말 안 할게요. 맹세해요." 몽마 한 명이 웃음을 터뜨렸다. 헌팅이 고개를 홱 돌리자 그 악마는 끽 소리도 내지 못했다. 대장이 누구인지 확실히 알 수 있었다.

"너희가 누구한테 말하든 말든 상관없어. 사실 난 이목을 끄는 걸 좋아하거든. 조금 배우 기질이 있어서 말이야." 헌팅은 링크를 향해 한 걸음 다가섰지만, 그가 지켜보고 있는 사람은 나였다. "사실 말을 한다 해도, 누구한테 할 건데? 내 조카가 메이컨을 죽여 버렸으니 말이야. 나도 그런 일이 생길 줄은 몰랐지."

헌팅의 팩하운드가 입가에 거품을 물고 있었다. 다른 개들, 그러니까 겉모습만 인간처럼 보이는 몽마들도 마찬가지였다. 그중 한 명이 슬금슬금 리브에게 접근했다. 리브는 화들짝 놀라서 내 팔을 잡은 손에 더욱 힘을 주었다.

"그런다고 우리가 겁을 먹을 것 같아요?" 나는 강한 척하려고 했지만, 속는 사람은 하나도 없었다. 이번에는 놈들이 모두 한꺼번에 폭소를 터뜨렸다.

"우리가 너희한테 겁을 주려고 이러는 것 같아? 네 머리가 그보다는 더 잘 돌아가는 줄 알았는데. 이 녀석들이랑 나는 지금 배가 고프단다. 아침식사를 못 했거든."

리브가 기어들어가는 목소리로 말했다. "설마…."

헌팅이 리브에게 한쪽 눈을 찡긋했다. "걱정 마, 귀여운 아가씨. 우리가 그 예쁜 목을 물기만 하면, 너도 우리처럼 될 수 있어." 나는 숨이 턱 막혔다. 몽마들이 인간을 자기들 일족으로 바꿔 버릴 수도 있다는 생각은 지금까지 한 번도 해 본 적이 없었다.

그게 정말로 가능한 일일까?

헌팅이 푸른 종 모양의 꽃들이 피어 있는 곳으로 담배꽁초를 튕겼다. 순간적으로 지금 이 상황이 정말 아이러니하다는 생각이 들었다. 가죽옷을 입고 담배를 피워 대는 몽마들이 〈사운드 오브 뮤직〉의 한 장면 같은 초원에 서서 우리를 죽이려 하는데, 나무 위에서는 새들이 노래를 부르고 있다니. "너희 셋이랑 잡담을 나누는 게 재미있기는 하다만, 점점 지루해지는군. 내가 한 가지 일에 오래 집중하는 성격이 아니라서 말이야."

헌팅이 목을 홱 돌렸다. 인간이라면 도저히 돌릴 수 없는 각도로. 헌팅은 나를 죽일 것이고, 그의 동료들은 링크와 리브를 죽일 것이다. 심장이 정신없이 벌렁거리는 가운데에서도 내 머리는 지금 상황을 이해하려고 애썼다.

"빨리 해치워요." 라킨이 뱀과 똑같이 끝이 갈라진 혀를 날름거리며 말했다.

리브는 내 어깨에 얼굴을 묻었다. 이제부터 벌어질 일을 차마 보고 싶지 않은 모양이었다. 나는 차분하게 생각을 해 보려고 애썼다. 나는 헌팅의 상대가 되지 못했지만, 그래도 누구한테나 아킬레스건이 있는 법이다. 그렇지?

"내가 신호한다." 헌팅이 으르렁거리듯이 말했다. "한 놈도 살려 두지 마."

내 머리가 정신없이 돌아갔다. 아크라이트. 나는 몽마에게 대항할 수 있는 궁극의 무기를 갖고 있었지만, 사용법을 몰랐다. 나는 주머니를 향해 손을 움직였다.

"안 돼." 리브가 속삭였다. "소용없어." 리브는 눈을 꼭 감았고, 나는 리브를 꼭 끌어당겼다. 내가 마지막으로 생각한 것은 내게 아주 소중한 두 여자아이였다. 이제 결코 구해 줄 수 없게 되어 버린 리나와 나 때문에 곧 죽음을 맞게 될 리브.

하지만 헌팅은 우리를 공격하지 않았다.

대신 고개를 어색하게 한쪽으로 살짝 기울였다. 마치 다른 늑대의 소리에 귀를 기울이는 늑대 같았다. 그러더니 뒤로 물러났다. 다른 몽마들도 그를 따라했다. 심지어 라킨과 악마 같은 세인트버나드도 마찬가지였다. 헌팅의 부하들은 혼란에 빠져 두리번거리며 서로를 바라보았다. 그들은 헌팅을 뚫어지게 바라보며 지시를 기다렸지만, 헌팅은 아무런 지시도 내리지 않았다. 오히려 천천히 뒤로 물러났다. 다른 녀석들도 그 뒤를 따랐다. 우리한테 다가들던 녀석들이 이제 반대로 움직이고 있는 것이다. 헌팅의 표정이 변해서 다시 사람과 가까운 모습이 되었다. 비록 그의 참모습은 악마이지만.

"무슨 일이지?" 리브가 속삭였다.

"글쎄." 헌팅과 그 부하들이 계속 빙글빙글 돌면서 우리에게서 멀어지는 것으로 보아 혼란에 빠져 있음이 분명했다. 뭔가가 놈들을 조종하고 있는 듯했다. 도대체 뭐지?

헌팅이 나와 눈을 마주쳤다. "나중에 보자. 곧 다시 만나게 될 거야." 그들은 우리에게서 멀어지고 있었다. 헌팅은 뭔가를, 아니면 누군가를 떨쳐 내려는 것처럼 계속 고개를 흔들었다. 저 무리에게 새로운 지도자가 나타난 모양이었다. 헌팅이 따를 수밖에 없는 지도자가.

그 지도자는 설득력이 대단했다.

게다가 아주 예쁘기까지 했다.

리들리가 그들 뒤로 2미터쯤 떨어진 나무에 기대서 막대사탕을 빨고 있었다. 몽마들이 한 명씩 차례로 사라졌다.

"저건 누구야?" 리브가 리들리를 보고 말했다. 분홍색 줄무늬가 있는 금발, 멜빵 같은 것이 달린 괴상한 미니스커트, 뾰족뾰족한 장식이 달린 샌들로 치장한 리들리의 모습이 목가적인 풍경 속에서 이상하게 보이지 않는 것이 이상했다. 리들리는 주술사 세계의 빨간 모자 같았다. 사악한 할머니에게 독이 든 머핀을 가져가고 있는 걸까? 클럽 추방에서는 리브가 리들리를 제대로 보지 못했는지 몰라도, 지금은 리들리를 안 보려야 안 볼 수가 없었다.

링크의 시선이 리들리의 시선과 얽혔다. "진짜 못된 여자야."

리들리가 평소 때처럼 자신감이 넘치는 모습으로 우리를 향해 한가로이 걸어왔다. 그리고 막대사탕을 풀밭에 던져 버렸다. "젠장, 진짜 힘들었어."

"네가 우릴 구해 준 거야?" 리브는 여전히 얼이 빠진 표정이었다.

"당연하지, 메리 포핀스. 고맙다는 말은 나중에 해도 돼. 빨리 여길 벗어나야 되니까. 라킨은 바보지만, 헌팅 삼촌의 능력은 장난이 아냐. 삼촌한테는 내 힘이 오래가지 않을 거야." 리들리의 오빠와 삼촌이라…. 리나의 가계도에서 떨어진 썩은 사과들이었다. 리들리가 내 팔에 시선을 집중했다. 아니, 내 팔을 감고 있는 리브의 팔에 시선을 집중했다고 해야 할 것이다. 리들리가 선글라스를 벗자 노란색 눈이 빛을 발했다.

리브는 그걸 알아차리지 못한 모양이었다. "미국인들은 왜 그래? 만날 메리 포핀스라지. 미국인들이 아는 영국 캐릭터가 메리 포핀스밖에 없는 거야?"

"우리가 제대로 인사를 나눈 적이 없는 것 같은데. 요즘은 어딜 가나 네가 있는 것 같은데도 말이지." 리들리가 눈을 가늘게 뜨며 나를 바라보았다. "난 리나의 사촌 리들리야."

"난 리브야. 이선이랑 같이 도서관에서 일해."

"뭐, 전에는 주술사 클럽에서, 지금은 주술사 터널에서 너를 봤으니, 도서관이라는 것도 개똥에 있는 그 촌스런 도서관을 말하는 게 아니겠지? 그럼 네가 보관자라는 뜻인데. 맞아?"

리브는 내 팔을 놓았다. "사실 난 아직 교육을 받는 중이야. 하지만 그동안 꽤 공부를 많이 했어."

리들리는 리브를 위아래로 훑어보고는 껌의 포장지를 벗겼다. "사이렌을 보고도 못 알아보는 걸 보니, 공부를 아주 많이 한 것 같지는 않은데." 리들리가 껌으로 풍선을 불었다. 풍선은 리브의 면전에서 펑 하고 터졌다. "우리 삼촌이 제정신을 차리기 전에 얼른 가자."

"우린 널 따라갈 생각 없어."

리들리는 손가락으로 껌을 감으며 눈을 흘겼다. "우리 삼촌의 점심 식사가 되고 싶다면 마음대로 해. 선택은 네가 하는 거니까. 하지만 미리 말해두는데, 삼촌은 식사 예절이 형편없어."

"왜 우리를 도운 거야? 뭘 노리는 거야?" 내가 물었다.

"노리는 거 없어." 리들리는 링크를 바라보았다. 링크는 리들리를 본 충격에서 아직도 회복하는 중이었다. "내 장난감이 무슨 일을 당하게 내버려 둘 수가 없어서 말이야."

"내가 너한테 그렇게나 소중하다고?" 링크가 쏘아붙였다.

"그렇게 상처받은 얼굴 하지 마. 그래도 사귀는 동안에는 재미있었잖아." 상처받은 건 링크인지 몰라도, 지금 불편한 표정을 짓고 있는 건 리들리였다.

"네가 그렇다면 그런 거겠지, 베이비."

"베이비라고 부르지 마." 리들리는 머리카락을 뒤로 넘기고, 풍선을 또 터뜨렸다. "날 따라오든지, 아니면 그냥 여기 남아서 너희들끼리 우리 삼촌이랑 싸워 보든지 알아서 해." 리들리는 나무들 사이로 성큼성큼 걸어갔다. "내가 그 흡혈 무리의 머릿속에서 나오자마자 놈들이 너희 뒤를 쫓을 테니까."

흡혈 무리라. 끝내주는군. 그런 이름이 있을 줄이야.

리브는 우리 모두 생각하고 있던 말을 했다. "리들리가 옳아. 그 무리가 우리를 뒤쫓는다면, 금방 우리를 따라잡을 거야." 리브는 나를 바라보았다. "선택의 여지가 없어." 리브는 리들리의 뒤를 따라 숲 속으로 사라졌다.

나는 리들리를 따라가고 싶은 생각이 전혀 없었지만, 흡혈 몽마 무리에게 목숨을 잃는 것도 그다지 매력적인 대안은 아니었다. 서로 말로 의논하지 않았는데도, 링크도 같은 생각을 했는지 나와 함께 리들리와 리브의 뒤를 따랐다.

리들리는 어디로 가야 하는지 정확히 알고 있는 것 같았다. 하지만 리브는 계속 지도를 들고 있었다. 리들리는 오솔길을 무시하고 초원을 가로질러 저 멀리 나무들이 모여 있는 곳을 향했다. 샌들을 신었는데도 빨리 걷는 데는 전혀 지장이 없는 모양이었다. 오히려 우리 셋이 리들리를 따라가기 힘들 정도였다.

링크가 리들리를 따라잡으려고 우리보다 앞서서 뛰었다. "말해 봐, 여긴 진짜로 왜 온 거야, 리드?"

"한심한 소리라는 건 알지만, 너랑 너의 즐거운 바보 패거리를 도우러 온 거야."

링크는 억눌린 웃음소리를 냈다. "그래, 어련하시겠어. 이제 막대사탕은 효과가 없으니까 다른 구실을 대 봐."

나무들이 가까워질수록 풀들이 훨씬 높게 자라 있었다. 우리가 워낙 빨리 걷고 있었기 때문에, 내 정강이가 풀잎에 베였지만 나는 걸음을 늦추지 않았다. 링크 못지않게 나 역시 리들리가 무슨 꿍꿍이인지 알고 싶었다.

"특별히 무슨 생각이 있어서 온 게 아냐, 작은 고추. 너 때문에 온 것도 아냐. 내 사촌을 도우러 온 거야."

"넌 리나가 어찌 되든 관심 없잖아." 내가 쏘아붙였다.

리들리가 걸음을 멈추고 돌아서서 나를 정면으로 바라보았다. "내가 관심 없는 게 뭔지 알아, 남자 친구? 너야. 그런데 무슨 이유인지 몰라도 너랑 내 사촌이 서로 연결돼 있어. 너무 늦기 전에 돌아가자고 걔를 설득할 수 있는 사람은 아마 너뿐일 거야."

나는 걸음을 멈췄다.

리브가 차가운 표정으로 리들리를 바라보았다. "장벽에 도착하기 전에 설득하자는 거야? 그곳을 걔한테 가르쳐 준 건 너잖아."

리들리는 눈을 가늘게 뜨고 리브를 흘깃 바라보았다. "애한테 상을 줘야 겠네. 보관자라서 그런지 아는 것도 있구나." 리브는 웃지 않았다. "하지만 장벽에 대해 걔한테 말해 준 건 내가 아냐. 존이지. 존은 장벽에 집착하고 있거든."

"존? 네가 리나한테 소개해 준 그 존 말이야? 네가 리나한테 함께 도망 치라고 설득한 그 남자?" 나는 고함을 지르고 있었다. 흡혈 무리가 내 소리를 듣든 말든 상관없다는 심정이었다.

"진정해, 남자 친구. 네가 믿든 안 믿든 리나가 스스로 결정을 내린 거야." 리들리의 목소리에 날선 기운이 조금 덜했다. "리나가 가고 싶어 한 거라고."

나는 리나와 존이 있는 그대로의 모습으로 받아들여질 수 있는 곳에 대해 이야기하던 것을 떠올렸다. 리나가 그곳에 가고 싶어 한 건 당연한 일이었다. 리나가 평생을 꿈꾸던 게 바로 그런 곳이었으니까.

"그런데 왜 갑자기 생각이 바뀐 거야, 리들리? 왜 이제 와서 리나를 막으려고 하는 거냐고."

"장벽은 위험해. 리나가 생각하는 거랑은 달라."

"새라핀이 열일곱 번째 달을 일찍 끌어내리려고 하는 걸 리나가 모른다는 소리야? 하지만 넌 알고 있었어, 그렇지?" 리들리는 시선을 피했다. 내 말이 맞다는 뜻이었다.

리들리는 손톱에 바른 보라색 매니큐어를 잡아 뜯었다. 주술사든 일반인이든 불안할 때의 버릇은 비슷한 모양이었다. 리들리가 고개를 끄덕였다. "새라핀은 그걸 혼자 하고 있는 게 아냐."

엄마가 메이컨에게 쓴 편지가 내 머리를 스쳤다. 에이브러햄. 새라핀은 에이브러햄과 함께 움직이고 있었다. 달을 불러낼 수 있게 도와줄 수 있는 힘이 에이브러햄에게 있었으니까.

"에이브러햄이군." 리브가 조용히 말했다. "그것 참 훌륭하네."

링크가 나보다 먼저 반응을 보였다. "그런데 넌 그걸 리나한테 말 안 했어? 너 진짜 그 정도로 망가진 거야?"

"나는…."

나는 리들리의 말을 잘랐다. "얘는 겁쟁이야."

리들리는 허리를 꼿꼿이 폈다. 노란 눈이 분노로 이글거렸다. "내가 겁쟁이가 된 건 죽고 싶지 않기 때문이야. 내 이모랑 그 괴물이 알면 나한테 무슨 짓을 할지 알아?" 리들리의 목소리는 떨리고 있었지만, 리들리는 그걸 감추려고 애썼다. "너도 그 둘과 한번 맞서 봐, 남자 친구. 에이브러햄을 보면 리나의 엄마는 저기 있는 작은 새끼 고양이처럼 보일 테니까."

루실이 씩씩거리며 위협적인 소리를 냈다.

"리나가 장벽에 가지만 않으면, 그런 건 상관없어. 그리고 리나를 막으려면 빨리 움직여야 돼. 나도 길은 몰라. 그냥 그 둘이랑 헤어진 장소를 알고 있을 뿐이야."

"그럼 너희는 장벽까지 어떻게 갈 생각이었어?" 리들리의 말이 진실인지 거짓인지 도저히 알 수 없었다.

"존이 길을 알아."

"그럼 존은 새라핀이랑 에이브러햄이 거기 있다는 걸 알아?" 존이 처음부터 리나를 함정 속으로 끌어들인 걸까?

리들리는 고개를 저었다. "그건 나도 몰라. 존은 마음을 읽기가 힘들어. 존도 나름대로… 해결할 문제가 있어."

"우리가 무슨 수로 리나를 설득할 수 있겠어?" 나는 이미 리나에게 도망치지 말라고 설득해 보았지만, 별로 효과가 없었다.

"그건 네가 알아서 해야지. 어쩌면 이게 도움이 될지도 몰라." 리들리가 낡은 스프링노트를 내게 던져 주었다. 그건 어디서든 내가 알아볼 수 있는 물건이었다. 리나가 거기에 글을 쓰는 걸 줄곧 지켜봤으니까.

"리나의 공책을 훔쳐 온 거야?"

리들리는 머리카락을 뒤로 넘겼다. "훔쳤다는 말은 좀 그렇지? 빌려 온 거야. 넌 나한테 고마워해야 돼. 반쯤은 정신 나간 그 웃기지도 않는 낙서 속에 쓸 만한 게 있을지도 모르니까."

나는 배낭의 지퍼를 열고 공책을 집어넣었다. 리나의 물건을 다시 손에 쥐게 된 기분이 묘했다. 이제 내 가방 속에는 리나의 비밀이 들어 있고, 내 옷의 뒷주머니에는 엄마의 비밀이 들어 있었다. 내가 앞으로 얼마나 더 많은 비밀들을 감당할 수 있을지 알 수 없었다.

리브는 리나의 공책보다 리들리의 저의에 더 신경이 쓰이는 모양이었다. "잠깐. 그러니까 우리더러 네가 착한 편이라고 믿으라는 거야?"

"뭐? 난 뼛속까지 나쁜 사람이야. 게다가 네가 뭘 믿든 안 믿든 내가 알 게 뭐야." 리들리는 곁눈질로 나를 쏘아보았다. "사실 난 애당초 네가 여긴 왜 있는 건지 아직도 잘 모르겠어."

나는 리들리가 또 막대사탕을 꺼내 리브가 헌팅의 간식거리로 스스로 몸을 바치게 만들 것 같아서 미리 끼어들었다. "그러니까 그게 전부야? 그냥 우리가 리나를 찾는 걸 도와주고 싶다고?"

"맞아, 남자 친구. 우리가 서로 호감은 없을지 몰라도, 하고 싶은 일은 같아." 리들리는 리브에게 시선을 돌렸지만, 말은 내게 했다. "우린 똑같은 사람을 사랑하는데, 지금 걔가 곤경에 처했어. 그래서 걔들을 따돌리고 도망친 거야. 그러니까 우리 삼촌이 쫓아오기 전에 얼른 움직이자고."

링크는 리들리를 빤히 바라보았다. "야, 일이 이렇게 될 줄은 몰랐는데."

"지나치게 의미를 부여하지 마. 리나를 설득하기만 하면 난 다시 원래대로 나쁜 편이 될 거니까."

"그거야 모르는 일이지, 리드. 만약 우리가 사악한 마녀를 죽인다면, 오즈의 마법사가 너한테 심장을 줄지도 몰라."

리들리는 스파이크가 달린 샌들로 진흙을 콱 밟으며 돌아섰다. "내가 그런 걸 원할 줄 알고?"

대가

✦ 6.19 ✦

우리는 리들리를 열심히 쫓아갔다. 리들리는 나무들 사이를 요리조리 잘도 빠져나갔다. 리브는 리들리 뒤에서 지도와 셀레노미터를 계속 참조했다. 우리와 마찬가지로 리브 역시 리들리를 믿지 않기 때문이었다.

뭔가가 마음에 걸렸다. 내 마음 한구석은 리들리를 믿었다. 어쩌면 리들리가 정말로 리나를 아끼는 건지도 모른다고. 그럴 가능성은 별로 높지 않았지만, 만약 리들리의 말이 진실일 가능성이 조금이라도 있다면 나는 리들리를 따라가는 수밖에 없었다. 리나에게 무슨 수를 써도 갚을 수 없는 빚을 지고 있으니까.

우리 둘이 미래를 기대할 수 있을지는 알 수 없었다. 내가 사랑에 빠졌던 그때의 모습으로 리나가 돌아올 수 있을지도 알 수 없었다. 하지만 그런 건 중요하지 않았다.

주머니 안의 아크라이트가 점점 달아오르고 있었다. 나는 아크라이트를 꺼냈다. 무지개 빛깔로 변해 있을 줄 알았는데, 아크라이트의 표면은 검은색이었다. 거기에 비친 내 얼굴밖에는 아무것도 보이지 않았다. 아크라이트는 단순히 고장 난 정도가 아닌 것 같았다. 완전히 제멋대로 굴고 있었다.

리들리가 아크라이트를 보고 눈을 휘둥그렇게 떴다. 그리고 한참 만에 처음으로 걸음을 멈췄다. "그거 어디서 났어, 남자 친구?"

"메리언 아줌마가 주셨어." 나는 이것이 원래 엄마의 물건이었다는 사실을 리들리에게 알리고 싶지 않았다. 엄마에게 이것을 준 사람이 누구인지도 역시 말해 주기 싫었다.

"뭐, 그게 있으면 조금 나을지도 모르겠다. 네가 헌팅 삼촌을 그 안에 가둘 수는 없겠지만, 그쪽 무리 중 한 명쯤은 가둘 수 있을지도 모르지."

"난 사실 이거 사용법을 잘 몰라." 이런 말도 하지 않으려고 했지만, 일단은 사실대로 말했다.

리들리는 한쪽 눈썹을 올렸다. "저 박학다식 양도 모르시는 거야?" 리브의 뺨이 붉게 달아올랐다. 리들리는 분홍색 껌 포장지를 천천히 벗긴 뒤 껌을 접어 입안에 넣었다. "그걸 상대한테 갖다 대면 돼." 리들리가 내게 한 발짝 다가왔다. "그러니까 네가 가까이 가야 한다는 뜻이지."

"그럼 그러지 뭐." 링크가 리들리를 밀치며 나아갔다. "우린 둘이야. 그러니까 저걸 쓸 수 있어."

리브는 귀 뒤에 연필을 꽂았다. 리브는 지금까지 그 연필로 메모를 적고 있었다. "어쩌면 링크 말이 옳을지도 몰라. 나도 그 사람들 옆에 가까이 가고 싶지는 않지만 선택의 여지가 없다면 한번 시도해 볼 가치는 있을 거야."

"그러려면 주술을 걸어야 돼. 주문도 외고 이것저것 해야 한다고." 리들리는 나무에 기대서서 이죽거렸다. 우리가 그 주문을 모른다는 걸 리들리는 알고 있었다. 루실은 리들리의 발치에 앉아 리들리를 유심히 살피고 있었다.

"네가 그 주문을 우리한테 알려 줄 생각은 없는 거겠지?"

"나도 모르는걸. 그런 게 여기저기 굴러다니는 것도 아니니까 말이야."

리브는 무릎 위에 지도를 펼치고 꼼꼼하게 폈다. "지금 우리는 맞는 길로 가고 있어. 계속 동쪽으로 가다 보면, 해안이 나올 거야." 리브는 나무들이 밀집해 있는 곳을 가리켰다.

"어느 쪽? 저 숲?" 링크는 믿기 힘들다는 표정이었다.

"겁내지 마, 작은 고추. 내가 핸젤을 맡을 테니 넌 그레텔을 맡아." 리들리가 링크에게 한쪽 눈을 찡긋했다. 마치 아직도 링크에게 힘을 행사할 수 있다는 듯이. 물론 리들리는 아직도 링크에게 힘을 쓸 수 있었지만, 그건 사이렌의 능력과는 아무 상관이 없었다.

"난 혼자서도 괜찮아. 넌 껌이나 하나 더 씹지 그래?" 링크가 또 리들리를 밀쳤다.

어쩌면 리들리는 수두와 같은 건지도 모른다. 한 번만 걸리고 나면 면역이 생기는 병.

⁓

"오줌을 싸는 데 시간이 얼마나 걸릴까?" 리들리는 빨리 움직이고 싶어서 안달하며 덤불 쪽으로 돌멩이를 던졌다.

"소리 다 들려." 링크의 목소리가 덤불 쪽에서 날아왔다.

"네 신체 기능 중에 적어도 일부는 정상인 것 같으니 다행이네."

리브는 나를 보며 어이없다는 표정을 지었다. 링크와 리들리는 시간이 흐를수록 서로에게 으르렁거리고 있었다.

"넌 그냥 조용히 있기나 해."

"내가 가서 도와줄까?"

"말로만 떠들지 마, 리드." 링크가 덤불 뒤에서 소리쳤다. 리들리가 일어서려 하자 리브는 충격을 받은 모양이었다. 리들리는 만족스러운 표정으로 싱긋 웃으며 다시 앉았다.

나는 손에 쥐고 있는 아크라이트를 살펴보았다. 검은색이 은은한 초록색으로 변했다. 쓸모 있는 변화는 아니었다. 그냥 계속되는 자극에 색이 변한 것뿐이었다. 어쩌면 링크의 말대로 내가 이걸 고장 내 버린 건지도 모르 겠다는 생각이 들었다.

리들리는 혼란스러운 표정이었다. 아니, 흥미가 동한 것 같기도 했다. 어느 쪽인지는 확실히 알 수 없었다. "그 빛은 뭐야?"

"이건 나침반 같은 거야. 우리가 올바른 길로 가고 있을 때 빛이 나니까." 적어도 얼마 전까지는 그랬다.

"흠. 그런 기능도 있는 줄은 몰랐네." 리들리는 다시 지루한 표정을 지 었다.

"세상에는 네가 모르는 게 잔뜩 있어." 리브는 순진무구한 미소를 지었다.

"조심해. 내가 너를 강에 뛰어들어 헤엄치게 만들어 버릴지도 모르니까."

나는 아크라이트를 지켜보았다. 뭔가가 달라 보였다. 우리가 보나벤트 라 묘지를 떠난 뒤 처음으로, 아크라이트의 빛이 밝고 빠르게 박동하기 시 작했다. 나는 그것을 리브에게 보여 주었다. "L, 이것 좀 봐."

리들리가 고개를 홱 돌려 나를 바라보았다. 나는 그대로 얼어붙었다.

내가 리브를 L이라고 부르다니.

내 인생에 L은 한 사람뿐이었다. 리브는 그걸 몰랐지만, 리들리는 알고 있었다. 리들리가 무서운 눈빛으로 막대사탕을 빨았다. 리들리는 나를 똑 바로 쏘아보고 있었다. 내 의지력이 점점 사라져 가는 것이 느껴졌다. 나는 아크라이트를 떨어뜨렸다. 아크라이트가 이끼가 낀 숲 속 땅바닥 위를 굴 러갔다.

리브는 쪼그리고 앉은 채 아크라이트 위로 몸을 기울였다. "이상하네. 이게 왜 다시 초록색으로 깜박이는 거지? 애마 아줌마, 어렐리아 할머니, 트윌라 할머니가 또 우릴 찾아오시는 걸까?"

"그거 아무래도 폭탄 같아." 링크의 목소리가 들렸지만 나는 한 마디도 할 수 없었다. 나는 리들리의 발치에 쓰러졌다. 리들리가 내게 사이렌의 능 력을 쏟아 낸 건 오랜만이었다. 내 얼굴이 진흙바닥에 닿기 전에 어떤 생각이 뇌리를 스쳤다. 리들리에게 면역을 갖게 되었다는 링크의 말이 옳은 게 아니라면, 리들리가 정말로 힘을 자제하고 있었던 것 같다는 생각. 만약 그런 거라면, 리들리가 전에 없는 행동을 한 셈이었다.

"네가 내 사촌을 아프게 하면… 내 사촌을 아프게 할 생각만 해도, 넌 그 한심한 인생이 끝날 때까지 내 노예로 살게 될 거야. 알아들었어, 남자친구?"

내 머리가 제멋대로 들려서 돌아갔다. 금방이라도 목이 부러질 것 같았다. 나는 눈을 억지로 떴다. 바로 앞에서 리들리의 노란색 눈이 번득이고 있었다. 그 눈이 어찌나 밝게 타오르는지 현기증이 날 정도였다.

"그만해." 리브의 목소리가 들리더니 제대로 가눌 수 없는 내 몸이 땅에 쿵 하고 떨어졌다. "제발, 리들리, 바보처럼 굴지 마."

리브와 리들리가 서로를 마주 보고 서 있었다. 리브는 가슴 앞에서 팔짱을 끼었고, 리들리는 막대사탕을 내밀고 있었다. "진정해, 포핀스. 남자 친구랑 나는 친구야."

"내가 보기에는 아닌 것 같은데." 리브가 언성을 높였다. "명심해. 우린 리나를 구하려고 목숨을 걸고 있어." 두 사람의 얼굴에 색색의 빛이 번쩍였다. 아크라이트가 나무들 사이로 맥박처럼 색색의 빛을 보내며 정신없이 변하고 있었다.

"날뛰지 마, 조수." 리들리의 눈은 강철 같았다.

리브의 눈은 어두웠다. "멍청하게 굴지 마. 이선이 리나를 아끼지 않는다면, 지금 우리가 이 외딴 숲에 왜 있겠어?"

"좋은 질문이야, 보관자. 내가 왜 여기 있는지는 알겠는데, 넌 만약 남자친구한테 마음이 있는 게 아니라면 무슨 핑계로 여기 있는 거야?" 리들리와 리브 사이의 거리는 겨우 10센티미터 남짓이었지만, 리브는 물러서지 않았다.

"내가 왜 여기 있냐고? 남극성이 사라졌고, 변이체가 전설 속에나 존재하던 장벽에서 때이른 달을 불러내고 있어. 그런데 내가 왜 여기 있냐고? 지금 농담해?"

"그러니까 이건 남자 친구랑 아무 상관 없다?"

"이선은 어느 누구의 남자 친구도 아냐. 주술사 세계에 대해서도 전혀 모르고." 리브는 꿈쩍도 하지 않았다. "이건 이선이 감당할 수 있는 일이 아니니까, 보관자가 필요해."

"사실 넌 아직 교육을 받는 중이잖아. 너한테 도움을 청하는 건 간호사한테 심장 수술을 부탁하는 거나 마찬가지야. 게다가 네 직무 규정에 따르면, 넌 무슨 일에든 개입하면 안 돼. 그러니 내가 보기에 넌 그다지 좋은 보관자가 아닌 것 같은데." 리들리가 옳았다. 리브는 지금 규칙을 어기고 있었다.

"네 말이 옳을지도 모르지만, 난 천문학에 뛰어나. 내가 없으면 이 지도를 전혀 읽을 수 없을걸. 장벽이나 리나를 찾을 수도 없을 테고."

손에 쥐고 있던 아크라이트가 차갑게 변했다. 다시 칠흑처럼 검게 변해 있었다.

"나 없는 새 무슨 중요한 이야기라도 했어?" 링크가 바지 지퍼를 올리며 덤불에서 나왔다. 여자애들은 링크를 바라보았고, 나는 진흙에서 몸을 일으켰다. "화장실에서 달콤한 차 한 잔을 하는 게 좋은데. 난 항상 그런 게 그립더라."

"무슨…." 리브가 셀레노미터를 톡톡 두드렸다. "뭔가 이상해. 다이얼이 제멋대로 돌아가고 있어."

나무들 뒤에서 우지끈 하는 소리가 울려왔다. 헌팅이 우리를 따라잡은 모양이었다. 하지만 이내 다른 생각이 머리를 스쳤다. 결코 내 죄책감을 덜어 주지 않는 생각이었다.

어쩌면 헌팅이 아니라 다른 사람일지도 모른다는 생각. 우리가 따라오는 걸 싫어하고, 자연계의 물건들을 마음대로 조종하는 사람.

"가!"

우지끈 소리가 점점 커졌다. 느닷없이 양편의 나무들이 내 앞으로 무너져 내렸다. 나는 뒷걸음질을 쳤다. 예전에도 이렇게 내 앞으로 나무들이 쓰러진 적이 있었는데, 그건 분명히 우연한 사고가 아니었다.

'리나! 너야?'

우리 주위로 1미터 남짓 거리에서 이끼로 뒤덮인 커다란 떡갈나무들과 흰 소나무들이 뿌리째 바닥에서 뽑혀 나왔다가 다시 바닥으로 떨어졌다.

'리나, 그만둬!'

링크는 휘청거리며 리들리에게 다가갔다. "막대사탕을 물어, 베이비."

"베이비라고 부르지 말랬지."

몇 시간 만에 처음으로 하늘이 보였다. 하지만 지금 하늘은 어두워져 있었다. 주술사의 마법으로 불러낸 검은 구름들이 우리 머리 위로 흘러왔다. 그때 뭔가가 느껴졌다. 아주 멀리서.

아니, 느꼈다기보다는 들었다고 해야 할 것 같다.

리나.

'이선, 도망쳐!'

리나의 목소리였다. 아주 오랫동안 침묵하고 있던 바로 그 목소리. 하지만 리나는 내게 도망치라고 말했다. 그럼 누가 나무를 뽑고 있는 거지?

'L, 뭐가 어떻게 된 거야?'

리나의 대답은 들리지 않았다. 오로지 어둠뿐이었다. 주술사의 구름들이 우리 뒤를 쫓듯이 우리를 향해 몰려들었다. 마침내 구름의 정체가 눈에 들어왔다.

"조심해!" 나는 리브를 뒤로 잡아당기고 링크를 리들리 쪽으로 밀었다. 우리가 덤불로 쓰러지는 순간, 부러진 소나무들이 하늘에서 비처럼 쏟아져 내렸다. 간발의 차였다. 우리가 서 있던 바로 그 자리에 소나무 가지들이 산더미처럼 쌓였다. 흙먼지가 내 눈을 찔러 대서 아무것도 보이지 않았다. 목에도 흙이 들어와서 나는 기침을 했다.

리나의 목소리는 사라졌지만, 다른 소리가 들렸다. 붕붕거리는 소리. 마치 우리가 커다란 벌집 위로 쓰러져 수많은 벌들이 여왕을 보호하기 위해 우리를 죽이려고 나선 것 같았다.

먼지가 워낙 자욱해서 주위에 누가 있는지 거의 보이지 않았다. 리브는 한쪽 눈 위에서 피를 흘리며 내 옆에 쓰러져 있었다. 리들리는 링크를 끌어안고 울먹였다. 커다란 나뭇가지가 링크의 몸에 박혀 있었다. "정신 차려, 작은 고추. 정신 차려."

내가 그쪽으로 기어가자 리들리가 몸을 움츠렸다. 그 얼굴에 떠오른 것은 순수한 공포였다. 하지만 리들리는 나를 보고 있지 않았다. 내 뒤의 뭔가를 보고 있었다.

붕붕거리는 소리가 점점 커졌다. 목덜미에 타는 듯이 차가운 주술사의 어둠이 느껴졌다. 고개를 돌리자 조금 전 우리를 묻어 버릴 뻔했던 솔가지 더미가 모닥불처럼 변해 있었다. 피라미드 모양의 솔가지들이 장작이 되어 검은 구름들을 향해 거대하게 타오르고 있었다. 그런데 불꽃이 빨간색이 아니었다. 뜨겁지도 않았다. 리들리의 눈처럼 노란 불꽃에서 차가움, 슬픔, 두려움만이 새어 나왔다.

리들리의 울먹임이 더욱 커졌다. "그 여자가 왔어."

나는 섯섯거리며 타오르는 노란색 불꽃에서 솟아오른 석판을 올려다보았다. 그 위에 어떤 여자가 누워 있었다. 이제 곧 거리 행진을 하게 될 성자의 시체처럼 평화로워 보이기까지 했다. 하지만 그 여자는 성자가 아니었다.

새라핀.

여자의 눈이 갑자기 번쩍 열리더니 입술이 둥글게 구부러지며 차가운 미소를 지었다. 여자는 낮잠을 자고 일어난 고양이처럼 기지개를 켜고는, 돌 위에서 일어섰다. 우리가 서 있는 아래쪽에서 보면, 여자의 키가 15미터는 되어 보였다.

"다른 사람을 기다리고 있었니, 이선? 네가 어리둥절한 표정을 지을 만도 하구나. 이런 말이 있지? 모전여전이라고. 우리는 날이 갈수록 그렇게 변해 가는 것 같아."

내 심장이 벌렁거렸다. 새라핀의 빨간 입술, 길고 검은 머리가 보였다. 나는 고개를 돌렸다. 새라핀의 얼굴을 보고 싶지 않았다. 리나와 너무나 닮은 얼굴. "다가오지 마, 마녀."

리들리는 링크 옆에 웅크리고 앉아서 미친 여자처럼 몸을 앞뒤로 흔들며 계속 울고 있었다.

'리나? 내 말 들려?'

새라핀의 저주스러운 목소리가 불꽃 위로 솟아올랐다. 새라핀은 이제 불꽃 꼭대기에 서 있었다. "내가 온 건 너 때문이 아냐, 이선. 너는 내 귀여운 딸을 위해 남겨 둘 거다. 올해 그 애가 부쩍 자랐어, 그렇지? 자식이 잠재력을 모두 발휘하게 되는 모습을 지켜보는 것만 한 건 없지. 엄마로서 얼마나 자랑스러운지 몰라."

나는 불꽃이 새라핀의 다리를 타고 기어오르는 것을 지켜보았다. "당신은 틀렸어. 리나는 당신이랑 달라."

"전에도 그런 소리를 들은 적이 있는 것 같은데…. 아마 리나의 생일이었지? 그때는 네가 그 말을 믿었지만, 지금은 거짓말을 하고 있는 것 같구나. 그 애가 이제 네 것이 아니라는 걸 너도 알지? 그 애가 운명을 바꿀 수는 없어."

불꽃이 새라핀의 허리에 이르러 있었다. 새라핀은 두케인 가문 여자답게 완벽한 외모를 갖고 있었는데도, 왠지 이목구비가 일그러진 것 같았다. "리나는 바꿀 수 없을지 몰라도, 나는 할 수 있어. 리나를 보호하기 위해서라면 난 무슨 짓이든 할 거야."

새라핀이 미소를 지었고, 나는 움츠러들었다. 새라핀의 미소는 리나의 미소와 너무나 흡사했다. 최근 리나가 짓던 미소와. 불꽃이 가슴까지 타고 올라가자 새라핀의 모습이 사라져 버렸다.

"아주 강해. 네 엄마랑 아주 비슷하기도 하고. 네 엄마도 마지막에 비슷한 말을 했어. 아냐, 아닌가?" 내 귓가에서 누군가가 속삭였다. "이런, 잊어버렸다. 그건 별로 중요한 일이 아니라서 말이야."

나는 그대로 얼어붙었다. 새라핀이 이제 바로 내 옆에 서 있었다. 여전히 불꽃에 휩싸인 채로. 하지만 그건 일반적인 불꽃이 아니었다. 그래서 새라핀이 가까이 다가올수록 나는 점점 추워졌다.

"네 엄마는 전혀 중요하지 않았어. 네 엄마의 죽음 역시 숭고하지도, 중요하지도 않았고. 그냥 내가 그때 그렇게 하고 싶어서 그렇게 했을 뿐이야. 아무 의미도 없어." 불꽃이 목까지 솟아오르더니 펄쩍 뛰어올라 전신을 먹어 치웠다. "너랑 똑같아."

나는 새라핀의 목을 향해 손을 뻗었다. 그 목을 손으로 잡아 뜯고 싶었다. 하지만 내 손은 새라핀의 몸을 그대로 통과해 버렸다. 거기에는 아무것도 없었다. 새라핀은 실체가 아니었다. 이 여자를 죽이고 싶은데, 만지는 것조차 불가능했다.

새라핀이 웃음을 터뜨렸다. "내가 시간을 낭비해 가며 여기까지 직접 올 것 같니, 일반인?" 새라핀은 리들리에게 시선을 돌렸다. 리들리는 양손으로 입을 꼭 틀어막은 채 여전히 몸을 흔들고 있었다. "재미있구나, 그렇지, 리들리?" 새라핀이 한 손을 들어 올려 손가락을 펼쳤다.

리들리가 일어섰다. 양손이 자신의 목을 쥐고 있었다. 리들리의 샌들에 달린 뾰족한 장식들이 솟아올라 지면 위에서 어른거렸다. 리들리의 얼굴이 자주색으로 변하고, 리들리는 스스로 목을 졸랐다. 금발이 몸에 늘어져 있는 모습이, 생명이 없는 인형 같았다.

새라핀의 유령 같은 모습이 리들리의 몸속으로 녹아 들어갔다. 리들리의 몸이 노랗게 빛났다. 피부도, 머리카락도, 눈도. 그 빛은 아주 밝았고, 리들리의 눈에는 눈동자가 없었다. 숲이 어두운데도 나는 눈을 가려야 했다. 리들리가 인형사의 조종을 받는 인형처럼 고개를 홱 쳐들었다. 그리고 말을 하기 시작했다.

"내 힘이 점점 더 강해지고 있어. 이제 곧 때 이르게 불러낸 열일곱 번째 달이 나타날 거다. 그건 어머니만이 해낼 수 있는 일이지. 해가 지는 시각을 결정하는 것도 나야. 난 내 아이를 위해 별들을 움직였다. 그 아이는 스스로 결정을 내리고 나와 합류할 거야. 열여섯 번째 달을 막을 수 있는 건 내 딸뿐이었고, 열일곱 번째 달을 불러낼 수 있는 건 나뿐이야. 우리 둘 같은 사람은 어디에도 없지. 두 세계 어디에도. 우리는 시작이자 끝이다." 리들리의 몸이 빈 자루처럼 다시 바닥으로 고꾸라졌다.

아크라이트가 주머니 속에서 뜨겁게 타오르고 있었다. 새라핀이 이걸 눈치채지 말아야 할 텐데. 나는 아크라이트가 번쩍이던 것을 떠올렸다. 아크라이트가 내게 경고하려 했던 것이다. 거기에 주의를 기울였어야 하는 건데.

"넌 우리를 배신했다, 리들리. 넌 배신자야. 아버지는 나만큼 너그러우시지 않아." 아버지라. 새라핀이 말하는 사람이 누군지는 분명했다. 레이븐우드 집안에서 흡혈 몽마 혈통의 아버지, 이 모든 일을 시작한 사람. 에이브러헴.

새라핀의 목소리가 불꽃이 타오르는 소리보다 더 크게 메아리쳤다. "너는 심판을 받을 것이다. 하지만 내가 아버지의 즐거움을 가로챌 수는 없지. 너는 내 책임이었으나, 이제는 나의 수치가 되었다. 그러니 내가 네게 이별의 선물을 주는 게 마땅할 것 같구나." 새라핀이 머리 위로 높이 양팔을 들어 올렸다. "네가 이 일반인들을 도우려고 그토록 열심이었으니 지금 이 순간부터 너는 일반인으로 살다가 일반인으로 죽을 것이다. 너의 능력은 처음 태어난 어둠의 불꽃 속으로 돌아갔다."

리들리의 몸이 갑자기 꼿꼿해지더니 리들리가 비명을 질렀다. 그 고통스러운 소리가 숲 속에 메아리쳤다. 그러고는 모든 것이 사라져 버렸다. 쓰러진 나무들도, 불꽃도, 새라핀도. 숲은 몇 분 전과 똑같은 모습으로 그렇게 있을 뿐이었다. 어둠에 잠긴 초록색 숲. 소나무와 떡갈나무와 검은 진흙만이 가득한 곳. 모든 나무, 모든 가지가 다시 제자리로 돌아와 있었다. 마치 아무 일도 없었던 것처럼.

리브는 플라스틱 병을 들고 리들리의 입에 물을 부어 주고 있었다. 리브의 얼굴에는 여전히 진흙이 묻어 있고 피도 흐르고 있었지만, 다친 곳은 없는 것 같았다. 하지만 리들리는 유령처럼 창백했다.

"그렇게 강력한 마법이 있다니. 환영으로 나타난 존재가 어둠의 주술사에게 빙의할 수 있다니." 리브는 고개를 절레절레 저었다. 내가 리브의 눈 위에 난 핏자국을 만지자 리브가 몸을 움찔했다. "게다가 그러면서 주술까지 썼어. 리들리의 능력이 사라졌다는 그 여자의 말이 진실이라면 말이야." 나는 정말 그럴까 싶은 마음으로 리들리를 바라보았다. 설득의 능력을 잃어버린 리들리는 상상하기 힘들었다. "어쨌든 리들리는 한동안 정상이 아닐 거야." 리브는 제 셔츠 자락을 물에 적셔서 리들리의 얼굴을 닦아주었다. "리들리가 얼마나 큰 위험을 무릅쓰고 여기에 왔는지 미처 몰랐어. 리들리는 너희들 모두를 진심으로 걱정하고 있는 거야."

"우리 모두는 아냐." 나는 리들리를 일으켜 앉히려는 리브를 도와주며 말했다. 리들리가 기침으로 물을 토해 내더니 손으로 자기 입을 훔쳤다. 분홍색 립스틱이 입술 주위로 번졌다. 리들리는 학교 축제에서 공중 점프를 너무 많이 한 치어리더처럼 보였다. 리들리가 힘들게 입을 열었다. "링크, 링크는…?"

나는 링크 옆에 무릎을 대고 앉아 있었다. 링크의 몸 위로 떨어진 나무 줄기는 사라졌지만, 링크는 여전히 신음하고 있었다. 링크가 실제로 다친다는 것이 불가능한 일처럼 보였다. 그건 우리 모두 마찬가지였다. 조금 전에 일어났던 일의 흔적이 하나도 남아 있지 않았으니까. 쓰러진 나무도 없고, 작은 가지 하나까지도 모두 원래 자리에 그대로 있었다. 그런데도 링크의 팔은 보라색으로 변해서 원래 크기의 두 배로 부풀어 있었다. 바지도 찢어져 있었다.

"리들리는?" 링크가 눈을 떴다.

"리들리는 괜찮아. 우리 전부 괜찮아." 나는 링크의 바지 자락을 더 많이 찢었다. 무릎에서 피가 흐르고 있었다.

링크는 웃으려고 애썼다. "뭘 보냐?"

"네 못생긴 얼굴을 본다, 왜." 나는 링크의 얼굴 위로 몸을 기울이고, 링크가 눈의 초점을 잡을 수 있는지 살펴보았다. 크게 다치지는 않은 것 같았다.

"설마 나한테 키스할 건 아니지?"

그 순간 나는 마음이 놓인 나머지 정말로 키스할 뻔했다.

"닥쳐, 인마."

전혀 특별하지 않아

❖ 6.19 ❖

그날 밤 우리는 숲 속에서 거대한 나무의 뿌리들 사이에 자리를 잡고 잠을 잤다. 그렇게 큰 나무는 지금까지 본 적이 없었다. 링크의 무릎에는 내가 여벌로 가지고 있던 티셔츠를 붕대처럼 둘러 주었다. 링크의 팔은 내 트레이닝복 상의를 찢어 만든 팔걸이에 걸었다. 리들리는 나무 반대편에 누워서 눈을 크게 뜨고 하늘을 빤히 바라보고 있었다. 리들리의 눈에 보이는 것이 일반인의 하늘인지 궁금했다. 리들리는 탈진한 것처럼 보였지만, 잠을 이룰 수 있을 것 같지는 않았다.

리들리가 무슨 생각을 하고 있는지 궁금했다. 우리를 도운 걸 후회하고 있을까? 정말로 능력을 잃어버린 걸까?

처음부터 항상 일반인과는 다른 존재, 일반인보다 더 많은 능력을 지닌 존재였다가 일반인이 되어 버린 기분이 어떨까? 작년에 잉글리시 선생님이 수업 시간에 말씀하신 것처럼, 리들리는 "인간 존재의 무력함"을 한 번도 느껴 본 적이 없을 것이다. 선생님은 그때 H. G. 웰스의 《투명인간》에 대해 이야기하던 중이었지만, 지금은 리들리도 투명인간이 되어 버린 것 같았다.

어느 날 갑자기 자신이 전혀 특별하지 않다는 사실을 깨닫고도 행복해질 수 있을까?

리나는 어떨까? 만약 리나가 나와 함께 살아간다면 그런 기분을 느끼게 될까? 그렇지 않아도 리나는 이미 나 때문에 충분히 고통을 받은 게 아닐까?

리들리처럼 나도 잠을 이룰 수 없었지만, 하늘을 빤히 바라보고 싶지는 않았다. 나는 리나의 공책에 무엇이 적혀 있는지 보고 싶었다. 그것이 리나의 사생활을 침해하는 짓이라는 건 내심 알고 있었지만, 그 구겨진 종이들 속에 우리를 도와줄 수 있는 실마리가 있을지도 모른다는 생각이 들었다. 한 시간쯤 뒤 나는 리나의 공책을 읽는 것이 대의를 위한 일이라고 자신을 납득시킬 수 있었다. 그래서 리나의 공책을 펼쳤다.

처음에는 읽기가 힘들었다. 빛이라고는 내 휴대전화 불빛밖에 없었기 때문에. 하지만 눈이 희미한 빛에 적응하고 나자 리나의 글씨가 공책에 쳐진 파란 줄들 사이에서 나를 마주 바라보았다. 리나의 생일 이후 몇 달 동안 자주 보던 글씨였지만, 아무래도 그 글씨에 익숙해질 수는 없을 것 같았다. 생일날 이전에 리나가 썼던 소녀 같은 필체와는 너무나 대조적인 글씨였다. 묘비 사진과 검은 무늬들을 이미 몇 달 동안이나 본 뒤라서 리나의 글씨가 예전보다 훨씬 더 놀랍게 다가왔다. 리나의 손에 그려져 있는 것과 같은 검은 주술사의 무늬들이 여백에 그려져 있었다. 하지만 처음 몇 편의 글들은 메이컨이 죽은 지 겨우 며칠 뒤에 쓴 것이었다. 그때만 해도 리나는 아직 글을 쓰고 있었다.

텅비고북적거리는밤낮 / 언제나 똑같은 (대충은) 두려움 (더 작고 더 큰) 무서움 / 자는 동안 진실이 내 목을 조르기를 기다리고 있다 / 혹시라도 내가 잠이 든다면

두려움 (더 작고 더 큰) 무서움. 나는 이 말을 이해했다. 리나가 바로 이렇게

행동했으니까. 세상에 무서울 것이 없는 것 같으면서도 더 겁을 내는 사람처럼. 잃을 것이 전혀 없는데도 그것을 잃어버릴까 봐 무서워하는 사람처럼.

종이를 몇 장 더 넘기자 어떤 날짜가 내 눈을 사로잡았다. 6월 12일. 학기가 끝나던 날.

어둠이 숨고 나는 그 여자를 잡을 수 있을 것 같다 / 내 손바닥으로 그 여자의 숨을 막아 버릴 수 있을 것 같다 / 하지만 내 손은 비어 있다 / 그 여자의 손이 나를 잡으려고 구부러지는데 내 손은 조용하다

나는 이 글을 몇 번이나 읽었다. 이 글은 우리가 호수에 갔던 날을 묘사한 것이었다. 리나가 돌이킬 수 없는 행동을 했던 날. 그날 리나는 나를 죽이려면 죽일 수도 있었다. '그 여자'는 누굴까? 새라핀?

리나는 언제부터 이렇게 발버둥치고 있었을까? 언제부터 그것이 시작됐을까? 메이컨이 죽던 날부터? 리나가 메이컨의 옷을 입기 시작했을 때부터?

나는 공책을 덮어야 한다는 걸 알면서도 그럴 수가 없었다. 리나의 글을 읽는 건 머릿속에서 리나의 생각을 다시 듣는 것 같은 기분이었다. 리나의 생각을 머리로 들은 건 정말로 오래전의 일이었다. 나는 지금 리나의 생각을 들을 수 있기를 간절히 바랐다. 나는 괴로웠던 날들의 기록을 찾아 공책을 계속 넘겼다.

이를테면 축제가 열렸던 그날….

일반인의 마음과 일반인의 두려움 / 그들만이 나눌 수 있는 것 나는 그들을 참새처럼 풀어 준다

자유. 주술사에게 참새는 바로 자유를 의미했다.

나는 줄곧 리나가 내게서 자유로워지려고 한다고 생각했지만, 사실 리나는 나를 자유롭게 풀어 주려고 애쓰고 있었다. 리나를 사랑하는 것이 내게는 도망칠 수 없는 감옥이기라도 한 것처럼.

나는 공책을 덮었다. 계속 읽자니 마음이 너무 아팠다. 특히 리나가 지금 여러 가지 의미에서 아주 멀리 떨어져 있기 때문에 더욱 그랬다.

1미터 남짓 떨어진 곳에서 리들리는 여전히 멍한 표정으로 일반인 하늘의 별들을 물끄러미 바라보고 있었다. 생전 처음으로 우리가 같은 하늘을 보고 있는 셈이었다.

리브는 두 개의 뿌리 사이에 들어가 있었다. 한 편에는 내가, 다른 편에는 링크가 있었다. 리나의 생일날 실제로 있었던 일을 알게 된 뒤, 나는 리브를 향한 내 마음이 사라질 거라고 생각했던 것 같다. 하지만 지금도 나도 모르게 이런저런 생각들이 떠올랐다. 만약 상황이 조금 달랐다면, 만약 내가 리나를 만나지 않았다면, 만약 내가 리브를 만나지 않았다면….

나는 그 뒤로 몇 시간 동안 리브를 지켜보았다. 잠이 든 리브의 모습은 평화롭고 아름다웠다. 리나와 같은 아름다움이 아니라 조금 달랐다. 리브는 행복해 보였다. 햇빛이 쨍쨍한 날이나 차가운 우유 한 잔이나 아직 한 번도 펼쳐 보지 않은 새 책처럼. 리브를 괴롭히는 일은 세상에 하나도 없었다. 나도 리브처럼 되고 싶었다.

일반인으로서 희망을 품고 활기차게 살아가고 싶었다.

마침내 스르르 잠이 드는 순간 나도 리브처럼 된 것 같은 느낌이 들었다. 아주 잠깐이었지만….

리나가 나를 흔들어 대고 있었다. "일어나, 잠꾸러기. 이야기 좀 해." 나는 싱긋 웃으며 리나를 내 품으로 끌어당겼다. 나는 키스를 하려고 했지만, 리나는 웃음을 터뜨리며 고개를 돌렸다. "이건 그런 꿈이 아니야."

나는 일어나 앉아서 주위를 둘러보았다. 우리는 터널 안에 있는 메이컨의 방에서 메이컨의 침대에 앉아 있었다. "내 꿈은 다 그런 거야, L. 나는 이제 조금 있으면 열일곱 살이란 말이야."

"이건 내 꿈이지 네 꿈이 아냐. 게다가 난 열여섯 살이 된 지 이제 겨우 넉 달밖에 안 됐어."

"우리가 여기 있으면 메이컨 아저씨가 화내지 않을까?"

"메이컨 삼촌은 돌아가셨잖아. 너 진짜 깊이 잠든 모양이구나." 리나의 말이 옳았다. 나는 아무것도 기억하지 못하다가 이제야 모든 기억이 한꺼번에 돌아오고 있었다. 메이컨은 죽었다. 거래 때문에.

그리고 리나는 내 곁을 떠났다. 하지만 아니었다. 리나는 지금 내 곁에 있었다.

"그러니까 이게 꿈이라고?" 나는 상실감 때문에, 내가 한 모든 일에 대한 죄책감 때문에, 리나가 내게 베풀어 준 모든 것 때문에 뱃속이 요동치는 걸 막으려고 애썼다.

리나는 고개를 끄덕였다.

"그럼 내 꿈에 네가 나온 거야, 아니면 네 꿈에 내가 나온 거야?"

"우리 사이에 그게 무슨 차이가 있어?" 리나는 내 질문을 피하고 있었다.

나는 다시 물었다. "내가 깨어나면, 너는 사라지는 거야?"

"응. 하지만 널 꼭 만나야 하기 때문에 온 거야. 우리가 진짜로 이야기를 나눌 수 있는 방법이 이것밖에 없었어." 리나는 하얀 티셔츠를 입고 있었다. 내 옷 중에서 가장 오래되고 가장 부드러운 것. 리나는 약간 흐트러졌지만 아름다운 모습이었다. 내가 가장 좋아하는 모습이자 리나 자신은 최악이라고 생각하는 모습.

나는 양손으로 리나의 허리를 잡고 가까이 끌어당겼다. "L, 엄마를 만났어. 엄마가 메이컨 아저씨 이야기를 해 줬어. 엄마는 메이컨 아저씨를 사랑했던 것 같아."

"두 분은 서로 사랑했어. 나도 환영을 봤어." 그렇다면 우리는 아직도 서로 연결돼 있다는 뜻이었다. 안도감이 밀려왔다.

"두 분은 우리랑 같았어, 리나."

"그리고 함께 있을 수 없었지. 우리처럼."

이건 꿈이었다. 확실했다. 우리가 이렇게 무서운 진실을 묘하게 초연한 심정으로 이야기하고 있으니까. 마치 다른 사람들 일처럼. 리나는 내 가슴에 머리를 기대고 손가락으로 내 셔츠에 묻은 진흙을 떼어 냈다. 내 셔츠가 왜 이렇게 진흙 투성이가 된 거지? 나는 기억을 떠올리려고 했지만, 기억이 나지 않았다.

"이제 어쩌지, L?"

"나도 몰라, 이선. 난 무서워."

"넌 뭘 원해?"

"너." 리나가 속삭였다.

"그런데 원하는 대로 하는 게 왜 이렇게 어려운 거야?"

"우리가 틀렸기 때문이야. 내가 너랑 있으면 모든 게 잘못되기 때문이야."

"지금 이것도 잘못 같아?" 나는 리나를 더 세게 끌어안았다.

"아니. 하지만 내 기분 같은 건 이제 중요하지 않아." 내 가슴에 리나의 한숨이 닿았다.

"누가 그런 소리를 해?"

"누가 말해 주지 않아도 알아." 나는 리나의 눈을 빤히 들여다보았다. 리나의 눈은 여전히 황금색이었다.

"장벽에 가면 안 돼. 돌아와."

"이제 와서 멈출 수는 없어. 결말을 봐야 돼."

나는 리나의 구불구불한 검은 머리를 손으로 만지작거렸다. "나랑 함께 결말을 보면 안 되는 이유가 뭐야?"

리나는 미소를 지으며 내 얼굴을 만졌다. "너랑 내가 어떤 결말을 맞을

지 알고 있으니까."

"어떤 결말인데?"

"이런 결말." 리나는 몸을 기울여 내게 키스했다. 리나의 머리카락이 내 얼굴 주위로 비처럼 쏟아져 내렸다. 내가 이불을 끌어올리자 리나는 이불 밑으로 들어와 내 품에 안겼다. 키스를 하자 리나와 닿을 때의 열기가 느껴졌다. 우리는 침대에서 함께 굴렀다. 내가 리나의 위로 올라갔는가 하면, 이내 리나가 내 위에 있었다. 열기가 점점 강해져서 나는 숨도 쉴 수 없게 되었다. 내 살갗에 불이 붙은 것 같았다. 리나의 키스에서 몸을 떼어 내고 보니 실제로 불이 붙어 있었다.

우리 둘 다 끝이 보이지 않을 만큼 높이 솟은 불꽃에 둘러싸여 있었다. 침대는 이제 침대가 아니라 석판이었다. 석판 위 사방에서 불꽃이 우리를 둘러싸고 있었다. 새라핀의 노란색 불꽃이었다.

리나가 비명을 지르며 내게 매달렸다. 나는 아래를 내려다보았다. 우리는 피라미드 모양으로 크게 쌓아 올린 장작 더미 위에 있었다. 우리가 누워 있는 석판에 이상한 원 같은 것이 새겨져 있었다. 어둠의 주술사의 상징 같았다.

"리나, 정신 차려! 이건 네가 한 짓이 아냐. 네가 메이컨 아저씨를 죽인 게 아냐. 넌 어둠이 되지 않아. 책이 그런 거야. 애마 아줌마한테 다 들었어."

장작 더미는 새라핀이 아니라 우리를 위한 것이었다. 새라핀의 웃음소리가 들렸다. 아니, 리나의 웃음소리인가? 이젠 두 사람의 웃음소리를 구분할 수 없었다. "L, 내 말 잘 들어! 네가 이러지 않아도 돼…."

리나는 비명을 지르고 있었다. 비명을 멈추지 못했다.

내가 깨어난 것은 불꽃이 우리 둘을 모두 집어삼킨 뒤였다.

∼⁂∼

"이선? 일어나. 이제 출발해야 돼."

나는 땀을 뚝뚝 흘리고 숨을 거칠게 몰아쉬며 일어나 앉았다. 손을 내밀어 보았다. 아무것도 없었다. 화상은 물론이고 긁힌 자국 하나 없었다. 그건 그저 악몽이었다. 나는 주위를 둘러보았다. 리브와 링크는 이미 일어나 있었다. 나는 손으로 얼굴을 문질렀다. 심장은 여전히 거세게 뛰고 있었다. 꿈이 꿈이 아니고, 내가 실제로 죽을 뻔했던 것 같았다. 그것이 내 꿈인지 리나의 꿈인지 다시 궁금해졌다. 우리의 결말이 정말로 그런 것인지도 궁금했다. 불꽃과 죽음이라. 새라핀이 좋아할 것 같았다.

리들리는 바위에 앉아 막대사탕을 빨고 있었다. 왠지 처량했다. 밤사이 리들리는 충격에서 부정의 단계로 옮겨 간 모양이었다. 그래서 마치 아무 일도 없었던 것처럼 행동하고 있었다. 다들 뭐라고 해야 할지 알 수 없었다. 리들리는 외상 후 스트레스 장애를 겪는 참전 군인 같았다. 군인들은 전쟁터에서 집으로 돌아온 뒤에도 여전히 전쟁터에 있다고 착각한다.

리들리는 링크를 빤히 바라보며 머리카락을 뒤로 넘겼다. 뭔가를 기대하는 눈빛이었다. "이쪽으로 오지 그래, 작은 고추?"

링크는 절룩거리며 내 배낭이 있는 곳으로 가서 물병을 꺼냈다. "난 됐어."

리들리는 선글라스를 머리 위로 밀어올리고, 훨씬 더 강렬한 눈빛으로 링크를 뚫어지게 바라보았다. 리들리의 능력이 사라졌음이 분명해졌다. 햇빛 속에 드러난 리들리의 눈은 리브처럼 파란색이었다.

"이쪽으로 오라고 했잖아." 리들리는 짧은 치마를 멍든 허벅지 위로 조금씩, 조금씩 걷어 올렸다. 리들리가 안됐다는 생각이 들었다. 이제 리들리는 사이렌이 아니라, 사이렌처럼 보이는 여자아이일 뿐이었다.

"왜?" 링크는 아직 눈치를 채지 못하고 있었다.

막대사탕을 마지막으로 한 번 더 빠는 리들리의 혀는 밝은 빨간색이었다. "나한테 키스하고 싶지 않아?" 나는 링크가 장단을 맞춰 줄지도 모른다는 생각이 언뜻 들었지만, 그래 봤자 피할 수 없는 진실을 뒤로 미루는 꼴이 될 뿐이었다.

"아니, 됐어." 링크는 고개를 돌렸다. 죄책감을 느끼고 있음이 분명했다.

리들리의 입술이 가늘게 떨렸다. "이건 일시적인 거야. 내 힘은 돌아올 거야." 이건 리들리가 누구보다도 자신을 향해 하는 말이었다.

누군가가 리들리에게 사실을 말해 주어야 했다. 리들리가 현실을 빨리 인정할수록 더 빨리 앞으로 나아갈 수 있을 것이다. 실제로 나아갈 수 있을지는 모르겠지만. "내 생각에는 힘이 정말로 사라진 것 같아, 리들리."

리들리가 고개를 홱 돌려 나를 바라보더니 떨리는 목소리로 말했다. "네가 그걸 어떻게 알아? 네가 주술사랑 사귀었다고 해서 뭐든 아는 건 아냐."

"어둠의 주술사들은 눈이 노란색이잖아."

리들리가 흡 하고 숨이 막히는 것 같은 소리를 냈다. 리들리는 더러운 탱크톱 자락을 잡고 홱 끌어올렸다. 리들리의 피부는 여전히 매끈하고 황금색이었지만, 배꼽을 둘러싸고 있던 문신은 보이지 않았다. 리들리는 손으로 자기 배를 쓸어 보더니 무너져 내렸다.

"진짜네. 그 여자가 정말로 내 힘을 가져갔어." 리들리는 손가락을 펼쳐 막대사탕을 흙 속에 떨어뜨렸다. 그러고는 아무 소리도 내지 않았지만, 눈물이 리들리의 얼굴에 두 개의 은색 선을 그리며 흘러내렸다.

링크가 다가가서 리들리를 일으켜 세우려고 손을 내밀었다. "그렇지 않아. 넌 지금도 아주 못됐어. 그러니까, 섹시하다고. 일반인치고는."

리들리는 히스테리를 일으키며 펄쩍 뛰듯이 일어섰다. "네 눈엔 이제 재미있어 보여? 내가 힘을 잃은 게 너한테는 그 멍청한 농구 시합에서 지는 거랑 같아 보여? 내 힘은 바로 나 자신이었어, 이 멍청아! 그 힘이 없으면 난 아무것도 아니란 말이야." 검은 눈물이 리들리의 뺨을 타고 흘러내렸다. 리들리는 부들부들 떨고 있었다.

링크가 흙 속에서 막대사탕을 주워들었다. 그리고 물병을 열어 사탕에 물을 적셨다. "조금 기다려 봐, 리드. 너만의 매력이 생겨날 테니까. 두고 봐." 링크는 막대사탕을 리들리에게 내밀었다. 리들리는 멍한 얼굴로 링크를 빤히 바라보았다.

그대로 시선을 고정시킨 채, 리들리는 막대사탕을 최대한 멀리 던져 버렸다.

공통점

✦ 6.20 ✦

나는 거의 잠을 자지 못했다. 링크의 팔은 보라색으로 부어 있었다. 우리들 중 어느 누구도 진흙 투성이 숲 속을 돌아다닐 수 있는 상태가 아니었지만, 우리에게는 선택의 여지가 없었다.

"다들 괜찮아? 이제 가야 돼."

링크가 제 팔을 만지며 움찔거렸다. "그냥 그래. 뭐랄까, 내 인생이 항상 이렇지, 뭐."

리브의 얼굴에 난 찢어진 상처에는 벌써 딱지가 앉고 있었다. "나야, 뭐, 지금보다 더 힘들었던 적도 있었는데, 뭐. 사연을 얘기하자면 길어. 웸블리 구장이랑 지하철에서 당한 형편없는 일이랑 도너 케밥을 너무 많이 먹은 거랑 관련이 있다고만 해 둘게."

나는 진흙이 덕지덕지 묻은 내 배낭을 집어 들었다. "루실은 어디 있지?"

링크가 주위를 둘러보았다. "그걸 누가 알겠냐? 녀석은 항상 사라지는 걸. 네 할머니가 녀석한테 왜 목줄을 매 두었는지 이제 나도 알 것 같다."

나는 나무들을 향해 휘파람을 불어 보았지만, 루실은 코빼기도 보이지 않았다. "루실! 우리가 일어났을 때는 녀석이 여기 있었어."

"걱정 마. 녀석이 우릴 찾을 거야. 고양이는 육감이 있다잖냐."

"걔는 아마 우리를 따라다니는 일에 싫증이 났을걸. 우리가 도무지 목적지로 가질 못하니까." 리들리가 말했다. "걔가 우리보다 훨씬 더 영리해."

그 뒤로 나는 주위에서 오가는 대화의 맥을 놓쳤다. 내 머릿속의 대화에 귀를 기울이느라고 정신이 없었기 때문이다. 리나가 나를 위해 해 준 일이 내 머리에서 떠나지 않았다. 바로 내 코앞에 있는 일을 나는 왜 알아차리지 못한 걸까?

리나가 줄곧 자신을 벌하고 있다는 건 나도 알고 있었다. 스스로 고립된 것, 섬뜩한 묘비 사진들을 벽에 붙여 둔 것, 공책과 자기 몸에 온통 어둠의 상징들을 그린 것, 죽은 삼촌의 옷을 입은 것, 심지어 리들리나 존과 어울려 다닌 것까지, 이 모든 행동의 중심은 내가 아니었다. 메이컨이었다.

하지만 나는 나 또한 공범이라는 사실을 결코 알아차리지 못했다. 리나는 자신의 범죄를 일깨워 주는 존재 때문에 자꾸만 자신을 벌할 수밖에 없었다. 그 존재는 리나가 잃어버린 것을 끊임없이 일깨워 주었다.

그 존재는 바로 나였다.

리나는 매일 나를 보고, 내 손을 잡고, 내게 키스해야 했다. 리나가 뜨겁게 달아올랐다가 금방 차갑게 식어 버리기를 반복한 것도 무리가 아니었다. 내게 키스를 하다가도 순식간에 내게서 도망치기 일쑤였다. 나는 리나의 방 벽에 리나가 몇 번이나 되풀이해서 썼던 노래 가사를 생각했다.

'똑바로 서려고 도망친다.'

리나는 도망칠 수 없었다. 내가 놓아주지도 않았다. 내 마지막 꿈에서 나는 리나에게 그 거래에 대해 알고 있다고 말했다. 리나도 나와 같은 꿈을 꾸었는지, 그래서 내가 리나의 비밀을 함께 짊어지게 되었음을 알게 되었는지 궁금했다. 이제 리나 혼자서 그 짐을 짊어질 필요가 없다는 사실도 알게 되었는지.

'정말 미안해, L.'

나는 마음속으로 리나의 목소리가 들려오는지 열심히 귀를 기울였다. 리나가 내 말을 듣고 있을 희박한 가능성에 기대를 걸고서. 아무 소리도 들리지 않았지만, 뭔가가 눈에 들어왔다. 시야의 가장자리를 스치고 지나가는 이미지들. 스냅 사진 같은 이미지들이 고속도로의 추월 차선을 달리는 자동차들처럼 획획 나를 스치고 지나갔다….

내가 뛰고, 달리고 있었다. 내 속도가 워낙 빨라서 시선의 초점이 잡히지 않았다. 하지만 전에도 두 번이나 그랬던 것처럼 마침내 내 눈이 주위에 적응했고, 나는 나를 스치고 지나가는 나무들, 이파리들, 가지들의 형체를 알아볼 수 있었다. 처음에는 내 발밑에서 나뭇잎들이 바삭거리는 소리와 내가 움직이면서 일으키는 바람 소리밖에 들리지 않았다. 하지만 이내 목소리들이 들려왔다.

"돌아가야 돼." 리나의 목소리였다. 나는 그 소리를 따라 나무들 속으로 들어갔다.

"안 돼. 너도 알잖아."

나뭇잎들 사이로 햇빛이 편안하게 비쳤다. 보이는 것이라고는 부츠뿐이었다. 리나의 낡은 부츠와 존의 무겁고 검은 부츠. 1미터 남짓 떨어진 곳에 두 사람이 서 있었다.

둘의 얼굴이 눈에 들어왔다. 리나는 고집스러운 표정이었다. 내가 아는 표정. "새라핀이 개들을 찾아냈어. 어쩌면 개들이 죽었는지도 몰라!"

존은 가까이 다가서면서 움찔했다. 두 사람이 침실에 있는 걸 내가 봤을 때와 똑같았다. 그것은 무의식적인 반사였다. 모종의 통증에 대한 반응. 존이 리나의 황금색 눈을 내려다보았다. "이선을 말하는 거겠지."

리나는 존의 시선을 피했다. "개들 전부를 말하는 거야. 하다못해 리들리만이라도 걱정되지 않아? 리들리가 사라졌잖아. 그 두 가지 사실이 서로 연결되어 있을 거라는 생각 안 들어?"

"무슨 두 가지 사실?"

리나의 어깨에 힘이 들어갔다. "내 사촌이 사라진 거랑 새라핀이 느닷없이 나타난 거."

존이 손을 뻗어 리나의 손을 잡고 옛날에 내가 그랬던 것처럼 손가락을 서로 얽었다. "새라핀은 항상 어딘가에 있어, 리나. 네 어머니는 아마 온 세상에서 가장 강력한 어둠의 주술사일 거야. 새라핀이 왜 자기 일족인 리들리를 해치겠어?"

"글쎄." 리나는 고개를 젓고 있었다. 결심이 흔들리는 모양이었다. "그저…"

"그저 뭐?"

"우리가 사귀는 사이가 아니어도, 이선이 다치는 건 보고 싶지 않아. 이선은 날 지켜 주려고 했어."

"무엇으로부터?"

'나 자신으로부터.'

나는 이 말을 들었다. 리나가 소리 내어 말하지 않았는데도. "많은 일들로부터. 그때는 지금이랑 달랐으니까."

"넌 네가 아닌 다른 사람 행세를 하면서, 모든 사람을 기쁘게 해 주려고 했어. 사실은 이선이 널 지켜 준 게 아니라 네 발목을 잡고 있었다는 생각은 안 해 봤어?" 내 심장 박동이 빨라지고, 근육이 긴장했다.

'내가 이선의 발목을 잡고 있었어.'

"옛날에 나도 일반인 여자랑 사귄 적이 있어."

리나는 충격을 받은 표정이었다. "그랬어?"

존은 고개를 끄덕였다. "응. 다정한 여자였지. 난 그 여자를 사랑했어."

"그래서 어떻게 됐는데?" 리나는 존의 말 한 마디 한 마디에 매달리고 있었다.

"너무 힘들었어. 그 여자는 내 삶을 이해하지 못했으니까. 내가 원하는 것이라면 무엇이든 항상 얻을 수 있는 게 아니라는 사실이라든가…" 정말로 진실을 이야기하는 것 같은 목소리였다.

"왜 원하는 대로 할 수 없었는데?"

"나의 어린 시절을 표현한다면, 엄격하다는 말이 맞을 거야. 구속복을 입은 것처럼 엄격했지. 규칙에 또 규칙이 있었으니까."

리나는 혼란스러운 표정이었다. "일반인이랑 만나는 것에 관해서?"

존은 또 움찔했다. 이번에는 몸을 움츠릴 정도였다. "아니, 그런 게 아냐. 내가 그렇게 자란 건, 내가 달랐기 때문이야. 날 키운 남자가 내게는 유일한 아버지였는데, 그 사람은 내가 남에게 상처를 주는 걸 원하지 않았어."

"나도 남한테 상처를 주고 싶지 않아."

"넌 달라. 그러니까, 우린 달라."

존은 리나의 손을 움켜쥐고 리나를 자기 옆으로 잡아당겼다. "걱정 마. 네 사촌은 찾을 수 있을 거야. 아마 클럽 고통의 그 드러머랑 도망쳤을걸." 드러머는 맞지만, 존이 말하는 드러머는 다른 사람이었다. 고통이라니? 리나는 추방이나 고통 같은 이름을 지닌 곳에서 존의 무리들과 어울리고 있었다. 자기한테 어울리는 건 그런 곳밖에 없다고 생각했기 때문에.

리나는 더 이상 아무 말도 하지 않았지만, 존의 손을 놓지도 않았다. 나는 두 사람을 따라가려고 애를 써봤지만 그럴 수 없었다. 몸이 내 명령을 따르지 않았다. 내 눈이 땅바닥과 이토록 가까운 곳에 있는 걸 보면, 뭔가 다른 힘이 나를 조종하고 있음이 분명했다. 나는 항상 두 사람을 올려다보는 자세였다. 말이 되지 않았다. 하지만 그런 건 중요하지 않았다. 이제 나는 다시 달리고 있었다. 어두운 터널 안에서. 아니, 터널이 아니라 동굴인가? 획획 지나가는 검은 벽에서 바다 냄새가 났다.

나는 눈을 비볐다. 내가 지금 바닥에 누워 있는 게 아니라 리브 뒤에서 걷고 있다는 게 놀라웠다. 내가 리나를 지켜보면서 동시에 리브의 뒤를 따라 터널 안을 걷고 있다니. 이런 터무니없는 일이 어떻게 가능한 거지?

내 시야가 이상하고 이미지들이 휙휙 지나가는 그 이상한 환영들…. 도대체 무슨 일이 벌어지고 있는 거지? 왜 내가 리나와 존을 볼 수 있는 걸까? 그 이유를 알아내야만 했다.

나는 내 손을 내려다보았다. 손에 쥔 것은 아크라이트밖에 없었다. 나는 맨 처음 리나를 이런 식으로 봤을 때를 돌이켜보았다. 그때 나는 욕실에 있었고, 손에는 아크라이트가 없었다. 그때 내 손이 닿은 것이라고는 세면대뿐이었다. 틀림없이 공통점이 있을 텐데, 그게 뭔지 알 수 없었다.

앞쪽에서 터널이 넓어지며 돌로 만들어진 홀이 되었다. 그리고 그곳에서 터널이 네 개로 갈라졌다.

링크가 한숨을 내쉬었다. "어느 쪽이야?"

나는 대답하지 않았다. 아크라이트를 내려다봤을 때, 그 너머에 뭔가가 보였기 때문이다.

루실.

루실은 기대에 찬 표정으로 내 맞은편 터널 입구에 앉아 있었다. 나는 뒷주머니에 손을 넣어 프루 할머니가 주신 은색 이름표를 꺼냈다. 루실의 이름이 거기 새겨져 있었다. 프루 할머니의 목소리가 생생히 들리는 듯했다.

'이 고양이가 아직 네 옆에 있구나. 때가 되면 이 녀석을 빨랫줄에서 내려 주려고 했는데. 이 녀석이 재주가 좀 있어. 두고 보면 알 거다.'

순식간에 모든 조각들이 제자리를 찾아 들어갔다.

루실이었다.

내가 리나와 존에게 이르는 길을 찾아낼 때마다 내 옆을 스치고 지나가던 이미지들. 바닥이 그토록 가까웠던 것. 내가 서 있었다면 결코 그런 높이에서 주위를 볼 수 없었을 것이다. 그 이상한 시점. 마치 내가 배를 깔고 엎드려서 리나와 존을 올려다보는 것 같았다. 이제야 모든 걸 이해할 수 있었다. 루실이 계속 제멋대로 사라졌다 나타나는 것. 하지만 사실은 제멋대로가 아니었다.

나는 루실이 사라졌던 때를 머릿속으로 하나씩 떠올렸다. 처음에 리나, 존, 리들리를 보았을 때 나는 욕실 거울을 보고 있었다. 그때 루실이 사라졌는지는 기억나지 않지만, 다음 날 아침에 루실이 집 앞 현관 베란다에 앉아 있던 것은 기억났다. 밤에 우리가 루실을 밖에 내놓은 적이 없으니, 사실 그건 말이 안 되는 일이었다.

두 번째로 환영을 봤을 때, 루실은 우리가 서배너에 도착한 뒤 포사이스 공원에서 갑자기 사라졌다. 그리고 우리가 보나벤트라를 떠난 뒤에야 다시 나타났다. 즉, 내가 캐롤라인 이모 집에서 리나와 존을 본 뒤였다. 그리고 이번에는, 우리가 다시 터널로 내려온 뒤 링크가 루실이 사라진 걸 알아차렸다. 그런데 지금 루실이 우리 앞에 다시 앉아 있었다. 내가 리나를 본 직후에.

리나를 보고 있는 건 내가 아니었다.

루실이었다. 루실이 리나의 뒤를 쫓고 있었다. 우리가 지도나 불빛이나 달의 인력을 따라가듯이. 나는 고양이의 눈을 통해 리나를 보고 있었다. 어쩌면 메이컨이 부의 눈을 통해 세상을 보던 것과 같을지도 모른다. 어떻게 이런 일이 가능한 걸까? 내가 주술사가 아닌 것처럼, 루실 역시 주술사 고양이가 아니었다.

아니, 정말 그럴까?

"너 정체가 뭐냐, 루실?"

고양이는 내 눈을 똑바로 바라보며 고개를 한쪽으로 갸우뚱하게 기울였다.

"이선?" 리브가 나를 지켜보고 있었다. "너 괜찮아?"

"응." 나는 의미심장한 눈으로 루실을 쏘아보았다. 루실은 나를 무시한 채 우아하게 킁킁거리며 제 꼬리 끝의 냄새를 맡았다.

"쟤는 고양이야." 리브는 여전히 이상하다는 표정으로 나를 빤히 바라보고 있었다.

"알아."

"그냥 확인해 봤어."

미치겠군. 고양이한테 말을 건 것으로 모자라서, 이젠 고양이한테 말을 건 것에 대해 이야기하고 있다니. "그만 가자."

리브가 깊이 숨을 들이쉬었다. "그래, 그것 말인데. 아무래도 우린 못 갈 것 같아."

"왜?"

리브가 매끈한 흙바닥에 놓여 있는 프루 할머니의 지도를 손짓으로 가리켰다. "여기 이 표시 보여? 이게 가장 가까운 출입구야. 시간이 조금 걸리기는 했지만, 내가 이 지도에 대해 많은 걸 알아냈어. 네 할머니 말씀이 맞아. 할머니가 이걸 표시하느라 몇 년이나 걸렸을 거야."

"출입구에 표시가 돼 있다고?"

"지도상으로는 그렇게 보여. 여기 빨간색으로 D라고 쓴 것 보이지? 작은 원들로 둘러싸인 것 말이야." 그 표시는 사방에 있었다. "그리고 여기엔 가느다란 빨간 선들이 있어. 이건 지면과 가까운 곳인 것 같아. 여기엔 패턴이 있어. 색이 어두울수록 지하 깊은 곳이야."

나는 격자 모양의 검은 선들을 가리켰다. "그럼 여기가 제일 깊겠네."

리브가 고개를 끄덕였다. "아마 가장 어두운 곳이기도 할 거야. 지하에서 어둠과 빛의 영역 개념은… 정말로 획기적이야. 아는 사람이 많지 않아."

"그럼 뭐가 문제야?"

"이거." 리브가 지도 중 가장 커다란 페이지의 남단에 갈겨써진 두 개의 단어를 가리켰다. 로카 실렌티아.

두 번째 단어는 들은 적이 있었다. 리나가 개틀린을 떠난다는 사실을 자기 식구들에게 말하지 못하게 하려고 내게 주술을 걸 때 사용한 단어 같았다. "이 지도가 너무 조용하다는 뜻이야?"

리브는 고개를 저었다. "여기서 지도가 침묵에 잠긴다는 뜻인 것 같아.

여기가 끝이니까. 우린 이제 남쪽 해안에 도착했어. 그러니까 지도를 벗어난 거야. 테라 인코그니타(미지의 땅이라는 뜻 – 옮긴이)." 리브는 어깨를 으쓱했다. "이런 말 알지. 히크 드라코네스 순트."

"응, 그건 많이 들었어." 리브가 무슨 말을 하려는 건지 도무지 알 수 없었다.

"여기에 드래곤들이 있다. 5백 년 전에 선원들이 지도에 자주 써넣던 말이야. 지도는 끝났지만, 바다는 끝나지 않은 지점에서."

"새라핀보다는 차라리 드래곤을 만나는 편이 나을 것 같은데." 나는 리브가 손가락으로 톡톡 두드리고 있는 부분을 바라보았다. 우리가 지나온 터널들은 고속도로망처럼 복잡하게 거미줄 모양으로 뻗어 있었다. "그럼 이제 어쩌지?"

"나도 전혀 모르겠어. 네 할머니한테서 이 지도를 받은 뒤로 아무것도 안 하고 지도만 바라보았는데, 아직도 장벽에 가는 길을 모르겠어. 게다가 그게 정말로 존재하는지도 아직 모르겠어." 우리는 함께 지도를 물끄러미 바라보았다. "미안해. 기대를 저버려서. 다들 실망했을 거야."

나는 손가락으로 해안선을 더듬어 서배너에 이르렀다. 아크라이트가 작동을 멈춘 곳이었다. 서배너 출입구를 나타내는 빨간 표시는 로카 실렌티아의 맨 앞에 있는 L자 바로 밑에 있었다. 그 글자들과 주위의 빨간 표시들을 계속 뚫어지게 바라보다 보니 우리가 놓친 패턴이 천천히 모습을 드러냈다. 버뮤다 삼각 지대가 생각났다. 모든 것이 마술처럼 사라져 버린다는 곳. "로카 실렌티아는 '지도가 침묵에 잠기는 곳'이라는 뜻이 아냐."

"아니라고?"

"내 생각에는 침묵 이상의 의미가 있는 것 같아. 어쨌든 주술사들한테는 그럴 거야. 생각해 봐. 아크라이트가 처음에 작동을 멈춘 게 언제지?"

리브는 기억을 더듬었다. "서배너. 우리가…" 리브는 얼굴을 붉히며 나를 바라보았다. "다락에서 모든 걸 찾아낸 직후야."

"맞아. 우리가 로카 실렌티아라고 표시된 영역에 들어선 뒤에 아크라이트가 길잡이를 그만뒀어. 그동안 우리는 초자연적인 비행 금지 구역 같은 곳에 있었던 것 같아. 버뮤다 삼각 지대 같은 곳. 우리가 여기 남쪽으로 이동했으니까."

리브는 지도에서 내게로 천천히 시선을 돌리며 머릿속으로 정보들을 정리했다. 그러더니 마침내 흥분을 억누르지 못하고 들뜬 목소리로 입을 열었다. "이음매. 우린 지금 이음매에 있는 거야. 그게 바로 장벽이야."

"이음매라니, 무슨 이음매?"

"두 우주가 만나는 곳." 리브는 손목에 찬 기계를 보았다. "그동안 내내 아크라이트는 일종의 마법 과부하 상태에 빠져 있었을 거야."

나는 프루 할머니가 나타난 것을 생각해 보았다. "우리한테 지도가 필요하다는 걸 프루 할머니는 틀림없이 알고 있었어. 그래서 우리가 막 로카 실렌티아에 발을 들여놓은 뒤에 할머니가 우리한테 지도를 준 거야."

"하지만 지도가 끝났는데도 장벽은 없어. 그럼 장벽을 어떻게 찾아?" 리브가 한숨을 내쉬었다.

"우리 엄마는 찾을 수 있었어. 엄마는 남극성 없이도 그걸 찾는 법을 알고 있었어." 엄마가 지금 이 자리에 있으면 얼마나 좋을까. 연기와 무덤의 흙과 닭뼈로 만들어 낸 유령 같은 환영이라도 상관없었다.

"네 어머니가 쓴 글에서 읽은 거야?"

"아니. 존이 리나한테 말하는 걸 들었어." 비록 이 정보는 유용했지만, 나는 그 둘의 대화에 대해서는 생각하고 싶지 않았다. "근데 지도에 따르면 여기가 어디라고?"

리브가 손가락으로 어느 지점을 가리켰다. "여기야." 우리가 있는 곳은 남쪽 해안의 후미들을 따라 길게 커브를 그리고 있는 선 위였다. 주술사들의 연결점들이 그 선을 따라 구불구불 이어지다가 물가에서 신경 다발처럼 한데 모였다.

"이 작은 것들은 뭐야? 섬인가?" 리브는 펜의 꽁지를 잘근잘근 씹었다.

"그건 시 제도야."

리브가 내 위로 몸을 기울였다. "그런데 왜 어디서 본 것처럼 보이지?"

"나도 그 생각을 하고 있었는데. 내가 지도를 너무 오래 들여다봐서 그런가 보다 했지."

사실이었다. 한쪽으로 기울어진 구름들처럼 구불구불하게 이어진 그 섬들의 모양이 낯익었다. 내가 이걸 어디서 봤더라?

나는 뒷주머니에서 종이들을 꺼냈다. 엄마의 글이었다. 거기 종이들 사이에 그것이 있었다. 이상한 구름처럼 생긴 주술사 세계의 문양으로 뒤덮인 고급 피지.

'그 여자는 별이 없어도 장벽을 찾는 법을 알고 있었어.'

"잠깐…." 나는 피지를 지도 위에 놓았다. 애마 아줌마의 도마에 들러붙은 얇은 양파 막처럼 얇아서 트레이싱페이퍼 같았다.

"혹시…." 나는 그 반투명한 종이를 지도의 섬들 모양에 맞춰 놓았다. 피지에 그려진 문양들의 윤곽이 지도의 섬들 윤곽과 정확히 일치했다. 하지만 딱 하나만 예외였다. 유령처럼 흐릿한 실루엣으로만 그려진 그 표시는 지도의 윤곽 일부와 피지의 윤곽 일부가 서로 만났을 때에만 모습을 드러내게 되어 있었다. 피지와 지도 중 하나라도 없으면, 그 표시는 그냥 무의미한 선들로만 보일 뿐이었다.

하지만 피지와 지도를 제대로 맞추면 선들이 모양을 갖추면서 섬이 나타났다.

둘로 쪼갠 주술사 열쇠의 반쪽들이 서로 맞아떨어지는 것 같기도 하고, 두 우주가 공통의 목적을 위해 하나로 합쳐지는 것 같기도 했다.

장벽은 일반인 세계의 해안선 한가운데에 숨겨져 있었다. 당연한 일이었다.

나는 피지와 지도의 선들을 뚫어지게 바라보았다.

확실히 보였다. 주술사 세계에서 가장 강력한 힘을 지닌 장소가 마치 마술처럼 모습을 드러냈다.

그것은 누구나 뻔히 볼 수 있는 곳에 숨겨져 있었다.

저는 누구의 아들도 아닙니다

✤ 6.20 ✤

문 그 자체는 그다지 이례적이지 않았다.

그 문으로 이어진 출입구도, 출입구까지 이어진 휘어진 길도 마찬가지였다. 우리는 바스라질 것 같은 바위와 흙과 여기저기가 금 간 나무들로 지어진 통로들을 구불구불 돌며 걸었다. 이곳은 사람들이 흔히 생각하는 터널의 분위기를 그대로 지니고 있었다. 축축하고 어둡고 좁다는 의미에서. 링크와 내가 서머빌에서 길 잃은 개를 따라 빗물 배수 터널로 들어갔을 때와 거의 비슷했다.

무엇보다도 이상한 것은 모든 것이 평범하게 보인다는 점이었던 것 같다. 우리가 이미 지도의 비밀을 알아낸 다음이라서 유독 그런 느낌이 들었다. 지도의 길을 따라가는 것은 쉬운 일이었다.

지금까지는.

"저거야. 틀림없어." 리브가 지도에서 고개를 들었다. 나는 리브 앞쪽의 나무 계단을 바라보았다. 계단은 어둠 속에서 문의 윤곽을 드러내고 있는 빛줄기들을 향해 뻗어 있었다.

"확실해?"

리브가 고개를 끄덕이며 지도를 주머니에 넣었다.

"그럼 가 보자." 나는 문을 향해 계단을 올라갔다.

"너무 서두르지 마, 남자 친구. 저 문 뒤에 뭐가 있을 것 같아?" 리들리는 머뭇거리고 있었다. 나만큼이나 불안한 표정이었다.

리브가 문을 유심히 살폈다. "전설에 따르면, 고대의 마법이 있다고 했어. 빛도 아니고 어둠도 아니래."

리들리는 고개를 저었다. "알지도 못하면서 멋대로 말하지 마, 보관자. 고대의 마법은 제멋대로야. 무한하다고. 가장 순수한 형태의 혼돈이니까. 딱히 너의 모험을 해피엔딩으로 장식해 줄 거라고 장담할 수 없는 셈이지."

나는 문으로 다가갔다. 리브와 링크가 내 뒤에 바짝 붙어 있었다. "가자, 리드. 너도 리나를 돕고 싶잖아." 링크의 목소리가 벽에 부딪혀 메아리쳤다.

"내 말은 그저…." 리들리의 목소리에 두려움이 배어 있었다. 나는 지난번에 리들리가 이렇게 겁에 질렸을 때의 일을 생각하지 않으려고 애썼다. 그때 리들리는 숲 속에서 새라핀과 마주하고 있었다.

내가 문을 밀자 삐걱거리는 소리가 났다. 낡은 나무가 구부러지면서 내힘에 반발했다. 문을 한 번 더 밀면 열릴 것 같았다. 그러면 그곳에 도착하게 될 것이다. 장벽에.

나는 무섭지 않았다. 이유는 모르겠다. 하지만 나는 문을 억지로 열면서 마법의 우주로 들어간다는 생각은 하지 않았다. 나는 집을 생각하고 있었다. 나무문은 우리가 축제장에서 사랑의 터널 지하로 들어가 찾아냈던 외문과 그리 다르지 않았다. 어쩌면 이것이 징조인지도 몰랐다. 맨 처음에 나타났던 어떤 것이 마지막에 다시 나타나는 것. 이것이 좋은 징조인지 나쁜 징조인지 궁금했다.

문 뒤편에 무엇이 있는지는 중요하지 않았다. 리나가 기다리고 있었다. 리나 본인이 알든 모르든, 리나에게는 내가 필요했다.

이제 와서 돌아설 수는 없었다.

내가 문에 몸을 기대고 밀자 문이 활짝 열렸다. 문틈으로 새어 나오던 빛줄기가 사라지고 사방이 온통 눈이 멀 것처럼 밝고 하얗게 변했다.

～

나는 그 강렬한 빛 속으로 걸어 들어갔다. 이제 어둠은 내 뒤에 있었다. 발밑의 계단이 거의 보이지 않았다. 나는 숨을 들이쉬었다. 공기에 소금기가 짙게 배어 있었다.

로카 실렌티아. 이제야 그게 무슨 뜻인지 이해가 갔다. 우리가 터널의 어둠 속에서 넓고 평평하게 펼쳐진 물의 그림자 속으로 나오자, 사방에는 온통 빛과 침묵뿐이었다.

서서히 내 눈이 빛에 적응하기 시작했다. 우리가 서 있는 곳은 바위 투성이의 저지대 해변 같았다. 회색과 하얀색의 굴 껍데기들이 해변을 뒤덮고 있고, 야자나무들이 가장자리에 들쭉날쭉 서 있었다. 나무를 쪼개서 만든 보행로가 섬들과 마주한 해안을 따라 뻗어 있었다. 우리 넷은 그 보행로 위에 서 있었다. 파도 소리나 바람 소리, 하늘을 날아다니는 갈매기 소리 같은 것이 들려야 마땅했지만 침묵이 너무 짙어서 우리는 걸음을 내딛지 못했다.

눈앞에 펼쳐진 풍경은 지극히 평범하면서도 믿을 수 없을 만큼 초현실적이었다. 마치 생생한 꿈 같았다. 모든 색깔이 너무 밝았고, 빛도 너무 밝았다. 그리고 해안 너머 저 멀리 그림자들 속의 어둠은 너무 어두웠다. 하지만 모든 것이 왠지 아름답게 보였다. 심지어 어둠조차도. 우리가 침묵한 것은 이 순간의 느낌 때문이었다. 우리들 사이에 마법이 펼쳐져서 밧줄처럼 우리를 하나로 묶고 있었다.

내가 걷기 시작하자 시 제도의 둥근 해안들이 저 멀리서 모습을 드러냈다. 그 너머에는 짙은 안개뿐이었다. 늪지에서 자라는 풀들이 물에서 솟아

올라 해안의 진흙과 어우러져 길게 뻗어 있었다. 한없이 파랗게 펼쳐진 해안을 따라 낡은 나무 선착장들이 이어지다가 검은 심연 속으로 사라졌다. 선착장들은 마치 낡은 나무 손가락처럼 해안을 따라 점점 흐릿하게 이어져 있었다. 그 어느 곳과도 이어지지 않은 다리 같았다.

나는 하늘을 올려다보았다. 별 하나 보이지 않았다. 리브는 손목에서 휑휑 돌아가는 셀레노미터를 내려다보더니 손으로 기계를 툭 쳤다. "이젠 여기 나오는 숫자들이 아무 의미도 없어. 모든 걸 우리 힘으로 해내야 돼." 리브는 셀레노미터를 풀어서 주머니에 넣었다.

"그렇겠지."

"이제 어쩌지?" 링크는 허리를 숙여 다치지 않은 팔로 굴 껍데기를 하나 집어서 멀리 던졌다. 물이 소리 하나 없이 그것을 꿀꺽 삼켰다. 리들리는 분홍색 줄무늬가 있는 머리카락을 바람에 휘날리며 링크 옆에 서 있었다. 우리 앞의 선착장 저편 끝에 사우스캐롤라이나의 깃발이 껑충한 깃대에 매달려 펄럭이고 있었다. 밤하늘 같은 암청색을 배경으로 야자나무의 실루엣과 초승달이 그려진 그 깃발은 마치 주술사 깃발 같았다. 깃발을 자세히 살펴보니 모양이 조금 달랐다. 이 깃발에는 낯익은 초승달과 야자나무 옆에 칠망성이 하나 있었다. 마치 남극성이 하늘에서 뚝 떨어져 그 깃발에 자리를 잡은 것 같았다.

여기가 정말로 일반인 세계와 마법 세계가 만나는 이음매인지 알아볼 수 있는 표시 같은 것은 하나도 없었다. 내가 무엇을 기대하고 있었던 건지는 잘 모르겠다. 지금 내 앞에 있는 것은 사우스캐롤라이나 깃발에 추가로 그려진 별과 공기 중에 배어 있는 소금기만큼이나 짙은 마법의 느낌뿐이었다.

나는 보행로 반대편 가장자리에 서 있는 일행들에게 갔다. 바람이 강해져서 깃발이 깃대를 감싸듯이 휘날리고 있었다. 하지만 소리는 전혀 나지 않았다.

리브가 접어 놓은 지도를 살폈다. "우리가 제대로 찾아온 거라면, 장벽은 틀림없이 저기 부표 너머의 섬과 우리가 서 있는 이 자리 사이에 있을 거야."

"우리가 제대로 찾아오긴 한 것 같아." 나는 확신했다.

"네가 어떻게 알아?"

"네가 남극성 얘기를 해 줬지? 기억나?" 나는 깃발을 가리켰다. "생각해 봐. 만약 네가 여기까지 줄곧 그 별을 따라왔다면, 저 깃발의 별이야말로 네가 기대하던 표시일 거야. 목적지를 제대로 찾아왔다는 표시."

"그렇지. 칠망성." 리브는 이제야 장벽의 존재를 믿을 수 있겠다는 듯이, 깃발을 손으로 만지며 자세히 살폈다.

하지만 지금은 그럴 시간이 없었다. 빨리 움직여야 했다. "그럼 이제 뭘 찾아야 하지? 육지? 아니면 뭔가 인공물 같은 것?"

"여기가 아니란 말이야?" 링크는 실망한 표정으로 정원 가위를 다시 허리띠에 찔러 넣었다.

"역시 저 물을 건너가야 할 것 같아. 그게 말이 돼. 하데스에 가기 위해 스틱스 강을 건너는 것처럼 말이야." 리브는 지도를 손바닥에 납작하게 눌렀다. "지도에 따르면, 물을 건너 장벽까지 이어져 있는 걸 찾아야 돼. 모래톱이나 다리 같은 것 말이야." 리브가 피지를 지도 위에 놓았고, 우리 모두 지도를 바라보았다.

링크가 지도와 피지를 리브의 손에서 빼앗았다. "그래, 알았어. 멋지네." 링크는 지도 위에서 피지를 위아래로 획획 움직였다. "이렇게 하면 보였다가, 이렇게 하면 안 보이잖아." 링크가 지도를 놓아 버리자 지도는 종이 더미로 변해서 모래 위로 떨어졌다.

리브가 허리를 숙여 지도를 주웠다. "조심해! 너 미쳤어?"

"천재냐는 뜻이지?" 가끔 링크와 리브는 이런 식으로 말도 안 되는 대화를 나눴다. 리브가 프루 할머니의 지도를 주머니에 넣었고, 우리는 모두 다시 걷기 시작했다.

리들리가 루실 볼을 안아 들었다. 터널을 나온 뒤로 리들리는 별로 말이 없었다. 이제 발톱을 빼앗겼으니 루실과 함께 있는 편이 더 편안한 것 같기도 했다. 아니면 겁에 질렸거나. 리들리는 우리 앞에 놓인 위험에 대해 십중팔구 누구보다 잘 알고 있을 터였다.

주머니 속에서 아크라이트가 타는 듯이 뜨거워졌다. 내 심장이 두근거리고, 머릿속이 핑핑 돌기 시작했다.

아크라이트가 지금 내게 무슨 짓을 하고 있는 걸까? 지도에 로카 실렌티아로 표기된 무인 지대로 넘어온 뒤로 아크라이트는 빛으로 앞길을 밝혀 주는 대신 과거를 밝혀 주기 시작했다. 메이컨의 과거였다. 아크라이트는 과거로 곧장 이어진 길이 되었고, 나는 그 길을 통제할 수 없었다. 환영들이 간헐적으로 나타나는 바람의 메이컨의 과거가 조각조각 현재에 끼어들었다.

리들리의 발밑에서 오래된 야자 이파리 하나가 커다란 소리를 내며 똑 부러졌다. 그러고는 뭔가 다른 것이 느껴졌다. 나는 점점 어딘가로 빠져들고….

메이컨은 어깨가 부러지는 순간 강렬한 통증을 느꼈다. 그의 몸 안에 숨어 있는 것이 무엇이든, 더 이상 그것을 막을 수 없다는 듯이 피부가 팽팽해졌다. 누가 몸을 짓누르고 있기라도 한 것처럼, 허파에 차 있던 공기도 빨려 나가 버렸다. 시야가 흐릿해지면서 자신이 아래로 떨어지고 있는 것 같은 느낌이 들었다. 바닥에 포박된 자신의 살을 바위가 긁어 대는 것이 느껴지는데도.

변환.

지금 이 순간부터 그는 밝은 대낮에 일반인들과 함께 길을 걸을 수 없게 될 것이다. 이제는 햇빛이 그의 살을 태울 것이고, 그는 일반인들의 피를 먹고 싶다는 충동을 무시할 수 없게 될 것이다. 이제 그도 그들과 같았다. 레이븐우드 가문에 오랫동안 이어져 내려온 살인자의 혈통. 흡혈 몽마. 사냥감들 사이를 돌아다니며 먹이를 찾는 포식자였다.

∽

나는 다시 돌아왔다. 빨려 들어갈 때만큼 갑작스럽게.

나는 리브를 향해 휘청거렸다. 머리가 어지러웠다. "빨리 움직여야 돼. 일이 점점 걷잡을 수 없게 변하고 있어."

"일이라니?"

"아크라이트…. 내 머릿속에 있는 것들." 나는 더 이상 자세히 설명할 수 없었다.

리브가 고개를 끄덕였다. "네가 심하게 영향을 받을지도 모른다고 생각하긴 했어. 길을 아는 자는 일부 주술사들의 힘에 민감하기 때문에 이렇게 강력한 장소에서 더 강렬한 반응을 보일지도 모른다고 생각했지. 확신은 없었지만. 그러니까 네가 정말로…." 내가 정말로 길을 아는 자라면. 리브가 말하지 않아도 나는 알고 있었다.

"그럼 이젠 너도 장벽이 실제로 존재한다고 믿는다는 거야?"

"아니. 다만…." 리브는 수평선 저편의 가장 먼 선착장을 가리켰다. 다른 선착장들보다도 좁고 갈라진 틈도 가장 많은 그 선착장은 워낙 멀리 있어서 그냥 안개 속으로 사라진 것처럼 보였다. "어쩌면 저게 다리일지도 몰라."

"별로 다리 같지 않은데." 링크는 믿기 힘들다는 표정이었다.

"확인할 방법은 하나뿐이지." 나는 앞장서서 걸었다.

우리는 썩어 가는 판자와 굴 껍데기들을 피해 조심스레 걸었다. 나는 나도 모르게 자꾸만 현실과 멀어졌다. 금방 이곳에 있다가도 다른 곳으로 빠져들었다. 분명히 리들리와 링크가 말다툼을 벌이는 소리가 들렸는데, 순식간에 안개가 흐릿해지면서 나는 메이컨의 과거 속으로 끌려 들어갔다. 이 환영들 속에서 내가 뭔가를 알아내야 한다는 건 알고 있었지만, 이제는 환영들이 너무나 빠른 속도로 다가왔기 때문에 뭐가 뭔지 알 수 없었다.

나는 애마 아줌마를 생각했다. 애마 아줌마라면 "모든 것에는 의미가 있다"고 말했을 것이다. 나는 애마 아줌마가 또 뭐라고 말했을지 생각해 보았다.

P. O. R. T. E. N. D.(~의 전조가 되다—옮긴이) 지금 눈앞에 있는 것에 주의를 기울여야 돼, 이선 웨이트. 그게 다음에 다가올 것으로 이어진 길을 가리켜 줄 테니까.

애마 아줌마가 옳았다. 언제나 그렇듯이. 모든 것에는 의미가 있었다. 리나의 변화들을 한데 모아서 생각해 보았다면 진실에 이를 수 있었을 것이다. 내가 그것을 보지 못했을 뿐이다. 나는 언뜻언뜻 스쳐간 환영의 조각들을 한데 모아서 그 속에 담긴 이야기를 찾아내려고 애썼다.

하지만 시간이 없었다. 다리가 가까워지자 또 보행로가 흔들리기 시작하더니 리들리와 링크의 목소리가 희미해졌다….

방은 어두웠지만, 메이컨은 빛이 없어도 볼 수 있었다. 책장에는 책들이 줄줄이 꽂혀 있었다. 그가 상상한 그대로였다. 미국 역사의 모든 측면, 특히 이 나라의 기틀을 마련한 두 전쟁에 관한 책들이었다. 독립 전쟁과 남북 전쟁. 메이컨은 가죽으로 장정한 책등을 손가락으로 쓰다듬었다. 이제 이 책들은 그에게 아무 소용이 없었다.

이건 다른 종류의 전쟁이었다. 주술사들 사이의 전쟁. 그의 가문 사람들 사이에서 벌어지는 전쟁.

위에서 발소리가 들렸다. 초승달 모양의 열쇠를 자물쇠에 밀어 넣는 소리도 들렸다. 문이 삐걱거리더니 천장의 출입구가 열리면서 빛한 줄기가 새어 들어왔다. 메이컨은 손을 뻗어 아래로 내려오는 그녀를 붙잡아 주고 싶었지만, 감히 그럴 수 없었다.

그녀를 마지막으로 만난 건 벌써 오래전의 일이었다.

그동안 두 사람은 그녀가 그를 위해 터널 안에 놓아둔 책들과 편지를 통해서만 서로를 만났다. 그동안 내내 그는 그녀의 모습을 본 적도, 그녀의 목소리를 들은 적도 없었다. 메리언이 철저히 신경을 쓴탓이었다.

그녀가 천장에 난 문으로 발을 들이밀었다. 빛이 방으로 쏟아져 들어왔다. 메이컨은 숨을 쉴 수 없었다. 그녀는 기억 속의 모습보다도훨씬 더 아름다웠다. 반짝이는 갈색 머리 위에는 빨간 독서용 안경이꽂혀 있었다. 그녀가 미소를 지었다.

"제인." 그가 그녀의 이름을 소리 내어 불러 본 건 정말 오랜만의 일이었다. 그녀의 이름이 마치 노래처럼 울렸다.

"그동안 아무도 나를 그 이름으로 부르지 않았는데…." 그녀가 시선을 내렸다. "지금은 라일라라는 이름을 써."

"물론이지. 나도 알고 있어."

라일라는 눈에 띄게 불안해하고 있었다. 목소리도 떨렸다. "이렇게찾아와서 미안해. 하지만 이 방법밖에 없었어." 그녀는 그의 눈을 피했다. 그를 보는 것이 너무 고통스러웠다. "내가 당신한테 꼭 해야 할말이 있어…. 서재에 메모로 남겨 둘 수 없는 말이야. 터널을 통해 연락하는 것도 위험하고."

메이컨은 터널 안에 작은 서재를 갖고 있었다. 개틀린에서 스스로망명자처럼 고독한 삶을 살아가고 있는 그가 조금이나마 숨을 돌릴수 있는 곳이었다. 가끔 라일라는 메이컨을 위해 놓아둔 책들 속에 메모를 꽂아 두었다. 개인적인 내용의 메모를 남긴 적은 한 번도 없었다. 언제나 루나에 리브리에서 라일라가 하고 있는 연구와 관련된 내용이었다. 두 사람이 함께 갖고 있는 의문의 해답을 찾으려는 연구.

"만나서 반가워." 메이컨이 한 걸음 다가서자 라일라의 몸이 뻣뻣하게 굳었다. 메이컨은 상처 받은 표정을 지었다. "괜찮아. 이젠 내가 그 충동을 조절할 수 있어."

"그런 게 아냐. 나는… 나는 여기 오면 안 돼. 미첼한테는 서고에서 늦게까지 일한다고 했어. 그 사람한테 그렇게 거짓말을 하는 게 내키지 않아." 그렇지. 그녀는 죄책감을 느끼고 있었다. 메이컨의 기억 속에 남은 모습 그대로, 그녀는 지금도 정직한 사람이었다.

"여기도 서고야."

"행간의 의미를 읽어야지, 메이컨."

메이컨은 그녀의 입술에서 흘러나오는 자신의 이름에 무거운 숨을 들이쉬었다. "뭐가 그렇게 중요해서 위험을 무릅쓰고 날 찾아온 거야, 라일라?"

"당신 아버지가 당신한테 비밀로 하셨던 걸 찾아냈어."

아버지라는 말을 듣고 메이컨의 검은 눈이 더욱 어두워졌다. "아버지를 못 본 지가 벌써 아주 오래됐어. 마지막으로 본 게…." 그는 지금 자신이 생각하고 있는 것을 입 밖에 내고 싶지 않았다. 그가 아버지를 마지막으로 본 것은, 사일러스의 술수에 넘어가 라일라의 손을 놓았을 때였다. 사일러스는 뒤틀린 생각들을 갖고 있었고, 일반인과 주술사 모두에 대해 독선적이고 편협한 태도를 취했다. 하지만 메이컨은 이런 얘기를 한 마디도 하지 않았다. 그녀를 더 힘들게 만들고 싶지 않았다.

"변환 때야."

"당신이 알아야 할 게 있어." 라일라가 목소리를 낮췄다. 지금부터 할 얘기는 반드시 속삭이는 소리로만 해야 한다는 듯이. "에이브러햄이 살아 있어."

메이컨과 라일라는 이 말에 뭔가 반응을 보일 틈이 없었다. 갑자기 윙 하는 소리가 나더니 어둠 속에 어떤 형체가 나타났다.

"브라보. 이 여자는 정말로 내 예상보다 훨씬 더 똑똑하군. 라일라 지?" 에이브러햄은 시끄럽게 박수를 쳤다. "내가 전술적인 실수를 했어. 하지만 그런 실수는 네 누이가 쉽게 바로잡을 수 있지. 너도 그렇게 생각하지, 메이컨?"

메이컨의 눈이 가늘어졌다. "새라핀은 내 누이가 아닙니다."

에이브러햄은 끈 모양의 타이를 바로잡았다. 하얀 수염과 좋은 양복 덕분에 살인자라기보다는 커널 샌더스(켄터키프라이드치킨의 창업자 – 옮긴이)처럼 보였다.

"고약하게 굴 필요는 없다. 어찌 됐든 새라핀은 네 아버지의 딸이니까. 너희 둘이 잘 지내지 못하는 게 안타깝구나." 에이브러햄은 메이컨을 향해 무심히 걸어왔다. "난 말이다, 우리가 언젠가 만날 기회가 생기면 좋겠다고 옛날부터 바라고 있었다. 일단 나와 대화를 나눠보면, 너도 틀림없이 세상의 이치 속에서 네 자리가 어딘지 이해하게 될 거야."

"제 자리가 어딘지는 이미 알고 있습니다. 저는 이미 스스로 결정을 내렸고, 오래전에 빛에 저 자신을 속박했습니다."

에이브러햄은 큰 소리로 웃음을 터뜨렸다. "그런 일이 가능하기나 한 것처럼 말하는구나. 넌 천성이 어둠의 생물이야. 몽마란 말이다. 빛의 주술사들과 손을 잡고 일반인들을 옹호하는 우스꽝스러운 짓이라니…. 어리석구나. 넌 우리 일족이다. 우리 가문의 일원이야." 에이브러햄은 라일라를 바라보았다. "도대체 뭣 때문에 그런 짓을 하는 거냐? 결코 하나가 될 수 없는 일반인 여자를 위해서? 그 여자는 이미 다른 남자랑 결혼했는데?"

라일라는 에이브러햄의 말이 사실이 아니라는 걸 알고 있었다. 메이컨이 순전히 라일라 때문에 지금과 같은 결정을 내린 건 아니었다. 하지만 메이컨이 그런 결정을 내린 이유 중에 그녀가 포함되어 있는 것도 사실이었다. 라일라는 모든 용기를 짜내어 에이브러햄을 마주 바라보았다. "이 모든 걸 끝낼 방법을 우리가 찾아낼 겁니다. 주술사와 일반인은 단지 공존하는 수준을 뛰어넘을 수 있어야 합니다."

에이브러햄의 표정이 변했다. 얼굴이 어두워지면서, 남부 노신사 같은 모습이 사라졌다. 메이컨을 향해 미소를 짓는 그의 모습은 불길하고 사악했다. "네 아버지랑 헌팅…. 우리는 네가 우리에게 오기를 바랐다. 나는 헌팅에게 형제들이 서로에게 실망을 안겨 주는 경우가 많다고 미리 경고했지. 아들들과 마찬가지라고 말이야."

메이컨은 고개를 홱 돌렸다. 그의 표정도 에이브러햄의 표정처럼 변하고 있었다.

"저는 누구의 아들도 아닙니다."

"어쨌든 너나 이 여자가 우리 계획에 끼어드는 걸 나는 가만히 두고 볼 수 없다. 정말이지 불행한 일이야. 넌 이 더러운 일반인을 사랑했기 때문에 가문에 등을 돌렸는데, 이 여자는 너로 인해 이 일에 말려든 탓에 죽게 됐으니 말이다." 에이브러햄이 갑자기 사라졌다가 라일라 앞에 나타났다. "아, 이런." 그가 입을 벌리자 번득이는 송곳니가 드러났다.

라일라는 양팔로 머리를 감싸고 비명을 질렀다. 하지만 이빨이 자신을 깨무는 감촉이 느껴지지 않았다. 메이컨이 두 사람 사이에 나타났다. 라일라는 자신을 향해 달려들어 뒤로 밀쳐내는 메이컨의 힘을 느꼈다.

"라일라, 도망쳐!"

순간적으로 라일라는 온몸이 마비된 듯 꼼짝도 하지 못했다. 에이브러햄과 메이컨은 서로에게 달려들었다. 땅이 찢어지는 것처럼 엄청난 소리가 났다. 라일라는 메이컨이 에이브러햄을 바닥에 내동댕이치는 모습을 지켜보았다. 그의 목구멍에서 솟아난 외침이 허공을 찢었다. 라일라는 도망쳤다.

⤳

하늘이 내 주위를 천천히 빙글빙글 돌았다. 누군가가 '되감기' 버튼을 누른 것 같았다. 리브가 내게 뭐라고 말을 하던 중이었는지, 리브의 입술이 움직이는 것이 보였다. 하지만 무슨 소리인지 알아들을 수가 없었다. 나는 다시 눈을 감았다.

에이브러햄이 엄마를 죽였다. 실제로 엄마를 죽인 건 새라핀의 손이었는지 몰라도, 명령을 내린 것은 에이브러햄이었다. 확실했다.

"이선? 내 말 들려?" 리브가 정신없이 나를 불렀다.

"나는 괜찮아." 나는 천천히 몸을 일으켰다. 세 명 모두 나를 내려다보고 있었고, 루실은 내 가슴 위에 앉아 있었다.

나는 썩어 가는 보행로 위에 널브러져 있었다. "그거 이리 줘." 리브는 내 손에서 아크라이트를 빼내려고 애쓰는 중이었다. "이게 일종의 초자연적인 채널처럼 작동하고 있어. 조종이 불가능해."

나는 손을 놓지 않았다. 지금 이 채널을 닫아 버릴 수는 없었다.

"적어도 뭐가 어떻게 된 건지만이라도 말해 줘. 이번엔 누구였어? 에이브러햄이야 새라핀이야?" 리브가 내 어깨에 손을 얹고 나를 지탱해 주었다.

"난 괜찮아. 지금은 그 이야기를 하고 싶지 않아."

링크가 나를 빤히 내려다보았다. "너 괜찮은 거냐?"

나는 몇 번 눈을 깜박거렸다. 마치 내가 물속에서 잔물결 사이로 세 사람을 보고 있는 것 같았다. "괜찮아."

리들리는 1미터 남짓 떨어진 곳에 서서 양손을 치마에 닦고 있었다. "유명한 최후의 말씀을 하시는군."

리브가 자신의 배낭을 집어 들고 서서 거의 무한히 뻗어 있는 것처럼 보이는 선착장 끝을 바라보았다. 나도 몸을 일으켜 리브 옆에 섰다.

"여기야." 나는 리브를 바라보았다. "느낌이 와."

나는 몸을 떨었다. 그리고 그때서야 리브도 떨고 있음을 깨달았다.

바다의 변화

❧ 6.20 ❧

마치 우리가 영원히 걷기만 하고 있는 것 같았다. 그리고 우리 앞의 다리는 우리가 걸으면 걸을수록 점점 길어지기만 하는 것 같았다. 걸으면 걸을수록 눈에 보이는 것이 줄어들었다. 공기는 더 밝고 더 무겁고 더 습해졌다. 그러다 갑자기 내 발이 낡은 판자 가장자리에 이르렀다. 그 앞에는 난공불락처럼 보이는 안개의 벽이 있었다.

"이게 장벽이야?" 나는 쪼그리고 앉아서 나무가 끝난 자리를 만져 보았다. 손에 아무것도 느껴지지 않았다. 눈에 안 보이는 주술사 계단도 없었다. 그냥 허공이었다.

"잠깐, 이게 위험한 역장(力場)이나 유독성 안개 같은 거면 어떡해?" 링크가 가위를 꺼내 안개 속으로 조심스레 밀어 넣었다가 홱 꺼냈다. 가위는 원래 모습 그대로였다. "아닌가. 그래도 되게 으스스하네. 여기로 들어갔다가 나중에 영영 못 돌아오는 거 아냐?" 여느 때처럼 링크의 말은 우리 모두가 생각하고 있는 것을 고스란히 담고 있었다.

나는 다리 끝에 서서 허공을 마주했다. "난 들어갈 거야."

리브는 모욕을 당한 것 같은 표정이었다. "넌 제대로 걷지도 못하잖아.

왜 꼭 네가 가야 하는데?"

이 모든 게 내 잘못이니까. 리나가 내 여자 친구였으니까. 어쩌면 내가 길을 아는 자일지도 모르니까. 그게 뭔지는 잘 모르겠지만.

나는 시선을 돌렸다. 그러자 루실의 모습이 눈에 들어왔다. 루실은 리들리의 셔츠에 발톱을 박고 있었다. 루실 볼은 물을 전혀 좋아하지 않았다. "아야!" 리들리가 루실을 내려놓았다. "멍청한 고양이 같으니."

루실은 나무 위에서 조심스레 몇 걸음 걷다가 고개를 돌려 나를 바라보며 고개를 갸우뚱하게 기울였다.

그리고 꼬리를 한 번 튕기며 사라져 버렸다.

"왜냐하면…."

생각해 보니 나는 리브의 질문에 대답할 수 없었다. 리브가 고개를 저었다. 나는 다른 사람들을 기다리지 않고 루실의 뒤를 따라 구름 속으로 들어갔다.

꼬리

나는 장벽 안에 있었다. 우주와 우주 사이에. 아주 잠깐이지만 내가 주술사도 일반인도 아닌 것 같았다. 내가 느낀 것은 오로지 마법뿐이었다.

나는 마법을 느끼고, 듣고, 냄새 맡을 수 있었다. 소리와 소금기와 습기가 공기 중에 짙게 배어 있었다. 다리 끝의 해안이 나를 끌어당겼다. 나는 감당할 수 없는 그리움과 갈망에 압도당했다. 나는 리나와 함께 그곳에 있고 싶었다. 아니, 그냥 그곳에 있고 싶은 생각이 그보다 더 컸다. 딱히 그래야 할 이유나 논리는 존재하지 않았다. 그저 강렬한 갈망이 존재할 뿐이었다.

나는 세상의 그 무엇보다도 그곳에 있는 것을 원했다.

나는 한 세계만 선택하고 싶지 않았다. 두 세계의 일부가 되고 싶었다.

하늘의 한 면만 보고 싶지 않았다. 전부를 보고 싶었다.

　나는 머뭇거렸다. 하지만 곧 한 걸음을 내디뎌 안개 밖의 미지 속으로 걸어 들어갔다.

빛 밖으로

✦ 6.20 ✦

차가운 공기가 몰려드는 바람에 양팔에 소름이 돋았다.

눈을 뜨자 밝은 빛과 안개는 이미 사라진 뒤였다. 보이는 것이라고는 저 멀리 깔쭉깔쭉한 동굴의 구멍 속으로 흐릿하게 쏟아져 들어오는 달빛뿐이었다. 보름달이 선명하게 빛나고 있었다.

저것이 열일곱 번째 달인지 궁금했다.

나는 눈을 감고 조금 전 두 세계 사이에서 느꼈던 강렬함을 다시 경험하려고 했다.

그 느낌이 거기 있었다. 모든 것 뒤에. 전기가 흐르는 것 같은 공기. 이편의 세계에 생명이 가득 차 있는 것 같았다. 눈에 보이지는 않았지만, 사방에서 생명의 기운이 느껴졌다.

"뭐 해." 리들리가 내 뒤에서 링크를 잡아끌고 있었다. 링크는 눈을 꼭 감고 있었다. 리들리가 링크의 손을 놓았다. "이제 눈 떠도 돼, 최고 종마."

리브가 숨을 몰아쉬며 그 뒤에 나타났다. "정말 굉장했어." 리브가 내 옆으로 다가왔다. 땋은 머리는 흐트러짐이 없었다. 황금빛 머리카락은 단 한 올도 흘러내린 것이 없었다. 리브는 우리 앞의 바위들에 파도가 부딪히는 모습을 지켜보았다. 눈이 반짝였다. "네 생각에는 우리가…."

나는 리브가 말을 끝내기도 전에 대답했다. "우린 장벽 안으로 들어왔어."

그렇다면 리나가 여기 어디 있다는 뜻이었다. 새라핀도.

그리고 그 밖에 또 무엇이 있는지는 아무도 모를 일이었다.

루실은 바위 위에 앉아 무심히 앞발을 핥고 있었다. 그 옆의 두 바위 사이에 뭔가가 걸려 있는 것이 보였다.

리나의 목걸이였다.

"리나가 여기 있어." 나는 목걸이를 주우려고 허리를 숙였다. 손이 걷잡을 수 없이 떨렸다. 리나가 이 목걸이를 벗은 모습은 한 번도 보지 못했다. 단 한 번도. 은색 단추가 모래 속에서 반짝였다. 철사로 만든 별은 리나가 빨간 실을 감아 놓은 고리에 걸려 있었다. 이건 단순히 리나만의 추억이 담긴 목걸이가 아니었다. 여기에는 우리의 추억이 담겨 있었다. 처음 만난 뒤로 우리가 함께 나눴던 모든 것. 리나가 살면서 경험했던 행복한 순간들의 증거 또한 하나도 남김없이 담겨 있었다. 그런데 그 목걸이가 해변으로 떠밀려온, 깨진 조개 껍데기나 헝클어진 해초와 마찬가지로 아무렇게나 던져져 있었다.

만약 이것이 모종의 징조라면, 결코 좋은 징조가 아니었다.

"뭣 좀 찾았어, 남자 친구?"

나는 마지못해 손을 펼쳐 목걸이를 내밀었다. 리들리가 헉 하고 숨을 삼켰다. 리브는 이 목걸이가 뭔지 몰랐다. "이게 뭐야?"

링크는 바다를 바라보았다. "리나의 목걸이야."

"잃어버렸나 보지." 리브가 순진한 표정으로 말했다.

"아냐!" 리들리의 언성이 높아졌다. "리나는 저걸 벗는 법이 없어. 평생 한 번도 없다고. 저걸 잃어버릴 애가 아냐. 목걸이가 사라진 순간 알아차렸을 테니까."

리브는 어깨를 으쓱했다. "그럼 알아차렸어도 별로 신경 쓰지 않았나 보지."

리들리가 리브에게 달려들고, 링크가 리들리의 허리를 잡아 저지했다. "시끄러! 넌 아무것도 몰라! 쟤한테 말해, 남자 친구."

하지만 나도 그 이상은 알지 못했다.

해변을 따라 걸으면서 우리는 동굴들이 들쭉날쭉하게 늘어선 바위투성이 해안선으로 다가갔다. 썰물이 모래 위로 밀려들고, 깔쭉깔쭉한 바위벽들이 모든 걸 그늘로 덮었다. 바위들 사이로 난 길이 아무래도 특정한 동굴로 이어져 있는 것 같았다. 파도가 우리 주위에서 철썩거렸다. 그 파도가 우리마저 순식간에 쓸어 갈 수 있을 것처럼 보였다.

여기에는 진정한 힘이 존재하고 있었다. 발밑에서는 바위들이 웅웅거렸고, 달빛마저 살아 있는 듯이 보였다.

나는 바위에서 바위로 계속 건너뛴 끝에 마침내 해안가 동굴들의 바위지붕들 너머를 볼 수 있는 곳까지 올라갔다. 다른 사람들도 열심히 내 뒤를 따라왔다.

"저기야." 나는 사방에 늘어선 동굴들 바로 뒤쪽의 커다란 동굴을 가리켰다. 달이 바로 그 위에 떠서 천장에 깔쭉깔쭉하게 난 거대한 구멍을 비추고 있었다.

그것만이 아니었다.

달빛 덕분에 어둠 속에서 움직이는 형체들이 간신히 보였다. 헌팅의 흡혈 무리였다. 틀림없었다.

아무도 입을 열지 않았다. 이제 이건 우리가 풀어야 할 수수께끼 같은 것이 아니었다. 모든 것이 급속히 현실로 변하고 있었다. 아무래도 저 동굴에는 어둠의 주술사들, 흡혈 몽마들과 더불어 한 변이체가 있을 것 같았다.

우리에게 있는 것은 혼자가 아니라는 사실과 아크라이트뿐이었다.

링크도 그 사실을 깨닫고 충격을 받은 모양이었다. "인정할 건 인정하자. 우리 넷은 죽은 목숨이야." 링크는 앞발을 핥고 있는 루실을 내려다보았다. "죽은 고양이도 한 마리 있군."

일리 있는 말이었다. 아무리 살펴봐도 출입구는 하나뿐이었다. 동굴 입구는 경비가 삼엄했고, 그 안에는 그보다 훨씬 더 위협적인 것이 기다리고 있을 터였다.

"링크 말이 맞아, 이선. 우리 삼촌이 저 안에 부하들이랑 같이 있을 거야. 내 능력이 없이는 저 흡혈 무리한테서 다시 목숨을 건질 수 없어. 우린 쓸모없는 일반인들이야. 우리한테 도움이 될 만한 것이라고는 이 멍청하게 번쩍이는 돌덩이밖에 없어." 리들리는 젖은 모래를 발로 찼다. 그 어느 때보다 절망한 모습이었다.

"쓸모가 없지는 않아, 리드." 링크가 한숨을 내쉬었다. "그냥 일반인이야. 너도 익숙해질 거야."

"내가 익숙해지거든 날 총으로 쏴 버려."

리브는 바다를 빤히 바라보았다. "어쩌면 여기까지가 우리의 한계인지도 몰라. 설사 우리가 저 흡혈 무리를 뚫고 들어갈 수 있다 해도, 새라핀을 공격하는 건…." 리브는 말을 맺지 않았지만, 우리 모두 리브가 무엇을 생각하는지 알고 있었다.

죽으려고 달려드는 짓. 미친 짓. 자살행위.

나는 바람 속을, 어둠을, 그리고 밤을 바라보았다.

'어디 있어, L?'

달빛이 동굴 속으로 쏟아지는 것이 보였다. 리나는 저기 어딘가에서 나를 기다리고 있을 터였다. 리나에게서 대답은 없었지만, 그래도 리나에게 손을 뻗는 것을 단념할 수는 없었다.

'내가 금방 갈게.'

"어쩌면 리브 말이 맞는지도 몰라. 이제 그만 돌아가야 할지도 모르지.

도움을 청하러." 링크의 숨소리가 거칠어져 있었다. 링크는 줄곧 숨기려고 했지만, 아직도 통증을 느끼고 있음이 분명했다.

나를 생각해 주는 내 친구들에게 내가 지금 무슨 짓을 하고 있는 건지 인정할 수밖에 없었다. "돌아갈 수 없어. 그러니까, 난 못 돌아가."

열일곱 번째 달이 우리를 기다려 주지는 않을 것이다. 리나에게는 이제 시간이 별로 없었다. 아크라이트가 나를 이리로 데려온 데에는 분명히 이유가 있을 터였다. 나는 엄마의 무덤 앞에서 메리언 아줌마가 내게 아크라이트를 주며 했던 말을 생각해 보았다.

'빛 속에 어둠이 있고, 어둠 속에 빛이 있다.'

이건 예전에 엄마가 자주 하던 말이었다. 나는 주머니에서 아크라이트를 꺼냈다. 아크라이트는 눈부신 초록색으로 점점 변하면서 믿을 수 없을 만큼 밝게 빛나고 있었다. 뭔가 일이 벌어지고 있다는 뜻이었다. 나는 아크라이트를 양손으로 쥐고 이리저리 돌리면서 모든 것을 기억해 냈다. 모든 것이 이 돌덩이 표면에서 나를 마주 보고 있었다.

'레이븐우드 장원의 스케치와 메이컨의 가계도가 서고의 엄마 책상 위에 펼쳐져 있었어.'

나는 아크라이트를 뚫어지게 바라보았다. 생전 처음으로 그 위에 이미지들이 나타났다. 그리고 내 마음속에서도 이미지들이 표면으로 떠올랐다.

'메리언 아줌마는 이것이 엄마가 가장 소중히 아끼던 물건이라면서 나한테 줬어. 이제야 함께 있을 수 있는 길을 찾아낸 두 사람의 무덤 사이에 서서.'

어쩌면 리들리의 말이 옳을 수도 있었다. 우리에게 도움이 될 만한 것이라고는 이 멍청하게 번쩍이는 돌덩이밖에 없다는 말.

'반지. 손가락에 낀 채로 반지를 비틀고 있었어.'

일반인들만으로는 어둠의 힘에 상대가 되지 않았다.

'어둠 속에 가려진 엄마의 사진.'

해답이 처음부터 줄곧 내 주머니 속에 들어 있었던 걸까?

'나를 바라보던 검은 눈.'

우리는 혼자가 아니었다. 처음부터 그런 적은 한 번도 없었다. 환영들이 그동안 내내 모든 것을 내 앞에 보여 주었다. 갑자기 나타났던 이미지들이 또 갑자기 사라지더니, 글자들이 대신 나타났다. 내가 떠올린 생각이 순식간에 글자로 나타난 것이다.

'아크 안에 힘이 있고, 힘 안에 밤이 있다.'

"아크라이트 말인데… 우리가 잘못 생각하고 있었어." 우리 주위를 둘러싼 바위벽에 내 목소리가 울렸다.

리브는 깜짝 놀란 표정을 지었다. "무슨 소리야?"

"이건 나침반이 아니야. 절대로."

나는 모두가 볼 수 있게 아크라이트를 들어 올렸다. 아크라이트는 점점 더 밝아지더니 완벽한 빛의 원 속으로 사라졌다. 작은 별처럼. 이제는 빛 속에서 아크라이트의 모습이 보이지 않았다.

"어떻게 된 거야?" 리브가 숨 가쁜 목소리로 말했다.

내가 엄마의 무덤 앞에서 아무것도 모른 채 메리언 아줌마에게서 받은 아크라이트는 힘을 지닌 물건이 아니었다. 내게는 그랬다.

이건 메이컨을 위한 물건이었다.

나는 아크라이트를 더욱더 높이 쳐들었다. 썰물 때면 바닷물이 밀려들어오는 얕은 동굴 속의 검은 물이 달빛을 받아 내 발 주위에서 반짝였다. 바위벽에 박힌 작디작은 석영 조각들조차 달빛에 반짝였다. 어둠 속에서 아크라이트에 불이 붙은 것처럼 보였다. 진주처럼 변한 둥근 표면이 빛을 내면서 그 속에서 소용돌이치는 갖가지 색깔들이 드러났다. 보라색이 소용돌이치면서 어둠침침한 초록색으로 변했다가, 이내 생기 넘치는 노란색으로 폭발했다가, 다시 점점 짙어져서 오렌지색과 빨간색으로 변했다. 그 짧은 순간에 나는 이해했다.

나는 보관자도, 주술사도, 천리안도 아니었다.

나는 메리언이나 엄마와는 달랐다. 민간전승과 역사를 보관하거나 주술사 세계에서 커다란 부분을 차지하는 비밀과 책을 보호하는 일은 내 몫이 아니었다. 나는 미지의 것들을 알아내고 측정할 수 없는 것들을 측정하는 리브와도 달랐다. 애마 아줌마와도 달랐다. 아무도 볼 수 없는 것을 보거나 조상들과 대화를 나누는 일 역시 내 몫이 아니었다. 무엇보다도 특히 나는 리나와 달랐다. 나는 월식을 일으킬 수도 없고, 하늘을 끌어내릴 수도 없고, 땅을 차올릴 수도 없었다. 리들리처럼 남을 설득해서 다리에서 뛰어내리게 만들 수도 없었다. 나는 메이컨과도 달랐다.

머리 한구석으로 나는 줄곧 이 이야기, 그러니까 리나와 나 사이의 이야기 속 어디에 내 자리가 있는지 찾고 있었다. 그 속에 내 자리가 있기를 바라면서.

하지만 이야기가 스스로 모든 것을 뚫고 나를 찾아왔다. 터널의 어둠과 혼란 속에서 평생을 보내고 나온 것 같은 기분이 드는 지금, 나는 뭘 해야 할지 알 수 있었다. 내 역할을 마침내 깨달은 것이다.

메리언 아줌마가 옳았다. 나는 길을 아는 자였다. 잃어버린 것을 찾아내는 것이 내 임무였다.

잃어버린 사람을 찾아내는 것.

나는 아크라이트를 내 손끝으로 굴려서 놓아 버렸다. 아크라이트가 허공에 떴다.

"이게 무슨…." 링크가 비틀거리며 다가왔다.

나는 뒷주머니에서 누렇게 변한 종이를 꺼냈다. 엄마의 일기에서 찢어내 지금까지 줄곧 가지고 다니던 종이였다. 그게 아무 이유도 없는 괜한 행동인 줄 알았는데….

아크라이트가 허공에 떠서 동굴에 은색 빛을 비췄다. 나는 가까이 다가가 종이를 들어 올렸다. 비록 라틴어로 적혀 있지만 하여튼 그곳에 적힌 주문을 읽기 위해서였다. 나는 단어들을 조심스레 발음했다.

"인 루케 카에카에 칼리기네스 순트,
에트 인 칼리기니부스, 룩스.
인 아르쿠 임페리움 에스트,
에트 인 임페리오, 녹스."

"그렇지." 리브가 빛을 향해 다가서며 속삭였다. "주문. 오브 루켐 리베르타스. 빛 속의 자유." 리브가 나를 바라보았다. "끝까지 읽어."

나는 종이를 뒤집었다. 뒷면에는 아무것도 없었다.

"그게 다야."

리브의 눈이 휘둥그레졌다. "중간에 하다 말면 안 돼. 그건 엄청 위험한 짓이야. 레이븐우드의 아크라이트는 둘째 치고, 보통 아크라이트의 힘만으로도 우리가 죽을 수도 있어. 만약….'

"그럼 네가 해."

"난 못해, 이선. 안 되는 거 알잖아."

"리브. 리나가 죽을 거야. 너, 나, 링크, 리들리…. 우리도 모두 죽을 거야. 일반인으로서 우리는 여기까지 온 게 한계야. 그 나머지는 우리 힘만으로는 해낼 수 없어." 나는 리브의 어깨에 손을 올려놓았다.

"이선." 리브가 내 이름을 속삭이듯 말했다. 내 이름만. 하지만 나는 켈팅을 할 때 리나의 목소리를 들을 수 있는 것처럼 리브가 미처 하지 못한 말을 분명히 들을 수 있었다. 리브와 나 사이에도 우리만의 유대가 따로 있었다. 그건 마법이 아니라 매우 인간적이고 매우 현실적인 유대였다. 리브는 우리 둘 사이에 지금까지 펼쳐진 일들을 좋아하지 않을지 몰라도, 그것을 이해할 수는 있었다. 리브는 나를 이해했다. 앞으로도 언제나 리브는 나를 이해해 줄 것이라는 믿음이 내 마음 한구석에 있었다. 상황이 지금과 달랐더라면, 이 모든 일이 끝난 뒤 리브가 원하는 것을 모두 얻을 수 있다면 좋을 텐데. 사라진 별이나 주술사 세계의 하늘과는 상관없는 것들. 하지만 리브는 내 길이 향하는 곳에 있지 않았다. 리브는 길 그 자체의 일부였다.

리브가 내 뒤의 아크라이트를 바라보았다. 아크라이트는 여전히 우리 앞에서 빛을 내고 있었다. 엄청나게 밝은 빛 속에 리브의 실루엣이 떠 있었기 때문에, 마치 리브가 태양 앞에 서 있는 것 같았다. 리브가 아크라이트를 향해 손을 뻗는 순간 나는 내 꿈을 떠올렸다. 어둠 속에서 리나가 내게 손을 뻗던 꿈.

둘은 해와 달만큼이나 서로 달랐다. 리브가 없으면, 나는 리나에게 돌아가는 길을 결코 찾아내지 못할 것이다.

빛 속에 어둠이 있고, 어둠 속에 빛이 있다.

리브가 한 손가락을 아크라이트에 대고 입을 열었다.

"인 일로 쿠이 빙크투스 에스트,
리베르타스 파테파키에투르.
스피라테 데누오, 칼리기네스.
에 루케 엑시."

리브는 울고 있었다. 빛을 내뿜는 아크라이트를 바라보는 리브의 얼굴 양편에 눈물 자국이 생겨났다. 리브는 단어 하나하나가 자신의 머릿속에 새겨져 있기라도 한 것처럼 억지로 끌어냈지만, 주문을 멈추지는 않았다.

"속박된 자 안에서
자유가 발견될 것이다.
다시 살아라, 어둠이여,
빛에서 나오너라."

리브의 목소리가 흔들렸다. 리브는 눈을 감고 우리 둘 사이의 어두운 밤을 향해 마지막 단어들을 천천히 말했다.

"나오너라. 나오…."

말이 중간에서 끊겼다. 리브가 내게 손을 내밀었고, 나는 그 손을 잡았다. 링크가 절룩거리며 우리에게 다가왔다. 리들리는 반대편에서 링크의 팔을 움켜쥐었다. 리브는 온몸을 떨고 있었다. 한 마디씩 말을 내뱉을 때마다 리브는 자신의 신성한 임무와 꿈에서 점점 멀어지고 있었다. 리브는 편을 선택했다. 보관만 해야 할 이야기 속에 자신을 던져 넣었다. 이 일이 끝나고 우리가 살아남는다면, 리브는 더 이상 훈련 중인 보관자가 아닐 것이다. 리브는 자신의 삶에 의미를 부여해 주던 유일한 것, 자신의 재능을 희생했다.

그 기분이 어떨지 나는 상상도 할 수 없었다.

우리 넷의 목소리가 합쳐졌다. 이제는 돌아설 수 없었다.

"에 루케 엑시! 빛에서 나오너라!"

폭음에 온 세상이 흔들렸다. 발밑의 바위가 내 뒤의 벽에 날아가 박혔다. 우리 넷도 모두 바닥에 내동댕이쳐졌다. 젖은 모래와 소금물의 맛이 입안에서 느껴졌다. 하지만 나는 깨달았다. 엄마가 내게 말해 주려고 했는데, 내가 그것을 듣지 못했음을.

바위와 이끼와 바다와 모래에 둘러싸인 동굴 안에는 어둠과 빛의 안개로만 이루어진 존재가 있었다. 처음에는 그 존재 뒤의 바위들만 보였다. 마치 그 존재가 환영인 것처럼. 물이 그 존재를 그대로 통과했고, 그 존재는 땅에 닿아 있지도 않았다.

그런데 빛이 늘어나 형태를 갖추기 시작하더니, 남자의 형상이 되었다. 그의 손은 손이 되고, 그의 몸은 몸이 되고, 그의 얼굴은 얼굴이 되었다.

메이컨의 얼굴.

엄마의 말이 들렸다. '그 사람은 항상 네 곁에 있을 거야.'

메이컨이 눈을 뜨고 나를 바라보았다. '그 사람을 구원해 줄 수 있는 사람은 너뿐이야.'

메이컨은 세상을 떠난 날 입었던, 불에 탄 옷을 그대로 입고 있었다. 하지만 달라진 것이 있었다.

그의 눈이 초록색이었다.

주술사의 초록색.

"반갑다, 웨이트 군."

피와 살

"메이컨 아저씨!"

나는 메이컨을 와락 끌어안고 싶은 걸 참는 것이 고작이었다. 하지만 메이컨은 차분한 표정으로 나를 바라보며 턱시도에 묻은 재를 털어 냈다. 그의 눈을 보니 마음이 어지러웠다. 나는 몽마 메이컨 레이븐우드의 유리 같은 검은 눈에 익숙했다. 그 눈이 나를 바라볼 때 내가 볼 수 있는 것은 그 눈에 비친 나 자신의 모습뿐이었다. 그런데 지금 메이컨은 여느 빛의 주술사와 똑같은 초록색 눈을 한 채 내 앞에 서 있었다. 리들리는 메이컨을 뚫어져라 바라보기만 할 뿐, 한 마디도 하지 않았다. 리들리가 말문이 막힌 모습은 자주 볼 수 있는 게 아니었다.

"신세를 많이 졌구나, 웨이트 군. 신세를 많이 졌어." 메이컨은 목을 앞뒤로 굴리고, 양팔을 뻗었다. 마치 한참 동안 낮잠을 자고 일어난 사람 같았다.

나는 허리를 숙여 모래 바닥에 놓여 있던 아크라이트를 집어 들었다. "내 생각이 옳았어요. 그동안 내내 이 아크라이트 안에 계셨던 거죠?" 지금까지 내가 아크라이트를 손에 들고, 아크라이트에 의지해 길을 찾은 적이 얼마나 많았는지 모른다. 이 돌덩이의 온기도 얼마나 친숙하게 느껴졌는지 모른다.

링크는 메이컨이 살아 있다는 사실을 받아들이기가 힘든지 무의식중에 손을 뻗어 메이컨을 만져 보려고 했다. 메이컨의 손이 번개처럼 올라와 링크의 팔을 움켜쥐었다. 링크는 움찔했다. "미안하네, 링컨 군. 내 반사신경이 다소… 반사적인 것 같군. 최근 밖에 나온 적이 별로 없어서 말이야."

링크는 제 팔을 문질렀다. "그러실 필요는 없잖아요, 레이븐우드 아저씨. 저는 그저, 그러니까, 저는 아저씨가…."

"내가 뭐? 망자가 됐다고? 아니면 혹시 벡스?"

링크는 부르르 떨었다. "저야 모르죠."

메이컨이 팔을 내밀었다. "그렇다면 한번 만져 봐. 얼마든지."

링크는 조심스레 한 손을 내밀었다. 생일날 맨손으로 촛불 끄기 내기를 하고서 촛불 위로 손을 내미는 사람 같았다. 링크의 손가락은 메이컨의 해어진 턱시도에서 1밀리미터도 채 안 되는 거리에서 멈췄다.

메이컨은 한숨을 내쉬고 눈을 굴리면서 링크의 손을 잡아 자신의 가슴을 두드렸다. "어때? 확실히 살과 피로 되어 있지? 너와 마찬가지로 말이야, 링컨 군."

"메이컨 삼촌?" 리들리가 이제야 메이컨을 마주할 용기가 생겼는지 메이컨에게 살금살금 다가갔다. "정말로 삼촌이에요?"

메이컨은 리들리의 푸른 눈을 깊숙이 들여다보았다. "힘을 잃었구나."

리들리는 눈물을 글썽이며 고개를 끄덕였다. "삼촌도 마찬가지네요."

"일부를 잃어버린 건 맞다. 하지만 다른 힘을 얻은 것 같아." 메이컨은 리들리의 손을 향해 자신의 손을 뻗었지만, 리들리가 손을 피했다. "아직 잘 모르겠다. 한창 그걸 겪는 중이라서." 메이컨이 미소를 지었다. "10대가 된 것 같아. 두 번이나."

"눈이 초록색이에요."

메이컨은 손을 쥐었다 펴면서 고개를 흔들었다. "맞다. 몽마로서 내 삶은 끝났지. 하지만 변이는 아직 완성되지 않았어. 비록 내 눈은 빛의 주술사와 같지만, 지금도 내 안에 어둠이 느껴진다. 어둠은 완전히 쫓겨나지 않았어. 아직은."

"저는 변이 때문에 이렇게 된 게 아니에요. 저는 이제 아무것도 아니에요. 그냥 일반인이라고요." 리들리는 일반인이 된 것이 무슨 저주라도 되는 것처럼 말했다. 그 목소리에 배어 있는 슬픔은 진짜였다. "이제 저는 세상의 이치 속에 자리가 없어요."

"살아 있잖니."

"제 자신이 아니게 된 것 같아요. 이제 아무 힘도 없어요."

메이컨은 리들리와 마찬가지로 리들리의 현재 상태를 가늠해 보려는 듯 생각에 잠겼다. "어쩌면 너도 너만의 변이를 한창 겪고 있는지도 모른다. 만약 이게 내 누이의 놀라운 속임수가 아니라면 말이야."

리들리의 눈에 반짝 빛이 들어왔다. "그럼 제 힘이 다시 돌아올지도 모른다는 말씀이에요?"

메이컨은 리들리의 푸른 눈을 유심히 살폈다. "그러기에는 새라핀이 너무 잔인한 성품이라는 생각이 드는구나. 난 그저 네가 아직은 완전히 일반인이 된 것이 아닐 수도 있다는 뜻이었다. 어둠은 우리 희망처럼 쉽사리 우리 곁을 떠나지 않아." 메이컨은 리들리를 어색하게 품으로 끌어당겼다. 리들리는 메이컨의 옷 속에 얼굴을 묻었다. 열두 살짜리 아이 같았다. "어둠이었다가 빛이 되는 건 쉽지 않다. 누군가한테 강요하기는 힘든 일이지."

나는 머릿속에서 급류처럼 소용돌이치는 의문들을 간신히 가라앉히고, 우선 첫 번째 질문을 던졌다. "어떻게?"

메이컨은 리들리에게서 고개를 돌렸다. 그의 초록색 눈이 전에 없던 빛으로 타는 듯이 나를 꿰뚫어 보았다. "좀 더 구체적으로 말해 주겠나, 웨이트 군? 어떻게 내가 레이븐우드 가족묘의 항아리 안에서 2만 7천 조각의 재로 변해 쉬고 있지 않느냐는 뜻인가? 아니면 어떻게 내가 영원한 안식의 정원의 눅눅한 명당자리에 있는 레몬나무 밑에서 썩어 가고 있지 않느냐는 뜻? 아니면 어떻게 내가 자네의 더러운 주머니 속에 들어 있던 작은 수정 구슬 속에 갇혀 있게 되었느냐는 뜻인가?"

"둘이에요." 나는 미처 생각을 해 보기도 전에 대답했다.

"뭐라고?"

"아저씨 무덤가에 있는 레몬 나무는 두 그루예요."

"인심도 좋지. 한 그루면 충분할 것을." 메이컨은 피곤한 표정으로 미소를 지었다. 그가 달걀만 한 크기의 초자연적인 감옥에서 4개월을 보냈다는 점을 감안하면, 그런 미소를 지을 수 있다는 것 자체가 꽤 굉장한 일이었다. "아니면 혹시 어떻게 내가 죽고 네가 살았는가를 물었던 건가? 내 분명히 말하지만, 어떻게라는 질문을 던지다 보면, 코튼 벤드에 사는 네 이웃들이 평생을 떠들어도 될 만큼 사연이 많다는 걸 알게 될 거야."

"하지만 아저씨는 그러지 않으셨잖아요. 그러니까, 돌아가시지 않았다고요."

"맞는 말이다, 웨이트 군. 나는 예나 지금이나 항상 팔팔하게 살아 있지. 굳이 말하자면."

리브가 조심스레 앞으로 나섰다. 이제 리브는 아마 결코 보관자가 될 수 없겠지만, 해답을 구하고 싶어 하는 보관자의 천성은 아직도 남아 있었다. "레이븐우드 선생님, 한 가지 여쭤봐도 될까요?"

메이컨은 고개를 한쪽으로 살짝 기울였다. "아가씨는 누구지? 내가 아크라이트 안에 있을 때 날 부르던 목소리가 아가씨의 것이었던 것 같은데."

리브는 얼굴을 붉혔다. "네, 맞아요. 제 이름은 올리비아 듀런드이고, 애시크로프트 교수님 밑에서 훈련을 받고 있었어요. 하지만…." 리브의 목소리가 잦아들었다.

"하지만 오브 루켐 리베르타스 주문을 외워 버렸다?"

리브는 부끄러운 표정으로 고개를 끄덕였다. 메이컨은 고통스러운 표정을 짓더니 이내 리브를 향해 미소 지었다. "그럼 나를 구하기 위해 아주 많은 걸 포기한 셈이군, 올리비아 듀런드 양. 내가 큰 신세를 졌어. 나는 언제나 신세를 갚는 일에 소홀한 사람이 아니니, 아가씨의 질문에 대답하는 것이 오히려 내게는 영광이지. 최소한 그 정도는 해 줘야 하는 법이니까."

몇 달 동안 갇혀 있었는데도 메이컨은 여전히 신사였다.

"선생님이 어떻게 아크라이트에서 나오셨는지는 확실히 알겠지만, 어떻게 그 안에 들어가셨는지는 모르겠어요. 몽마가 스스로를 가두는 건 불가능해요. 특히 어느 모로 보나 죽은 몸이었을 때는 더욱 그렇죠." 리브의 말이 옳았다. 그건 메이컨이 혼자 해낼 수 있는 일이 아니었다. 누군가가 도와줬음이 분명했다. 나는 아크라이트가 메이컨을 놓아주는 순간, 그 사람이 누구인지 깨달았다.

우리 둘 다 생사가 갈린 뒤에도 리나 못지않게 사랑하는 사람.

엄마였다. 책과 옛것들, 관습에 대한 거부와 역사와 복잡성을 사랑했던 엄마. 엄마는 메이컨을 깊이 사랑한 나머지 메이컨이 물러나 달라고 부탁했을 때 그 말을 따랐다. 차마 그의 곁을 떠날 수 없었는데도. 사실 엄마의 일부는 언제나 메이컨 곁에 남아 있었다.

"엄마였죠?"

메이컨이 고개를 끄덕였다. "네 어머니는 아크라이트에 대해 알고 있는 유일한 사람이었다. 내가 그것을 네 어머니에게 주었으니까. 어떤 몽마든 그 사실을 알았다면, 아크라이트를 파괴하기 위해 네 어머니를 죽이려 들었을 거야. 그건 우리의 비밀이었어. 마지막 비밀."

"엄마를 만나셨어요?" 나는 열심히 눈을 깜박이면서 바다를 바라보았다.

메이컨의 표정이 변했다. 고통스러운 표정이었다. "그래."

"엄마는…." 뭐라고 하지? 행복해 보이더냐고? 죽은 사람처럼 보이더냐고? 평소의 모습이더냐고?

"언제나 그랬듯이 아름다웠다. 우리 곁을 떠난 그날처럼 아름다웠지."

"저도 엄마를 봤어요." 나는 보나벤트라 묘지를 떠올렸다. 또 목이 메어 왔다.

"하지만 그게 어떻게 가능하죠?" 리브는 메이컨에게 이의를 제기하려는 것이 아니라 뭐가 뭔지 이해하지 못하고 있었다. 우리 모두 마찬가지였다.

메이컨의 얼굴에는 슬픔이 가득했다. 엄마에 관한 이야기를 하는 것은 나 못지않게 메이컨에게도 힘든 일이었다. "불가능한 일이 가능해지는 경우가 생각보다 많다는 것을 너희도 알게 될 거다. 특히 주술사 세계에서는 그렇지. 하지만 나와 마지막 여행을 함께할 생각이 있다면, 내가 직접 보여줄 수도 있어." 메이컨은 나와 리브에게 각각 손을 내밀었다. 리들리가 앞으로 다가와 내 손을 쥐었다. 링크도 머뭇거리다가 절룩절룩 다가와 원을 완성했다.

메이컨이 나를 바라보았다. 내가 그의 표정을 읽어 내기도 전에 허공에 연기가 가득해졌다….

메이컨은 버티려고 애썼지만 점점 정신이 아득해졌다. 머리 위로 흑단처럼 새까만 하늘이 보였다. 오렌지색 불꽃이 하늘에 줄무늬를 그렸다. 피를 빨아먹는 헌팅의 모습이 보이지는 않았지만, 자신의 어깨에 박힌 헌팅의 이빨을 느낄 수는 있었다. 헌팅은 실컷 피를 빤 뒤 메이컨의 몸을 바닥에 털썩 떨어뜨렸다.

메이컨이 다시 눈을 뜨자 리나의 할머니인 에멀라인이 옆에 앉아 있었다. 에멀라인의 치유력이 열기를 띠고 그의 몸을 훑는 것이 느껴졌다. 이선도 거기 있었다. 메이컨은 말을 하려고 했지만, 사람들이 자기 말을 들을 수 있을지 알 수 없었다. 리나를 찾아. 메이컨이 하고 싶은 말은 바로 이거였다. 이선이 이 말을 들었는지 연기와 불길 속으로 달려갔다.

저 아이는 아마리와 아주 비슷했다. 고집스럽고 겁이 없다는 점에서. 또한 제 엄마와도 많이 비슷했다. 의리가 깊고 정직하다는 점에서, 그리고 주술사를 사랑하기 때문에 가슴 아픈 일을 겪을 수밖에 없다는 점에서. 메이컨은 계속 제인을 생각하다가 정신을 잃었다.

메이컨이 다시 눈을 뜨자 이제는 불꽃이 보이지 않았다. 연기, 불꽃과 대포의 포효가 모두 사라졌다. 메이컨은 자신이 어둠 속을 떠다니고 있음을 느낄 수 있었다. '이동'을 할 때와는 달랐다. 이곳의 허공에는 무게가 있었다. 그리고 그것이 그를 잡아당기고 있었다. 손을 뻗었더니 손이 마치 안개에 싸인 것처럼 일부밖에 보이지 않았다.

그는 죽었다.

리나가 운명을 선택했음이 분명했다. 빛을 선택했음이 분명했다. 어둠 속에 있으면서도, 저승에서 몽마가 어떤 운명을 맞는지 아는데도, 마음이 차분하게 가라앉았다. 이제 선택은 끝났다.

"아직은 아냐. 당신한테는 끝나지 않았어."

메이컨은 이 목소리가 누구의 것인지 즉시 알아차리고 고개를 돌렸다. 라일라 제인. 그녀가 심연 속에서 은은하고 아름답게 빛나고 있었다. "제이니. 당신한테 말해 줄 것이 얼마나 많은지 몰라."

제인은 고개를 저었다. 갈색 머리가 어깨 위로 쏟아져 내렸다. "그럴 시간이 없어."

"있는 거라곤 시간뿐이야."

제인이 손을 내밀었다. 손가락이 은은하게 빛났다. "내 손을 잡아."

메이컨의 손이 그녀에게 닿자마자 어둠이 찬란한 색채들과 빛 속으로 흘러 들어가기 시작했다. 영상들, 친숙한 형체들이 주위에서 헤엄치듯 움직이는 것이 보였지만, 그것들을 붙잡을 수는 없었다. 메이컨은 여기가 어딘지 깨달았다. 제인의 특별한 장소인 서고였다.

"제인, 어떻게 된 거야?" 제인이 손을 뻗는 것이 보였지만, 모든 것이 흐릿하고 불분명했다. 그때 말소리가 들렸다. 그가 그녀에게 가르친 문장이었다.

"시간도 공간도 없는 이 벽들 안에 나는 그대의 몸을 속박하고 이 지구에서 지운다."

제인의 손에 뭔가가 있었다. 아크라이트. "제인, 안 돼! 난 여기에 당신과 함께 있고 싶어."

제인은 메이컨 앞에 둥둥 떠 있었지만, 벌써 희미해지고 있었다. "때가 되면 이걸 사용하겠다고 내가 약속했었지? 난 지금 그 약속을 지키는 거야. 당신은 죽으면 안 돼. 아이들한테 당신이 필요해." 이제 제인은 사라지고 없었다. 목소리뿐이었다. "내 아들한테 당신이 필요해."

메이컨은 살아 있을 때 미처 말하지 못한 것들을 모두 제인에게 이야기하려고 했지만, 이미 때가 너무 늦은 뒤였다. 아크라이트가 자신을 잡아당기는 것이 느껴졌다. 그 힘을 떨치는 것은 불가능했다. 메이컨이 빙글빙글 돌면서 심연 속으로 들어가고 있을 때, 제인이 그의 운명을 확실히 봉인하는 소리가 들렸다.

"콤프레헨데, 리가, 크루키 피게.
포획하라, 감금하라, 그리고 처형하라."

~

메이컨이 내 손을 놓자 환영도 우리를 놓아주었다. 나는 엄마를 보낼 수가 없어서, 환영을 가슴속에 품었다. 엄마는 메이컨이 자기를 막으라고 준 무기를 이용해서 메이컨을 구했다. 마침내 두 사람이 함께 지낼 수 있는 기회를 포기했다. 나를 위해서. 메이컨이 우리의 유일한 희망이라는 걸 엄마가 알고 있었던 걸까?

내가 눈을 뜨자, 리브가 울고 있었다. 리들리는 울지 않는 척하려고 열심히 애쓰는 중이었다. "아, 제발. 드라마는 이제 그만 찍어요." 눈물 한 줄기가 리들리의 뺨으로 새어 나왔다.

리브는 코를 훌쩍거리며 눈을 훔쳤다. "망자가 그런 일을 할 수 있는 줄은 전혀 몰랐어요."

"상황만 맞아떨어지면 우리가 할 수 있는 일이 얼마나 많은지 알면 깜짝 놀랄걸." 메이컨이 내 어깨에 손을 척 얹었다. "그렇지, 웨이트 군?"

메이컨이 내게 감사 인사를 하려 한다는 생각이 들었다. 하지만 이제는 서로 손을 놓고 서 있는 일행들을 둘러보며, 나는 감사 인사를 받을 자격이 없다는 느낌이 들었다. 리들리는 자신의 능력을 잃었고, 링크는 아파서 몸을 움찔거리고 있고, 리브는 자신의 미래를 망쳤다. "저는 아무것도 한 게 없어요."

메이컨이 내 어깨를 잡은 손에 힘을 주어 내가 자기를 마주 보게 했다. "너는 다른 사람들이라면 그냥 넘겨 버렸을 일들에 주의를 기울였어. 날 이리로 데려왔고, 나를 다시 불러냈지. 길을 아는 자로서 자신의 운명을 받아들이고 이리로 오는 길을 찾아냈어. 그 어느 것도 쉬운 일이 아니다." 메이컨은 리들리, 링크, 리브를 차례로 둘러보았다. 그의 시선이 리브에게서 잠시 머뭇거리다가 다시 내 눈을 똑바로 바라보았다. "누구에게든."

리나도 포함해서.

나는 메이컨에게 리나의 심정을 차마 말할 수 없을 것 같았지만, 메이컨에게 알려야 할 것 같았다. "리나는 자기가 아저씨를 죽였다고 생각해요."

메이컨은 잠시 아무 말이 없다가, 차분하고 절제된 목소리로 입을 열었다. "왜 그런 생각을 하는 거지?"

"그날 밤 새라핀이 저를 칼로 찔렀는데 아저씨가 돌아가셨잖아요. 애마 아줌마한테서 들었어요. 하지만 리나는 자신을 용서하지 못하고… 변했어요." 두서없는 말이었지만, 메이컨이 알아야 할 것이 너무 많았다. "제 생각에 리나는 자신도 모르는 사이에 선택을 한 것 같아요."

"아냐, 선택하지 않았어." 메이컨이 내 말을 부정했다.

《달의 책》이에요, 레이븐우드 선생님." 리브는 말을 참을 수 없는 모양이었다. "리나는 어떻게든 이선을 구하고 싶어서 그 책을 사용했어요. 그 책이 이선의 목숨 대신 선생님의 목숨을 가져가기로 거래를 한 거예요. 리나는 그런 일이 벌어질 줄은 꿈에도 몰랐어요. 그 책을 제대로 통제하는 건 불가능해요. 그래서 주술사가 그 책을 갖고 있으면 안 되는 것이고요." 리브는 여느 때보다도 더 주술사 세계의 사서 같았다.

메이컨이 고개를 옆으로 살짝 기울였다. "그렇군. 올리비아?"

"네?"

"미안하지만, 우리는 지금 보관자에게 할애할 시간이 없어. 오늘 일어나는 일들 중에는 기록을 남기지 않는 편이 좋은 것들이 있을 거다. 그게 안 된다면, 이야기가 퍼지는 것만이라도 막아야 하지. 알겠나?"

리브는 고개를 끄덕였다. 리브의 표정은 리브가 메이컨의 짐작보다 훨씬 더 많은 것들을 이해하고 있음을 보여 주었다.

"리브는 보관자가 아니에요. 이제는." 리브는 메이컨의 목숨을 구하느라 자신의 미래를 파괴했다. 리브는 최소한 메이컨에게 존중받을 자격이 있었다.

"맞아요. 이번 일이 끝난 뒤에는 힘들 거예요." 리브가 한숨을 내쉬었다.

나는 파도가 철썩이는 소리를 들으며, 파도가 내 생각을 바다로 실어다 줄 수 있으면 좋겠다는 생각을 했다. "모든 게 변했어요."

메이컨의 눈이 다시 리브에게 향했다가 곧 내게로 돌아왔다. "변한 것은 없어. 중요한 것도 없고. 변할 수도 있었지만, 아직은 변하지 않았어."

링크가 헛기침을 했다. "하지만 우리가 뭘 할 수 있겠어요? 저희를 보세요." 링크가 잠시 말을 멈췄다. "저쪽에는 몽마 부대도 있고, 그밖에 또 뭐가 있을지는 아무도 몰라요."

메이컨은 우리를 평가하듯 바라보았다. "우리 쪽에는 뭐가 있지? 능력을 잃은 사이렌, 규칙을 어긴 보관자, 길을 잃은 길을 아는 자, 그리고… 너, 링컨 군. 잡다하지만 임기응변이 좋은 일행 같은데." 루실이 야옹거렸다. "그래, 그래, 너도 있지, 볼 씨."

우리가 마치 탈선한 기차 같다는 생각이 들었다. 우리는 잔뜩 두들겨 맞아서 상처를 입었고, 몸에 덕지덕지 때가 묻었고, 지쳐 있었다.

"너희는 어떻게든 여기까지 왔어. 그리고 나를 아크라이트에서 풀어 주었지. 그건 결코 하찮은 일이 아냐."

"우리가 놈들을 잡을 수 있다는 말씀이세요?" 링크는 얼 페티가 서머빌 고등학교 미식축구 팀 전체와 싸움을 시작했을 때 지었던 것과 똑같은 표정을 짓고 있었다.

"여기 이렇게 서서 잡담을 할 시간이 없다는 말을 하는 거야. 너희처럼 훌륭한 사람들과 함께 있는 것이 즐겁기는 하지만 말이지. 내가 처리해야 할 일이 적잖이 있는데, 그중에서도 내 조카의 일이 무엇보다 중요하다." 메이컨은 나를 바라보았다. "길을 아는 자, 길을 안내하게."

메이컨은 동굴 입구를 향해 한 걸음 내디뎠지만, 다리가 푹 꺼져 버렸다. 그는 먼지구름을 일으키며 쓰러졌다. 나는 불에 그을린 턱시도 차림으로 흙바닥에 앉아 있는 메이컨을 바라보았다. 아크라이트 안에서 무슨 일을 겪었는지는 몰라도, 아직 몸이 회복되지 않은 모양이었다. 아무래도 메이컨은 확실한 지원군이 되어 줄 수 없을 것 같았다. 대안이 필요했다.

일인군대

⇒ 6.20 ⇐

메이컨은 고집을 굽히지 않았다. 그는 움직일 수 있는 상태가 아니었지만, 우리에게 시간이 많지 않다는 걸 알기 때문에 반드시 우리와 함께 가겠다고 고집을 부렸다. 나는 이의를 제기하지 않았다. 약해진 메이컨 레이븐우드라도 아무 능력이 없는 일반인 네 명보다는 더 힘이 있을 테니까. 그것이 내 희망사항이었다.

어디로 가야 하는지 나는 알고 있었다. 달빛은 저 멀리 해안 동굴의 천장으로 여전히 쏟아지고 있었다. 리브와 나는 메이컨을 부축해서 달빛을 받고 있는 그 동굴로 이어진 해안을 한 번에 한 걸음씩 힘들게 걸었다. 그동안 메이컨은 내게 궁금한 것을 다 물어보았고, 이제는 내가 메이컨에게 질문을 던질 차례였다. "새라핀이 왜 지금 열일곱 번째 달을 불러내려고 하는 거죠?"

"리나의 운명이 빨리 결정될수록, 어둠의 주술사들도 목숨을 빨리 보장받을 수 있으니까. 리나는 날이 갈수록 강해지고 있다. 그러니까 오래 기다릴수록 리나가 스스로 결정을 내릴 가능성이 높아진다는 걸 놈들도 알아. 만약 놈들이 나의 '소멸'을 둘러싼 정황을 알고 있다면, 리나의 취약한 상태를 이용하려고 하겠지."

나는 리나가 메이컨을 죽였다고 헌팅이 내게 말해 준 것을 떠올렸다. "놈들도 알고 있군요."

"네가 나한테 모든 걸 말해 주는 것이 무엇보다 중요해."

리들리가 메이컨에게 다가와 옆에서 나란히 걷기 시작했다. "리나의 생일 이후로 새라핀은 열일곱 번째 달을 불러낼 힘을 얻으려고 어둠의 불에서 힘을 소환하고 있었어요."

"새라핀이 전에 숲 속에서 일으켰던 그 이상한 모닥불 말이야?" 내가 메이컨이라면 링크의 말을 듣고 밤에 호숫가에서 쓰레기통에 불을 붙인 모습을 떠올릴 것 같았다.

리들리는 고개를 저었다. "그건 어둠의 불이 아니야. 그건 환영이었지. 새라핀처럼. 새라핀이 만들어 낸 거야."

리브가 고개를 끄덕였다. "리들리 말이 옳아. 어둠의 불은 모든 마법적인 힘의 원천이야. 주술사가 집단적으로 에너지를 모아 그 원천에 쏟아부으면, 그 불의 힘이 기하급수적으로 늘어나. 일종의 초자연적인 원자탄이라고 보면 돼."

"그게 폭발한단 말이야?" 링크는 이제 새라핀을 잡으러 가는 일에 확신이 들지 않는다는 표정이었다.

리들리가 눈을 흘겼다. "폭발 안 해, 천재. 하지만 어둠의 불이 심각한 피해를 입힐 수 있기는 하지."

나는 보름달과 동굴 속으로 곧장 쏟아지는 달빛을 바라보았다. 달이 어둠의 불에게 힘을 주는 것이 아니라, 어둠의 불의 힘이 달에게로 전달되고 있었다. 그렇게 해서 새라핀이 달을 때 이르게 불러낸 것이다.

메이컨은 리들리를 유심히 살피고 있었다. "왜 리나가 여기까지 따라왔지?"

"제가 설득했어요. 저랑 존이라는 남자가."

"존이 누군데? 그자가 이 일과 무슨 상관이냐?"

리들리는 보라색 손톱을 깨물었다. "존은 몽마예요. 뭐, 잡종이긴 하지만요. 몽마랑 주술사의 피가 섞였어요. 그리고 힘이 아주 강해요. 존은 장벽에 집착하고 있었어요. 우리가 여기에 도착하면 모든 것이 완벽해질 거라면서."

"새라핀이 여기 있을 거라는 걸 그 녀석도 알고 있었니?"

"아뇨. 존은 진심으로 장벽을 믿고 있어요. 장벽이 자기 문제를 모두 해결해 줄 거라고요. 마치 장벽이 주술사의 유토피아라도 된다고 생각하는 것 같아요." 리들리는 말도 안 된다는 표정을 지었다.

메이컨의 눈에 노기가 서렸다. 검은 눈에는 전혀 드러나지 않던 감정이 초록색 눈에는 드러났다. "온전한 몽마도 아닌 녀석과 네가 어떻게 리나를 설득해서 이렇게 어리석은 짓을 벌일 수 있었다는 거야?"

리들리는 시선을 피했다. "어렵지 않았어요. 리나는 상태가 나빴으니까요. 아마 달리 자기가 갈 곳이 없다고 생각했던 것 같아요." 푸른 눈의 리들리를 보면, 겨우 며칠 전만 해도 자신의 모습이었던 어둠의 주술사를 어떻게 생각하는지 궁금해졌다.

"리나가 내 죽음에 책임을 느꼈다 해도 왜 어둠의 주술사와 악마에게 마음이 끌렸다는 거야?" 메이컨의 목소리에 노기가 서려 있지는 않았지만, 이 말이 리들리를 아프게 찔렀음을 분명히 알 수 있었다.

"리나는 자신을 증오하고, 자신이 어둠으로 변해 간다고 생각해요." 리들리는 나를 흘깃 바라보았다. "그래서 자기가 아무도 해칠 수 없는 곳으로 가고 싶어 했어요. 존은 아무도 리나 옆에 있어 줄 수 없을 때 자기가 옆에 있어 주겠다고 약속했고요."

"내가 리나 옆에 있어 줄 수 있었어." 내 목소리가 주위의 바위벽에 메아리쳤다.

리들리가 나를 똑바로 바라보았다. "리나가 어둠이 되더라도?"

이제야 모든 것을 이해할 수 있었다. 리나는 죄책감과 고통에 사로잡혀 있었고, 존은 그런 리나에게 내가 줄 수 없는 답을 제시해 주었다.

나는 존과 리나가 단둘이 보낸 시간이 얼마나 되는지, 몇 밤이나 되는지, 단둘이서 통과한 어두운 터널이 몇 개나 되는지 생각해 보았다. 존은 일반인이 아니었다. 리나의 강렬한 손길에 목숨을 잃을 염려가 없었다. 존과 리나는 원하는 일이라면 무엇이든 할 수 있었다. 리나와 나는 결코 할 수 없었던 온갖 일들. 어떤 영상이 내 마음속으로 슬금슬금 기어 들어왔다. 리나와 존이 어둠 속에서 한데 웅크리고 있는 모습. 리브와 내가 서배너에서 그랬던 것처럼.

"그것만이 전부가 아니에요." 메이컨에게 반드시 알려야 할 사실이 있었다. "이건 새라핀이 혼자 저지른 일이 아니에요. 에이브러햄이 새라핀을 돕고 있어요."

메이컨의 얼굴을 뭔가가 스치고 지나갔지만, 나는 그것이 무엇인지 콕 집어 말할 수 없었다. "에이브러햄이라. 그다지 놀랄 일도 아니군."

메이컨이 발을 헛디디는 바람에 하마터면 나까지 넘어질 뻔했다. "확실한 건가?"

나는 고개를 끄덕였다. "에이브러햄이 제 이름을 말했어요."

메이컨은 겨울 무도회 날, 그러니까 리나가 처음으로 무도회에 갔던 날 그랬던 것처럼 나를 바라보았다. 내가 해야만 하는 일들, 내 어깨에 떨어진 책임을 생각하며 나를 안쓰러워하는 것 같은 표정이었다. 내가 그런 것들을 개의치 않는다는 사실을 메이컨은 결코 이해하지 못했다.

메이컨이 계속 말을 이었다. 나는 그의 말에 정신을 집중하려고 애썼다. "일이 이렇게나 빨리 진행된 줄은 까맣게 모르고 있었다. 극도로 조심해야 한다, 이선. 만약 에이브러햄이 너와 연결점을 확립했다면, 네가 에이브러햄을 볼 수 있는 것처럼 에이브러햄도 널 선명히 볼 수 있어."

"환영 이외의 방법으로도요?" 에이브러햄이 나의 일거수일투족을 지켜보고 있다는 생각을 하니 마음이 편치 않았다.

"지금으로서는 나도 뭐라고 대답할 수 없다. 하지만 내가 확실히 사정을 파악할 때까지는 조심해야 해."

"명령대로 할게요. 우리가 몽마 부대랑 싸워서 리나를 구출한 다음부터요." 이야기를 하면 할수록, 리나를 구출하는 것이 불가능한 일처럼 여겨졌다.

메이컨이 고개를 핵 돌려 리들리를 바라보았다. "그 존이라는 녀석도 에이브러햄과 관련되어 있는 거냐?"

"그건 저도 몰라요. 열일곱 번째 달을 불러낼 수 있다고 새라핀을 설득한 건 에이브러햄이었어요." 리들리는 지치고 더럽고 비참한 모습이었다.

"리들리, 네가 아는 걸 전부 말해라."

"전 그쪽 먹이사슬에서 그리 높은 곳에 있지 않았어요, 메이컨 삼촌. 심지어 에이브러햄을 만난 적도 없는 걸요. 제가 아는 건 전부 새라핀에게서 들은 거예요." 지금 눈앞의 리들리가 전에 아빠의 마음을 조종해서 발코니에서 뛰어내리게 하려던 그 리들리와 같은 사람이라고는 믿기가 힘들었다. 지금 리들리는 아주 슬프고 낙담한 표정이었다.

"선생님?" 리브가 조심스러운 목소리로 말했다. "저희가 존 브리드를 만난 뒤로 줄곧 마음에 걸리는 게 있는데요, 루나에 리브리에는 주술사와 몽마 집안들의 가계도가 수천 개나 보관되어 있어요. 수백 년에 걸친 역사 기록이에요. 그런데 그 사람은 어떻게 그렇게 느닷없이 나타난 걸까요? 그 사람에 대한 기록이 하나도 없는 건 또 무슨 까닭이죠? 물론 그 사람이란, 존 브리드예요."

"나도 바로 그 생각을 하고 있었다." 메이컨은 한쪽으로 무겁게 몸을 기댄 채 다시 걷기 시작했다. "하지만 그 녀석은 몽마가 아냐."

"엄밀히 말하면 그렇죠." 리브가 대답했다.

"그래도 몽마만큼 강해요." 나는 발밑의 바위들을 발로 찼다.

"정체가 뭐든 내가 그 녀석을 잡을 수 있어." 링크는 어깨를 으쓱했다.

리들리가 우리 곁으로 다가와 보조를 맞춰 걷기 시작했다. "존은 아무것도 먹지 않아요, M 삼촌. 존이 뭔가를 먹었다면, 제가 봤을 거예요."

"재미있군."

리브가 고개를 끄덕였다. "그러게요."

"올리비아, 괜찮다면…." 메이컨이 리브에게 한 팔을 내밀었다. "유럽 쪽 기록에 잡종 사례가 하나라도 있나?"

리브는 메이컨의 팔 밑에 어깨를 집어넣어 나 대신 메이컨을 부축했다. "잡종이요? 그런 일은 없어야…."

리브가 메이컨과 함께 바위 위를 걸어가는 동안 나는 뒤로 처져서 주머니에 넣어 두었던 리나의 목걸이를 꺼냈다. 목걸이에 매달린 부적들을 손바닥에 굴려 보았지만, 잔뜩 엉켜 있는 그 부적들은 리나가 없이는 아무런 의미도 없는 것들이었다. 목걸이는 내가 짐작했던 것보다 무거웠다. 어쩌면 이것이 내 양심의 무게인지도 모른다는 생각이 들었다.

우리는 동굴 입구 위의 절벽에 서서 주위를 살펴보았다. 순전히 검은 화산암으로만 이루어진 해안 동굴은 엄청나게 컸다. 달이 아주 낮게 걸려 있어서 금방이라도 하늘에서 뚝 떨어질 것처럼 보였다. 몽마 무리가 동굴 입구를 지키고 있었다. 파도가 그들 앞의 검은 바위들에 철썩철썩 부딪히자 그들의 부츠 위로 물이 얇게 밀려들었다.

이 동굴로 끌려들고 있는 것은 달빛만이 아니었다. 벡스 떼가 소용돌이치는 검은 그림자처럼 물속과 하늘에서 흘러왔다. 그들은 동굴 입구와 천장의 구멍을 순환하듯 돌면서 일종의 초자연적인 수차 같은 형태를 만들어 냈다. 나는 벡스 한 마리가 물에서 솟아오르는 것을 지켜보았다. 소용돌이치는 그림자 같은 녀석의 모습이 아래의 바다에 완벽하게 비쳤다.

메이컨이 유령 같은 벡스들을 가리켰다. "새라핀이 저 녀석들을 이용해서 어둠의 불에 연료를 공급하고 있는 거다."

군대처럼 많은 녀석들을 상대로 우리에게 얼마나 승산이 있을까? 생각보다 상황이 심각했다. 리나를 구할 수 있다는 희망이 점점 더 줄어들었다. 그래도 우리에게는 메이컨이 있었다. "그럼 어쩌죠?"

"네가 안에 들어갈 수 있게 내가 한번 손을 써 보겠다. 하지만 안에 들어간 뒤에는 네가 리나를 찾아야 해. 어쨌든 넌 길을 아는 자이니까 말이다."

우리가 안에 들어가게 도와준다고? 이건 무슨 농담 같은 건가?

"아저씨는 안 들어가겠다는 말씀 같네요."

메이컨은 바위에서 미끄러지듯 바닥에 앉았다. "제대로 맞혔다."

나는 분노를 숨기려 하지 않았다. "지금 장난하세요? 아저씨가 직접 말씀하셨잖아요. 우리가 아저씨 없이 리나를 구할 수 있을 것 같아요? 능력을 잃어버린 사이렌이랑 능력이라고는 가진 적이 없는 일반인이랑 사서랑 저뿐인데요? 흡혈 몽마 무리와 폭격기라도 끌어내릴 수 있을 만큼 많은 벡스가 저희 상대예요. 지금 진심이세요? 설마, 무슨 계획 같은 거라도 있는 거죠?"

메이컨은 달을 올려다보았다. "난 너를 도울 거다. 하지만 여기서 도울 거야. 날 믿어라, 웨이트 군. 반드시 이렇게 해야 해."

나는 가만히 서서 메이컨을 노려보았다. 메이컨은 진심이었다. 우리만 안에 들여보낼 작정이었다. "그런 말로 저희가 안심할 것 같아요?"

"저 아래에서 기다리고 있는 건 딱 한 번의 전투뿐이다. 그런데 그건 내 전투도 아니고 네 친구들의 전투도 아냐. 네 전투다. 넌 길을 아는 자야. 위대한 목적을 지닌 일반인. 내가 너를 처음 만났을 때부터 넌 계속 싸우고 있었다. DAR의 이기적인 여자들, 징계위원회, 열여섯 번째 달을 상대로. 심지어 네 친구들을 상대로도 싸웠지. 난 네가 길을 찾아낼 거라고 굳게 믿는다."

내가 1년 내내 싸워 온 것은 사실이지만, 그래도 내 기분은 조금도 나아지지 않았다. 링컨 부인이 상대의 생기를 곧장 빨아 낼 수 있는 사람처럼 보이기는 해도, 실제로 그런 능력을 지닌 것은 아니었다. 하지만 저 아래에서 우리를 기다리고 있는 것들은 차원이 달랐다.

메이컨이 주머니에서 뭔가를 꺼내 내 손에 쥐어 주었다. "받아라. 내가 가진 건 이것뿐이다. 최근에 좀 뜻밖의 여행을 다녀오는 바람에 미처 짐을 꾸릴 시간이 없었거든." 나는 작은 금색 사각형 물체를 내려다보았다. 죔쇠로 닫아 둔 소형 책이었다. 죔쇠를 누르자 책이 휙 열렸다. 안에는 엄마의 사진이 있었다. 환영에서 보았던 아가씨의 모습으로. 메이컨이 사랑했던 라일라 제인이었다.

메이컨이 시선을 피했다. "그게 우연히 내 주머니에 들어 있더구나. 세월이 이렇게 많이 흘렀는데도. 거참." 하지만 사진은 여기저기가 긁히고 닳아 있었다. 이 사진이 오늘 메이컨의 주머니에 있는 것은, 그전에도 매일 그 주머니 속에 들어 있었기 때문일 것이다. 이 사진은 도대체 몇 년이나 메이컨의 주머니 속에 들어 있었던 걸까. "이것이 너한테 힘을 줄 거라고 믿는다, 이선. 나한테는 항상 그랬으니까. 너도 나도 잊으면 안 된다. 우리의 라일라 제인은 강한 여자였어. 무덤에 있으면서도 내 목숨을 구해 주었을 정도니까."

사진 속 엄마의 표정은 내가 잘 아는 것이었다. 나는 엄마가 내게만 그런 표정을 지어 준 건 줄 알았다. 그건 내가 차창 밖의 표지판을 처음으로 소리 내어 읽었을 때, 내가 글을 읽을 줄 안다는 걸 미처 모르던 엄마가 내게 보여 준 표정이었다. 내가 애마 아줌마의 버터밀크 파이를 혼자 먹고 애마 아줌마만큼이나 무서운 복통 때문에 엄마의 침대에서 잤을 때도 엄마는 내게 그 표정을 보여 주었다. 내가 처음 학교에 가던 날, 처음으로 농구 경기를 한 날, 첫사랑에 빠진 날에도 역시 엄마는 그 표정을 지었다.

그리고 이 사진 속에 그 표정이 또 있었다. 엄마는 나를 버리지 않을 것이다. 메이컨도 나를 버리지 않을 것이다. 어쩌면 메이컨에게 정말로 무슨 계획이 있는 건지도 모른다. 메이컨은 죽음마저 속였다. 나는 그 책을 리나의 목걸이가 들어 있는 주머니에 밀어 넣었다.

"잠깐만." 링크가 다가왔다. "네가 그 황금색 책을 갖게 된 건 기쁘지만, 흡혈 무리가 저 안에 있을 거라며? 게다가 뱀파이어 자식, 리나의 엄마, 에이브러햄인지 뭔지 황제 같은 녀석도 같이 있잖아. 아무리 봐도 우리를 구해 줄 영웅은 없는 것 같은데, 그 작은 책 하나로는 너무 부족한 것 아냐?"

리들리도 링크의 뒤에서 고개를 끄덕이고 있었다. "링크가 옳아. 리나를 구하려면 먼저 리나한테 다가갈 수 있어야지."

링크는 메이컨을 향해 힘들게 허리를 숙였다. "레이븐우드 아저씨, 저희랑 같이 가서 두어 명쯤 맡아 주시면 안 돼요?"

메이컨은 한쪽 눈썹을 치떴다. 메이컨이 링크와 대화다운 대화를 나누는 건 지금이 처음이었다. "안타까운 일이지만, 갇혀 있는 동안 힘이 약해져서…."

"선생님은 지금 변이 중이야, 링크. 도저히 저 아래에 내려갈 수 없는 상태라고. 지금 엄청 약해져 계셔." 리브는 여전히 메이컨을 부축하고 있었다.

"올리비아가 옳다. 몽마들은 힘과 속도가 엄청나지. 지금 이 상태로는 나는 놈들의 상대가 되지 못해."

"다행히 나는 상대할 수 있어." 느닷없이 어딘가에서 목소리가 들려오더니 어떤 여자가 어둠을 찢고 나타났다. 그녀는 목선이 높이 올라온 길고 검은 외투에 낡은 검은색 부츠를 신은 차림이었다. 갈색 머리가 바람에 날렸다.

그녀가 장례식에서 본 여자 몽마임을 나는 금방 알아차렸다. 메이컨의 누이인 리 레이븐우드. 메이컨도 우리와 마찬가지로 놀란 표정이었다. "리?"

리가 메이컨의 등 뒤로 팔을 둘러 부축하며 메이컨의 눈을 깊숙이 들여다보았다. "초록색이네. 익숙해지려면 시간이 좀 걸리겠는걸." 리는 옛날에 리나가 그랬던 것처럼 메이컨의 어깨에 머리를 기댔다.

"우리를 어떻게 찾았어?"

리가 웃음을 터뜨렸다. "오빠는 터널 안에서 화젯거리야. 내 오라버니가 에이브러햄을 공격할 거라는 얘기가 돌아다니고 있다고. 에이브러햄이 오빠를 그리 달가워하지 않는다는 얘기도 있고 말이야."

메이컨의 여동생, 어렐리아 할머니가 메이컨의 아버지 곁을 떠날 때 뉴올리언스로 데려간 딸. 세 할머니들이 이 여자 얘기를 한 적이 있었다.

"어둠과 빛은 본연의 모습이 되리라."

링크는 두 사람의 뒤쪽에서 나와 시선을 마주쳤다. 링크가 뭘 묻고 싶은 건지 나는 알고 있었다. 링크는 나의 결정을 기다리고 있었다. 싸울 건지, 아니면 도망칠 건지. 리 레이븐우드가 우리한테 원하는 것이 무엇인지, 왜 여기 나타났는지는 확실치 않았다. 하지만 만약 리가 헌팅과 같아서 꿈 대신 피를 먹고 산다면 우리는 빨리 도망쳐야 했다. 나는 리브를 바라보았다. 리브는 고개를 저었다. 거의 알아보기 힘들 만큼 살짝. 리브도 잘 모른다는 뜻이었다.

메이컨이 드물게 보여 주는 미소를 지었다. "네가 여긴 웬일이냐?"

"양쪽 힘이 균형을 이루게 하려고 왔지. 내가 가족 간의 불화를 얼마나 좋아하는지 오빠도 잘 알잖아." 리는 빙긋 웃었다. 그러고는 손목을 까딱거리자 윤기 나는 나무로 만들어진 긴 지팡이가 손에 나타났다. "게다가 난 커다란 막대기도 들고 다니거든."

메이컨은 어안이 벙벙한 표정이었다. 나는 메이컨이 안도한 건지, 걱정하고 있는 건지 알 수 없었다. 어쨌든 놀라서 말문이 막힌 것만은 분명했다. "왜 하필 지금이지? 넌 대개 주술사들 일에는 관심이 없잖아."

리는 주머니에서 고무줄을 꺼내 머리를 하나로 묶었다. "이건 그냥 주술사들의 싸움이 아냐, 이제는. 세상의 이치가 무너지면 우리도 함께 파멸할지 몰라."

메이컨은 의미심장한 표정으로 리를 바라보았다. 그건 '애들 앞에서 그런 소리를 하다니'라는 표정이었다. "세상의 이치는 시간이 처음 생겨났을 때부터 줄곧 존재했어. 그걸 무너뜨리려면 변이체 하나만으로는 부족할 거다."

리는 빙긋 웃으며 자신의 지팡이를 휘둘렀다. "뭐, 이제 헌팅 오빠한테 누가 예의를 좀 가르쳐 줘야겠다 싶기도 해. 난 순수한 마음으로 온 거야. 여자 몽마의 순수한 마음으로." 메이컨은 이 말을 듣고 웃음을 터뜨렸다. 내 입장에서는 그게 그렇게 웃기는 소리처럼 들리지 않았지만.

어둠 아니면 빛. 리 레이븐우드는 둘 중 어느 쪽으로도 갈 수 있었다. 하지만 내게는 별로 중요한 일이 아니었다. "우린 리나를 찾아야 돼요."

리가 지팡이를 들었다. "네가 그 말을 하기를 기다리고 있었어."

링크가 헛기침을 했다. "음, 무례하게 굴고 싶지는 않지만요, 이선 말로는 헌팅이 흡혈 무리랑 같이 저 아래에 있대요. 오해는 하지 마세요. 아줌마도 아주 나쁜 사람처럼 보이니까요. 그래도 막대기를 든 여자일 뿐이잖아요."

"이건⋯." 리는 링크의 코에서 겨우 몇 센티미터 떨어진 곳까지 순식간에 지팡이를 뻗었다. "여자 몽마의 지팡이야. 그냥 막대기가 아니라고. 그리고 난 그냥 여자가 아니라 여자 몽마야. 우리 일족에서는 여자들이 더 유리하지. 남자들보다 더 빠르고, 더 강하고, 더 영리하거든. 초자연계의 사마귀라고나 할까."

"사마귀는 수컷의 머리를 물어뜯지 않아요?" 링크는 미심쩍은 표정이었다.

"맞아. 그러고 나서 수컷을 먹어 치우지."

메이컨이 리를 전적으로 신뢰하는지 어떤지는 몰라도, 일단 리가 우리와 함께 같다는 사실에 안도한 것 같았다. 하지만 마지막으로 충고를 해 주는 건 잊지 않았다. "라킨은 네가 못 본 사이에 완전히 자랐다, 리. 이젠 아주 강력한 환영사야. 그러니 조심해라. 그리고 올리비아의 말에 따르면, 내 남동생이 아무 생각 없는 사냥개들을 데리고 있는 모양이더군. 흡혈 무리 말이다."

"걱정 마, 오라버니. 나한테도 애완 동물이 있으니까." 리는 우리 머리 위의 바위를 올려다보았다. 몸은 독일산 셰퍼드만 하고, 생김새는 야생 퓨마 같은 짐승이 한쪽에 꼬리를 늘어뜨린 채 바위 위에서 빈둥거리고 있었다. "베이드!" 녀석이 벌떡 일어나 턱을 벌리자 면도날처럼 날카로운 이빨들이 번득였다. 녀석은 리의 옆으로 풀쩍 뛰어내렸다. "베이드는 지금 헌팅의 강아지들이랑 놀고 싶어서 좀이 쑤실걸. 개랑 고양이 사이가 어떤지는 오빠도 알지?"

리들리가 리브에게 속삭였다. "베이드는 부두교의 바람과 폭풍의 신이야. 함부로 건드리면 큰일 나." 이 말을 들으니 리나가 생각났다. 덕분에 우리를 뚫어져라 내려다보는 70킬로그램짜리 고양이가 조금 덜 무서워졌다.

"몰래 따라가서 기습하는 게 이 녀석의 특기지." 리가 녀석의 귀 뒤를 문질러 주었다.

이 야생 고양이를 보고 루실이 달려와 장난스럽게 찰싹 쳤다. 베이드는 주둥이로 루실을 쿡쿡 찔러 댔다. 리가 허리를 숙여 루실을 들어 올렸다. "루실, 잘 있었어, 귀염둥이?"

"우리 할머니의 고양이를 어떻게 아세요?"

"난 루실이 태어날 때 옆에 있었어. 원래 우리 엄마의 고양이였거든. 엄마가 루실을 너희 프루 할머니에게 주신 거야. 프루 할머니가 터널 안에서 길을 찾아다닐 수 있게." 루실이 베이드의 앞발 사이에서 이리저리 굴렀다.

리에 대해서는 아직 판단을 내릴 수 없었지만, 루실은 나를 실망시킨 적이 한 번도 없었다. 루실은 고양이인데도 사람들의 성격을 잘 파악했다.

루실이 주술사 고양이라는 걸 진작 알아차렸어야 하는 건데.

리가 지팡이를 허리띠에 끼워 넣었다. 이제 이야기는 그만이라는 뜻이었다. "준비됐어?"

메이컨이 손을 뻗었다. 나는 그 손을 잡았다. 잠깐이지만 그의 손에서 힘이 느껴졌다. 비록 내가 이해할 수는 없지만, 우리가 주술사들의 대화를 나누고 있는 것 같았다. 메이컨이 내 손을 놓자 나는 메이컨을 다시 볼 수 있을지 모르겠다는 생각을 하면서 동굴 쪽으로 몸을 돌렸다.

내가 앞장을 섰고, 어중이떠중이든 아니든 하여튼 내 친구들이 내 뒤를 바짝 따라왔다. 내 친구들, 여자 몽마, 그리고 부두교의 성질 급한 신의 이름을 딴 퓨마 한 마리가 우리 일행이었다. 나는 이 일행만으로 충분하기를 바랄 뿐이었다.

어둠의 불

⇒ 6.20 ⇐

절벽 밑동에 다다랐을 때 우리는 동굴에서 몇 미터 떨어진 바위들 뒤에 몸을 숨겼다. 몽마 둘이 입구를 지키며 나직한 목소리로 이야기를 나누고 있었다. 둘 중 하나는 메이컨의 장례식에서 보았던, 흉터가 있는 몽마였다. "미치겠네." 우리가 아직 안에 들어가지도 않았는데, 흡혈 몽마를 둘이나 상대해야 하다니. 무리의 나머지 몽마들도 근처에 있을 터였다.

"저놈들은 나한테 맡겨. 너희는 여기서 지켜보지 않는 게 좋을 거야." 리가 베이드에게 신호를 보내자, 베이드가 리의 옆으로 성큼성큼 다가왔다.

허공에서 지팡이가 번개처럼 번득였다. 두 몽마는 아무것도 눈치채지 못했다. 리는 겨우 몇 초 만에 몽마 한 명을 바닥에 쓰러뜨렸다. 베이드는 나머지 몽마에게 달려들어 목을 물고 제압했다. 리가 일어나서 소매로 입을 닦더니 침을 뱉었다. 모래 위에 핏자국이 생겼다. "늙은 피네. 일흔 살, 백 살쯤 됐어. 맛을 보면 알아."

링크는 입을 떡 벌리고 있었다. "우리도 저렇게 해야 하는 거야?"

리는 두 번째 몽마의 목을 향해 허리를 굽히더니 1분도 채 안 돼서 우리더러 가라고 손짓했다. "가."

나는 움직이지 않았다. "우리가 뭘… 내가 뭘 해야 하죠?"

"싸워야지."

동굴 입구는 아주 밝았다. 마치 안에서 해가 빛나고 있는 것 같았다. "난 못하겠어."

링크는 불안한 표정으로 동굴 안을 들여다보았다. "그게 무슨 소리야?"

나는 친구들을 바라보았다. "너희는 돌아가. 이건 너무 위험한 일이야. 내가 너희를 끌어들인 게 잘못이야."

"누가 누구를 끌어들였다고 그래? 내가 온 건…." 링크는 리들리를 바라보더니 어색하게 시선을 피했다. "모든 것에서 도망치고 싶어서야."

리들리는 진흙이 묻은 머리카락을 배우처럼 뒤로 넘겼다. "뭐, 난 확실히 너 때문에 여기 있는 게 아냐, 남자 친구. 자신을 너무 과대평가하지 말라고. 너희 얼간이들이랑 노는 게 재미있기는 하지만, 내가 여기 있는 건 내 사촌을 돕기 위해서야." 리들리는 리브를 바라보았다. "네 핑계는 뭐야?"

리브는 조용한 목소리로 입을 열었다. "운명을 믿어?"

우리 모두 미친 사람을 보듯이 리브를 바라보았지만, 리브는 개의치 않았다. "난 믿어. 나는 기억할 수도 없을 만큼 오래전부터 주술사 하늘을 관찰했어. 그러다가 그 하늘이 변했을 때 알아차렸어. 남극성, 열일곱 번째 달, 고향에서 모두들 놀려 댔던 내 셀레노미터… 이 모두가 내 운명이야. 난 이 자리에 있을 운명이었던 거야. 비록… 무슨 일이 생기더라도."

"알았다." 링크가 말했다. "비록 이로 인해 모든 게 망가지더라도, 비록 자신이 파멸하게 될 거라는 걸 알더라도, 행동에 나서야 할 때가 있다는 거지?"

"비슷해."

링크는 소리가 나게 손마디를 꺾어 보려고 했지만 실패했다. "그럼 계획을 말해 봐."

나는 나의 단짝 친구를 바라보았다. 2학년 때 버스에서 내게 트윙키(가

운데에 크림이 든 작은 케이크—옮긴이)를 나눠 준 친구. 나를 따라 이 동굴
로 들어가면 죽게 될지도 모르는데, 정말로 링크를 데리고 들어가야 할까?

"계획 같은 건 없어. 넌 날 따라오면 안 돼. 난 길을 아는 자야. 그러니까 이
일은 내 몫이야."

리들리가 눈을 흘겼다. "아무래도 길을 아는 자에 대해서 제대로 설명을
못 들은 것 같은데 말이야, 너한테 무슨 초능력이 있는 게 아냐. 높은 빌딩
들 사이를 한 걸음에 뛰어넘을 수 있는 것도 아니고, 마법의 고양이와 함께
어둠의 주술사들과 싸울 수 있는 것도 아니라고." 루실이 내 다리 뒤에서
고개를 빼꼼 내밀었다. "기본적으로 너는 근사하게 포장된 관광 가이드일
뿐이야. 어둠의 주술사들과 싸우는 능력은 저쪽의 메리 포핀스와 다를 게
없단 말이야."

"아쿠아맨으로 해." 링크가 내게 윙크를 하며 말했다.

지금까지 조용히 있던 리브도 입을 열었다. "리들리의 말이 틀리지 않
아. 이선, 너 혼자서 할 수 있는 일이 아냐."

이 친구들의 생각은 나도 알고 있었다. 다들 이곳을 떠날 생각이 전혀
없었다. 나는 고개를 저었다. "너희는 전부 바보야."

링크가 히죽 웃었다. "그보다는 '죽이게 용감하다'는 말이 더 좋을 것 같
은데."

~∾~

우리는 동굴 벽에 딱 달라붙어서 천장의 구멍으로 쏟아지는 달빛을 따
라갔다. 모퉁이를 돌자 빛이 감당할 수 없을 만큼 밝아졌다. 아래쪽에 장작
더미가 보였다. 황금색 불꽃이 동굴 한가운데에 피라미드 모양으로 쌓여
있는 장작 더미를 감싸고 핥듯이 너울거렸다. 석판도 보였다. 마야의 제단
과 흡사하게 생긴 석판이 투명한 철사에 매달려 있는 것처럼 장작 위에 똑

바로 얹혀 있었다. 낡은 돌계단이 제단으로 이어져 있었다. 그리고 어둠의 주술사들이 몸에 그리고 다니는, 뱀처럼 구불구불한 원이 그 뒤의 동굴 벽에도 그려져 있었다.

새라핀은 숲 속에서 나타났을 때와 똑같이 제단 위에 누워 있었다. 하지만 똑같은 점은 그것뿐이었다. 천장으로 들어온 달빛이 새라핀의 몸에 닿아 사방으로 퍼져 나갔다. 프리즘에 빛이 굴절되는 모습과 똑같았다. 마치 새라핀이 때 이르게 불러낸 달, 리나의 열일곱 번째 달에서 쏟아지는 빛을 붙들고 있는 것 같았다. 새라핀의 황금색 드레스조차도 수천 개의 번쩍이는 금속 비늘 같은 것을 이어 붙여서 만든 것 같았다.

리브가 속삭이듯 말했다. "이런 건 처음 봐."

새라핀은 모종의 황홀경에 빠져 있는 것 같았다. 새라핀의 몸이 석판에서 10센티미터 남짓 떠오르자 드레스 자락이 폭포처럼 쏟아져 돌 제단 옆으로 흘러내렸다. 새라핀은 지금 엄청난 힘을 모으는 중이었다.

라킨이 장작 더미 옆에 서 있었다. 나는 라킨이 돌계단으로 다가가는 모습을 지켜보았다. 그 옆에는….

리나.

리나는 눈을 꼭 감고 불꽃을 향해 양손을 뻗은 자세로 쓰러져 있었다. 머리는 존 브리드의 무릎을 베고 있었는데, 아무래도 의식이 없는 것 같았다. 존 브리드는 전에 보았을 때와는 모습이 달랐다. 표정이 하나도 없이 텅 비어 있는 것 같았다. 그도 일종의 황홀경에 빠진 듯했다.

리나는 부들부들 떨고 있었다. 거리가 떨어져 있는데도 나 역시 불꽃에서 퍼져 나오는, 살을 에는 냉기를 느낄 수 있었다. 리나는 지금 몸이 얼 지경일 것이다. 어둠의 주술사들이 장작 더미를 둥글게 둘러싸고 서 있었다. 내가 아는 얼굴은 없었지만, 광기에 물든 노란 눈은 틀림없는 어둠의 주술사의 눈이었다.

'리나! 내 말 들려?'

새라핀의 눈이 활짝 떠졌다. 주술사들이 주문을 외기 시작했다.

"리브, 저 사람들 뭘 하는 거야?" 내가 속삭이듯 물었다.

"결정의 달을 부르고 있어."

어둠의 주술사들이 외는 주문의 내용을 몰라도 지금 무슨 일이 벌어지고 있는지 이해할 수 있었다. 새라핀은 리나가 어둠의 주술에 붙들려 있는 동안에 결정을 내릴 수 있게 열일곱 번째 달을 부르는 중이었다. 아니, 어둠의 주술이 아니라 리나 자신이 품고 있는 죄책감의 무게만으로도 같은 효과를 볼 수 있을지도 몰랐다.

"저건 뭐야?"

"새라핀이 어둠의 불의 에너지와 자신의 에너지를 달로 집중시키려고 온 힘을 쏟고 있어." 리브는 눈앞의 광경이 사악한 것이든 아니든 상관없이, 아주 사소한 것까지 하나도 놓치지 않고 기억해 두려는 듯이 시선을 고정시키고 있었다. 역사가 만들어지는 현장을 기록하려는 보관자의 본성이 발동한 모양이었다.

벡스들이 동굴 안을 휙휙 돌아다녔다. 나선형으로 소용돌이치며 점점 강해지고 커지는 녀석들 때문에 동굴 벽이 금방이라도 무너질 것 같았다. "우리도 저 아래로 내려가야 돼." 리브는 고개를 끄덕였고, 링크는 리들리의 손을 잡았다.

우리는 동굴 벽의 어둠 속에 숨어서 아래로 내려갔다. 마침내 축축한 모래가 깔린 동굴 바닥에 발이 닿았다. 그러고 보니 어느새 주문 외기가 끝난 모양이었다. 주술사들은 못 박힌 듯 조용히 서서 새라핀과 불꽃을 지켜보고 있었다. 다들 마음을 무감각하게 만드는 똑같은 주술에 걸린 것 같은 모습이었다.

"이젠 뭘 해야 돼?" 링크의 얼굴이 창백했다.

어떤 형체가 원의 중심으로 들어섰다. 그것이 누군지는 추측해 볼 필요도 없었다. 환영에서 봤을 때와 똑같이 좋은 양복과 끈 모양의 넥타이를 매고 있었으니까. 하얀 여름 양복을 입은 그의 모습은 어둠의 주술사들이나 소용돌이치고 있는 벡스들과는 정말로 어울리지 않았다.

그는 에이브러햄이었다. 지하에서 이렇게 많은 벡스들을 불러낼 힘을 지닌 유일한 몽마. 라킨과 헌팅이 그 뒤에 서 있었고, 동굴 안의 모든 몽마들은 한쪽 무릎을 꿇었다. 에이브러햄이 소용돌이를 향해 양손을 들어 올렸다. "때가 되었다."

'리나! 정신 차려!'

장작을 감싼 불꽃이 더욱 높이 솟아올랐다. 장작 더미 앞에서 존 브리드가 리나를 부드럽게 들어 올려 깨웠다.

'L! 도망쳐!'

리나는 어리둥절한 표정으로 주위를 둘러보았다. 내 목소리에는 반응을 보이지 않았다. 리나가 내 목소리를 듣지 못한 건지 알 수 없었다. 리나는 여기가 어딘지 모르겠다는 듯 불안하게 움직였다.

에이브러햄이 존을 향해 손을 뻗어서 서서히 들어 올렸다. 존의 몸이 경련하듯 움직이더니 양팔로 리나를 안아 올려 끈으로 조종되는 인형처럼 일어섰다.

'리나!'

리나의 머리가 한쪽 옆으로 떨어지고 눈이 다시 감기려고 했다. 존은 리나를 안고 계단을 올라갔다. 우쭐거리던 태도는 보이지 않았다. 지금은 마치 좀비 같았다.

리들리가 앞으로 나섰다. "리나는 지금 완전히 혼미한 상태야. 지금 무슨 일이 벌어지고 있는지도 모른다고. 저 불꽃 때문이야."

"저 사람들이 왜 리나를 기절시키려는 건데? 스스로 결정을 내리려면 리나한테 의식이 있어야 하는 것 아냐?" 나는 당연히 그럴 거라고 생각했다.

리들리는 불꽃을 빤히 바라보았다. 그리고 내 시선을 피하며, 평소와 달리 몹시 진지한 목소리로 입을 열었다. "운명을 결정할 때 필요한 건 본인

의 의지야. 리나가 직접 선택을 해야 할 거야." 리들리의 목소리가 이상했
다. "하지만…."

"하지만 뭐?" 지금은 리들리의 말에 숨은 뜻을 해석할 시간이 없었다.

"하지만 리나가 이미 결정을 내렸다면 얘기가 달라져." 우리를 버리고
떠나간 것, 목걸이를 벗은 것, 존 브리드와 함께 도망친 것이 리나의 의지
를 나타내는 행동일 수도 있다는 뜻이었다.

"아냐." 생각보다 말이 먼저 튀어나왔다. 나는 리나를 잘 알고 있었다. 이
모든 일에는 틀림없이 이유가 있을 터였다. "리나는 결정을 내리지 않았어."

리들리가 나를 바라보았다. "네 말이 맞다면 좋겠지만."

존이 제단의 꼭대기에 이르렀다. 라킨이 그 뒤를 따르고 있었다. 라킨은
열일곱 번째 달의 빛 속에서 새라핀과 리나를 하나로 묶었다.

내 심장이 마구 뛰기 시작했다. "리나한테 가야 돼. 날 좀 도와줘."

링크가 가까이 다가가서 던질 수만 있다면 상당한 피해를 입힐 수 있을
만큼 큼지막한 돌멩이 두 개를 움켜쥐었다. 리브는 공책을 뒤적거렸다. 리
들리조차 막대사탕의 포장지를 벗기며 어깨를 으쓱했다. "어떻게 될지는
아무도 모르는 거니까."

뒤에서 또 다른 목소리가 들렸다. "저 벡스들을 모조리 처리하기 전에는
저 위까지 올라갈 수 없을 거야. 내가 너한테 벡스 처리하는 법을 가르친
기억은 없는데." 나는 미소를 지으며 뒤를 돌아보았다.

애마 아줌마였다. 이번에는 살아 있는 사람들과 함께였다. 어렐리아 할
머니와 트윌라가 가까이 서 있었다. 세 사람은 마치 운명을 관장하는 세 여
신 같았다. 안도감이 밀려왔다. 내가 내심 애마 아줌마를 다시는 못 볼 거
라는 생각을 하고 있었음을 이제야 알 수 있었다. 나는 애마 아줌마를 부서
져라 끌어안았고, 애마 아줌마도 모자를 바로잡으며 나를 꼭 안아 주었다.
그때 끈을 묶게 되어 있는, 리나 할머니의 구식 부츠가 내 시야에 들어왔
다. 할머니가 어렐리아 할머니 뒤에서 모습을 드러냈다.

운명의 네 여신이 된 셈이었다.

"할머니." 나는 리나의 할머니에게 목례를 했다. 할머니는 마치 레이븐 우드의 베란다에서 내게 차를 대접하려고 온 사람처럼 가볍게 인사를 받았다. 하지만 나는 겁에 질렸다. 여기는 레이븐우드가 아니기 때문이었다. 애마 아줌마와 어렐리아 할머니와 트월라도 운명의 여신들이 아니었다. 뼈가 금방이라도 부서질 것처럼 약해진 남부 할머니들일 뿐이었다. 세 사람의 나이를 합하면 아마 250세 정도 될 것이다. 리나의 할머니 역시 비슷한 나이였다. 그러니 이 네 여신은 무엇보다도 특히 전투에 어울리지 않는 사람들이었다.

생각해 보니, 그건 나도 마찬가지였다.

나는 애마 아줌마의 품에서 빠져나왔다. "여긴 웬일이세요? 우릴 어떻게 찾았어요?"

"여긴 웬일이냐고?" 애마 아줌마가 코웃음을 쳤다. "주님이 널 만들 생각을 하시기도 전에 우리 가문 사람들은 바베이도스에서 시 제도로 왔어. 그래서 여긴 내 부엌만큼이나 훤히 알고 있지."

"여긴 주술사 섬이에요, 애마 아줌마. 시 제도가 아니라고요."

"무슨 소리를 하는 거야? 눈에 안 보이는 섬을 숨길 방법이 이것 말고 또 있어?"

어렐리아 할머니가 애마 아줌마의 어깨에 손을 얹었다. "아마리 말이 맞다. 장벽은 시 제도 안에 숨겨져 있어. 아마리는 주술사가 아니지만, 내 동생이나 나처럼 보는 능력을 갖고 있어."

애마 아줌마는 고개를 절레절레 저었다. 어찌나 세게 저어 대는지 금방이라도 머리가 빠져서 허공으로 날아가 버릴 것 같았다. "설마 내가 너 혼자 저 무릎 깊이의 유사 속으로 들어가게 내버려 둘 줄 안 거냐?" 나는 애마 아줌마를 양팔로 감싸고 다시 안아 주었다.

"그런데 여기는 어떻게 찾으셨어요? 저희도 여길 찾느라고 고생했는데요." 링크는 항상 한 발 앞서거나, 한 발 뒤처져 있었다. 할머니들은 이런 멍청한 녀석을 봤나 하는 표정으로 링크를 바라보았다.

"그 공을 무작정 열려고 하니까 힘들었던 거지. 우리 어머니의 어머니보다 더 오래된 주문으로 말이야. 대(大) 개틀린 응급 전화 3번을 돌리지 그랬냐?" 애마 아줌마가 링크를 향해 한 걸음 다가서자, 링크는 애마 아줌마를 피해 한 걸음 물러섰다. 애마 아줌마는 그러면서도 나를 놓지 않았다. 나는 애마 아줌마가 나한테 진심으로 하고 싶은 말이 무엇인지 그제야 깨달았다. '널 사랑한다. 네가 얼마나 대견한지 몰라. 그리고 집에 돌아가면 한 달 동안 외출 금지다.'

리들리가 링크에게 몸을 기울였다. "생각해 봐. 네크로맨서, 예언자, 천리안이야. 우리는 처음부터 상대가 안 됐어."

애마 아줌마, 어렐리아, 할머니, 트윌라는 이 말을 듣자마자 리들리에게 시선을 돌렸다. 리들리는 얼굴이 빨갛게 변해서 공손히 시선을 내리깔았다. "트윌라 할머니까지 오셨다니 믿을 수가 없어요." 리들리는 침을 꿀꺽 삼켰다. "할머니도요."

할머니는 리들리의 턱을 잡고 밝은 파란색 눈을 빤히 들여다보았다. "정말로 그렇게 됐구나." 할머니가 빙긋 웃었다. "잘 돌아왔다, 애야." 할머니는 리들리의 뺨에 입을 맞췄다.

애마 아줌마가 점잔을 빼며 말했다. "내가 뭐랬어. 카드 점괘로 나왔다니깐."

어렐리아 할머니가 고개를 끄덕였다. "별들도 가르쳐 줬지."

트윌라는 코웃음을 치며 속삭이듯 목소리를 낮췄다. "카드 점은 일의 거죽만 보여 줄 뿐이야. 지금 이건 뼈를 지나서 반대편까지 나갈 정도로 아주 깊은 거라고." 그림자가 트윌라의 얼굴을 스치고 지나갔다.

나는 트윌라를 바라보았다. "네?" 하지만 트윌라는 미소를 지었고, 그림자는 보이지 않았다.

"너희는 라바의 도움이 필요해." 트월라는 머리 위에서 한 손을 앞뒤로 흔들었다. 눈앞의 문제를 해결하는 일로 돌아간 것이다.

"저승 말이다." 어렐리아 할머니가 트월라의 말을 통역해 주었다.

애마 아줌마는 무릎을 꿇고 앉아서 작은 뼈와 부적이 가득 들어 있는 천을 펼쳤다. 마치 수술 도구를 준비하는 의사 같았다. "그런 도움을 불러내는 건 내 전문 분야지."

어렐리아 할머니는 방울을 꺼냈고, 트월라는 바닥에 앉아 편안한 자세를 잡았다. 트월라가 뭘 불러내려고 하는지는 짐작도 할 수 없었다. 애마 아줌마는 뼈들을 늘어놓고, 유리병 뚜껑을 열려고 애쓰고 있었다. "사우스 캐롤라이나의 무덤 흙이야. 이게 최고지. 집에서 가져온 거야." 나는 애마 아줌마에게서 유리병을 빼앗아 와서 뚜껑을 열어 주었다. 늪지로 애마 아줌마를 따라갔던 날이 생각났다. "벡스는 우리가 알아서 하마. 새라핀이나 아무 짝에도 쓸모없는 멜기세덱의 남동생까지 막을 수는 없지만, 그래도 그 정도면 새라핀의 힘이 줄어들 거야."

리나의 할머니는 시선을 들어 태풍처럼 소용돌이치며 불꽃에 연료를 공급하고 있는 검은 벡스들을 바라보았다. "세상에, 당신 말이 허풍이 아니었잖아, 아마리. 이렇게 많을 줄이야." 할머니의 시선이 저 멀리서 꼼짝도 하지 않고 있는 새라핀의 몸과 리나를 차례로 살폈다. 할머니 이마의 주름이 더욱 깊어졌다. 리들리는 할머니의 손을 놓았지만, 할머니 옆을 떠나지는 않았다.

링크가 안도의 한숨을 쉬었다. "야, 다음 주 일요일에는 나도 꼭 교회에 나갈 거야." 나는 아무 말도 하지 않았지만, 나 역시 비슷한 생각을 하고 있었다.

애마 아줌마가 발아래에 흙을 펼쳐 놓다가 시선을 들었다. "우리가 저 녀석들을 있어야 할 곳으로 돌려보낼 거다."

할머니가 재킷의 매무새를 가다듬었다. "그다음에 내가 내 딸을 손 봐야지."

애마 아줌마, 어렐리아, 트윌라는 축축한 바위 위에 책상다리를 하고 앉아서 서로 손을 잡았다. "먼저 할 일부터 하고. 저 벡스들부터 없애야지."

리나의 할머니는 뒤로 물러나서 세 사람에게 여유 공간을 마련해 주었다. "그러면 좋지, 아마리."

세 사람은 눈을 감았다. 윙윙거리는 소용돌이 소리와 어둠의 마법이 발동하는 소리 속에서도 애마 아줌마의 목소리는 강하고 선명하게 들렸다. "애브너 할아버지, 딜라일라 고모, 아이비 할머니, 술라 할머니, 한 번 더 도움이 필요합니다. 이곳으로 납셔 주시기를 바랍니다. 이 세상으로 오셔서 이곳에 있지 말아야 할 것들을 추방시켜 주세요."

트윌라는 눈동자가 뒤로 넘어가더니, 주문을 외기 시작했다.

"레 루아(법, 규칙이라는 뜻의 프랑스어 – 옮긴이), 나의 영혼, 나의 안내인,
다리(橋)를 찢으소서
그대들의 세상에서 다음 세상으로 이 그림자들을
옮겨 주는 다리."

트윌라가 머리 위로 양팔을 들어 올렸다. "앙코르!"
"다시." 어렐리아 할머니가 그 단어를 영어로 바꿔 말했다.

"레 루아, 나의 영혼, 나의 안내인,
다리를 찢으소서
그대들의 세상에서 다음 세상으로 이 그림자들을
옮겨 주는 다리."

트윌라는 프렌치 크리올 말(미국 루이지애나 주로 이주한 프랑스 사람들

의 자손이 쓰던 말―옮긴이)과 애마 아줌마와 어렐리아 할머니의 영어를 섞어서 계속 주문을 외웠다. 세 사람의 목소리가 합창처럼 어우러졌다. 동굴 천장의 구멍으로 보이는 하늘이 어두워졌다. 마치 세 사람이 폭풍을 품은 구름을 불러내기라도 한 것 같았다. 하지만 세 사람이 부르려는 것은 먹구름이 아니었다. 세 사람은 또 다른 종류의 소용돌이를 만들어 내고 있었다. 세 사람의 머리 위에서 소용돌이치는 어둠은 둥글게 둘러앉은 세 사람의 한가운데에서 완벽한 회오리바람처럼 땅에 닿아 있었다. 순간적으로 저 거대한 소용돌이가 벡스와 몽마를 끌어들여서 우리가 빨리 죽게 될 것 같다는 생각이 들었다.

그런 식으로 세 사람을 의심하면 안 되는 건데. 유령 같은 모습의 조상들이 나타나기 시작했다. 애브너 할아버지. 딜라일라 고모, 아이비 할머니, 예언자 술라. 모래와 흙이 합쳐져서 그 네 사람의 몸이 조금씩 만들어지고 있었다.

우리의 세 여신은 계속 주문을 외웠다.

"다리를 찢으소서
그대들의 세상에서 다음 세상으로 이 그림자들을
옮겨 주는 다리."

몇 초도 안 돼서 저승에서 온 망자들이 더 나타났다. 그들은 고치를 뚫고 나오는 나비처럼 소용돌이치는 흙에서 태어나고 있었다. 벡스들은 조상들과 망자들에게 끌려 무시무시한 비명을 지르며 물밀듯이 밀려왔다. 전에 터널 안에서 들었던 바로 그 비명이었다.

조상들이 점점 커지기 시작했다. 술라는 몸이 어찌나 커졌는지 겹겹이 겹쳐진 목걸이가 밧줄처럼 보였다. 애브너 할아버지는 토가를 걸치고 번개만 하나 손에 든다면 우리 머리 위에 거대하게 우뚝 선 제우스라고 해도 될 것 같았다. 벡스들이 어둠의 불의 불꽃 속에서 튀어나와 검은 줄무늬를 그리며 하늘을 찢듯이 날아왔다. 비명을 질러 대는 그 줄무늬들은 순식간에 사라져 버렸다. 조상들이 벡스들을 빨아들인 것이다. 그날 밤 묘지에서 트월라가 망자들을 빨아들이는 것처럼 보였던 것과 똑같았다.

예언자 술라가 미끄러지듯 앞으로 나섰다. 반지를 몇 개나 무겁게 낀 손가락이 마지막으로 남은 벡스들을 가리켰다. 녀석들은 바람 속에서 몸을 뒤틀며 비명을 질러 대고 있었다. "다리를 찢으소서!"

벡스들은 머리 위의 검은 구름과 술라를 필두로 한 조상들만 남긴 채 사라져 버렸다. 술라는 달빛을 받아 은은히 빛나는 모습으로 최후의 말을 했다. "피는 항상 피. 시간도 그것을 속박할 수 없다."

조상들은 사라지고, 검은 구름도 흩어졌다. 어둠의 불에서 쿨럭쿨럭 솟아오르는 연기만 남아 있었다. 장작 더미는 여전히 타고 있고, 새라핀과 리나는 여전히 석판에 묶여 있었다.

소용돌이치던 벡스들이 사라진 것 외에도 변한 것이 또 있었다. 이제 우리는 행동에 나설 수 있는 기회를 기다리며 조용히 지켜보기만 하는 입장이 아니었다. 동굴 안에 있는 모든 몽마들과 어둠의 주술사들이 노랗게 이글거리는 눈으로 우리를 일제히 바라보며 송곳니를 드러내고 있었다.

우리가 원하든 원치 않든, 우리도 파티의 일원이 된 것이다.

열일곱 개의 달

❖ 6.20 ❖

흡혈 몽마들이 가장 먼저 반응을 보였다. 놈들은 하나씩 차례로 사라졌다가 무리를 지어 다시 나타났다. 메이컨의 장례식에서 보았던, 얼굴에 흉터가 있는 몽마가 보였다. 그자가 맨 앞에 서 있었다. 검은 눈은 뭔가를 계산하는 듯했다. 헌팅이 보이지 않는 건 예상대로였다. 이런 단순한 살육에 나서기에는 너무 중요한 인물이라는 뜻일 것이다. 하지만 라킨은 팔에 검은 뱀을 감은 채 맨 앞에 서 있었다. 이 무리 중 서열 2위인 모양이었다.

그들이 순식간에 우리를 에워싸서 어디로도 도망칠 수 없게 되었다. 우리 앞에는 흡혈 몽마들의 무리가 있고, 뒤에는 동굴 벽이 있었다. 애마 아줌마가 맨손으로 몽마들과 싸울 작정이기라도 한 것처럼 나와 몽마들 사이로 나섰다. 하지만 애마 아줌마에게는 싸울 기회조차 없었다.

"아줌마!" 내가 소리쳤지만, 이미 소용없었다.

라킨이 자그마한 애마 아줌마 앞에 바짝 다가서서 칼을 휘둘러 댔다. 그 칼은 결코 환상이 아니었다. "당신 말이야, 할머니치고는 진짜 골치가 아프거든. 항상 아무 데나 들쑤시고 다니면서 죽은 친척들이나 불러내고 말이야. 이제 당신도 그 친척들 옆으로 갈 때가 됐어."

애마 아줌마는 움직이지 않았다. "라킨 레이븐우드, 너는 앞으로 이 세상을 떠나 다음 세상으로 갈 때 열 배는 고생할 거다."

"확실해?" 라킨이 애마를 향해 돌진할 준비를 하느라 한 팔을 뒤로 빼자 어깨 근육이 움직이는 것이 보였다.

하지만 라킨이 달려들기 전에 트월라가 한 손을 벌렸고, 하얀 입자들이 허공을 날았다. 라킨은 소리를 지르며 칼을 떨어뜨리고 손등으로 자기 눈을 비볐다.

"이선, 조심해!" 링크의 목소리가 들렸지만, 모든 것이 슬로 모션으로 진행되고 있는 것 같았다. 흡혈 몽마 무리가 나를 향해 다가오는 것이 보이고, 어떤 소리가 들렸다. 웅웅거리는 소리가 처음에는 낮게 시작됐다가 서서히 높아졌다. 파도가 높아지는 것처럼. 초록색 불빛이 우리 앞에서 날아올랐다. 우리가 메이컨을 해방시키기 직전에 아크라이트가 우리 앞에 떠서 빙글빙글 돌면서 내뿜던 그 순수한 빛이었다.

틀림없이 메이컨이었다.

웅웅거리는 소리가 더욱더 커지더니 빛이 앞으로 쏟아져 나와 흡혈 몽마들을 뒤로 내동댕이쳤다. 나는 주위를 둘러보며 다들 괜찮은지 확인했다.

링크는 금방이라도 토할 것처럼 허리를 숙인 채 양손으로 무릎을 짚고 있었다. "아슬아슬했어." 리들리가 링크의 등을 조금 세다 싶게 두드리고는 트월라에게 시선을 돌렸다.

"라킨한테 뭘 던진 거예요? 힘을 충전시킨 물질 같은 건가요?"

트월라는 빙긋 웃으며 자신이 걸고 있는 목걸이의 3, 40개의 구슬 중 하나를 만지작거렸다. "충전시킨 물질 같은 건 필요 없어, 아가야."

"그럼 뭐예요?"

"셀 망주." 트월라가 크리올어의 느낌이 물씬 풍기는 발음으로 말했기 때문에 리들리는 알아듣지 못했다.

어렐리아가 미소를 지었다. "소금이야."

애마 아줌마가 내 팔을 철썩 때렸다. "소금이 악령들을 몰아낼 수 있다고 했잖아. 사악한 녀석들도 마찬가지야."

"이제 움직여야 돼. 시간이 별로 없어." 리나의 할머니가 손에 지팡이를 들고 계단으로 달려갔다. "이선, 나랑 같이 가자." 나는 할머니를 따라 제단으로 갔다. 어둠의 불에서 나온 연기가 내 주위를 짙은 안개처럼 둘러쌌다. 황홀하면서도 동시에 질식할 것 같은 느낌이 들었다.

우리는 계단 꼭대기에 다다랐다. 할머니가 새라핀을 향해 지팡이를 내밀자, 즉시 지팡이가 황금색으로 빛나기 시작했다. 나는 안도감이 밀려왔다. 할머니는 공감 능력자였다. 스스로는 아무 능력이 없고, 타인의 능력을 이용하는 능력만 있는 사람. 지금 할머니가 가져오려는 힘은 이 방에서 가장 위험한 여자, 즉 자신의 딸인 새라핀의 것이었다.

어둠의 불의 에너지를 모아서 열일곱 번째 달을 불러낸 여자.

"이선, 리나를 데려와!" 할머니가 소리쳤다. 할머니는 새라핀과 일종의 심리적 억제 패턴을 유지하고 있었다.

나는 할머니의 말을 듣자마자 리나 모녀를 묶어 둔 로프를 움켜쥐고 매듭을 느슨하게 풀었다. 리나는 거의 의식이 없는 상태로 얼어붙을 듯이 차가운 석판 위에 누워 있었다. 나는 리나를 만져 보았다. 살갗이 얼음처럼 차가웠다. 내 몸도 점점 감각이 사라지면서 어둠의 불의 손아귀에 잡혀 숨이 막힐 것만 같았다.

"리나, 정신 차려. 나야." 나는 리나를 흔들었다. 리나의 머리가 좌우로 흔들리고, 얼음 같은 석판 때문에 얼굴이 붉게 변해 있었다. 나는 리나의 몸을 들어 올려 양팔로 감싸서 얼마 되지 않는 내 온기나마 나눠 주었다.

리나의 눈이 열렸다. 리나는 뭐라고 말을 하려고 했다. 나는 양손으로 리나의 얼굴을 감쌌다. "이선…." 리나의 눈꺼풀이 다시 무겁게 닫혔다. "여기서 나가."

"싫어." 나는 리나를 품에 안고 입을 맞췄다. 무슨 일이 있어도, 지금 이 순간만으로도 충분했다. 리나를 다시 안을 수 있는 것만으로도.

'너 없이는 아무 데도 안 가.'

링크의 비명이 들렸다. 몽마 하나가 자신들을 막아선 강렬한 빛의 벽에서 빠져나온 것이다. 존 브리드가 링크의 뒤에 서서 한 팔로 링크의 목을 감고 송곳니를 드러내고 있었다. 존은 여전히 멍한 표정으로 꼭두각시처럼 움직였다. 사람을 취하게 하는 이 연기 때문에 저렇게 된 건가 하는 생각이 들었다. 리들리가 몸을 돌려 존의 등을 향해 몸을 던졌다. 존은 이런 공격을 전혀 예상치 못한 모양이었다. 세 사람은 한꺼번에 바닥에 쓰러져 서로 우위를 차지하려고 몸싸움을 벌였다.

나는 그 이상은 볼 수 없었지만, 우리가 지금 아주 위험한 상황에 처해 있음을 깨닫기에는 충분했다. 저 초자연적인 빛의 벽이 얼마나 유지될지는 알 수 없었다. 특히 메이컨이 저 벽을 만들고 있는 것이라면 더욱 그랬다.

리나가 이 모든 걸 끝내야 했다.

나는 리나를 내려다보았다. 리나는 눈을 뜨고 있었지만, 내가 보이지 않는 사람처럼 내 뒤편을 바라보고 있었다.

'리나. 이제 와서 포기하면 안 돼. 이제….'

'말하지 마.'

'이건 네 운명을 결정하는 달이야.'

'아냐. 이건 저 여자의 달이야.'

'상관없어. 어차피 너의 열일곱 번째 달이야, L.'

리나는 텅 빈 눈으로 나를 올려다보았다.

'새라핀이 저걸 불러냈어. 난 이런 거 부탁한 적 없어.'

'네가 선택해야 돼. 아니면 우리가 사랑하는 사람들이 모두 오늘 밤 여기서 죽을지도 몰라.'

리나는 내게서 시선을 돌렸다.

'내가 아직 준비가 안 됐다면?'

'도망치면 안 돼, 리나. 이젠 안 돼.'

'모르는 소리 마. 이건 선택이 아냐. 저주야. 내가 빛이 되면 리들리랑 나머지 가족 절반이 죽을 거야. 내가 어둠이 되면 할머니, 델 이모, 사촌들…. 이 사람들이 몽땅 죽어. 이런 게 무슨 선택이야?'

나는 리나를 꼭 끌어안고 내가 힘을 나눠 주거나 리나의 고통을 흡수할 수 있는 방법을 간절히 바랐다.

"오직 너만이 내릴 수 있는 선택이야." 나는 리나를 일으켜 세웠다. "지금 무슨 일이 벌어지고 있는지 봐. 네가 사랑하는 사람들이 목숨을 걸고 싸우고 있어. 네가 이걸 멈출 수 있어. 오직 너만이."

"난 자신 없어."

"왜?" 나는 고함을 지르고 있었다.

"내가 뭔지 나도 모르겠으니까."

나는 리나와 시선을 마주쳤다. 리나의 눈이 또 달라져 있었다. 한쪽은 완벽한 초록색, 다른 한쪽은 완벽한 황금색이었다.

"날 봐, 이선. 난 어둠이야, 아니면 빛이야?"

나는 리나를 보았다. 그리고 리나가 무엇인지 알았다. 내가 사랑하는 여자아이. 앞으로도 영원히 사랑할 여자.

본능적으로 나는 주머니 속의 황금 책을 움켜쥐었다. 책은 따스했다. 마치 엄마의 일부가 그 안에 살아 있는 것 같았다. 나는 그 책을 리나의 손에 쥐어 주었다. 책의 온기가 리나의 몸으로 퍼져 나가는 것이 느껴졌다. 나는 억지로라도 리나에게 그 온기를 느끼게 해 주고 싶었다. 책 속에 들어 있는 사랑, 결코 죽지 않은 그 사랑을.

"네가 뭔지 내가 알아, 리나. 난 너의 진심을 알아. 날 믿어도 돼. 너 자신을 믿어도 돼."

리나는 자그마한 책을 손으로 쥐었다. 하지만 그것만으로는 충분하지 않았다. "네가 틀렸다면? 넌 어떻게 확신할 수 있어?"

"확실해. 나는 널 잘 아니까."

나는 리나의 손을 놓았다. 리나에게 무슨 일이 일어나는 건 차마 생각조차 할 수 없었지만, 이제부터 다가올 일을 막을 수도 없었다. "리나, 꼭 해내야 해. 다른 방법이 없어. 있으면 좋겠지만 없어."

우리는 동굴 저편을 바라보았다. 리들리가 시선을 들었다. 순간적으로 리들리가 우리를 본 것 같았다.

리나가 나를 바라보았다. "나 때문에 리들리가 죽는 건 싫어. 리들리는 변하려고 애쓰고 있어, 분명히. 난 이미 너무 많은 걸 잃었어."

'난 이미 메이컨 삼촌을 잃었어.'

"내 잘못이야." 리나가 흐느끼며 내게 매달렸다.

나는 리나에게 메이컨이 살아 있다고 말하고 싶었지만, 메이컨의 말을 떠올렸다. 메이컨은 아직 변이 중이었다. 따라서 메이컨 안에 아직 어둠이 남아 있을 가능성이 있었다.

만약 리나가 메이컨이 살아 있고 만의 하나라도 메이컨을 다시 잃을 가능성이 있다는 걸 알게 된다면, 결코 빛을 택하지 않을 것이다. 리나는 메이컨을 두 번이나 죽일 수 있는 사람이 아니었다.

달이 리나의 머리 바로 위에 있었다. 이제 곧 운명의 결정이 시작될 터였다. 이제 내려야 할 결정은 하나뿐이었지만, 리나가 그것을 선택하지 않을까 봐 걱정스러웠다.

리들리가 숨을 몰아쉬며 계단 꼭대기에 나타났다. 그러고는 내게서 리나를 빼앗아 가서 꼭 끌어안았다. 리들리는 리나의 젖은 뺨에 얼굴을 비볐다. 좋을 때나 힘들 때나 둘은 자매였다. 옛날부터 항상.

"리나, 잘 들어. 네가 선택해야 돼."

리나는 고통스러운 표정으로 시선을 돌렸다. 리들리는 리나의 뺨을 잡고 억지로 고개를 돌려 자신을 보게 했다. 리나는 변화를 즉시 알아차렸다. "그 눈은 어떻게 된 거야?"

"그런 건 상관없어. 내 말 잘 들어. 내가 언제 고상한 일 한 적 있어? 내가 널 자동차 앞좌석에 한 번이라도 앉혀 준 적 있어? 내가 지난 16년 동안 너한테 마지막 케이크 한 조각을 남겨 준 적 있어? 네가 내 신발을 한번 신어 보겠다는 걸 허락한 적 있어?"

"난 언제나 언니 신발이 싫었어." 눈물 한 방울이 리나의 뺨을 타고 굴러 내렸다.

"넌 내 신발을 무지 좋아했잖아." 리들리가 싱긋 웃으며 생채기가 난 피투성이 손으로 리나의 얼굴을 닦아 주었다.

"언니가 뭐라든 상관없어. 난 안 할 거야." 둘의 눈이 서로에게 고정되었다.

"나한테 이타적인 면은 눈꼽만큼도 없어, 리나. 그런 내가 너더러 하라는 거야."

"싫어."

"날 믿어. 이편이 더 나아. 만약 내 안 어딘가에 어둠이 아직 남아 있다면, 네 선택은 나를 돕는 일이 될 거야. 난 이제 어둠으로 살기 싫어. 그렇다고 일반인으로 살아가는 것도 싫어. 난 사이렌이야."

리나의 눈에 뭔가를 알아차린 표정이 떠올랐다. "하지만 언니가 일반인이라면, 언니는…."

리들리는 고개를 저었다. "지금으로서는 알 길이 없어. 일단 핏속에 한번 어둠이 들어오면, 너도 알겠지만…." 리들리의 목소리가 잦아들었다.

메이컨의 말이 떠올랐다. '어둠은 우리의 바람만큼 쉽사리 우리 곁을 떠나지 않는다.'

리들리가 리나를 꼭 끌어안았다. "생각해 봐. 내가 앞으로 70년, 80년을 살면서 뭘 하겠어? 내가 개똥을 돌아다니면서 비터 뒷좌석에서 링크랑 시시덕거리는 모습이 그려져? 스토브 작동법을 알아내려고 애쓰는 게 나랑 맞을 것 같아?" 리들리는 시선을 피했다. 목소리가 갈라져서 말이 중간중간 끊겼다.

리나는 리들리의 손에 매달렸고, 리들리는 리나의 손을 꼭 쥐어 주었다. 그러고는 부드럽게, 한 번에 손가락 하나씩 자기 손을 빼낸 뒤 리나의 손을 내 손에 쥐어 주었다.

"나 대신 애를 좀 부탁해, 남자 친구." 리들리는 내가 미처 뭐라고 하기도 전에 다시 계단 아래로 사라졌다.

'난 무서워, 이선.'

'내가 여기 있잖아, L. 난 아무 데도 안 갈 거야. 넌 해낼 수 있어.'

'이선….'

'할 수 있어, L. 스스로 운명을 정해. 다른 사람이 너한테 길을 알려 줄 필요는 없어. 네 길은 네가 알고 있으니까.'

그때 또 다른 목소리가 내 목소리에 합류했다. 아주 먼 곳에서 들려오는 것 같으면서도 바로 내 안에서 들려오는 목소리였다.

엄마.

우리는 함께 리나에게 말했다. 적을 묶어 놓고 간신히 마련한 이 짧은 순간에 우리는 무엇을 해야 하는지 말하지 않고, 리나가 해낼 수 있다고 말했다.

'스스로 운명을 정해.' 내가 말했다.

'스스로 운명을 정해.' 엄마가 말했다.

'난 나야.' 리나가 말했다. '난 나야.'

눈이 멀 것처럼 환한 빛이 갑자기 달에서 쏟아져 나왔다. 그 빛은 충격 음파처럼 벽의 바위들을 뒤흔들어 아래로 떨어지게 했다. 내 눈에 보이는 것은 달빛뿐이었다.

나는 리나의 두려움과 고통이 내게로 파도처럼 쏟아지는 것을 느낄 수 있었다. 지금까지 잃어버린 모든 사람들, 지금까지 저지른 모든 실수가 리나의 영혼에 낙인처럼 찍혀서 일종의 문신처럼 남아 있었다. 분노와 자포

자기, 마음의 고통과 눈물로 만들어진 문신이었다.

달빛이 동굴 안을 가득 채웠다. 눈이 멀 것처럼 밝고 순수한 빛이었다. 잠시 동안 나는 아무것도 볼 수 없고, 아무 소리도 들리지 않았다. 그러다가 나는 리나를 바라보았다. 눈물이 리나의 뺨을 타고 줄줄 흘러내렸다. 두 눈도 눈물이 고여 반짝거렸다. 리나의 눈은 이제 진정한 색깔을 띠고 있었다.

한쪽은 초록색, 다른 쪽은 황금색.

리나는 고개를 뒤로 젖혀 달을 똑바로 바라보았다. 리나의 몸이 비틀어지고, 발이 석판 위로 떠올랐다. 아래쪽에서는 싸움이 멈췄다. 말하는 사람도, 움직이는 사람도 없었다. 이 안에 있는 모든 주술사들과 악마들이 지금 무슨 일이 벌어지고 있는 건지 아는 것 같았다. 이제 자신들의 운명이 어떻게 될지 모른다는 사실을.

리나의 머리 위에서는 밝은 달빛이 진동하기 시작했다. 빛의 힘으로 결국은 동굴 전체가 빛의 구(球)처럼 변해 버렸다.

달은 계속 팽창했다. 그러더니 마치 꿈처럼 달이 두 쪽으로 갈라져 리나의 바로 머리 위에 있는 하늘을 둘로 나눴다. 리나의 뒤에서는 달빛이 거대하게 빛나는 나비 모양으로 변하는 것 같았다. 눈부시게 빛나는 두 개의 날개를 가진 나비. 한쪽 날개는 초록색이고, 다른 한쪽 날개는 황금색이었다.

우지끈 하는 소리가 동굴 전체에 울려 퍼지고, 리나가 비명을 질렀다.

빛이 사라졌다. 어둠의 불도 사라졌다. 제단도, 장작 더미도 없었다. 우리는 땅바닥 위에 있었다.

공기는 완벽하게 적막했다. 나는 모든 게 끝난 줄 알았지만, 아니었다.

번개가 허공을 가르며 둘로 갈라지더니 목표물들을 동시에 때렸다.

라킨.

그의 얼굴이 공포로 일그러지고, 몸이 발작을 일으켰다. 그러더니 얼굴이 검어지기 시작했다. 안에서부터 타고 있는 것 같았다. 검은 금들이 피부에 여기저기 나타나다가 결국 그는 먼지로 변해서 바람에 실려 동굴 바닥

위를 떠다녔다.

두 번째 번개는 반대편으로 가서 트윌라를 때렸다.

트윌라의 눈동자가 뒤로 돌아갔다. 그리고 몸이 바닥으로 쓰러졌다. 마치 영혼이 그 몸을 벗어나며 팽개쳐 버린 것 같았다. 하지만 트윌라는 먼지로 변하지 않았다. 생명을 잃고 바닥에 쓰러진 몸 위로 은은히 빛나는 트윌라가 일어나서 점점 희미해지다가 결국 투명해졌다.

그러고는 안개가 내려앉기 시작했다. 입자들이 재배치되면서 트윌라는 살아 있을 때와 조금 더 흡사한 모습이 되었다. 트윌라가 이생에 남겨 둔 일이 무엇이었는지는 몰라도, 이제 그 일은 완수되었다. 만약 트윌라가 이 세계에 다시 나타난다면, 그것은 스스로 선택했기 때문일 것이다. 트윌라는 이 세계에 묶여 있지 않았다. 자유였다. 그리고 아주 평화롭게 보였다. 마치 우리가 모르는 것을 알고 있는 사람처럼.

트윌라는 동굴 천장의 구멍을 지나 달을 향해 올라가다가 멈췄다. 허공에 떠 있는 트윌라를 보며 나는 순간적으로 뭐가 어떻게 된 건지 알 수 없었다.

'잘 있어라, 아가야.'

트윌라가 정말로 이 말을 한 건지, 아니면 내가 상상한 건지는 모르겠다. 어쨌든 트윌라는 은은히 빛나는 손을 뻗으며 미소를 지었다. 나도 하늘을 향해 손을 들어 올린 채 트윌라가 달빛 속으로 사라져가는 것을 지켜보았다.

별 하나가 주술사 세계의 하늘에 나타났다. 내 눈에 그 하늘은 겨우 1초 정도만 보였을 뿐이다. 남극성. 그 별이 마침내 하늘에서 제자리를 다시 찾았다.

리나가 결정을 내린 것이다.

리나가 스스로 운명을 결정했다.

그것이 무슨 의미인지는 잘 알 수 없었지만, 리나는 아직 내 옆에 있었다. 그러니 나는 리나를 잃어버린 것이 아니었다.

'스스로 운명을 결정해.'

엄마가 알면 대견해할 것 같았다.

어둠과 빛

✤ 6.21 ✤

리나는 꼿꼿하게 서 있었다. 달을 배경으로 리나의 모습이 검은 실루엣으로 드러났다. 리나는 울지 않았다. 비명을 지르지도 않았다. 리나의 발은 바닥에 단단히 닿아 있었다. 동굴을 둘로 거의 완전히 나누다시피 한 거대한 틈새의 양편에 각각 한 발씩.

"뭐가 어떻게 된 거예요?" 리브는 대답을 해 달라는 듯이 애마 아줌마와 어렐리아 할머니를 바라보았다.

나는 리나의 시선을 따라 한없이 펼쳐진 바위들 너머를 바라보았다. 리나가 침묵하는 이유를 알 것 같았다. 리나는 충격에 빠져서 친숙한 얼굴을 뚫어져라 바라보고 있었다.

"그동안 에이브러햄이 세상의 이치에 손을 댔던 것 같군." 메이컨은 달빛에 둘러싸인 채 동굴 입구에 서 있었다. 달빛은 다시 원래 모습으로 돌아가는 중이었다. 리와 베이드가 메이컨의 옆에 있었다. 메이컨이 언제부터 거기 서 있었는지는 알 수 없었지만, 표정을 보니 이곳에서 벌어진 일을 모두 보았음이 틀림없었다. 메이컨은 발이 바닥에 닿는 감각에 아직도 적응하려고 애쓰며 천천히 걸었다. 베이드는 메이컨과 보조를 맞췄고, 리는 한 손으로 메이컨의 팔을 잡고 있었다.

메이컨의 목소리를 들은 리나의 표정이 부드러워졌다. 그건 무덤에서 들려온 목소리였다. 리나의 생각이 내 머릿속에 들렸다. 거의 속삭이듯 작은 소리였다. 리나는 겁이 나서 차마 생각조차 할 수 없는 모양이었다.

'메이컨 삼촌?'

리나의 얼굴이 창백해졌다. 나는 묘지에서 엄마를 봤을 때의 기분이 떠올랐다.

"새라핀과 함께 아주 인상적인 재주를 부리셨더군요, 할아버지. 그건 인정해 드리겠습니다. 운명의 달을 일찍 불러내다니요. 정말이지 그렇게까지 하실 줄은 몰랐습니다." 메이컨의 목소리가 동굴에 메아리쳤다. 동굴 안에는 바람 한 점 없고 사방이 너무 적막해서 나지막한 파도 소리 외에는 아무 소리도 들리지 않았다. "물론 할아버지께서 오신다는 말을 듣고 저도 여기 나타날 수밖에 없었습니다." 메이컨은 말을 끊고 잠시 기다렸다. 마치 상대방의 대답을 기대하는 사람처럼. 하지만 아무 대답도 나오지 않자 메이컨은 쏘아붙이듯이 말했다. "에이브러햄! 당신이 이번 일에 개입했다는 걸 다 알고 있어."

동굴이 흔들리기 시작했다. 돌덩이들이 천장의 구멍에서 떨어져 바닥을 우수수 후려쳤다. 동굴 전체가 금방이라도 무너질 것 같았다. 머리 위의 하늘은 한층 더 어두워졌다. 초록색 눈의 메이컨, 빛의 주술사 메이컨(정말로 빛의 주술사가 된 건지는 아직 확신할 수 없지만)은 몽마였을 때보다 훨씬 더 강해진 것 같았다.

우렁찬 웃음소리가 바위벽에 부딪혀 메아리쳤다. 물기가 배인 동굴 바닥 저편, 그러니까 더 이상 달빛이 닿지 않는 곳의 어둠 속에서 에이브러햄이 모습을 드러냈다. 하얀 턱수염과 하얀 양복 덕분에 그는 흡혈 몽마 중에서도 가장 어두운 자가 아니라 착한 할아버지처럼 보였다. 헌팅이 그 옆을 지키고 있었다.

에이브러햄은 바닥에 누워 있는 새라핀 옆에 섰다. 새라핀은 두터운 서리로 뒤덮여 얼음 고치처럼 완전히 하얗게 변해 있었다.

"날 불렀느냐?" 노인은 다시 웃음을 터뜨렸다. 날카롭고 짧은 웃음이었다. "아, 젊은이들의 오만이란. 앞으로 백 년만 지나면 너도 네 주제를 알게 될 것이다, 손자야." 나는 둘 사이에 몇 세대가 있는 건지 머리로 계산해 보았다. 4세대, 아니 5세대일 수도 있었다.

"제 주제는 이미 잘 알고 있습니다, 할아버지. 불행하기도 하고 대단히 난감한 일이기도 합니다만, 아무래도 제가 당신에게 당신 주제를 알려 주는 역할을 하게 될 것 같군요."

에이브러햄은 생각에 잠긴 표정으로 턱수염을 말끔하게 다듬었다. "어린 메이컨 레이븐우드. 넌 언제나 길 잃은 아이였지. 이건 네가 저지른 짓이다. 내가 아냐. 피는 피야. 어둠이 어둠인 것처럼. 네가 어느 쪽에 충성을 바쳐야 하는지 명심했더라면 좋았을 것을." 에이브러햄은 잠시 말을 끊고 리를 바라보았다. "너도 그걸 명심했더라면 아주 잘 해냈을 거다, 아가야. 하긴 넌 주술사 손에 자랐으니…." 에이브러햄은 몸을 부르르 떨었다.

리의 얼굴에 분노가 나타나는 것이 보였다. 하지만 두려움도 있었다. 리는 흡혈 무리에 맞서 기꺼이 자신의 운명을 시험해 볼 생각이 있었지만, 에이브러햄에게 도전할 생각은 없었다.

에이브러햄이 헌팅을 바라보았다. "길 잃은 아이들 얘기가 나왔으니 말인데, 존은 어디 있느냐?"

"사라진 지 한참 됐습니다. 겁쟁이에요."

에이브러햄은 고개를 홱 돌려 헌팅을 바라보았다. "존은 비겁한 짓을 할 수 있는 아이가 아니다. 천성이 그래. 그리고 내게는 네 목숨보다 그 아이의 목숨이 더 중요하다. 그러니 가서 그 아이를 찾아보는 게 좋을 게야." 헌팅은 시선을 내리며 고개를 끄덕였다. 존 브리드가 에이브러햄에게 왜 저렇게 중요한 건지 궁금했다. 에이브러햄은 어느 누구에게도 특별히 마음을 주는 것 같지 않은데.

메이컨은 에이브러햄을 주의 깊게 살펴보았다. "그렇게 생각하다니 감동적이군요. 그 아이를 찾을 수 있기를 바랍니다. 자식을 잃는 게 얼마나 고통스러운 일인지 잘 아니까요."

동굴이 또 흔들리기 시작하면서 돌덩이들이 우리들의 발 주위에 떨어졌다. "너 존한테 무슨 짓을 한 거냐?" 분노한 에이브러햄은 이제 착한 노인이라기보다는 실제 모습인 악마에 더 가까웠다.

"내가 무슨 짓을 했느냐고요? 당신이 그 아이한테 무슨 짓을 한 거냐고 물어봐야 할 텐데요." 에이브러햄의 검은 눈이 가늘어졌지만, 메이컨은 빙긋 웃을 뿐이었다. "햇빛 속에서도 돌아다닐 수 있고 먹지 않아도 힘을 유지하는 몽마라… 그런 아이를 만들어 내려면 대단히 구체적인 조건을 갖춘 짝이 필요하겠죠. 그렇지 않습니까? 과학적으로 말해서, 일반인의 특징들이 필요해요. 그런데 그 존이라는 아이는 주술사의 능력도 가지고 있습니다. 설마 부모가 셋일 리는 없으니, 그렇다면 그 아이의 모친은…."

리가 헉 하고 숨을 삼켰다. "이보." 동굴 안의 모든 주술사들이 그 말에 화들짝 놀랐다. 놀라움은 잔물결처럼 번져나갔고, 공기에 새로운 종류의 냉기가 스며든 것 같았다. 애마 아줌마만이 태연한 표정이었다. 아줌마는 팔짱을 끼고 에이브러햄 레이븐우드에게서 눈을 떼지 않았다. 닭 한 마리를 앞에 두고 털을 뽑아 가죽을 벗기고 낡은 냄비에 넣어 끓일 계획을 짜고 있는 것 같은 표정이었다.

나는 리나가 전에 이보에 대해 뭐라고 했는지 기억해 내려고 애썼다. 이보는 인간의 형태를 그대로 흉내 낼 수 있는 능력을 지닌 변신술사였다. 그들은 새라핀처럼 일반인의 몸속에 그냥 들어가기만 하는 것이 아니었다. 비록 짧은 기간 동안이지만 실제로 일반인으로 변신할 수 있었다.

메이컨이 빙긋 웃었다. "바로 그거죠. 아이를 임신할 수 있을 만큼 오랜 시간 동안 인간의 형태를 취할 수 있는 주술사. 일반인과 주술사의 DNA

는 물론 몽마의 DNA까지 지닌 여자. 그동안 바쁘셨겠습니다, 할아버지. 남는 시간에 뚜쟁이 노릇까지 하시는 줄은 몰랐군요."

에이브러햄의 눈이 점점 더 검어졌다. "세상의 이치를 어지럽힌 건 바로 네놈이야. 처음에는 일반인에게 반해 버리더니, 그다음에는 그 여자를 보호하려고 네 일족에게 등을 돌렸어." 에이브러햄은 고개를 절레절레 저었다. 메이컨이 충동적인 아이에 지나지 않는다고 말하는 듯했다. "그 덕분에 우리가 지금 어떻게 됐지? 저 두케인 아이가 달을 쪼개 버렸다. 이게 무슨 의미인지 아느냐? 저 아이가 우리 모두에게 어떤 위협인지 알아?"

"제 조카의 미래는 당신이 관여할 바가 아닙니다. 당신도 과학적인 실험으로 만들어 낸 아이 때문에 바쁘신 것 같은데 말이죠. 하지만 궁금하긴 하군요. 당신이 그 아이한테 무슨 짓을 하고 있는 건지." 이 말을 하는 동안 메이컨의 초록색 눈이 반짝였다.

"누구 앞에서 함부로 그런 소릴 지껄이는 거야?" 헌팅이 한 걸음 앞으로 나섰지만 에이브러햄이 손을 들어 올리자 헌팅은 그 자리에 멈춰 섰다. "이미 한 번 널 죽였으니, 두 번도 죽일 것이다."

메이컨은 고개를 저었다. "그건 무슨 동요지, 헌팅? 앞으로도 할아버지의 앞잡이 노릇을 계속할 생각이라면, 말투에 좀 더 신경을 써야 할 거다." 메이컨은 한숨을 쉬었다. "이제 다리 사이에 꼬리를 말고 착한 개답게 주인을 따라 집으로 돌아가기나 해." 헌팅의 얼굴이 굳어졌다.

메이컨은 에이브러햄에게 시선을 돌렸다. "할아버지, 저야 실험 과정을 살펴보고 싶은 마음이 간절하지만, 할아버지께서 이만 자리를 뜰 때가 된 것 같습니다."

노인은 웃음을 터뜨렸다. 차가운 바람이 그의 주위를 빙빙 돌기 시작하면서 바위들 사이에서 휭휭 휘파람 소리를 냈다. "내가 무슨 사환 아이라도 되는 것처럼 네 멋대로 이래라저래라 할 수 있을 것 같으냐? 다시는 내 이름을 부를 수 없게 될 것이다, 메이컨 레이븐우드. 넌 비명을 지르며 내 이름을 외치고, 피를 흘리며 내 이름을 외칠 것이다." 바람이 점점 강해져서 끈 모양의 넥타이가 어색한 모습으로 그의 몸을 가로질렀다. "그리고 네가 죽을 때도 내 이름은 여전히 공포의 대상일 것이고, 네 이름은 잊힐 것이다."

메이컨은 두려운 기색이라고는 추호도 없이 에이브러햄의 눈을 똑바로 바라보았다. "수학에 재능이 있는 제 남동생이 분명히 밝혔듯이, 저는 이미 한 번 죽었습니다. 그러니까 뭔가 새로운 방법을 생각해 내야 할 텐데요, 할아버지. 이제 점점 지루해지는군요. 제가 배웅해 드리겠습니다."

메이컨이 손가락을 파닥거리자 에이브러햄의 등 뒤에서 어둠이 찢어지는 소리가 났다. 노인은 머뭇거리다가 미소를 지었다. "나도 이제 나이를 먹었나 보구나. 떠나기 전에 내 물건을 챙기는 걸 깜박할 뻔했다." 그가 손을 뻗자 바위의 갈라진 틈새들 중 한 곳에서 뭔가가 나타났다. 그 물체는 사라졌다가 에이브러햄의 손에 다시 나타났다. 그걸 본 순간 나는 숨을 죽였다.

《달의 책》.

그린브라이어의 들판에서 불에 타 재가 된 줄 알았는데, 《달의 책》은 존재 그 자체로 저주였다.

메이컨은 얼굴이 어두워지더니 한 손을 내밀었다. "그 책은 당신 것이 아닙니다, 할아버지." 에이브러햄의 손에서 책이 움찔거렸지만, 그를 둘러싼 어둠이 점점 깊어졌다. 노인은 어깨를 으쓱하며 미소를 지었다. 그리고 또 어둠이 찢어지는 소리가 동굴 안에 울려 퍼지며 그가 사라졌다. 책과 헌팅과 새라핀도 함께. 메아리가 잦아든 뒤, 살짝 밀려들어온 바닷물이 모래 위에 남은 새라핀의 자국마저 지워 버렸다.

허공이 찢어지는 소리에 리나가 달리기 시작했다. 에이브러햄이 사라졌을 때, 리나는 바위투성이 동굴 바닥을 가로질러 메이컨에게 절반쯤 가 있었다. 메이컨은 거친 동굴벽에 몸을 기댔고, 리나는 그 품에 몸을 던졌다. 메이컨이 금방이라도 쓰러질 것처럼 휘청거렸다.

"돌아가셨잖아요." 리나는 더럽고 찢어진 메이컨의 셔츠를 향해 말했다.

"죽지 않았다. 팔팔하게 살아 있어." 메이컨은 리나의 얼굴을 들어 올려 자신을 바라보게 했다. "자, 봐라. 이렇게 여기 있잖니."

"그 눈. 초록색이에요." 리나는 놀란 표정으로 메이컨의 얼굴을 만져 보았다.

"네 눈은 그렇지 않구나." 메이컨이 슬픈 표정으로 리나의 뺨을 만졌다. "그래도 아름답다. 초록색도 황금색도."

리나는 믿을 수 없다는 듯 고개를 흔들었다. "제가 삼촌을 죽였어요. 제가 그 책을 사용하는 바람에, 그 책이 삼촌을 죽였다고요."

메이컨은 리나의 머리를 쓰다듬었다. "내가 저승으로 넘어가기 전에 라일라 제인이 날 구했다. 그녀가 날 아크라이트 안에 가뒀고, 이선이 날 해방시켰지. 그 일은 네 잘못이 아니다, 리나. 일이 그렇게 될 줄은 너도 모르고 있었잖니." 리나가 흐느끼기 시작했다. 메이컨은 리나의 풍성하고 검은 곱슬머리를 쓰다듬으며 속삭였다. "쉬. 이제 괜찮다. 다 끝났어."

거짓말이었다. 메이컨의 눈을 보면 알 수 있었다. 비밀을 감춰 주던 검은 눈은 이제 없었다. 나는 에이브러햄의 말을 모두 이해하지는 못했지만, 그 말 속에 진실이 들어 있음은 알고 있었다. 리나가 스스로 결정을 내렸을 때 일어난 일이 무엇인지는 몰라도, 그것은 우리 문제를 해결해 줄 해법이 아니라 새로운 문제를 만들어 냈을 뿐이었다.

리나가 메이컨에게서 떨어졌다. "메이컨 삼촌, 일이 이렇게 될 줄은 몰랐어요. 조금 전까지만 해도 어둠과 빛에 대해 생각하고 있었어요. 제가 정말로 원하는 게 뭔지에 대해서요. 하지만 생각나는 거라고는 어디에도 제 자리가 없다는 것뿐이었어요. 지금까지 제가 겪은 일들을 생각해 보면, 저는 빛도 아니고 어둠도 아니에요. 둘 다예요."

"괜찮다, 리나." 메이컨이 리나를 향해 손을 내밀었지만, 리나는 그 손을 잡지 않았다.

"그렇지 않아요." 리나가 고개를 저었다. "제가 저지른 일을 보세요. 트월라 할머니랑 리들리가 사라졌어요. 그리고 라킨도…."

메이컨은 생전 처음으로 리나를 보는 것처럼 리나를 바라보았다. "넌 꼭 해야 하는 일을 한 거야. 스스로 결정을 내린 거다. 세상의 이치 속에서 네가 있을 자리를 고르지 않고, 이치를 바꿔 버렸어."

리나는 머뭇거리는 목소리로 물었다. "그게 무슨 뜻이에요?"

"너는 너 자신이라는 뜻이다. 장벽처럼 강력하고 독특하지. 장벽은 어둠도 빛도 없고 오로지 마법만 존재하는 곳이다. 하지만 장벽과 달리 너는 빛이자 어둠이야. 나처럼. 그리고 오늘 밤에 내 눈으로 본 것을 생각하면, 리들리도 마찬가지다."

"그럼 달은 어떻게 된 건데요?" 리나는 할머니를 바라보았지만, 바위 선반 위에서 입을 연 사람은 애마 아줌마였다.

"네가 쪼개 버렸다. 멜기세덱의 말이 옳아. 세상의 이치가 깨졌지. 이제 어떻게 될지 모르겠다." 애마 아줌마의 말투를 들어 보니, 세상의 이치가 깨진 건 바람직한 일이 아님이 분명했다.

"무슨 말인지 모르겠어요. 다들 여기 계시잖아요. 그런데 헌팅이랑 에이브러햄도 남아 있어요. 어떻게 그럴 수 있죠? 저주에 따르면…." 리나는 말을 끝맺지 못했다.

"넌 빛과 어둠을 둘 다 갖고 있어. 저주도 거기까지는 미처 생각을 못 했겠지. 우리도 마찬가지였고." 이 말을 하는 할머니의 목소리에 고통이 배어 있었다. 할머니는 뭔가를 숨기고 있었다. 할머니가 지금 말하는 것보다 상황이 훨씬 더 복잡한 것 같다는 느낌이 들었다. "난 그저 네가 무사해서 기쁠 뿐이다."

물이 철썩이는 소리가 동굴 안에 울려 퍼졌다. 내가 시선을 돌리자 마침 분홍색과 금색이 섞인 리들리의 머리카락이 모퉁이를 획 돌아서 나타났다. 리들리의 바로 뒤에는 링크가 있었다.

"아무래도 난 진짜 일반인이 된 모양이야." 리들리는 여느 때처럼 냉소적인 말투로 이렇게 말했지만, 안도한 표정이었다. "넌 항상 남들하고 달라야 속이 시원하지? 이제 또 가서 일을 망칠 수 있게 됐네, 사촌."

리나가 헉 하고 숨을 삼키는 소리가 들렸다. 잠시 동안 리나는 꼼짝도 하지 않았다.

리나가 감당하기에는 놀라운 일투성이였다. 자기가 메이컨을 죽였다고 믿었는데, 메이컨은 살아 있었다. 스스로 운명을 결정한 결과, 어둠과 빛을 모두 지닌 존재가 되었다. 그리고 잘은 몰라도, 리나가 달마저 쪼개 버렸다. 이제 조금만 있으면 리나가 완전히 무너져 버릴 것임을 나는 알고 있었다. 그 순간이 오면, 나는 리나 옆에 있다가 리나를 받아 안고 집으로 데려다 줄 것이다.

리나가 리들리와 메이컨을 붙들었다. 빛도 어둠도 아닌 자기만의 주술사 힘으로 두 사람의 목을 졸라 버리려는 것처럼 보일 정도였다. 리나는 지금 몹시 지쳤지만, 더 이상 혼자가 아니었다.

집으로 돌아가는 길

❧ 6.22 ❧

나는 더 이상 잘 수 없었다. 어젯밤 나는 리나의 방의 친숙한 소나무 바닥에 콰당 하고 쓰러졌다. 그러고는 우리 둘 다 옷을 입은 채로 기절해 버렸다. 24시간이 지난 뒤 다시 내 방의 내 침대에 누워 있자니 기분이 이상했다. 얼마 전까지만 해도 숲의 진흙탕 속에서 나무뿌리 사이에 누워 잠을 잤는데. 게다가 엄청난 일까지 봐 버렸다. 나는 일어나서 창문을 닫았다. 더운 날씨였지만 상관없었다. 저 밖에는 무서운 것이 너무 많고, 싸워야 할 것이 너무 많았다.

개틀린에 편안히 잠드는 사람이 하나라도 있다는 사실이 놀라울 지경이었다.

루실은 그런 고민이 전혀 없었다. 녀석은 구석에 더러운 옷가지를 쌓아서 푹신한 침대를 만들었다. 어디서든 자는 데는 문제가 없을 고양이였다.

하지만 나는 아니었다. 나는 몸을 뒤척였다. 편안한 침대에 편안히 익숙해지기가 쉽지 않았다.

'나도 그래.'

나는 빙긋 웃었다. 마룻널이 삐걱거리고, 내 방문이 열렸다. 리나가 문간에 서 있었다. 나의 색 바랜 실버서퍼 티셔츠를 입고서. 셔츠 밑으로 내 잠옷 반바지가 살짝 보였다. 젖은 머리카락은 아래로 드리워져 있었다. 내가 가장 좋아하는 모습이었다.

"이건 꿈이지?"

리나가 등 뒤로 손을 돌려 문을 닫았다. 황금색과 초록색 눈이 아주 살짝 반짝였다. "네 꿈 아니면 내 꿈?" 리나는 이불을 젖히고 내 옆으로 올라왔다. 레몬과 로즈마리와 비누 냄새가 났다. 우리 둘 다 먼 길을 돌아왔다. 리나는 내 턱 밑에 머리를 대고 내게 몸을 기댔다. 리나의 의문들과 두려움이 느껴졌다.

'왜 그래, L?'

리나는 내 품 안으로 더 깊이 파고들었다.

'날 용서해 줄 수 있겠어? 모든 게 예전으로 돌아갈 수 없다는 건 나도 알아…'

나는 리나를 감싼 양팔에 힘을 주었다. 리나를 영원히 잃어버릴 것 같은 느낌이 들었던 모든 순간들이 떠올랐다. 그 순간들이 나를 에워싸고 그 무게로 나를 부숴 버릴 것처럼 을러 대고 있었다. 나는 리나 없이는 도저히 버틸 수 없었다. 리나를 용서하는 건 생각할 필요도 없는 문제였다.

'예전과는 달라지겠지. 더 나아질 거야.'

'하지만 난 빛이 아냐, 이선. 뭔가 다른 거야. 나는… 복잡해.'

나는 이불 밑에서 손을 뻗어 리나의 손을 내 입술에 갖다 댔다. 그리고 아직도 검은 소용돌이 모양의 무늬가 남아 있는 손바닥에 입을 맞췄다. 마치 샤피로 그린 것 같았지만, 이 무늬는 결코 사라지지 않을 것이다.

"난 네 정체를 알아. 그리고 널 사랑해. 그 무엇도 내 마음을 바꿔 놓지 못해."

"다시 돌아갈 수 있으면 좋겠어. 그러면…"

나는 리나의 이마에 내 이마를 갖다 댔다. "그러지 마. 넌 너야. 넌 너 자신이 되기로 선택했어."

"무서워. 지금까지 줄곧 내 옆에는 항상 어둠과 빛이 있었어. 그런데 내가 어디에도 속하지 않게 됐다니 기분이 이상해." 리나는 몸을 돌려 똑바로 드러누웠다. "내가 아무것도 아니면 어쩌지?"

"그게 틀린 질문이라면 어쩌지?"

리나는 빙긋 웃었다. "그래? 그럼 맞는 질문은 뭔데?"

"넌 너야. 그럼 그것이 무슨 뜻인가? 넌 어떤 사람이 되고 싶은가? 그리고 어떻게 하면 네가 내게 키스하게 만들 수 있을까?"

리나는 양팔을 짚고 몸을 일으켜 내 얼굴 위로 몸을 기울였다. 리나의 머리카락이 나를 간질였다. 리나의 입술이 내 입술에 닿았다. 다시 그것이 느껴졌다. 우리 둘 사이를 흐르는 전류. 나는 그동안 이것이 그리웠다. 비록 이것이 내 입술을 태운다 해도.

하지만 뭔가가 빠져 있었다.

나는 몸을 돌려 협탁 서랍을 열었다. "아무래도 이건 네가 갖고 있어야 할 것 같아." 나는 목걸이를 리나의 손에 떨어뜨렸다. 리나의 추억들이 리나의 손가락 사이로 흘러넘쳤다. 리나가 종이 클립에 끼워 둔 은색 단추, 빨간색 끈, 급수탑에서 내가 준 작은 샤피.

리나는 놀라서 말문이 막힌 채 자신의 손을 빤히 바라보았다.

"내가 몇 가지를 더 넣었어." 나는 목걸이를 풀어 리나에게 은색 참새를 보여 주었다. 메이컨의 장례식에서 리나가 누군가에게 받은 물건. 하지만 지금 이 물건의 의미는 많이 달라져 있었다. "애마 아줌마가 그러는데, 참새는 아주 멀리까지 여행할 수 있고 언제나 집으로 돌아오는 길을 찾아낸대. 네가 그런 것처럼 말이야."

"그거야 네가 날 찾으러 와 줬으니까 그런 거지."

"나도 다른 사람들의 도움을 받았어. 그래서 이걸 너한테 주기로 한 거야."

나는 루실의 목걸이에 걸려 있던 이름표를 들어 올렸다. 우리가 리나를 찾아다닐 때 루실의 눈으로 리나를 지켜보는 동안 그 이름표는 내 주머니에 들어 있었다. 루실이 구석에서 차분한 표정으로 나를 바라보며 하품했다.

"이건 일반인이 주술사 동물과 연결될 수 있게 해 주는 도관 같은 거야. 메이컨 아저씨가 오늘 아침에 설명해 줬어."

"이걸 그동안 내내 갖고 있었던 거야?"

"응. 프루 할머니한테서 받은 뒤로. 네가 이 이름표를 갖고 있기만 하면 계속 이걸 이용할 수 있어."

"잠깐. 너희 할머니가 어떻게 주술사 고양이를 기르게 된 거야?"

"어렐리아 할머니가 루실을 프루 할머니한테 주셨대. 프루 할머니가 터널에서 길을 잃지 않게."

리나는 자신이 잃어버린 뒤로 여기저기 헝클어져서 매듭이 생겨 버린 목걸이를 풀기 시작했다. "네가 이걸 주웠다니, 세상에. 이걸 버릴 때는 이걸 다시 보게 될 줄 몰랐는데."

리나는 목걸이를 잃어버린 것이 아니었다. 스스로 벗은 거였다. 나는 리나에게 이유를 묻고 싶었지만 참았다. "당연히 내가 찾아냈지. 내가 너한테 준 모든 물건이 여기 매달려 있잖아."

리나는 손으로 목걸이를 쥐고 시선을 피했다. "전부 다 있는 건 아냐."

리나가 무엇을 말하는지는 나도 알고 있었다. 엄마의 반지. 리나는 그 반지도 벗어 버렸지만, 나는 그 반지를 찾아내지 못했다.

오늘 아침까지는 그랬다. 그런데 오늘 아침에 반지가 내 책상에 떡 하니 놓여 있었다. 옛날부터 항상 거기 있었던 것처럼. 나는 다시 서랍 속으로 손을 뻗어서 반지를 꺼낸 뒤 리나의 손을 펼치고 반지를 쥐어 주었다. 리나는 차가운 금속의 감촉을 느끼고 나를 올려다보았다.

'네가 찾은 거야?'

'아니. 엄마가 찾아낸 것 같아. 아까 일어났더니 내 책상에 있었어.'

'네 어머니는 날 미워하시지 않아?'

이건 주술사 소녀만이 물을 수 있는 질문이었다. 죽은 엄마의 유령이 자기를 용서했느냐고 묻다니. 나는 답을 알고 있었다. 엄마의 반지는 리나가 내게 빌려 준 파블로 네루다의 《질문의 책》에 끼워져 있었다. "호박(琥珀) 속에/ 사이렌의 눈물이 들어 있다는 것이 사실인가?"라는 구절 밑에.

엄마는 에밀리 디킨슨의 팬이었지만, 리나는 네루다를 사랑했다. 내가 지난 크리스마스 때 엄마가 가장 좋아하던 요리책에서 로즈마리 가지를 찾아낸 것과 비슷했다. 원래부터 정해진 운명이기라도 한 것처럼, 엄마의 물건과 리나의 물건이 함께 있었다는 점에서.

나는 리나의 질문에 대답하는 대신 목걸이를 리나의 목에 걸어 주었다. 그곳이 바로 이 목걸이가 있어야 할 자리였다. 리나는 목걸이를 만지며 초록색과 황금색 눈으로 내 갈색 눈을 물끄러미 바라보았다. 눈동자가 무슨 색깔이든, 리나는 여전히 내가 사랑하는 여자아이였다. 리나 두케인은 절대 한 가지 색으로 표현될 수 없었다. 빨간 스웨터와 파란 하늘, 회색 바람과 은색 참새, 귀 뒤에서 흘러내린 검은 곱슬머리가 모두 리나였다.

이렇게 리나와 함께 있으니, 정말로 집으로 돌아온 실감이 났다.

리나는 내게 몸을 기대며 내 입술에 살짝 스치듯이 키스를 했다. 하지만 이내 키스가 강렬해지면서, 내 등이 열기로 찌릿거렸다. 리나가 다시 내게로 돌아왔음을, 우리 둘의 몸이 어떻게 하면 아주 자연스럽게 꼭 들어맞는지 다시 찾아내고 있음을 느낄 수 있었다.

"좋았어. 이건 확실히 내 꿈이야." 나는 믿을 수 없을 만큼 풍성한 리나의 검은 머리카락을 손가락으로 빗어 내리며 빙긋 웃었다.

'글쎄, 정말 그럴까?'

리나는 손으로 내 가슴을 쓸었고, 나는 리나의 체취를 들이마셨다. 내 입술이 더듬더듬 리나의 어깨로 내려갔다. 나는 리나의 엉덩이뼈가 내 살 갗을 부드럽게 파고들 만큼 리나를 꼭 끌어안았다. 너무나 오랜만이었다.

내가 그동안 리나를 얼마나 그리워했는지…. 나는 양손으로 리나의 얼굴을 감싸고 더욱더 깊게 입을 맞췄다. 내 심장이 마구 날뛰기 시작했다. 이제 그만 멈추고 숨을 골라야 했다.

리나는 내 몸에 자신의 몸이 닿지 않도록 조심하면서 내 베개에 몸을 기대며 내 눈을 바라보았다.

'좀 어때? 혹시… 나 때문에 아직도 아픈 거야?'

'아니. 전보다 나아졌어.'

나는 벽을 바라보며 심장을 진정시키기 위해 소리 없이 숫자를 셌다.

'거짓말.'

나는 리나에게 팔을 둘렀지만, 리나는 나를 바라보려 하지 않았다.

'우린 절대 하나가 될 수 없을 거야, 이선.'

'지금 같이 있잖아.'

나는 손가락으로 리나의 양팔을 가볍게 쓰다듬었다. 내 손길에 소름이 오소소 돋는 것이 보였다.

'넌 열여섯 살이야. 난 2주 뒤면 열일곱 살이 될 거고. 우리한테는 아직 시간이 있어.'

'사실, 주술사 달력으로 따지면, 난 이미 열일곱 살이야. 달의 숫자를 세봐. 이젠 내가 너보다 나이가 많다고.'

리나가 살짝 웃었다. 나는 리나를 으스러져라 끌어안았다.

'열일곱 살이든 뭐든. 어쩌면 열여덟 살 때쯤에 방법을 찾아낼지도 몰라, L.'

L.

나는 침대에서 일어나 앉아 리나를 바라보았다.

'너 알지?'

'뭐?'

'네 진짜 이름. 이제 운명이 결정됐으니까, 알 거 아냐.'

리나는 슬며시 웃음을 띠고 고개를 한쪽으로 살짝 기울였다. 나는 리나를 끌어안았다. 내 얼굴이 리나의 얼굴 바로 위에 있었다.

'이름이 뭐야? 나한테 말해 줘야 하는 거 아냐?'

'아직도 못 알아냈단 말이야, 이선? 내 이름은 리나야. 우리가 처음 만났을 때도 나는 그 이름이었고, 앞으로도 내 이름은 그것뿐이야.'

리나는 자신의 이름을 알고 있었지만, 내게 말해 줄 생각이 없었다. 나는 이해했다. 리나는 또다시 스스로 운명을 결정하고 있었다. 자기가 어떤 사람이 될지 선택하고 있는 것이다. 우리가 함께 나눴던 것들로 우리를 다시 하나로 묶으면서. 나는 안도했다. 리나는 내게 언제까지나 리나일 테니까.

내가 꿈에서 처음 만난 여자아이.

나는 머리 위로 이불을 끌어당겼다. 내 꿈에 지금 이런 것과 비슷한 장면이 나온 적은 한 번도 없지만, 몇 분 만에 우리 둘 다 곤히 잠들었다.

새로운 피

✦ 6.22 ✦

이번에는 꿈을 꾸지 않았다. 나를 깨운 것은 루실이 씩씩거리는 소리였다. 나를 몸을 돌렸다. 리나가 내 옆에 웅크리고 있었다. 리나가 이 방에 안전하게 있다는 사실을 지금도 믿기가 힘들었다. 내가 그 무엇보다 강하게 원하던 일이 마침내 이루어지다니. 이런 경우가 얼마나 될까? 내 방 창문 밖에서 이지러지고 있는 달이 워낙 밝게 빛나서 나는 자고 있는 리나의 속눈썹이 뺨에 닿은 모습까지도 볼 수 있었다.

루실이 내 침대 발치에서 뛰어내렸다. 그러자 어둠 속에서 뭔가가 움직였다.

누군가의 실루엣이었다.

누군가가 내 방 창문 앞에 서 있었다. 그럴 사람은 한 명밖에 없었다. 사실은 사람이 아니지만. 나는 침대에서 벌떡 일어나 앉았다. 메이컨이 내 방에 서 있고, 리나는 내 침대에 누워 있었다. 아무리 힘이 약해졌다 해도, 메이컨이 날 죽여 버릴 것 같았다.

"이선?"

목소리를 듣는 순간 나는 알아차렸다. 상대가 소리를 죽이려고 애썼지만 소용없었다. 그 실루엣의 주인은 메이컨이 아니었다. 링크였다.

"한밤중에 내 방에서 뭣 하는 거야?" 나는 리나를 깨우지 않으려고 숨죽인 소리로 외쳤다.

"나 큰일 났어. 네가 좀 도와줘." 그러고 나서 링크는 내 옆에 웅크리고 누워 있는 리나를 알아보았다. "아, 이런. 몰랐어. 너희가… 알지?"

"자고 있는 거?"

"그래, 너희라도 잘 수 있다니 다행이다." 링크는 불안으로 가득차서 서성거렸다. 아무리 링크라도 이상했다. 깁스를 한 링크의 팔이 제멋대로 흔들렸다. 창문에서 들어오는 희미한 불빛밖에 없지만, 링크의 얼굴이 창백하고 땀투성이라는 걸 알아볼 수 있었다. 어디가 아픈 사람 같았다. 아니, 그보다 더했다.

"너 왜 그래? 여긴 어떻게 들어왔어?"

링크는 내 책상 옆의 낡은 의자에 앉았다가 다시 일어섰다. 링크의 티셔츠에는 핫도그 그림과 함께 '날 깨물어 줘'라는 말이 새겨져 있었다. 링크가 8학년 때부터 입던 셔츠였다. "내가 말해도 못 믿을 거야."

링크의 등 뒤로 창문이 열려 있었다. 산들바람이 내 방 안으로 이끌려 들어오고 있기라도 한 것처럼 커튼이 안쪽으로 휘날렸다. 아주 친숙한 불안감이 느껴지기 시작했다. "그래도 말해 봐."

"그 뱀파이어 자식이 헬나이트 때 날 붙잡았던 거 기억나?" 헬나이트란 열일곱 번째 달의 밤이었다. 링크에게 그날은 앞으로도 영원히 헬나이트일 것이다. 그리고 헬나이트는 열 살 때 링크가 보고서 혼이 달아날 만큼 겁에 질렸던 공포 영화의 제목이기도 했다.

"그래서?"

링크는 다시 서성거렸다. "그 녀석이 날 죽이려면 죽일 수도 있었어, 그치?"

어째 이 이야기를 계속 듣고 싶지 않았다. "그래도 안 죽였잖아. 그 녀석은 아마 죽었을걸. 라킨처럼." 존은 그날 밤 사라져 버렸지만, 사실 그가 어떻게 됐는지 아는 사람은 하나도 없었다.

"그래, 그 녀석은 죽었는지는 몰라도, 하여튼 이별 선물을 남기고 갔어. 두 개나." 링크가 내 침대 위로 몸을 기울였다. 나는 화들짝 놀라서 본능적으로 펄쩍 뒤로 물러나다가 리나에게 부딪혔다.

"무슨 일이야?" 리나가 잠기운에 낮고 갈라진 목소리로 물었다.

"야, 그러지 마." 링크는 내 뒤로 손을 뻗어 침대 옆의 불을 켰다. "네 눈엔 이게 뭘로 보이냐?"

희미한 불빛에 눈이 적응된 뒤, 링크의 창백한 목에 작게 찔린 상처 두 개가 눈에 들어왔다. 두 개의 송곳니가 남긴 자국임이 분명했다.

"그 녀석이 널 물었어?" 나는 펄쩍 뛰듯이 물러나며 리나를 끌고 침대에서 내려가 내 등 뒤에 감춘 채 벽으로 밀어붙였다.

"그럼 내 생각이 맞는 거야? 아, 진짜." 링크는 내 침대에 앉아 양손에 머리를 푹 숙였다. 비참한 표정이었다. "그럼 내가 이제 그 녀석들처럼 피를 빨게 되는 거야?" 링크는 리나를 빤히 바라보며 리나의 대답을 기다리고 있었다.

"엄밀히 말하면, 맞아. 십중팔구 이미 변화하고 있을 거야. 하지만 네가 흡혈 몽마가 된다는 뜻은 아냐. 맞서 싸울 수 있어. 메이컨 삼촌처럼. 그래서 피 대신 꿈과 추억을 먹이로 삼으면 돼." 리나는 나를 밀치고 앞으로 나섰다. "걱정 마, 이선. 링크가 우릴 공격하지는 않을 거야. 일반인들이 만드는 웃기는 공포 영화와는 달라. 그런 영화에 나오는 마녀들은 항상 검은 모자를 쓰더라."

"적어도 난 모자가 잘 어울리니 다행이야." 링크가 한숨을 내쉬었다. "검은색도 잘 어울려."

리나는 링크와 나란히 내 침대에 걸터앉았다. "앤 그래도 여전히 링크야."

"확실해?" 링크를 살펴보면 볼수록, 링크의 안색이 점점 나빠 보였다.

"응. 내가 이런 건 좀 알잖아." 링크는 완전히 풀이 죽어서 고개를 절레절레 젓고 있었다. 아무래도 리나가 다른 대답을 내놓기를 바란 모양이었다. "아, 진짜, 우리 엄마가 알면 난 쫓겨날 거야. 이제 비터에서 살아야 할지도 몰라."

"괜찮을 거야." 이건 거짓말이었지만, 달리 할 말이 없었다. 리나가 옳았다. 링크는 여전히 나의 단짝 친구였다. 링크가 지금 목에 두 개의 구멍이 뚫린 채 내 방에 앉아 있게 된 것도 나를 따라 터널로 들어간 탓이었다.

링크는 불안한 표정으로 제 머리를 쓸었다. "야, 우리 엄마는 침례교인이야. 내가 악마가 됐다는 걸 알아도 엄마가 날 집에서 살게 해 줄까? 엄마는 감리교인도 싫어하는데."

"어쩌면 네 어머니가 눈치채지 못할지도 몰라." 멍청한 소리인 줄은 알지만, 그래도 애는 써 봐야 했다.

"그래. 내가 살갗이 익어 버릴까 봐 낮에 밖에 안 나가도 엄마가 잘도 모르겠다." 링크는 살갗이 타서 벗겨지는 게 벌써 느껴지기라도 하는 것처럼 창백한 양팔을 문질러 댔다.

"꼭 그렇지는 않아." 리나가 뭔가 좋은 생각을 해낸 것 같았다. "존은 평범한 몽마가 아니었어. 혼혈이었다고. 에이브러햄이 존한테 무슨 짓을 한 건지 M 삼촌도 아직 잘 몰라."

메이컨이 장벽에서 에이브러햄과 언쟁을 벌이면서 혼혈에 대해 했던 말이 떠올랐다. 그게 벌써 전생의 일처럼 까마득했다. 게다가 나는 존 브리드를 생각하기 싫었다. 그 녀석의 손이 리나를 더듬던 모습을 도저히 잊을 수가 없었다.

하지만 리나는 내 생각을 눈치채지 못한 모양이었다.

"존의 어머니는 이보였어. 이보는 변신 능력이 있어. 거의 모든 생물로 변할 수 있다고. 심지어 일반인으로 변하는 것도 가능해. 그래서 존이 낮에 돌아다닐 수 있었던 거야. 다른 몽마들은 햇빛을 피해야 하는데 말이지."

"그래? 그럼 나는, 그러니까, 4분의 1만 흡혈귀인 거야?"

리나는 고개를 끄덕였다. "그럴걸. 뭐, 나도 잘은 모르지만 말이야."

링크는 고개를 절레절레 저었다. "그래서 나도 처음에는 확신이 없었어. 하루 종일 밖에 있었는데도 아무렇지 않았으니까. 그래서 괜찮은 줄 알았지."

"왜 그때 당장 말하지 않았어?" 이건 명청한 질문이었다. 자기가 악마로 변신하고 있다고 친구들에게 말하고 싶은 사람이 어디 있을까.

"그 녀석이 나를 문 걸 나도 몰랐어. 그냥 싸우다가 지쳤나 보다 했는데, 어째 기분이 이상해져서 살펴보니 이 상처가 있더라고."

"조심해. 우리도 존 브리드에 대해서는 잘 모르니까. 그 녀석이 혼혈이라니까, 너도 앞으로 무슨 능력이 생길지 아무도 몰라."

리나가 헛기침을 했다. "사실 난 존을 상당히 잘 알아." 링크와 나는 동시에 몸을 돌려 리나를 바라보았다. 리나는 불안한 표정으로 자신의 목걸이를 비틀었다. "아니, 뭐 그렇게 잘 아는 건 아니고. 그래도 내가 존이랑 같이 터널 안에 오래 있었잖아."

"그래서?" 나는 피가 솟구치는 기분이었다.

"존은 진짜 강해. 그리고 어딜 가든 여자들을 미치게 만드는, 이상한 힘을 갖고 있어."

"너 같은 여자들?" 이런 말이 튀어나오는 걸 나도 어쩔 수 없었다.

"시끄러워." 리나가 어깨로 나를 쿡 찔렀다.

"야, 벌써부터 기분이 좀 나아지는 것 같다." 링크가 살짝 웃음을 지었다.

리나는 머릿속으로 존의 특징들을 꼽아 보고 있었다. 나는 그 목록이 길지 않기만을 바랄 뿐이었다. "존은 내가 보고, 듣고, 냄새 맡을 수 없는 것들을 모두 보고, 듣고, 냄새 맡을 수 있었어."

링크가 깊이 숨을 들이쉬다가 기침을 했다. "야, 너 샤워 좀 해라."

"이제 초능력자가 됐으면서 고작 그런 소리밖에 못해?" 내가 링크를 밀자 링크도 나를 밀었다. 그 바람에 나는 침대에서 떨어져 바닥으로 날아가 버렸다.

"이게 무슨…?" 지금까지는 주로 내가 링크를 바닥으로 밀치는 편이었다.

링크는 제 손을 바라보며 만족스러운 표정으로 고개를 끄덕였다. "그렇지, 분노의 주먹. 내가 옛날부터 그랬잖아."

리나는 구석으로 물러나 있던 루실을 안아 들었다. "게다가 이제 넌 '이동'도 할 수 있을걸. 어디든 자기가 원하는 곳에 쓱 나타나는 것 말이야. 굳이 창문으로 들어올 필요 없어. 메이컨 삼촌은 그 편이 좀 더 점잖다고 하시지만."

"그냥 벽을 통과할 수도 있다고? 슈퍼히어로처럼?" 링크는 확실히 기분이 들뜬 표정이었다.

"아주 재미있을 거야. 하지만…." 리나는 깊이 숨을 들이쉬더니 아무렇지도 않은 표정을 지으려고 애썼다. "이제 음식을 먹을 수는 없을 거야. 만약 네가 헌팅보다는 메이컨 삼촌 쪽을 더 닮고 싶다면, 사람들의 꿈과 추억을 먹어서 몸을 유지해야 할 거야. 메이컨 삼촌은 그걸 '엿듣기'라고 해. 어쨌든 이젠 잠을 자지 않아도 되니까 시간이 아주 많아질 거야."

"음식을 못 먹는다고? 그럼 엄마한테 뭐라고 말해?"

리나는 어깨를 으쓱했다. "채식주의자가 됐다고 해."

"채식주의자? 미쳤냐? 그건 4분의 1짜리 악마가 되는 것보다 더 심한 일이야!" 링크는 서성거리는 것을 그만두었다. "저 소리 들었어?"

"무슨 소리?"

링크가 열린 창가로 가서 몸을 밖으로 내밀었다. "진짜야?" 집 옆쪽에서 몇 번 쿵쿵거리는 소리가 나더니 링크가 내 방 창문을 통해 리들리를 끌어올렸다. 나는 예의바르게 시선을 돌렸다. 리들리가 창턱을 넘어오는 동안 자세가 바뀔 때마다 속옷이 대부분 드러났기 때문이다. 그다지 우아한 등장이라고 할 수는 없었다.

리들리는 몸을 씻고 다시 사이렌 같은 모습으로 옷을 차려입고 있었다. 이제는 실제로 사이렌이 아닐 수도 있지만. 리들리는 치맛자락을 아래로 끌어내리고, 금발과 분홍색 줄무늬가 섞인 머리를 흔들어 흘러내리게 했다. "우선 확인 좀 하자. 여기서 파티가 벌어지고 있는데, 난 그 개랑 같이 감방에 있어야 하는 거야?"

리나는 한숨을 내쉬었다. "감방이라면 내 방 말이야?"

"이름이야 어떻든. 너희 셋이 한데 모여서 내 얘기를 하는 건 달갑지 않아. 안 그래도 난 지금 문제가 많다고. 메이컨 삼촌이랑 우리 엄마가 날 학교에 다시 보내기로 했어. 이젠 다른 사람들한테 내가 위험한 존재가 아니라면서." 리들리는 금방이라도 눈물을 쏟을 것 같은 표정이었다.

"그게 사실이잖아." 링크는 리들리를 위해 내 책상의 의자를 빼 주었다.

"난 엄청 위험해." 리들리는 링크를 무시하고 내 침대에 털썩 주저앉았다. "두고 봐." 링크가 히죽 웃었다. 리들리의 말이 증명되기를 링크가 바라고 있다는 것만은 분명히 알 수 있었다. "너희들이 학교라고 부르는 그 후진 쓰레기장에 내가 갈 줄 알고?"

"우린 언니 얘기 안 했어." 리나는 제 사촌 언니 옆에 나란히 앉았다.

링크는 다시 서성거리기 시작했다. "우린 내 얘기를 하고 있었어."

"네 얘기라니, 뭘?" 링크는 시선을 피했지만, 리들리는 뭔가를 알아차렸는지 순식간에 방을 가로질러 링크의 뺨을 움켜쥐었다.

"날 봐."

"왜?"

리들리가 시빌처럼 링크에게 다가들었다. "날 봐."

링크가 고개를 들리자, 땀에 젖은 창백한 피부가 내 방으로 새어 드는 흐릿한 달빛을 받아 드러났다. 뚫린 상처가 보였다.

리들리는 여전히 링크의 얼굴을 잡고 있었지만, 손이 떨렸다. 링크가 리들리의 손목에 제 손을 겹쳤다. "리드…."

"그 자식이 이런 거야?" 리들리의 눈이 가늘어졌다. 이제 그 눈은 황금색이 아니라 푸른색이고 리들리는 사람들을 꼬드겨서 절벽에서 뛰어내리게 할 수 있는 능력을 잃었지만, 누군가를 절벽에서 내던질 수 있는 능력은 아직 남아 있는 것 같았다. 리들리와 리나가 어렸을 때 학교에서 리들리가 리나를 지켜 주는 모습이 쉽게 머릿속에 그려졌다.

링크는 리들리의 손을 잡고 리들리를 끌어당겨 어깨에 한 팔을 둘렀다. "별일 아냐. 이제부터는 나도 가끔 숙제를 해 갈 수 있을지도 모르지. 이젠 굳이 잠을 자지 않아도 되니까." 링크가 싱긋 웃었지만, 리들리는 웃지 않았다.

"이건 웃을 일이 아냐. 존은 주술사 세계에서 에이브러햄을 빼면 아마 가장 강력한 몽마일 거야. 만약 에이브러햄이 존을 찾고 있는 게 사실이라면, 거기에는 분명히 이유가 있어." 리들리가 입술을 깨물며 창밖의 나무들을 빤히 바라보는 것이 보였다.

"넌 걱정이 너무 많아, 베이비."

리들리는 어깨를 흔들어서 링크의 팔을 떨쳐 냈다. "베이비라고 부르지 마."

나는 침대 머리판에 등을 기대고 둘을 지켜보았다. 이제 리들리는 일반인이고 링크는 몽마가 됐으니, 역시나 링크는 리들리를 손에 넣을 수 없을 것이다. 링크가 원하는 여자는 아마도 리들리뿐일 텐데. 우리의 고교 3학년이 아주 흥미로운 한 해가 될 것 같았다.

잭슨 고등학교에 다니는 몽마라.

이제 학교에서 가장 힘이 센 녀석이 된 링크는 리들리의 막대사탕이 지닌 힘을 빌리지 않아도 항상 서배너 스노를 미치게 만들 것이다. 그리고 전직 사이렌인 리들리는 막대사탕이 있든 없든 틀림없이 어떻게든 문제를 일으킬 것이다.

9월까지는 아직 두 달이 남았지만, 나는 평생 처음으로 학기 첫날이 빨리 왔으면 좋겠다는 생각을 했다.

그날 밤 잠을 이루지 못한 것은 링크뿐만이 아니었다.

해가 뜨다

≫ 6.28 ≪

"더 빨리 할 수 없어?"

링크와 나는 메이컨의 무덤 안에서 리들리를 노려보았다. 메이컨이 한 번도 들어 있었던 적이 없는 무덤. 나는 땅을 파느라 벌써 땀을 뚝뚝 흘리고 있었다. 아직 해가 뜨기 전인데도. 하지만 새로운 힘을 얻게 된 링크는 땀 한 방울 흘리지 않았다.

"안 돼. 그리고 우리가 너 대신 이 일을 해 주는 것에 대해 네가 너무나 감사하고 있다는 건 나도 알고 있어, 베이비." 링크가 리들리에게 삽을 흔들었다.

"뭐가 이렇게 오래 걸리는 거야?" 리들리는 지겹다는 표정으로 리나를 바라보았다. "일반인들은 왜 이렇게 땀을 많이 흘리고 지루한 거야?"

"이젠 너도 일반인이야. 그러니까 네가 말해 봐." 나는 삽으로 퍼 올린 흙을 리들리 쪽으로 던졌다.

"이런 일에 쓰는 주술 같은 거 없어?" 리들리는 리나 옆에 털썩 주저앉았다. 리나는 무덤 옆에 책상다리로 앉아서 몽마에 관한 낡은 책을 훑어보고 있었다.

"그건 그렇고, 도대체 어떻게 루나에 리브리에서 그 책을 가져온 거야?" 링크는 혼혈에 대해 리나가 뭔가 찾아내기를 바라고 있었다. "오늘은 은행이 쉬는 날도 아니잖아." 지난 1년 동안 우리는 루나에 리브리에서 이미 갖은 일들을 겪었다.

리들리가 링크를 쏘아보았다. 만약 리들리가 지금도 사이렌이라면, 그 눈길만으로도 링크를 무릎 꿇게 만들 수 있었을 것이다. "이선은 사서들한테 아주 인기가 좋거든, 이 천재야."

리들리가 이 말을 하자마자 리나가 들고 있던 책에 불이 붙었다. "어머, 안 돼!" 리나는 손에 불이 붙기 전에 책에서 홱 손을 뗐다. 리들리가 책을 발로 밟았다. 리나는 한숨을 내쉬었다. "미안해. 그냥 불이 붙었어."

"리들리가 말한 건 메리언 아줌마야." 나는 변명하듯이 말했다.

나는 리나의 시선을 피하며 부지런히 삽질을 했다. 리나와 나는 다시, 뭐랄까, 원래대로 돌아와 있었다. 리나의 손과 내 손, 리나의 얼굴과 내 얼굴이 가까이 있다는 생각이 한순간도 내 머리를 떠나지 않았다. 깨어 있는 동안 리나의 목소리가 내 머릿속에서 벗어나 있는 것을 나는 한순간도 참을 수 없었다. 오랫동안 그 목소리를 잃어버린 적이 있기 때문에. 리나는 내가 밤에 마지막으로 말을 나누는 사람이자, 아침에 가장 먼저 말을 건네는 사람이었다. 지금까지 겪은 일들을 생각해 보면, 할 수만 있다면 부와 자리를 바꾸고 싶은 생각도 들었다. 리나가 내 시야를 벗어나는 것이 그만큼 싫었다.

애마 아줌마도 심지어 식탁을 차릴 때 리나의 접시까지 놓기 시작했다. 레이븐우드에서는 델 이모가 아래층 소파 옆에 나를 위한 베개와 이불을 개켜 두었다. 통금 시간이니 규칙이니 하는 말을 하는 사람은 아무도 없었다. 둘이 너무 자주 만나는 것 아니냐고 말하는 사람도 없었다.

올여름의 일들이 이미 그런 단계를 넘어선 덕분이었다. 이미 일어난 일을 되돌릴 수는 없었다. 내가 리브를 만난 것도, 존과 에이브러햄이 등장한 것도. 트윌라와 라킨, 새라핀과 헌팅의 일도 마찬가지였다. 이 사람들은 내가 간단히 잊어버릴 수 있는 존재가 아니었다. 내 단짝 친구가 몽마로 변했고, 학교에서 두 번째로 섹시한 여자애가 발톱을 잃어버린 사이렌이라는 사실을 무시한다면, 학교에서 예전과 똑같이 지낼 수는 있을 것이다. 리 장군과 하퍼 교장 선생님, 서배너 스노와 에밀리 애셔, 이 사람들은 결코 변하지 않을 테니까.

하지만 리나와 나는 결코 예전과 똑같아질 수 없었다.

링크와 리들리는 엄청나게 초자연적인 변화를 겪었기 때문에 아예 우주가 달라진 거나 마찬가지였다.

리브는 도서관에 숨어서 한동안 책꽂이들 속에 안전하게 파묻혀 있는 것에 만족하고 있었다. 열일곱 번째 달의 밤 이후 내가 리브를 본 것은 딱 한 번뿐이었다. 리브는 이제 보관자가 되기 위해 준비하는 훈련생 신분이 아니었지만, 그 사실에 개의치 않는 것처럼 보였다.

"나는 옆에서 그 일들을 지켜보기만 하는 걸로는 결코 만족하지 못했을 거야. 너도 알잖아." 리브가 말했다. 나도 그 말이 맞다는 걸 알고 있었다. 리브는 갈릴레오 같은 천문학자이자, 바스코 다 가마 같은 탐험가이자, 메리언 아줌마 같은 학자였다. 어쩌면 미친 과학자까지 겸하고 있는 것 같기도 했다. 우리 엄마처럼.

아무래도 우리 모두 새 출발이 필요할 것 같았다.

게다가 리브는 새로운 스승을 옛날 스승 못지않게 좋아하고 있는 것 같았다. 이제 리브의 교육은 어떤 전직 몽마가 맡고 있었다. 그는 낮에는 사람들의 눈을 피해 주술사 터널 안에 있는 자신의 아지트이자 자신이 가장 좋아하는 장소인 서재나 레이븐우드에서 리브와 함께 시간을 보냈다. 그의 유일한 일반인 친구인, 주술사 도서관의 수석 사서도 함께였다.

여름이 이렇게 흘러가게 된 것은 예상 밖의 일이었지만, 어차피 개틀린에서는 무슨 일이 일어날지 결코 알 수 없는 법이다. 언제부턴가 나는 앞일을 예측하려는 노력을 그만두었다.

'생각은 그만하고 빨리 땅이나 파.'

나는 삽을 내려놓고 무덤 벽에 몸을 붙였다. 리나는 배를 깔고 엎드려서 무덤 안을 내려다보며 컨버스 운동화를 신은 발로 허공을 차고 있었다. 나는 리나의 목을 양손으로 감싸고 리나를 끌어당겨 키스했다. 묘지가 핑핑 도는 것 같은 느낌이 들 때까지.

"야, 야, 그만해라. 준비 끝났어." 링크가 삽에 몸을 기대며 뒤로 물러나 자신의 작품을 감상하듯 바라보았다. 메이컨의 무덤이 완전히 열려 있었다. 그래 봤자 무덤 안에 관이 있는 것도 아니었지만.

"그래?" 나는 이 일을 빨리 해치우고 싶었다. 리들리가 주머니에서 검은 비단으로 감싼 작은 꾸러미를 꺼내 앞으로 내밀었다.

링크는 마치 리들리가 자기 면전에 횃불을 들이밀기라도 한 것처럼 뒤로 물러났다. "조심해, 리드! 그걸 나한테 내밀면 어떻게 해? 몽마한테는 그게 크립토나이트라고, 알아?"

"미안, 슈퍼맨, 깜박했어." 리들리는 한 손으로 꾸러미를 조심스럽게 든 채 구멍 안으로 내려가 메이컨 레이븐우드의 빈 무덤 바닥에 내려놓았다. 엄마가 아크라이트로 메이컨을 구한 건 사실이지만, 우리가 보기에 이 물건은 여전히 위험했다. 이런 초자연적인 감옥에 내 단짝 친구가 갇히는 꼴은 보고 싶지 않았다. 아크라이트는 이렇게 깊은 땅속에 묻어 버려야 마땅한 물건이었다. 따라서 메이컨의 무덤은 우리가 생각해 낼 수 있는, 최고로 안전한 장소였다.

"이제 속이 시원하다." 링크가 리들리를 무덤 밖으로 끌어올리며 말했다. "이거 영화 맨 마지막에 착한 사람이 나쁜 놈을 물리칠 때 하는 말 맞지?"

나는 링크를 바라보았다. "책 좀 읽어라."

"흙이나 부어." 리들리가 손에서 흙을 털어 내며 말했다. "내 대사는 이 거야."

링크는 삽으로 계속 흙을 퍼서 꾸러미 위에 뿌렸다. 리들리는 한 번도 눈을 떼지 않고 그 모습을 지켜보았다.

"끝났다." 내가 말했다.

리나는 주머니에 손을 찔러 넣으며 고개를 끄덕였다. "그만 가자."

엄마의 무덤 앞에 있는 목련나무 위로 해가 떠오르기 시작했다. 이젠 엄마의 무덤을 보아도 아무렇지 않았다. 엄마가 거기에 없다는 걸 알기 때문이었다. 엄마는 어딘가 다른 곳에서, 아니 사방에서 지금도 나를 지켜보고 있었다. 메이컨의 비밀 방에서. 메리언 아줌마의 서고에서. 웨이츠랜딩에 있는 우리 집 서재에서.

"가자, L." 나는 리나의 팔을 잡고 끌었다. "어둠이라면 이젠 지긋지긋해. 해돋이나 보러 가자." 우리는 잔디로 뒤덮인 비탈길을 아이들처럼 뛰어 내려갔다. 무덤들과 목련나무들, 겨우살이로 뒤덮인 떡갈나무와 야자나무, 들쭉날쭉하게 늘어선 무덤 표지석들과 눈물짓는 천사상들과 낡은 돌 벤치가 우리 옆을 지나갔다. 이른 아침의 차가운 공기 때문에 리나가 떨고 있는 것이 느껴졌지만, 우리 둘 다 멈춰 설 생각은 없었다. 비탈길을 다 내려왔을 때, 우리는 쓰러지기 직전이었다. 아니, 하늘을 날 것 같았다. 행복한 기분인 것 같기도 했다.

우리는 메이컨의 무덤에 우리가 삽으로 퍼 넣은 흙 속의 작은 틈새들을 뚫고 으스스한 황금색 빛이 쏟아져 나오는 것을 보지 못했다.

그리고 나는 주머니 속의 아이팟도 확인해 보지 못했다. 어쩌면 재생 목록에 새 노래가 있는 걸 알게 됐을지도 모르는데.

〈열여덟 개의 달〉.

하지만 그 노래가 있든 없든 중요하지 않았기 때문에 나는 확인하지 않았다. 그 노래를 듣는 사람은 아무도 없었다. 우리를 지켜보는 사람도 없었다. 세상에는 오로지 우리 둘만이 존재했다…

우리 둘, 그리고 하얀 양복에 끈 모양 타이를 맨 노인만이. 그는 해가 뜨기 시작해서 그림자들이 어둠 속으로 물러날 때까지 비탈길 꼭대기에 서 있었다.

우리는 그를 보지 못했다. 우리가 본 것은 밤이 점점 뒤로 물러나면서 파란 하늘이 떠오르는 광경뿐이었다. 내 방 천장에 그려진 파란 하늘이 아니라 진짜 파란 하늘. 하지만 우리 모두 각자 다른 눈으로 이 하늘을 바라보고 있었는지도 모른다. 어떤 우주에 살고 있든, 모든 사람이 같은 눈으로 하늘을 바라본다고 확신할 수는 없을 것 같다는 생각이 이제야 들기 시작했다.

그렇지 않은가?

노인은 서 있던 자리를 떠났다.

우리는 그가 공간을 찢고 마지막의 마지막으로 남은 밤 속으로, 여명 직전의 어둠 속으로 들어갈 때 시간과 공간이 재배열되는 친숙한 소리를 듣지 못했다.

> 열여덟 개의 달, 열여덟 개의 구(球),
> 세월 너머의 세상에서,
> 선택되지 못한 자, 죽음 또는 탄생,
> 깨어진 날이 지구를 기다린다….

사이렌의 눈물

❋ 그리고 그후 ❋

리들리는 레이븐우드에 있는 자신의 방에 서 있었다. 전에 메이컨이 쓰던 방이었다. 하지만 방의 모습은 완전히 달랐다. 예전과 똑같은 것이라고는 네 개의 벽과 천장, 바닥뿐이었다. 패널을 붙인 문도 어쩌면 똑같은 것 같기도 했다.

리들리는 무겁게 찰칵하는 소리를 내며 문을 닫고 걸어 잠갔다. 그리고 문에 등을 기댄 채 자신의 방을 바라보았다. 메이컨은 레이븐우드의 다른 방을 쓰기로 했지만, 사실은 터널 안의 서재에서 보내는 시간이 많았다. 그래서 이 방은 이제 리들리의 것이 되었고, 리들리는 터널로 통하는 뚜껑문을 단단히 잠근 뒤 두툼한 분홍색 카펫으로 덮어 두었다.

벽에는 스프레이 페인트로 그린 낙서가 가득했다. 검은색과 네온핑크가 주를 이루고, 간간이 강렬한 초록색, 노란색, 오렌지색이 섞여 있었다. 단어들을 적은 것이라기보다는 여러 도형들, 사선들, 감정의 표현에 더 가까웠다. 서머빌의 월마트에서 산 싸구려 스프레이 페인트 통으로 자신의 분노를 터뜨린 것이다. 리나가 대신 낙서를 그려 주겠다고 했지만, 리들리는 자신이 직접 일반인 스타일로 하겠다고 고집을 피웠다. 페인트의 고약한 냄새에 머리가 아파 왔고, 사방에 페인트가 튀어 온 방 안이 난장판이 되었다. 그것이 바로 리들리가 원하던 것이었다. 지금 리들리의 기분이 딱 그런 꼴이었다.

리들리는 모든 것을 난장판으로 만들었다.

단어는 하나도 없었다. 리들리는 말을 싫어했다. 거짓말이 대부분이었으니까. 리나의 방에 2주 동안 갇혀 있었던 덕에, 리들리는 앞으로 평생 시를 싫어할 것 같았다.

내두근거리는심장이피를흘리며널원해….

뭐라는 건지.

리들리는 부르르 몸을 떨었다. 이 집안에 취향을 결정짓는 유전자는 없었다. 리들리는 문에서 몸을 떼고 옷장으로 걸어갔다. 살짝 손을 대자 하얀 나무 문이 열리면서 평생 공들여 모은 옷가지들이 드러났다. 사이렌의 상징 같은 옷들.

하지만 이제 자신은 사이렌이 아니라고 리들리는 자신을 일깨웠다.

리들리는 분홍색 받침대를 끌고 와서 그 위에 올라섰다. 분홍 줄무늬의 니삭스 위에 신은 분홍색 통굽 구두가 앞뒤로 미끄러졌다. 오늘은 개틀린에서 흔히 볼 수 없는, 일본 하라주쿠식 옷차림이었다. 데-리키에서 사람들이 자신을 바라보던 눈빛은 가치를 매길 수 없을 정도였다. 적어도 그 덕분에 오후를 보낼 수는 있었다.

'겨우 하루야. 이런 날을 얼마나 많이 겪어야 하는 거지?'

리들리는 옷장의 선반을 더듬어 파리에서 온 신발 상자를 찾아냈다. 그리고 빙긋 웃으며 그것을 아래로 내렸다. 기억이 맞다면 자주색 벨벳으로 만든, 10센티미터짜리 앞트임 구두가 그 안에 있을 터였다. 물론 기억이 틀릴 리는 없었다. 그 구두를 신고 기가 막히게 즐거운 시간을 보낸 적이 조금 있었으니까.

리들리는 흑백의 침대보 위에 상자 안의 내용물을 쏟았다. 그래, 거기 있었다. 아직도 흙이 묻어 있는 비단에 반쯤 감싸인 그 물건이.

리들리는 침대 옆의 바닥에 늘어지듯 주저앉아 침대 가장자리에 양팔을 올렸다. 리들리는 바보가 아니었다. 그냥 한 번 보고 싶을 뿐이었다. 지난 2주 동안 매일 밤 그랬던 것처럼. 이 마법의 힘을 느껴 보고 싶었다. 자신이 다시는 가질 수 없는 힘을.

리들리는 나쁜 아이가 아니었다. 딱히 그렇다고 할 수 없었다. 게다가 설사 나쁜 아이라고 해도 그게 뭐 어떻단 말인가? 그건 리들리 자신이 어쩔 수 없는 문제였다. 리들리는 지금까지 작년에 쓰다 만 마스카라 통처럼 이리저리 채이며 살았다.

휴대전화가 울렸다. 리들리는 협탁에 있던 휴대전화를 들었다. 링크의 사진이 화면에 떴다. 리들리는 전화를 끊어 버리고 한없이 펼쳐진 분홍색 털 카펫 위로 전화기를 던져 버렸다.

'지금은 싫어, 작은 고추.'

리들리는 지금 다른 몽마를 생각하고 있었다.

존 브리드.

리들리는 다시 아까와 같은 자세로 앉아 고개를 한쪽으로 살짝 기울이고, 그 둥근 물체가 섬세한 분홍색으로 빛나기 시작하는 것을 지켜보았다.

"널 어떻게 해야 할까?"

리들리는 빙긋 웃었다. 이번만은 결정을 내리는 것이 자신이었기 때문에. 자신이 아직 결정을 내리지 않았기 때문에.

'셋.'

빛이 점점 밝아져서 온 방이 장밋빛으로 물들었다. 거의 모든 것들이 손으로 문질러서 일부만 희미하게 만든 연필 선처럼 사라졌다.

'둘.'

리들리는 눈을 감았다. 어린 소녀가 생일 케이크의 촛불을 끄며 소원을 빌 때처럼….

'하나.'

리들리는 눈을 떴다.

결정은 내려졌다.

· · ·끝

감
사
의
말

책을 쓰는 것은 힘든 일이다. 그런데 알고 보니, 두 번째 책을 쓰는 건 두 배로 힘든 일이었다. 우리가 열일곱 번째 달의 수많은 단계를 통과할 수 있게 해 준 사람들의 이름을 적었다.

우리의 사랑하는 대리인들인 새라 버니스와 코트니 게이트우드, 두 사람을 도와준 레베카 가드너와 저넷 사. 우리 대리인들은 개틀린 카운티를 피칸 닭튀김조차 한 번도 보지 못한 낯설고 멀고 먼 곳들로 계속 몰고 가고 있다. 그리고 CAA의 샐리 윌콕스는 튀김 음식이라면 아무도 손대려 하지 않는 마을로 개틀린 카운티를 데려다 주었다.

리틀, 브라운 출판사에서 젊은 독자들을 담당하고 있는 뛰어난 팀. 편집을 맡은 제니퍼 베일리 헌트와 줄리 샤이나, 미술 담당인 데이비드 캐플런, 마케팅 구루인 리사 이코위츠, 도서관의 여왕인 빅토리아 스테이플턴, 홍보 구루인 멜라니 챙, 그리고 홍보 담당인 제시카 카우프먼. 이들은 모두 애마의 낱말 맞추기 실력만큼이나 실력이 뛰어난 사람들이다.

우리의 놀라운 해외 출판사들과 편집자들. 특히 어맨다 펀터, 세실 테루안, 수잔 스타크, 미리엄 갤러즈, 그리고 우리가 아직 만나지 못한 많은 사람들. 그들은 우리를 자신들의 집과 나라로 두 팔 벌려 받아들였다. 우리의 스페인 팬 1호인 작가 하비에르 루에스카스는 스페인에서 우리 책을 열심히 선전해 주었을 뿐만 아니라 소문까지 퍼뜨려 주었다.

우리가 가장 좋아하는 독자인 대프니 더럼은 우리는 물론이고 이선과 리나까지도 잡아 주었다. 이 세상에 우리 기분을 표현할 수 있을 만큼 훌륭한 캐서롤은 없다. 그 위에 콘플레이크나 작은 양파튀김이나 으깬 감자칩을 올려도 마찬가지다.

아직 10대지만 고전문학에 정통한 에마 피터슨은 당일치기 시험공부를 하면서도 라틴어 주문을 번역해 주었다. 아직 10대지만 무섭기 짝이 없는 편집자인 메이 피터슨은 앞으로도 틀림없이 수많은 작가들에게 공포를 안겨 줄 것이다.

우리의 보스인 사진작가 알렉스 회너. 그가 찍은 사진 속의 우리는 우리와 전혀 닮지 않았기 때문에 무척 마음에 든다. 아름다운 홍보 영상과 놀라운 사진들을 만들어 주고 미국 팬사이트의 공동 관리를 맡고 있는 배니아 스토야노바. 우리의 초고를 백 번이나 읽어 주고, 우리의 홍보 여행을 블로그에 올려 주고, 미국 팬사이트의 공동 관리를 맡고 있는 이베트 바스케스. 프랑스, 스페인, 브라질에 있는 국제 팬사이트를 만들어 준 사람들. 장서표와 초대장을 디자인해 주고, 웹사이트를 구축해 주고, 전 세계 독자들에게 남부의 풍광을 생생히 전달해 준 사진들을 찍은 애슐리 스톨. 《뷰티풀 크리처스》 사이트 2.0을 구축해 준 애나 무어. 우리의 홍보 여행과 작품 홍보를 위해 훌륭한 온라인 게임들을 만들어 준 작가 게이브리얼 폴.

우리의 주술사 아가씨들인 12, 13, 14, 15, 16, 17, 18, 25. 너희는 지금도 앞으로도 주술사 크로니클의 핵심이야.

우리의 YA 글쓰기 멘토들, WP 필자들, 책을 열심히 홍보해 준 사람들, 홍보 영상 제작자들, 팬사이트 디자이너들, 우리와 같은 신인 작가들, 블로거들, 닝/굿리즈 친구들, 그리고 우리의 트위트하츠. 개틀린의 우체국장인 칼튼 이튼처럼 우리도 당신들에게서 가장 먼저 모든 뉴스를 듣는답니다. 좋은 소식이든 나쁜 소식이든 그 편이 나아요. 당신들이 얼마나 재미있는 사람인지 아무도 모를 겁니다.

우리 가족들.

알렉스, 닉, 스텔라 가르시아, 루이스, 에마, 메이, 케이트 피터슨, 그리고 우리 둘 각자의 엄마, 아버지, 형제자매, 조카들, 올케들, 파티를 열어 준 사촌들, 친구들. 메리 이모에서부터 사촌 제인까지 모두들 필요할 때 항상 우리 옆에 있어 주었다. 스톨, 라카, 매린, 가르시아, 피터슨 집안의 사람들. 지금쯤이면 모두들 우리를 미워해도 무리가 아닌데, 그렇지 않은 것이 묘하다.

더비 린디와 수잰 라카와 존 라카는 우리가 남부로 조사를 갈 때마다 우리를 재워 주었다. 빌 영과 데이비드 골리아는 빛나는 갑옷을 걸친 우리의 기사가 되어 주었다. 인디아와 나탈리아의 아빠는 우리를 도와주었다. 원래는 우리가 그를 도와야 했는데. 손드라 미첼은 언제나 그렇듯이 모든 것이 다 고맙다.

우리 독자들, 선생님들, 사서들, 주술사들과 따돌림 당하는 사람들이 《뷰티풀 크리처스》를 인정하고 사랑해 준 덕분에 우리는 터널 속으로 또 여행을 떠날 수 있었다. 그들이 없다면, 이 책은 그저 단어의 나열에 지나지 않는다.

우리의 멘토인 멜리사 마와 심리 치료사인 홀리 블랙. 두 사람은 이유를 알 것이다. 우리의 보관자인 새라 린드하임 박사는 우리의 주문을 우리보다 더 잘 알고 있다.

그리고 마지막으로 노스캐롤라이나 주 윌밍턴의 뉴 하노버 카운티 도서관 사서이자 청소년 부장인 마거릿 마일스. 메리언 애시크로프트만 주술사 사서인 것은 아니다.

캐미 가르시아 · 마거릿 스톨 Kami Garcia & Margaret Stohl

뷰티풀다크니스

1판 1쇄 인쇄 2012년 5월 24일
1판 1쇄 발행 2012년 5월 31일

지은이 캐미 가르시아 · 마거릿 스톨
옮긴이 김승욱

발행인 양원석
총편집인 이헌상
책임편집 김지아
전산편집 김미선
해외저작권 정주이
제작 문태일, 김수진
영업마케팅 김경만, 임충진, 곽희은, 주상우, 장현기,
            이수민, 김혜연, 권민혁, 임우열, 송기현, 우지연

펴낸 곳 ㈜알에이치코리아
주소 서울시 금천구 가산동 345-90 한라시그마밸리 20층
편집문의 02-6443-8846 **구입문의** 02-6443-8838
홈페이지 www.randombooks.co.kr
등록 2004년 1월 15일 제2-3726호

ISBN 978-89-255-4696-4 03840

chapelhillpubliclibrary.org